ЛЬЮИС КЭРРОЛЛ
◆
КЕННЕТ ГРЭМ
＊
РЕДЬЯРД КИПЛИНГ
＊

LEWIS CARROLL
ALICE'S ADVENTURES
IN
WONDERLAND

♦♦♦

THROUGH
THE LOOKING-GLASS
AND
WHAT ALICE FOUND
THERE

👑👑👑

KENNET GRAHAM
THE WIND
IN
THE WILLOWS

✳✳✳

RUDYARD KIPLING
THE JUNGLE
BOOK

✳✳✳

ЛЬЮИС КЭРРОЛЛ
АЛИСА В СТРАНЕ ЧУДЕС

АЛИСА В ЗАЗЕРКАЛЬЕ

КЕННЕТ ГРЭМ
ВЕТЕР В ИВАХ

РЕДЬЯРД КИПЛИНГ
МАУГЛИ

МОСКВА. ИЗДАТЕЛЬСТВО «ПРАВДА» 1991

84.4 Вл
К 98

Переводы с английского

Вступительная статья
И. ТОКМАКОВОЙ

Иллюстрации и оформление
Н. ЯЩУКА

Кэрролл Л., Грэм К., Киплинг Р.

К 98 Алиса в Стране Чудес. Алиса в Зазеркалье. Ветер в ивах. Маугли: Пер. с англ. / Вступ. ст. И. Токмаковой; Ил. Н. Ящука.— М.: Правда, 1991.— 544 с., ил.

ISBN 5—253—00258—8

В сборник сказочных повестей вошли произведения классиков английской литературы: Л. Кэрролла, К. Грэма и Р. Киплинга.

В сказках Л. Кэрролла «Алиса в Стране Чудес» и «Алиса в Зазеркалье» с тонким юмором описываются приключения маленькой девочки Алисы в мире говорящих животных и оживших вещей.

Герои повести К. Грэма «Ветер в ивах» — обитатели тихой речной заводи, наделенные человеческими характерами. Грэм рисует идиллический мир, где царит безмятежная дружба. Драгоценный дар юмора писателя несет радость и учит смехом побеждать большие и малые неприятности жизни.

Сказка Р. Киплинга «Маугли» рассказывает о жизни человеческого детеныша среди зверей. Изучив законы Джунглей, сметливый и ловкий Маугли выходит невредимым из тысячи опасностей при помощи своих верных друзей и покровителей.

К 4703000000—2352
———————————— 2352—91   84. 4 Вл
080(02)—91

ISBN 5—253—00258—8

© Издательство «Правда», 1991.
Составление. Вступительная статья.
Иллюстрации.

В СТРАНЕ
РАССКАЗАННЫХ СКАЗОК

Поздравляю тебя, дорогой читатель! Ты настоящий счастливчик, потому что перед тобой удивительная книжка — сразу три шедевра мировой детской литературы. Это произведения, исключительные по своим достоинствам, выдающиеся, бессмертные. И каждый получит огромное наслаждение, прочитав их. Если ты знакомишься с ними в первый раз, то я просто тебе завидую. Потому что тебе, как первопроходцу, предстоит открыть удивительные сказочные миры.

«Алиса в Стране Чудес» и «Алиса в Зазеркалье», «Ветер в ивах» и «Маугли» написаны разными писателями, в разное время. Что же позволило объединить их в один сборник? Уживутся ли они под одной крышей?

Конечно!

Во-первых, потому, что все три произведения в оригинале написаны на английском языке. И еще потому... Дай подумать... Ну, конечно. Мне сейчас вспомнилось правило из школьного учебника математики: «Если две величины порознь равны третьей, то они равны между собой». Кажется, так оно звучало. Или приблизительно так. Я уже очень-очень давно не учусь в школе... Ну, а если так, то закончим свою формулу: каждая из этих литературных сказок равна исключительному литературному таланту, а значит, и между собой они равны, и могут стоять в одном ряду, и могут ужиться под одной обложкой!

Уж не потому ли возникли у меня математические ассоциации, что создатель «Алисы в Стране Чудес» и «Алисы в Зазеркалье» Льюис Кэрролл (литературное имя Чарлза Латуиджа Доджсона) был ученым-математиком, профессором Оксфордского университета?

В Оксфорде Кэрролл окончил колледж Христовой церкви сразу по двум факультетам — математике и классическим языкам. Посвятив себя математике, он создал капитальные труды в области этой науки: «Конспекты по плоской алгебраической геометрии», «Формулы плоской тригонометрии» и многие другие.

Еще Кэрролл страстно любил театр, увлекался фотографией. В юности много рисовал и мечтал стать художником. Как вспоминают современники, человеком он был застенчивым и робким. И всю жизнь страдал от заикания. Только с детьми он чувствовал себя хорошо. Кэрролл любил долгие прогулки с детворой, выдумывал забавные игры, приглашая к себе гостей. В таком обществе он становился непринужденным и раскованным, а ведя со своими маленькими друзьями веселые беседы, даже переставал заикаться.

«Алиса в Стране Чудес» — беспредельная по своей глубине и смыслу, одна из тех удивительных детских книг, скажем прямо, очень редких, которую взрослые «присвоили» себе. Они вчитываются в нее, открывая для себя все новые и новые пласты. Ее изучают и комментируют физики и математики, психологи и языковеды. Из литературоведческих работ, посвященных творчеству Кэрролла, можно составить целую библиотеку.

Эта «неисчерпаемая» сказка родилась из любви к детям и для детей. Известен даже день ее рождения: 4 июля 1862 года. Во время лодочной прогулки Кэрролл (тогда еще только Доджсон) начал рассказывать маленьким друзьям, дочерям своего коллеги, ректора колледжа, трем сестрам Лидделл, сказку про Алису. Так звали среднюю из сестер, его любимицу. Сам он вспоминает об этом так: «Я хорошо помню, как в отчаянной попытке придумать что-то новое я для начала отправил свою героиню вниз по кроличьей норе, совершенно не заботясь о том, что с ней будет дальше». А потом во время прогулок и встреч Кэрролл рассказывал девочкам о том, что в дальнейшем происходило с Алисой.

Сначала книжка была просто рукописной, и Кэрролл подарил ее своей любимице — Алисе. А в 1865 году она вышла из печати и началась ее долгая жизнь в Англии и во многих других странах.

Льюис Кэрролл, а вслед за ним и читатель, любит свою героиню — маленькую Алису, воспитанную, рассудительную, очень добрую девочку, имеющую чувство собственного достоинства.

Как спохватывается Алиса, когда ей кажется, что она ненароком обидела Мышь, как жалеет малыша в доме Герцогини и готова даже взять его к себе, да вот только он неожиданно превращается в поросенка! Как ласково разговаривает она со странным Чеширским котом!

Может быть, образ девочки, веселой и доброй выдумщицы, и сделал популярной и любимой в разных странах такую насквозь английскую сказку.

Переводить «Алису в Стране Чудес» необычайно трудно именно из-за ее невероятной «английскости».

И для того чтобы в ней все было понятно, надо так много объяснять!

Вот, например, Гусеница предлагает Алисе почитать стихотворение «Дядя Вильям». И Алиса читает:

«Дядя Вильям, — спросил удивленный малыш, —
Отчего ты стоишь вверх ногами?
Отчего ты друзьям и знакомым велишь
Называть рукава сапогами?»

Для русского читателя это будет просто забавное стихотворение, веселая чепуха. А англичанин увидит в нем гораздо больше, а именно — пародию, передразнивание известного английского поэта Роберта Саути (1774—1843):

«Папа Вильям, — сказал любознательный сын, —
Голова твоя вся поседела,
Но здоров ты и крепок, дожив до седин,
Как ты думаешь, в чем же тут дело?..»

Или вот глава «Не все дома, но все пьют чай». Для нас она просто веселая, смешная, где можно позабавиться дурацким поведением Шляпника или Мартовского Зайца. Но не зная английского языка, мы и не подумаем о том, что в нем есть выражения: «Сумасшедший, как шляпник» или «Сумасшедший, как мартовский заяц». А почему, собственно? С зайцем проще. Заяц в марте, во время брачного периода, совершает «сумасшедшие» скачки и прыжки, отсюда и поговорка. А со шляпником дела обстоят так. Раньше при изготовлении фетровых шляп фетр обрабатывался ртутью, испарения которой очень вредны и разрушительно действуют на человеческую психику. Поэтому у многих шляпников наступали психические расстройства.

Одна из самых таинственных и непонятных фигур в сказке — Чеширский кот. В Англии существовала поговорка: «Улыбается, как чеширский кот». Чешир — это одно из графств Англии. Тут ничего странного пока что нет. Но почему тамошние коты улыбались? Существуют разные объяснения. Одни говорят, что в прошлом веке какой-то маляр (имя его забыли) рисовал на вывесках ухмыляющихся львов. Мне лично кажется, вряд ли поэтому. Другие утверждают, что раньше знаменитым чеширским сырам придавали форму улыбающейся кошачьей головы.

А один современный английский писатель, кстати, уроженец и житель Чешира, рассказывал мне, будто в этом графстве действительно некогда существовала порода котов, на мордах которых как бы играла улыбка.

Но вот как улыбка может оставаться без кота? Есть мнение, что это образ чистой абстрактной математики. Может быть, и вся книга в известном смысле такой математический перевертыш. Математика стремится объяснить все явления жизни математически. А здесь все наоборот — многие явления математики объясняются жизнью, но жизнью фантастической, гротескной, абсурдной, ведь «Алиса в Стране Чудес» — прежде всего сказка.

И те из вас, кто станет впоследствии учеными, найдут в «Алисе» и математические прозрения, и открытия науки логики, и философские обобщения на темы времени и пространства.

А сейчас вы испытаете радость встречи со сказкой. И не важно, знаете ли вы, что описываемые в главе «Не все дома, но все пьют чай» три сестры Элси, Тилли и Лесси — это и есть имена трех сестер Лидделл, которым была рассказана замечательная история про Алису. Элси — Лорина Шарлотта (Эл и Си — названия первых букв этого имени), Тилли — сокращенное от Матильды, шуточного имени Эдит, а Лесси не что иное, как имя Элис — Алиса с переставленными буквами.

Самое главное, что эта прекрасная сказка всегда с нами. Она учит доброте и любознательности, готовности принимать как должное самые невероятные чудеса, самые фантастические приключения.

Прочти эту сказку, дорогой читатель, радуясь и удивляясь, с открытой душой и доверием!

Книги имеют свои судьбы. Одни сразу пользуются успехом, другие, долгое время оставаясь в тени, вдруг через много лет получают признание читателей.

Для меня такая загадка — замечательная книга английского писателя Кеннета Грэма «Ветер в ивах». Широко известная в мире, она осталась не замеченной переводчиками и вышла на русском языке в 1988 году — только через восемьдесят лет после того, как была опубликована в Англии!

Я решилась ее перевести после долгих колебаний, но не потому, что она мне не приглянулась. Наоборот! Она была так хороша в оригинале, написана таким ароматным языком, так тонко и искусно, что было боязно за нее браться.

До появления своей сказки Кеннет Грэм был уже автором двух книг для взрослых, пользовавшихся успехом у читателей, но немало удивлявших его сослуживцев. Дело в том, что Грэм служил в банке, слыл аккуратным, дисциплинированным и ответственным чиновником, и его нежные поэтичные книги так не вязались с сухой, требовавшей педантизма работой.

Некоторые из поклонников литературного таланта писателя были разочарованы появлением сказочной повести «Ветер в ивах». Книга для детей, да еще исключительно о зверушках!

А сказка-то эта родилась почти так же, как и «Алиса». Кеннет Грэм написал ее для своего сына Алистера. А сначала он просто рассказывал ему о приключениях забавных героев и даже во время каникул посылал Алистеру продолжения в письмах.

Впоследствии книгу признали и полюбили, но по крайней мере два человека полюбили эту книгу сразу. Это были... тогдашний президент Соединенных Штатов Теодор Рузвельт и замечательный детский писатель, автор знаменитого «Винни Пуха» А. А. Милн.

Президент послал Кеннету Грэму письмо, в котором писал: «...я читал и перечитывал Вашу книгу и мне начало казаться, что ее герои — мои старые друзья. И я почти что готов сказать, что она нравится мне больше, чем Ваши предыдущие книги...»

Создатель «Винни Пуха» впоследствии отмечал в своем эссе, посвященном «Ветру в ивах»: «Из года в год я все толковал об этой книге, цитировал ее, рекомендовал ее всем. Иногда мне начинало казаться, что я сам ее написал».

А. А. Милн настолько увлекся этой книгой, что сделал по ней инсценировку, и она много сезонов подряд шла в лондонском театре.

Когда я работала над переводом книги, у меня тоже появилось такое ощущение, будто ее герои — мои давние и добрые друзья. Думаю, те же самые чувства испытаешь и ты, дорогой читатель.

Почему это так? Должно быть, ощущение задано самими героями сказочной повести.

«Ветер в ивах», безусловно, сказка — ведь звери в ней действуют, как люди. Но в этом-то и таится ее убедительность и реальность, именно потому, что они к а к л ю д и.

Главные герои сказки — Крот, дядюшка Рэт, Барсук, Мистер Тоуд. Думаю, тебе, еще не знакомому с английским языком, будет трудно самому разобраться в происхождении русских имен героев сказки.

Дядюшка Рэт, он — водяная крыса. Перевести его имя точнее никак нельзя. Во-первых, по-русски, крыса — женского рода, а у этого персонажа очень мужской характер. Во-вторых, кто обратит внимание на слово «водяная»? Все тут же поставят акцент на слово крыса, а крыса вызывает весьма неприятные ассоциации. А этого никоим образом допустить нельзя, потому что дядюшка Рэт — существо в высшей степени симпатичное.

С Кротом и Барсуком, думаю, все понятно.

А вот дальше — несносный мистер Тоуд. Его имя соответствует русскому слову «жаба». Ну какая же он жаба? Имя женского рода совсем ему не к лицу! Вот так и получился мистер Тоуд.

Книга «Ветер в ивах» полна событий и всяческих приключений, но основной ее фон — тонкая лирическая поэзия, которая пронизывает все повествование. Постарайтесь вслушаться в нее с первых же строк: «Весна парила в воздухе и бродила по земле, проникая каким-то образом в его (Крота) запрятанный в глубине земли домик, заражая его неясным стремлением отправиться куда-то, смутным желанием достичь чего-то, неизвестно чего». Разве это не похоже на стихотворение в прозе?

Если вы никогда не видели, как всходит луна, то сумеете почувствовать и увидеть это благодаря поэтическому описанию Грэма: «Линия горизонта была ясна и тверда, а в одном месте вдруг прорисовалась и вовсе черным на фоне фосфорического сияния, которое все разгоралось и разгоралось. Наконец над краем замершей в ожидании земли поднялась луна, медленно и величественно, и покачнулась над горизонтом, и поплыла, словно отбросив якорный канат, и снова стали видимы поверхности, широко раскинувшиеся луга, спокойные сады и сама река — от берега до берега, все мягко себя обнаружило, все избавилось от таинственности и страха, все осветилось не как днем, а совсем, совсем иначе».

У каждого героя сказочной повести свой характер. Крот — наивный добряк, который не так уж много видел в своей подземной жизни. Поэтому на все он смотрит с радостным удивлением, и душа его отзывается на все доброе, и умеет он быть хорошим товарищем. Как заботливо и нежно выхаживает Крот своего друга дядюшку Рэт, когда тот вдруг заболевает бродяжьей болезнью; как самоотверженно борется с ласками и хорьками, помогая мистеру Тоуд отвоевать родовое поместье!

Да что там говорить, вы прочтете и сами увидите, какой Крот добрый малый.

А дядюшка Рэт! Он поэт. Когда выдается тихая минуточка, Рэт сочиняет стихи. Вот, например, «Утиные припевки»:

> В тихой, сонной заводи,
> Гляньте, просто смех! —
> Наши утки плавают
> Хвостиками вверх.
>
> Белых хвостиков не счесть,
> Желтых лапок — вдвое.
> Где же клювы? Тоже есть,
> Но только под водою...

А как он говорит о Реке, возле которой постоянно живет! «— И ты всегда живешь у реки? — спрашивает его Крот.

— Возле реки, и в реке, и вместе с рекой, и на реке. Она мне брат и сестра, и все тетки, вместе взятые, она и приятель, и еда, и питье... Это мой мир, и я ничего другого себе не желаю...»

А уж в доброте-то он не уступает Кроту.

Как сейчас нужно нам всем такое соприкосновение с истинной добротой! Она омывает человеческую душу, будто весенний дождь, и располагает ее к доброте ответной. Дядюшка Рэт любит доставлять другим радость. Когда нужно, самоотверженно и не рассуждая бросается на помощь. Он забывает себя. А забывать о себе ради других — это и есть доброта истинная. И еще. Он никого не судит. Дядюшка Рэт умеет принимать живые существа такими, какие они есть. А если видит чужие недостатки, то умеет их добродушно прощать.

Даже про вздорного, самовлюбленного и эгоистичного мистера Тоуд он нашел слова, чтобы сказать:

«Он просто замечательный зверь. Такой простой и привязчивый, и с хорошим характером. Ну, может, он не так уж умен, но все же не могут быть гениями, и, правда, он немножечко хвастун и зазнайка. Но все равно у него много превосходных качеств, у нашего мистера Тоуд, много превосходных качеств».

А какой был мистер Тоуд на самом деле, вы узнаете, когда прочитаете сказку.

Уметь понимать друг друга, не судить строго и обнаруживать достоинства среди недостатков — этому надо учиться! А помогут нам замечательные герои сказки.

Слегка нелюдимый и замкнутый дядюшка Барсук живет уединенно в самой середине Дремучего леса. Он-то уж, наверное, не такой добряк, как Крот и дядюшка Рэт? Он ведь очень серьезный и строгий. Но как по-доброму встречает потревоживших его среди ночи друзей: «Это вовсе не такая ночь, когда маленьким зверькам можно бродить по лесу, — сказал он отечески. — Ну, идемте, идемте на кухню. Там пылает камин. И ужин на столе. И все такое прочее». А чего бы он так заботился о мистере Тоуд? Ведь тот сам навлек на себя все бесчисленные беды!

Истинная доброта, светлая любовь разлита по всей книге. И ни одного назидания! Ни одного поучения! Читая сказку «Ветер в ивах», дышишь добротой, как дышишь свежим воздухом, не замечая его, не задумываясь о том, что он питает тебя кислородом и что благодаря этому ты живешь.

А вместе с тем книга полна веселых и драматичных приключений, невероятных событий и историй, происходящих с героями.

В упоминавшемся уже эссе А. А. Милн замечает: «Можно спорить о достоинствах большинства книг, и в споре даже иногда соглашаться с оппонентом, и даже прийти к заключению, что, может быть, он в конце концов и прав. Но о достоинствах «Ветра в ивах» спорить не надо. Это книга, необходимая в хозяйстве, домашняя книга. Книга, которую все в доме любят и все время цитируют, книга, которую читают вслух гостю и тем самым проверяют, чего он стоит. И я должен предупредить вас: когда вы приметесь ее читать, не будьте смешными и не думайте, что вы будете судить мой вкус или искусство Кеннета Грэма. Вы будете судить самих себя. Вы можете оказаться достойными. Я не знаю».

Ты полюбишь эту сказку, дорогой читатель, ты окажешься достойным ее, я не сомневаюсь.

В том году, а именно в 1865-м, когда из печати вышла «Алиса в Стране Чудес» Льюиса Кэрролла, далеко от Англии, в Индии, в городе Бомбее, родился другой замечательный английский писатель Джозеф Редьярд Киплинг. В Индии он провел все свое детство. Когда настало время учебы, родители отправили его в Англию. Но, окончив школу, он снова вернулся в Индию. Там Киплинг одно время был военным, работал журналистом, а также писал стихи и прозу.

Как родилось его творчество для детей? Помните — «Алиса» была рассказана маленьким сестрам Лидделл, первым слушателем «Ветра в ивах» стал сын писателя Кеннета Грэма — Алистер; Киплинг начал сочинять и записывать сказки для своей старшей дочери Жозефины — Эффи, как ее звали дома.

А дальше началась жизнь этих сказок для всех детей на свете.

Из знаменитой «Книги Джунглей» Редьярда Киплинга «Маугли», возможно, самая читаемая, самая любимая. Как знать, может быть, это — лучшая книга знаменитого писателя, получившего в 1907 году высшую награду за свое литературное творчество — Нобелевскую премию.

Говорить о выдающемся произведении искусства всегда трудно. Может быть, потому, что оно умеет говорить само за себя, и говорит исчерпывающе. А всякий, кто пытается объяснить его по-своему, смотрит только со своей высоты; ему удается, в силу своего восприятия, осветить только часть, только нечто, что понятно и близко лишь ему.

Когда я начинаю думать о «Маугли», то мне немедленно хочется перестать думать, а только читать и перечитывать. Потому что какой смысл описывать красоту цветка, не лучше ли просто вдыхать его аромат?

Чего только не писали об этой книжке! Вот, например, один из критиков детской литературы утверждал, правда, давно, в тридцатые годы: «В книге «Маугли» писатель передает всю империалистическую философию... автор книги в образе Маугли воспевает сильную личность завоевателя, который уничтожает всех, кто отказывается ему повиноваться...»

При этом мне сразу же вспоминаются последние строки в книге:

«— Ты слышал? — сказал Балу. — Больше ничего не будет. Ступай теперь, но сначала подойди ко мне. О мудрый Маленький Лягушонок, подойди ко мне!

— Нелегко сбрасывать кожу, — сказал Каа.

А Маугли в это время рыдал и рыдал, уткнувшись головой в бок слепого медведя и обняв его за шею...»

И это — империалистический завоеватель?

Может быть, сам Киплинг думал вовсе не так, как я. Но для меня, взрослого человека, эта сказка прежде всего — поэтическая мечта о правовом и справедливом устройстве мира. В Джунглях действует суровый Закон, строгий и непреложный для всех. Его обязаны исполнять, но при этом Закон не притесняет личность, и, подчиняясь ему, каждый сохраняет свои индивидуальные особенности, свой характер.

Самый добрый медведь Балу так и остается добрым и мудрым, хотя и обучает молодежь суровому Закону Джунглей.

Закон суров, но разумен и справедлив.

«Охоться ради пропитания, но не ради забавы» — гласит одна из его заповедей.

А разве не стоит поучиться людям тому, как по Закону Джунглей наказание снимает вину? Разве это не справедливо, не мудро? В человеческом же обществе не бывает ли так, что, понеся наказание, человек остается виновным в своем проступке на всю жизнь?

Балу запрещает Маугли иметь дело с обезьянами именно потому, что они живут без закона. Вот что говорит он, наставляя мальчика:

— У них нет закона. У них нет своего языка... Их обычаи — не наши обычаи. Они живут без вожака. Они ничего не помнят. Они болтают и хвастают, будто они великий народ и задумали великие дела в Джунглях, но вот упадет орех, и они уже смеются, и все позабыли.

Отсутствие закона порождает безнравственность. «...Если обезьянам попадался в руки больной волк, или раненый тигр, или медведь, они мучили слабых и забавы ради бросали в зверей палками».

Даже сильная и независимая пантера Багира подчиняется Закону. Багира — это сила. Но сила, подчиненная высокой нравственности и интеллекту.

В Законе Джунглей все мудро и целесообразно, хотя иногда и жестоко. Промахнувшийся на охоте вожак стаи должен быть немедленно смещен. Сурово. Но зато справедливо по отношению к стае, которая должна иметь надежного вожака, не дряхлого, не потерявшего силу.

Творчество Киплинга, безусловно, испытало сильное влияние фольклора разных стран, в которых он побывал: Индии, Южной Африки, Австралии, Новой Зеландии. Особый взгляд на природу и животных, не всегда совпадающий с европейским, ярко виден и в «Маугли». Это чувство равенства со всем живым. В «Маугли» своя персонификация животных, это как бы двойная природа зверя — он наделяется чертами человеческого характера, не теряя своих звериных свойств. В этом смысле Киплинг очень современный, я бы сказала, актуальный писатель. Прошу тебя, дорогой читатель, хорошенько над этим задуматься ся. Не пришла ли нам пора подняться на более высокую духовно-нравственную ступень, освободиться от человеческого чванства? Оно, если вдуматься, глубоко в нас укоренилось и даже отражено в нашем языке. Например, людям ничего не стоит обругать друг друга «собакой» или «свиньей»; уничижая неуклюжего человека, назвать его «коровой» или «медведем», не слишком сообразительного — «ослом». Право же, это не делает нам чести...

Маугли называет волков братьями, и они считают его братом.

Стоит хорошенько вчитаться в сказку и ощутить братство единого, живого в природе, проповедываемое ею.

Но почему же тогда тигр Шер-Хан не брат, а враг? Потому что не признает этого великого братства, не признает Закона, он убивает не только для пропитания, но и для удовольствия. Маугли побеждает его, тем самым уничтожая зло.

В известном смысле «Маугли» — сказка парадоксов. В жизни чаще всего происходит приручение зверя человеком. Зверь как бы входит в систему человеческой жизни, отходит от своей первоначальной и исконной ипостаси. В «Маугли» — все наоборот. Не человек принимает зверя в свой дом, а зверь — человека. Мать Волчица относится к человеческому детенышу с истинной материнской нежностью:

— Какой маленький! Совсем голый, а какой смелый! — ласково сказала Мать Волчица. — Ой! Он сосет вместе с другими! Ну когда же волчица могла похвастаться, что среди ее волчат есть человечий детеныш!

Балу и Багира учат Маугли: «Иногда черная пантера Багира, гуляя по Джунглям, заходила посмотреть, какие успехи делает ее любимец. Мурлыкая, укладывалась она под деревом, слушая, как Маугли отвечает медведю свой урок». Не человек дрессирует зверя, а зверь «дрессирует» человека; не человек охотится на тигра, а тигр Шер-Хан ведет охоту на Маугли.

Несмотря на сильное, глубинно-эмоциональное влияние Индии, которое легко угадывается в сказке, эта парадоксальность мышления у Киплинга, как мне кажется, исконно английская.

Массу парадоксов встречаем мы в английской народной поэзии, к нему тяготели и многие английские писатели — до и после Киплинга.

Только парадокс у Киплинга не доведен до абсурда, так, чтобы получалась уж сущая нелепица. Он смягчен, незаметен, абсолютно убедителен.

Такова особенность киплинговского таланта. Писатель умеет заставить поверить. Он точно перевоплощается в героя-зверя, и нам кажется, что именно так этот зверь думает и чувствует, и мы решительно не задаем себе вопроса: а в самом деле так ли? Нам, например, и в голову не приходит поговорить на эту тему с каким-нибудь ученым-зоологом. Вот почему киплинговский парадокс вовсе не ощущается парадоксом. Мы попадаем во власть таланта.

Должно быть, в самом деле талант — это и есть власть. Власть над фантазией и словом, над мыслью и чувством, власть над читателем.

Скорее начинай читать эти удивительные сказки, сделайся подданным таланта. Может быть, это самая прекрасная власть в мире.

И. ТОКМАКОВА

ЛЬЮИС КЭРРОЛЛ
АЛИСА В СТРАНЕ ЧУДЕС

АЛИСА В ЗАЗЕРКАЛЬЕ

АЛИСА В СТРАНЕ ЧУДЕС

✦✦✦

ДЕЙСТВУЮЩИЕ ЛИЦА

БУБНОВЫЙ КОРОЛЬ, ЧЕШИРСКИЙ КОТ
БУБНОВАЯ КОРОЛЕВА, ГЕРЦОГИНЯ
ВАЛЕТ, ЯЩЕРКА БИЛЛ
БЕЛЫЙ КРОЛИК, МАРТОВСКИЙ ЗАЯЦ
МЫШЬ, ГУСЕНИЦА
ГРИФОН, ГРЕБЕШОК
СЕМЕРКА, ПАТ
ПОПУГАЙ АРА, ПАЛАЧ
ПЯТЕРКА, МОРСКАЯ СВИНКА
ШЛЯПНИК, СОНЯ
ДОДО, ОРЛЕНОК ДВОЙКА,
РЕБЕНОЧЕК

◆◆◆

Мы плыли в полдень золотой,
  И я один не бросил
Нависших над речной водой
  Отяжелевших весел.
Нас все равно река несла
  И без руля, и без весла...

Чего вам надо от меня,
  Несноснейшие дети?!
Жара за три последних дня
  Спалила все на свете.
Спадет жара — и что смогу,
  Я расскажу на берегу.

Но требует О д н а из вас,
  Чтоб начал я сначала,
Другая — чтобы мой рассказ
  Нелепица венчала,
А Третьей нравится одно:
  Когда не страшно и смешно.

Молчанье настает — и вот
  В моем рассказе странном
Чудная девочка идет

По небывалым странам,
И по горам, и по долам:
  Неправда с правдой пополам.

Расскажем сказку целиком,
  На завтра не отложим.
Неужто с этим пустяком
  Мы справиться не сможем?
Совсем не так звучит с утра
Рассказ, не конченный вчера.

Так эта книжка родилась,
  И нить ее событий
В запутанный клубок свилась —
  Пожалуйста, глядите!
Но вечер наступает. Нам
  Пора, пожалуй, по домам.

Алиса! Для тебя одной
  Я сказку сочинил,
Чтоб встала ты передо мной
  Из выцветших чернил,
Как ландыш, выросший весной
  На просеке лесной.

Глава первая

Вдогонку за кроликом!

Алисе надоело сидеть на берегу рядом с сестрой. Все равно делать было нечего.

Раза два Алиса заглянула в книжку, которую читала сестра, но, во-первых, там не было ни одной картинки, а, во-вторых, буковки были ужас какие мелкие. «И кому охота читать такие книжки?» — удивилась Алиса.

Потом она стала размышлять — а размышлять в такой жаркий день просто сил нет, потому что все время тянет вздремнуть, — так вот, она стала размышлять, чем бы ей заняться? Может быть, встать, нарвать ромашек и сплести венок... Но в эту самую минуту мимо пробежал кролик, белый кролик с розовыми глазками.

Ну и что? Ничего особенного!

Алиса даже не слишком удивилась, когда Кролик стал как вкопанный и пробормотал:

— Батюшки! Опаздываю!

(Потом до Алисы дошло, что тут-то и надо было как следует удивиться.)

Но вот когда Кролик *залез в жилетный карман, вытащил часы, посмотрел, который час, и поскакал дальше,* вот тогда

20

Алиса мигом вскочила на ноги, потому что неожиданно ей в голову пришла важная мысль: да откуда же у Кролика часы, и притом карманные?!

Вне себя от любопытства она кинулась за Кроликом и увидела, как он шмыгнул под забор, в здоровенную кроличью нору, — и был таков.

Алиса бросилась за ним, совсем не думая о том, как потом выберется наружу.

Сперва кроличья нора шла совершенно прямо, как туннель, но дальше круто уходила вниз. Алиса не удержалась и полетела в глубокий колодец.

То ли колодец был бездонный, то ли Алиса падала медленно, но только по дороге у нее было время и поглядеть по сторонам, и подумать: что же, собственно, будет дальше.

Первым делом Алиса посмотрела вниз, чтобы разобраться, куда это она падает. Но у нее ничего не вышло: внизу была тьма кромешная. Тогда она подняла голову и увидала, что стенки колодца сплошь увешаны кастрюлями, сковородками и книжными полками. Кое-где на гвоздиках висели портреты и географические карты. Пролетая мимо какого-то кухонного шкафчика, Алиса ухватила стеклянную банку. На банке было написано: «КЛЮКВА В САХАРЕ», но внутри, к сожалению, было пусто. Бросить банку вниз Алиса не решилась (еще в кого-нибудь попадет!) и ловко поставила ее на следующую полку.

— Да-а-а, — протянула она, — я так падаю, *так* падаю, что теперь для меня с лестницы слететь — игрушки! Все теперь узнают, какая я храбрая!.. Нет, не узнают... Даже спрыгни я с крыши, и то не стала бы хвастать! И правда, если спрыгнешь с крыши, болтать не захочется.

А Алиса все падала, падала, падала...

Неужели так и придется всю жизнь падать? «Интересно, сколько я пролетела? — задумалась Алиса. — Наверно, я уже в центре Земли. Это ужас как далеко, — четыре тысячи этих... забыла, как их зовут...» Алиса учила географию в школе, и, хотя вряд ли стоит так стараться, если тебя никто не слышит, повторить географию всегда полезно. «Да, четыре тысячи этих самых... Неплохо бы еще узнать, сколько у нас здесь Широты и Долготы?» Что это такое, Алиса, конечно, понятия не имела, но ведь Широта и Долгота — такие замечательные, солидные слова!

Помолчав, она опять заговорила с собой: «А вдруг я проскочу через всю Землю? Насквозь! Вот будет здорово, когда я выскочу с той стороны, а там все расхаживают вверх ногами! Как же их зовут? Антипупы, что ли? Или Лилитупы?» Алиса была очень довольна, что никто ее не слышит,— насчет Антипупов она была не слишком уверена. «Я, конечно, поздороваюсь, а потом спрошу, как называется их страна. Извините, вы не скажете, где я — в Австралии? Или, может быть, в Новой Зеландии? — Тут Алиса попробовала сделать реверанс на лету (вы тоже можете попробовать, а я посмотрю, что у вас получится!) — Они, конечно, удивятся: ах-ах, какой отсталый ребенок! Нет, лучше я ничего у них спрашивать не буду. А что это за страна, это, наверно, где-нибудь на улице написано».

Алиса, кстати, по-прежнему падала.

Заняться ей было нечем, и она опять принялась болтать: «Дина, наверно, по мне соскучилась... (Дина была кошка.) Кто теперь даст ей молочка на ужин?! Диночка, миленькая, хорошо бы, ты сейчас была со мной. Правда, простые мыши тут не водятся... Зато ты бы ловила летучих — это почти одно и то же. Интересно, кошки едят летучих мышек?» Алиса зевнула и, уже задремывая, все повторяла: «Мышки едят летучих кошек?» Но это было совершенно все равно, потому что ни на тот, ни на другой вопрос у Алисы ответа не было.

Алиса заснула и увидела во сне, как прогуливается с Диной, держит ее за лапу и спрашивает: «Дина, скажи, только честно, ты когда-нибудь пробовала летучую мышку?» Но тут — шлеп! — она упала прямо на кучу веток и прелых листьев. Полет закончился. Алисе было нисколечко не больно, и она сразу вскочила на ноги. Прямо перед ней начинался длинный коридор, а в самом его конце мелькнул Белый Кролик. Он по-прежнему спешил. Алиса заторопилась вслед за ним и услыхала, как, поворачивая за угол, Кролик простонал:

— Ушки мои, ушки! Бакенбарды мои, бакенбардики! Опоздал!

Алиса тоже свернула за угол, но Кролика там уже не было. Она опять оказалась в длинном темном коридоре. Кое-где под потолком раскачивались фонари.

По обе стороны коридора шли двери. Алиса подергала — все были заперты — и встала посреди коридора, не зная, куда податься. Вдруг она увидела в углу стеклянный столик на трех ножках. На столике лежал золотой ключ, и Алиса сразу же догадалась, что этим ключом отпирается какая-то дверь! Но не тут-то было. То ли замочные скважины были велики, то ли ключик мал, но только замки не отпирались.

Алиса походила-походила по коридору и в конце концов обнаружила за занавеской — ее она как-то раньше не заметила — низенькую дверцу. Ключ вошел в замок, и — ура! — дверь отворилась.

Дверца вела в узкий проход, вроде мышиной норы. Алиса наклонилась, заглянула туда и... и увидела самый чудесный сад на свете!

Ох как захотелось ей из мрачного коридора попасть в этот сад, побродить вокруг зеленых клумб, посидеть около шумного фонтана! Но куда там, она и голову не могла просунуть в дверцу! «Да какая разница, — подумала Алиса, — как ни бейся, все равно не пролезу. Вот умела бы я складываться, как зонтик или телескоп! Сложилась бы и пролезла в сад...» С Алисой уже случилось столько удивительного, что ей, сами понимаете, и телескоп был нипочем.

Никакого смысла торчать у дверцы не было, и она вернулась назад, к столику, в надежде, что на нем лежит еще какой-нибудь ключ или, на худой конец, книжка, а в книжке — полезные советы, как людям складываться: кому — зонтиком, а кому — и телескопом.

На столе оказался стеклянный пузырек. «Раньше его тут не было», — вспомнила Алиса. К горлышку пузырька была привязана бумажка, а на бумажке большими печатными буквами было выведено: «ПЕЙ».

Это, конечно, было очень мило, но рассудительная Алиса не торопилась. «Сначала, — решила она, — посмотрим, не написано ли где-нибудь тут «ЯД». Алиса уже читала в детских книжках, как одни дети заживо сгорают на пожаре, а других пожирают кровожадные звери, и прочие занятные и поучительные истории. А случались они потому, что эти дети не слушали старших и никак не желали запомнить, что если попилить палец пилой, то из него пойдет кровь, что если долго держаться за раскаленный утюг, то можно обжечься, и так далее. Вот почему Алиса никогда не забывала: если отпить из бутылки,

...а подойдя к столу, сразу поняла,
что до ключа
ей теперь никак не добраться.

на которой написано «ЯД», не исключено, что заболит живот.

На пузырьке не было написано «ЯД», и Алиса решила попробовать, что в нем. Оказалось до того вкусно — вроде вишневого сиропа со сливочным кремом, ананасом, хлебом с маслом, ирисками и жареной курицей, — что Алиса тут же выпила все до капельки.

— Помогите! — закричала она. — Я складываюсь! Как телескоп!

Так оно и было.

До чего же обрадовалась Алиса! Теперь ей ничего не стоит пройти через дверцу за занавеской и попасть в чудесный сад. Все-таки она немножко подождала — просто так, чтобы убедиться, что больше она не складывается. «А то, — рассудила Алиса, — эта история может плохо кончиться. Вот сложусь до конца, а потом как быть?»

Прошло еще несколько минут. Алиса убедилась, что ей ничего не грозит, и, наконец, отправилась в сад.

Бедная Алиса! Когда она подошла к дверце, то вспомнила, что оставила ключ на столе, а подойдя к столу, сразу поняла, что до ключа ей теперь никак не добраться.

Ключ лежал на столе, Алиса его видела (стол-то был стеклянный). Но вскарабкаться наверх по скользкой высокой ножке было совершенно невозможно. Алиса попробовала, но сразу съехала вниз.

Выбившись из сил, она села на пол и зарыдала.

— Разревелась! — прикрикнула она сама на себя. — Рева-корова! А ну немедленно прекрати!

Вообще Алиса обожала *сама себе* давать советы, только, вот беда, потом *сама себя* не слушалась. А иногда она *сама себя* так отчитывала, что начинала плакать. Однажды она *сама себе* надрала уши за то, что *сама себя* обжулила в классики. И вообще больше всего на свете эта удивительная Алиса любила воображать, будто она — вовсе не она, а две совершенно разных девчонки. «Ах, какой теперь от этого толк? — спохватилась Алиса. — Все равно меня сейчас и на одну девочку еле-еле хватает».

Тут она увидела под столом стеклянную шкатулку и открыла ее. В шкатулке лежал пряник, а на нем толстыми, круглыми буквами было написано: «ЕШЬ».

«Ну и съем, — решила Алиса. — Если вырасту — достану ключик. А если наоборот — еще лучше: я тогда буду такая кроха, что запросто пролезу под дверью. Так что мне, в общем, все равно».

Она откусила кусочек и зашептала:

— Расту или нет? Расту или нет?

Алиса даже положила руку на макушку, чтобы проверить, растет она или нет? К великому ее удивлению, ровным счетом ничего не изменилось. В сущности, так оно и бывает, когда ешь пряники, но Алиса уже привыкла, что все идет шиворот-навыворот, и ей просто стало скучно. Все как всегда — ну что за безобразие!

Алиса откусила еще кусочек, потом еще и в конце концов слопала весь пряник.

Глава вторая

Море слёз

— НЕОБЫЧАЯННАЯ история! Я растю!.. — воскликнула Алиса. От удивления она и думать забыла про грамматику. — То есть я расту, как самый огромный, самый раздвижной телескоп! Ножки мои, до свидания!

Когда Алиса поглядела вниз, ее ног почти что не было видно, они были уже далеко-далеко.

— Ножки мои, ножки, кто же теперь будет вас обувать? Мне-то до вас не дотянуться... Я так от вас далеко... Придется вам самим о себе заботиться. Вы не бойтесь, я вас не брошу, а то вы, чего доброго, пойдете назло мне не туда, куда надо. Ну да ладно, я вам на день рождения подарю новые тапочки!

Алисе это очень понравилось, и она продолжала:

— Тапочки я пошлю по почте. Вот так штука: дарить подарки, и кому? Ноге. А адрес на посылке будет такой: *Коврик-на-Полу,*
   угол Гостиной,
     Алисиной Левой Ноге
      в собственные руки.
Ох, да что это я такое болтаю!

В этот момент она больно стукнулась затылком о потолок. Теперь ей ничего не стоило взять ключик. Алиса схватила его и побежала назад к дверце.

Ах, Алиса, Алиса! Ей оставалось одно: лечь на живот и одним глазом заглядывать в сад. Никакой надежды протиснуться через дверь не было. Алиса села на пол... и заплакала.

«Постыдилась бы! — возмутилась она. — Выросла до потолка, а теперь плачешь. Ни стыда у тебя нет, ни совести!» Но тут Алиса заплакала еще пуще, и слезы потекли рекой, и текли, пока вокруг нее не натекло целое море слез, довольно глубокое и залившее никак не меньше половины коридора.

Минутой позже послышались чьи-то осторожные шаги. Алиса вытерла слезы и стала всматриваться — кто там идет?

Это возвращался Белый Кролик. Он был изысканно одет. В одной лапе он нес веер, в другой — пару свежих лайковых перчаток. Кролик по-прежнему куда-то спешил и озабоченно приговаривал:

— О, Герцогиня! Задаст она мне перцу... или не задаст?

Алиса была в отчаянии, ей было все равно, у кого просить помощи. Поэтому, когда Кролик подошел ближе, она прошептала:

— Не будете ли вы так...

Кролик встрепенулся, уронил веер и перчатки и дал стрекача.

Алиса нагнулась и подобрала перчатки и веер. В коридоре было душно, вот Алиса и принялась обмахиваться веером, приговаривая:

— Ну и ну! Все сегодня идет вкривь и вкось. А ведь еще вчера... Еще вчера все шло, как обычно. И вдруг, здрасьте-пожалуйста, сегодня с утра все вверх дном.

Правда, за завтраком никаких необычных событий не произошло. Хотя *что-то* было *как-то* не так... Ну, а если я не та, что раньше, возникает вопрос: кто же я такая? Вот это загадка!

Тут Алиса стала вспоминать одну за другой всех своих подружек: вдруг она в кого-то из них превратилась?!

«Я не Джекки,— рассуждала Алиса,— потому что у Джекки есть косички, а у меня нет. Я не Джекки, потому что Джекки у нас совсем дурочка, а я, чего я только не знаю! И потом, она — это она, а я — это я. Ох, все так ужасно *загадочно*! Надо бы проверить: может, я позабыла все, что знала, когда еще была Алисой. Ну-ка посмотрим: четырежды пять — двенадцать, четырежды шесть — тринадцать, четырежды семь... Господи, да так я и до восемнадцати не доберусь! Ну, ничего, таблица умножения не считается. География в сто раз важнее. Лондон — столица Парижа, Париж — столица Копенгагена, Копенгаген — столи... Да что это такое! Видно, я все-таки превратилась в Джекки. Вот что, попробую-ка почитать стихи, это у меня всегда чудесно выходит».

Алиса, будто отвечая урок, сложила руки на животе и начала читать, но только почему-то голос у нее сделался тонким и сиплым да и слова выходили какие-то странные:

> К нам сегодня приходил
> Наш знакомый Крокодил,
> Говорил: «У вас в пруду
> Я друзей себе найду.
> У вас тут плавают ерши —
> Они для дружбы хороши».
> Увидел Крокодил ершей,
> Улыбнулся до ушей,
> И слышится из пасти:
> «Ребятушки,
>   залазьте!»

— Опять, опять все не так,— всхлипнула Алиса.— И я не я, а какая-то Джекки. И жить мне придется у нее дома, и ее куклами играть, и уроки за нее зубрить. Нет, если я взаправду Джекки, ни за что не вернусь домой! Меня, конечно, начнут упрашивать: вылезай, мол, из колодца — а я посмотрю-посмотрю и отвечу: «Как бы не так! Вы скажите лучше, кто я такая? Если та девочка, в которую я превратилась,— ничего себе, так и быть, вылезу. А если нет — останусь тут, пока еще в кого-нибудь не превращусь. Вот!» — Бедная я, бедная! — воскликнула Алиса и опять всплакнула. — Если бы только меня позвали домой... Одной так плохо!

В недоумении она уставилась на свою левую руку: на ней была лайковая перчатка Кролика.

— Как же я ее натянула? — опешила Алиса. — Неужели я снова... складываюсь?

Она подошла к столику. Но теперь это был уже не столик, а СТОЛ. Алиса опять становилась меньше.

Вскоре она разобралась, в чем все дело. Все дело было в веере. Алиса сразу бросила его на пол и правильно сделала, потому что если бы еще разок им махнула — истаяла бы, как свечка.

— Хорошо, до этого не дошло, — вздохнула Алиса, испуганная, но все-таки очень довольная тем, что осталась цела. — А теперь — в сад.

И она со всех ног кинулась к низенькой дверце.

Что бы вы думали? Дверца закрыта, а ключ как лежал, так и лежит на столе. «Хуже некуда, — подумала Алиса. — Что мне такой крохотной делать? Хуже некуда, иначе не скажешь».

Она поскользнулась и — плюх — шлепнулась прямо в соленую воду.

Поначалу Алиса решила, что упала в море. «А раз так, обратно вернусь на поезде», — успокоилась она. (Алиса один раз в жизни побывала на море и была уверена, что море состоит из оркестра, детей, копающих песочек, лежаков, дачных домиков и железнодорожной станции за ними.) Впрочем, она довольно быстро сообразила, что утопает в собственных слезах, которые наплакала, когда была ростом до потолка.

— Ну вот, расплакалась, а теперь расплачивайся, — рассердилась Алиса и поплыла в ту сторону, где, по ее мнению, находился берег. — Утопаю в слезах. Такое все же не с каждым случается. Не со всяким такие чудеса бывают. Впрочем, сегодня одно чудо за другим.

Вдруг она услыхала, как что-то плещется неподалеку, и повернула на шум, чтобы разобраться, в чем дело. Сперва ей почудилось, что это резвится шаловливый Кит или, на худой конец, купается Гиппопотам, но тут вспомнила, какой стала маленькой, и поняла, что перед ней — мышь, которая свалилась в море слез и теперь пускает пузыри.

«Может быть, стоит с ней заговорить? — заколебалась Алиса. — Раз уж сегодня все шиворот-навыворот. Не ис-

Кролик встрепенулся,
уронил веер и перчатки
и дал стрекача.

ключено, что это *говорящая* мышь. Попробуем!» И она обратилась к Мыши с такими словами:

— О, Мышь! Как мне отсюда выбраться? Я уже устала плавать. О, Мышь!

Именно так, считала Алиса, и положено разговаривать с мышами. Правда, раньше ей этого делать не приходилось, но тут она припомнила, что в одном старом учебнике, где слово «мышь» склонялось во всех-всех падежах, было написано так:

Именительный — *мышь*
Родительный — *мыши*
Дательный — *мыши*
Винительный — *мышь*
Творительный — *мышью*
Предложный — *о мыши*
Звательный — *О мышь!*

Мышь хитро посмотрела на Алису, подмигнула, но промолчала.

«Может, она не говорит по-нашему, — рассудила Алиса. — Это, вероятно, Французская Мышь. Она приплыла к нам из Франции вместе с Вильгельмом Завоевателем». Алиса так подумала, потому что проходила Вильгельма Завоевателя по истории. Он и правда приплывал в Англию, да только девятьсот лет назад.

На этот раз Алиса заговорила с Мышью по-французски:

— Où est ma chatte?

Это предложение было напечатано на самой первой странице Алисиного учебника, а значило оно: «Где моя кошка?»

Мышь встрепенулась и забулькала.

— Что я наделала! — вскрикнула Алиса, понимая, что обидела ни в чем не повинное животное. — Простите, пожалуйста! Я и позабыла, что вы, наверное, не любите кошек!

— Наверное, не люблю! — повторила Мышь визгливым, срывающимся голоском. — А ты бы любила кошек *на моем месте?*

— Вряд ли, — примирительно сказала Алиса. — Вы только не сердитесь, но мне бы очень хотелось познакомить вас с моей кошкой Диной. Честное слово, если бы вы ее увидели, вы бы просто влюбились во всех кошек сразу. Она такая ласковая, добродушная киска, — мечтательно говорила Алиса, размеренно плавая по кругу.— Она любит посидеть у огня, сидит себе, умывается и мурлычет... или спит у меня на коленях... или ловит мышей... Ой, извините! — закричала Алиса, потому что Мышь опять забулькала, и чувствовалось, что она не на шутку обижена.— Я, честное слово, не нарочно. Если вам неприятно, не будем больше об этом говорить.

— «Если вам неприятно»! Нашла, о чем говорить! — заголосила Мышь, трясясь от носа до кончика хвоста.— Как будто это я завела разговор! Ненависть к кошкам у меня в роду. Они все гордячки! Слышать о них не желаю!..

— Ну конечно, конечно,— поспешно перебила ее Алиса, не зная, о чем бы еще поговорить.— Скажите, вы любите... э-э-э... собачек?

Мышь промолчала, и Алиса смело продолжила:

— Рядом с нами живет один славный песик. Вы много потеряли, если до сих пор с ним не познакомились. Такой, знаете, фокстерьер с блестящими глазками и курчавой шерсткой... Если бросить палочку, он ее вам принесет, а еще он умеет стоять на задних лапах и служить. Словом, всего и не припомнишь. Хозяин взял песика на дачу. И он говорит, этот песик такой полезный, прямо незаменимый! Переловил на даче всех крыс и... Ну вот, опять! — огорчилась Алиса.— Снова я вас обидела.

Между тем Мышь была уже далеко и изо всех сил работала всеми четырьмя лапами, так что по морю слез пошла легкая рябь.

Алиса ласково окликнула ее:

— Уважаемая Мышь! Вернитесь! Я больше не буду ни про собак, ни про... кошек, если они вам не по душе.

Услыхав это, Мышь развернулась и медленно поплыла назад. Она была бледна («от душевного потрясения», решила Алиса) и дрожащим, хриплым голосом проговорила:

— Знаешь что, давай выберемся на берег, а там я расскажу тебе Историю Моей Жизни, и тогда ты поймешь, почему я их ненавижу.

И правда, пора было выбираться на сушу. Алиса оглянулась: кого только не было вокруг! В море слез барахтались Утенок и Додо, Попугай Ара и Орленок и множество других неизвестных птиц и зверьков. Алиса поплыла к берегу, а за нею тронулись все остальные.

Глава третья

Бег от Ня и хвост истории

КОГО только не было на берегу! Нахохлившиеся птицы и взъерошенные звери сидели *все, как один,* мокрые, несчастные и неприветливые.

Всем хотелось поскорее обсохнуть. Но вот как обсохнуть — на этот счет у каждого было свое мнение. Не прошло и трех минут, а Алиса уже разговаривала с ними, как со старыми друзьями. Как ни странно, это ее нисколечко не удивляло. У нее, правда, вышел довольно длинный спор с Попугаем Арой, но в конце концов Ара надулся и забубнил:

— Я старше тебя. Я лучше знаю. Я старше тебя. Я лучше знаю...

И так далее, а Алиса никак не могла с этим согласиться, потому что не знала, сколько Аре лет, но поскольку Ара категорически отказался отвечать на этот вопрос, говорить больше было не о чем.

Тут Мышь, которая в этой компании, видимо, считалась за главную, вышла вперед и скомандовала:

— А ну, по местам! Садитесь и слушайте, что я вам скажу. У меня вы живо обсохнете.

Все сели в кружок вокруг Мыши. Алиса с нетерпением смотрела на нее и ждала, что будет дальше, потому что очень хотела поскорее высохнуть,— так ведь недолго и простудиться.

— Кхм,— прокашлялась Мышь,— можно приступать? Сейчас я вам устрою великую сушь... «Вильгельм Завоеватель, чьи деяния поощрял лично папа римский, был вскоре призван народом Британии, испытывавшим недостаток в подлинных вождях и к тому времени свыкшимся с узурпацией и иноземным гнетом. Эдвин и Моркар, эрлы Мерсии и Нортумбрии...»

— Фрр! — сказал Ара и отряхнулся.

— Как-как? — вкрадчиво обратилась к нему Мышь.— Вы что-то сказали?

— Это не я! — смутился Ара.

— Какая жалость! А я думала, вы,— строго сказала Мышь.— Итак! «Эдвин и Моркар, эрлы Мерсии и Нортумбрии, высказались в его пользу. И даже Стиганд, верный родине архиепископ Кентерберийский, нашел это...»

— Что нашел? — оживился Утенок.

— Нашел *это*,— буркнула Мышь.— Я надеюсь, тебе известно, что такое *это*?

— Конечно, известно, когда *это* нахожу я,— ответил Утенок.— Обычно, *это* — лягушка или червячок. Вопрос в том, что нашел архиепископ?

Не удостоив Утенка ответом, Мышь понеслась дальше:

— «Нашел *это* целесообразным и отправился вместе с Эдгаром Этелингом навстречу Вильгельму, а затем просил последнего венчаться на царство. На первых порах поведение Вильгельма было сдержанным. Однако оскорбительное высокомерие сопровождавших его норманнов...» Как успехи, золотко? — обратилась Мышь к Алисе.

— Никак,— грустно молвила Алиса.— Я вся мокрая.

— Следовательно,— поднялся с места Додо,— нам остается одно: немедленно осуществить Разогревательные Мероприятия, которые разрабо...

— Говори по-человечески! — крикнул ему Орленок. — Я этих твоих длинных слов не понимаю, да и ты, по-моему, тоже.

Тут Орленок отвернулся, чтобы скрыть улыбку.

— Я, собственно, имел в виду, — смутился Додо, — что лучшее средство быстро обсохнуть — это *бег-от-ня*.

— Бег от кого? — спросила Алиса.

— От Ня, — обрадованно ответил Додо. — Бег от Ня. Такое спортивное Разогревательное Мероприятие.

— А кто такой этот Нь? — заинтересовалась Алиса. Не то чтобы ей вправду стало любопытно, но бедняге Додо, видно, было не по себе, и Алиса решила его поддержать.

— Ну, это долго объяснять, — уклончиво ответил Додо. — Лучше я вам все сейчас покажу.

(А я уж заодно опишу здесь, что именно показал Додо, на тот случай, если вам когда-нибудь тоже вздумается бегать от Ня.)

Сначала Додо нарисовал на земле большой круг. Правда, он вышел какой-то скособоченный, но, как заметил Додо, «форма роли не играет». Потом он расставил всех присутствующих по кругу. Никто не давал команды: «На старт! Внимание! Марш!» Каждый бежал от Ня, когда вздумается, и останавливался, где придется, так что понять, что происходит, было непросто.

Вскоре все обсохли... Не прошло и получаса, как Додо закричал:

— Стоп!

Птицы и звери столпились вокруг него, отдуваясь и спрашивая:

— Кто победил?

Чтобы решить этот вопрос, Додо пришлось серьезно поразмыслить. Он сел на камень, приставил палец ко лбу (в этой позе, как известно, любят сидеть все умные люди) и сидел так, пока остальные в полной тишине ждали ответа.

Наконец Додо изрек:

— Победили все, потому что все убежали от Ня. Значит, каждому надо вручить Приз.

— А кто будет вручать? — раздались взволнованные голоса.

В ту же минуту
все обернулись к ней и загалдели:
— Призы давай! Призы давай!

— То есть как это «кто»? Разумеется, она,— сказал Додо и ткнул пальцем в Алису.

В ту же минуту все обернулись к ней и загалдели:

— Призы давай! Призы давай!

Алиса не знала, куда деваться. В отчаянии она сунула руку в карман и обнаружила там кулек тянучек, к счастью, не пострадавших от соленой воды. Она раздала тянучки, и каждому досталось по одной.

— Все расхватали, а ей приз оставили? — спросила Мышь.

— Действительно! — поддержал ее Додо.— Что у тебя там еще в кармане? — справился он у Алисы.

— В кармане? Наперсток,— печально ответила она.

— Давай-ка его сюда,— сказал Додо.

Тут все окружили Алису, а Додо торжественно вручил ей наперсток и произнес:

— От имени всей честной компании прошу вас не побрезговать этим памятным подарком в форме наперстка.

На этом Додо закончил свою речь, и все захлопали в ладоши.

Алисе эта церемония показалась донельзя несуразной, но Додо взирал на нее так серьезно, что она не посмела улыбнуться. Так и не придумав, что сказать, она молча поклонилась и торжественно взяла наперсток.

Все принялись за тянучки, но добром это, конечно, не кончилось: птицы побольше обижались, что толком их не распробовали, а те, что поменьше, давились, и их приходилось хлопать по спине.

Когда тянучки были съедены, все уселись в кружок и начали упрашивать Мышь, чтобы она рассказала что-нибудь занимательное.

— Вы мне обещали, что расскажете Историю Вашей Жизни,— напомнила Алиса,— и объясните, отчего вы боитесь... К и С,— добавила она шепотом, опасаясь, как бы Мышь снова не вышла из себя.

— Это трагическая и замысловатая История,— гордо сказала Мышь.— Ее ценители ходят за мной хвостом. Да, длинным и взволнованным хвостом!

— Хвост действительно длинный,— согласилась Алиса и с удивлением посмотрела на хвост Мыши.— Но почему вы решили, что он у вас взволнованный?

Алиса все удивлялась, а Мышь тем временем начала свой рассказ, и вот каким его запомнила Алиса:

Пес Тибоша соседа
          пригласил на беседу,
          говоря:
              — Мыш мой
              милый,
              выходите
              на суд,
                  бросьте
                  все отго-
                  ворки, вы-
                  лезайте
                  из норки:
              сами не
              захотите —
              вас друзья
              вынесут.
                  Мыш отве-
                      тил Тибо-
                      ше:
                          — План, ко-
                          нечно, хо-
                          роший.
                      Но ведь
                      нету при-
                      сяжных!
                  Кто палач?
                  Кто судья?
                      Пес отве-
                          тил:
                              — Неважно!
                          Я тебе
                          и
                          присяж-
                          ный, и
                          палач,
                          и за-
                          щит-
                          ник,
                          и
                          судья
                          тоже
                          я!

— Ты почему не слушаешь! — набросилась Мышь на Алису.

— Не сердитесь, пожалуйста, — виновато сказала Алиса. — Уж очень у вас длинный хвост. И действительно взволнованный.

— Хвост, хвост! — совсем разобиделась Мышь. — Я сразу поняла, что ты слышала только самый хвост моей истории и пропустила важнейшие места, с которыми он тесно связан.

— Хвост? Связан?—забеспокоилась Алиса.—Бедный хвостик! Дайте я его развяжу.

— Ни под каким видом!—надулась Мышь, встала и пошла восвояси.—Вы оскорбляете меня нелепыми намеками.

— Я не нарочно,—жалобно возразила Алиса.—Вы такая обидчивая, что просто невозможно...

Мышь что-то буркнула в ответ.

— Умоляю вас, вернитесь! Доскажите Историю Вашей Жизни,—попросила Алиса, а все остальные закричали:

— Вернись!

Но Мышь гордо тряхнула головой и прибавила шагу.

— Ах, какая жалость, что она ушла!—посетовал Ара, когда Мышь скрылась из виду.

А старый Краб не преминул преподать урок своему сыну и прошипел:

— Вот, голубчик, тебе наука. Никогда не выходи из себя.

— Отстаньте, папаша,—неучтиво откликнулся юный Краб.—От вас улитки и те шарахаются.

— Будь со мной Диночка,—мечтательно проговорила Алиса,—уж она бы приволокла эту Мышь обратно...

— Осмелюсь полюбопытствовать, кем вам доводится эта Дина?—деликатно ввернул Ара.

— Дина—моя кошка,—охотно ответила Алиса, всегда готовая поговорить о своей любимице.—Вы и представить себе не можете, как ловко она ловит мышей! А видели бы вы, как она охотится за птичками! Увидит птичку—цап!—и готово... съела.

Эти слова произвели на всех сильное впечатление. Птицы поменьше сразу же упорхнули. Дряхлая ворона закуталась в платок, приговаривая:

— Что-то я у вас засиделась. Вечер сырой, так и простудиться недолго...

Канарейка тихонько созывала птенцов:

— Дети, дети, домой! Пора спать!

Каждый припомнил какое-нибудь неотложное дело, и в конце концов все разбрелись и разлетелись. Алиса осталась одна.

— Ну кто меня тянул за язык!—уныло повторяла она.—Зачем я вспомнила про Дину? Никто ее здесь не любит... Но все равно она лучшая кошка на свете. Как я по ней соскучилась!

И опять Алиса заплакала. Ей было так одиноко, так тоскливо.

Впрочем, через некоторое время она услыхала чьи-то шажки и обернулась, в глубине души надеясь, что это Мышь сменила гнев на милость и возвращается, чтобы досказать Историю Своей Жизни.

Глава четвертая

Алиса протягивает ноги, а Билл вылетает в трубу

НО ЭТО была не Мышь... Это был Белый Кролик. Он бежал трусцой и все время поглядывал себе под ноги, как будто что-то потерял. Алиса услышала, как он бормочет:

— О, Герцогиня! Герцогиня! Лапки мои, лапки... Ушки мои, ушки... Не сносить мне головы, клянусь бакенбардами! Да куда же они подевались?

Алиса мигом догадалась, что Кролик разыскивает перчатки и веер, и решила ему помочь. Но ни веера, ни перчаток нигде не было. И вообще после того как она шлепнулась в море слез, все вокруг переменилось: куда-то пропали и коридор, и стеклянный столик, и низенькая дверца за занавеской.

Кролик, наконец, обратил внимание на Алису, все еще искавшую перчатки, и раздраженно спросил:

— Марианна? Ты как сюда попала, Марианна? А ну, марш домой! Да принеси-ка пару перчаток и веер! Живо!

Алиса так перепугалась, что и впрямь побежала в ту сторону, куда махнул лапой Кролик, даже не попытавшись объяснить ему, что он ошибся.

«Он принял меня за свою Домоправительницу, — раздумывала она по дороге. — Ну и удивится же он, когда узнает, кто я на самом деле! А перчатки я ему, на всякий случай, принесу... если найду, конечно».

Алиса подбежала к небольшому уютному домику. На двери висела блестящая медная табличка с надписью:

Б. КРОЛИК

Стучать Алиса не стала, открыла дверь и сразу кинулась на второй этаж, потому что вдруг подумала: если, чего доброго, встретит *настоящую* Марианну, эта настоящая Марианна тут же выставит ее за дверь, и не видать тогда Кролику перчаток и веера как своих ушей.

— Как все-таки странно! — удивлялась Алиса. — Я — и вдруг на побегушках у Кролика! Если так пойдет, пожалуй, и Дина примется мною командовать!.. Интересно, как это у нее получится? Наверное, так. Вот няня отправляет Алису гулять. «Подожди немножко, няня, — отвечает Алиса. — Дина вышла по делам и велела мне посторожить мышиную нору, пока не вернется. Надо последить, чтобы мышка никуда не отлучалась»... Ну нет! — возмутилась Алиса. — Это уж чересчур. Если бы Дина давала мне такие поручения, ее бы сразу выставили за дверь.

Она вошла в тесную и опрятную комнату. У окна стоял стол, а на нем — точь-в-точь как и думала Алиса — лежали малюсенькие лайковые перчатки и веер. Алиса взяла было веер и перчатки, но тут на полке у зеркала заметила... Пузатую Бутылку! На ней ничего не было написано, но Алиса все-таки ее взяла, открыла и поднесла ко рту.

— Стоит мне здесь что-нибудь съесть и выпить, — сказала она, — как сразу что-нибудь происходит. Значит, надо проверить, что случится на этот раз. Хорошо бы немного подрасти, не ходить же всю жизнь в коротышках!

Так оно и вышло, и гораздо быстрей, чем рассчитывала Алиса. Едва успела она отхлебнуть из Пузатой Бутылки, как уперлась головой в потолок. Ей даже пришлось пригнуться, чтобы не сломать шею.

Алиса тут же поставила Пузатую Бутылку на место.

— Нет уж, хватит... хватит... Опять я пожадничала... Как же я теперь в дверь пролезу?

Увы, было слишком поздно. Алиса продолжала расти, расти, расти, расти, и в конце концов ей пришлось встать на коленки. Потом она попробовала лечь, подложив руку под голову. Другой рукой она уперлась в дверь. Но и это не помогло. Алиса росла, росла, росла, росла, и, наконец, ей пришлось высунуть руку в окошко, а ногой залезть в камин.

«Тут уж ничего не попишешь,— сокрушенно вздохнула она.— Но что же будет *дальше?*»

К радости Алисы, действие напитка все-таки прекратилось, и она перестала расти. Зато теперь нельзя было пошевелиться. Немудрено, что Алиса затосковала.

«До чего же хорошо дома... — мечтала она. — Никто там не растет. Никто не съеживается. Никто мышей с кроликами не слушается. Ну зачем я полезла в кроличью нору?! И вообще... А все-таки как здесь интересно! Хорошо бы угадать, что еще со мной произойдет? Когда я была маленькая и читала сказки, я думала, там все понарошку. А вот и нет! Со мной-то все на самом деле происходит! Поэтому обо мне надо обязательно написать книжку. Я сама, когда вырасту... Впрочем, я уже выросла,— огорчилась Алиса.— Дальше расти некуда. По крайней мере в этой комнате. Но зато,— неожиданно сообразила Алиса,— раз я выросла, я ведь теперь никогда не стану старше! С ОДНОЙ СТОРОНЫ, это замечательно — я, значит, не стану старушкой. Но С ДРУГОЙ СТОРОНЫ! Вечно учить уроки... Нет уж, спасибо! Дурочка же ты,— отвечала она сама себе.— Какие уж тут уроки! Тебе самой-то места не хватает, а уроки сюда и подавно не влезут».

Так она размышляла и смотрела на все то С ОДНОЙ СТОРОНЫ, то С ДРУГОЙ СТОРОНЫ — одним словом, рассуждала, как вдруг под окном раздался Голос. Алиса прислушалась.

— Марианна! — потребовал Голос. — Где же перчатки, Марианна?!

На лестнице послышался топот ног. Когда Алиса поняла, что это Кролик ворвался в дом и теперь ищет ее, она задрожала от ужаса, да так, что стены заходили ходуном. Ей как-то не пришло в голову, что теперь Кролик раз в сто меньше ее самой. Спрашивается, чего же его бояться!

Кролик подошел к двери и подергал ручку. Но дверь открывалась внутрь, и Алиса подперла ее плечом. Кролик потоптался за дверью, а потом Алиса услышала его бормотание:

— Фу, заклинило. Придется лезть через окно...

«Ну нет!» — твердо решила Алиса и, подождав, когда Кролик, по ее расчетам, приблизился к окну, высунула руку и *цапнула*. Ей показалось, что она промахнулась, но тут кто-то истошно завизжал, раздался звон разбитых стекол. Алиса поняла: ЧТО-ТО тяжелое провалилось в теплицу с огурцами, которую она заметила неподалеку от крыльца.

Затем послышался негодующий голос Кролика:

— Па-а-ат! Пат! Ты где?

Другой, незнакомый голос ответил:

— Туточки, хозяин! Редиску для компота рву.

— «Для компота», — сердито передразнил Кролик. — Я тебе покажу «компот»! А ну, вытащи меня отсюда.

Опять зазвенело стекло.

— Так, Пат. А теперь подумай и скажи, что это там из окна торчит?

— Гляди-ка, хозяин, ручка!

— «Ручка», дармоед! Нашел «ручку»... Она еле в окно влезла.

— Не без этого, хозяин. Ручка солидная.

— Нечего ей там делать. Убери ее немедленно, кто она там, ручка или не ручка.

Наступило молчание. Потом Алиса услышала шепот:

— Я ее после, хозяин. Ручка-то того...

— Делай, что говорят, дубина!

Алиса пошевелила рукой и снова *цапнула*. На этот раз завизжали двое и опять зазвенели стекла.

«Господи, сколько же у них огурцов! — ужаснулась Алиса. — Интересно, что они придумали? Если меня вытащат через окошко, я буду только рада. А то здесь становится скучно».

Снаружи было тихо. Потом протарахтела тачка. Сразу, перебивая друг друга, заговорило несколько голосов. Алиса прислушалась:

— А вторая где?

— Да кто ее знает... У меня эта вот... Вторая, кажись, у Билла.

— Билл, старина, вторая лестница у тебя? Так тащи ее сюда!

— Приставляй!

— Да нет, сперва свяжи, а потом...

— И на половину высоты не хватит...

— Сойдет.

— Ну, Билл, держись за веревку!

— Вот и Билл! — сказала Алиса
и изо всех сил
брыкнула ногой.

— Крыша выдержит?

— Билл! Восьмая ступенька трухлявая. Ты поосторожней!

— ПОБЕРЕГИСЬ!!!

(Страшный треск.)

— Чья это работа, лоботрясы?

— Это все Билл, хозяин.

— Ну, так кто полезет в трубу?

— Я, хозяин, не полезу. Не учен...

— И я не полезу!

— Пускай вон Билл и лезет.

— Ну-ка, Билл, приятель, давай. Хозяин шутить не любит.

«Итак, Билл лезет в трубу,— подумала Алиса.— Бедненький, все на него взвалили. Честно говоря, я ему не завидую. Кажется, я — если постараюсь — смогу ему слегка наподдать».

Она как можно глубже засунула ногу в дымоход и притаилась. Потом наверху что-то зашуршало: вниз спускалось какое-то загадочное существо.

— Вот и Билл! — сказала Алиса и изо всех сил брыкнула ногой.

Раздался общий крик:

— Летит!

Потом вопль Кролика:

— Эй там, у забора, лови его!

Потом тишина. И снова голоса:

— Воды принесите!

— На, старина, попей.

— Не торопи его, не то захлебнется.

— Что стряслось, дружище? Что это ты вздумал? Скажи хоть словечко.

Послышался тонкий, еле слышный голосок. «Это и есть Билл»,— сообразила Алиса.

— Ах, где я? Что со мной? Нет, воды больше не надо, благодарствуйте... Куда я попал? Сам не пойму... Помню только, как что-то на меня наскочило... как чертик из табакерки... и вжик — я полетел прямо в небо, как воздушный змей.

— Змей, это точно.

— В самую точку угодил,— раздались голоса.

— Поджигай дом, ребята! — услышала Алиса крик Кролика и весело ответила:

— Только попробуйте, я на вас Дину напущу!

В ответ — мертвая тишина. В конце концов Алиса забеспокоилась: «Что у них такое на уме? Если они хоть капельку соображают, сейчас наверняка начнут разбирать крышу».

Но прошло еще несколько минут, и под окном опять зашептались. Алиса услышала голос Кролика:

— Штук сорок, и хватит!

«Штук сорок чего?» — удивилась Алиса, но в тот же миг по подоконнику забарабанили камешки, и несколько голышей попало ей в лицо.

— Пора и честь знать! — решительно сказала она и громко прокричала:

— ЭЙ, ВЫ! КОНЧАЙТЕ БЕЗОБРАЗНИЧАТЬ!

Опять полная тишина.

Тут Алиса обомлела, потому что камешки, залетевшие в комнату, у нее на глазах превратились в ватрушки. Ее осенила блестящая идея.

«Если я съем ватрушку, — рассудила Алиса, — то наверняка или вырасту, или наоборот. Но расти мне дальше некуда. Значит...» Она схватила ватрушку, проглотила ее и — ахнуть не успела — стала делаться все меньше и меньше.

Как только Алиса смогла протиснуться в дверь, она сразу выскочила на улицу. У крыльца ее поджидала целая толпа всяких зверьков. Билл, несчастная маленькая ящерка, лежал во дворе, положив голову на колени Морской Свинке, которая поила его из фляжки. Стоило Алисе показаться на пороге, как вся компания заулюлюкала и кинулась за ней, но Алиса все-таки убежала от них и в скором времени очутилась в полной безопасности.

Вокруг был дремучий лес.

«Первым делом, — решила Алиса, — надо опять вырасти и сделаться такой, как обычно. Вторым делом, надо все-таки пробраться в этот чудесный сад. По-моему, правильный план». План и впрямь был ясен и прост. Но беда в том, что Алиса понятия не имела, как его осуществить. Пока она размышляла и оглядывалась по сторонам, у нее над головой кто-то громко и весело залаял.

Алиса подняла голову. Прямо над ней стоял огромный Щенок и глядел на нее круглыми, добродушными глазами. Подумав, он потянулся к ней лапой.

— Собачка, а, собачка! — опасливо позвала его Алиса и даже попробовала свистнуть.

Ее не оставляла одна не очень приятная мысль: а что, если собачка хочет есть, и если хочет, не съест ли ее, Алису, заодно со всеми ее ласковыми словами.

Ненароком Алиса подняла с земли прутик и помахала им перед щенячьим носом.

Щенок подскочил, приземлился на все четыре лапы, радостно тявкнул, а потом накинулся на прутик и притворился, что хочет его растерзать. Алиса спряталась за большим лопухом, чтобы Щенок как-нибудь случайно не раздавил ее, но стоило ей выглянуть из-за лопуха, как Щенок, который только того и ждал, снова рванулся к прутику и даже перекувырнулся на ходу. Тогда Алиса, которой казалось, что она играет с ГИППОПОТАМОМ и что ГИППОПОТАМ вот-вот на нее наступит, снова спряталась за лопух. Между тем ГИППОПОТАМ снова и снова налетал на прутик: подскакивал, отбегал, возвращался и все время басовито лаял.

Наконец он выбился из сил и присел посреди поляны, свесив язык и жмурясь.

Алиса поняла, что ей самое время убираться подобру-поздорову. Она бежала, пока хватало дыхания, а Щенок все тявкал вдалеке.

«Славный пес! — вспоминала Алиса, прислонясь к стеблю ромашки и обмахиваясь ее лепестком. — Я бы его всему-всему выучила... если бы была хоть чуточку выше. Ой! Да как же я забыла! Мне срочно нужно подрасти. Как бы это сделать? Я думаю, нужно опять чего-нибудь съесть или выпить... Только вот *чего?*»

И действительно, *чего?* Алиса огляделась, посмотрела на цветы, на листья, на стебли травы, но ничего подходящего не увидела. Неподалеку возвышался большой гриб. Алиса глянула под шляпку — ничего. И слева — ничего. Справа — тоже ничего. Оставалось только посмотреть, нет ли чего-нибудь наверху, на шляпке гриба.

Она встала на цыпочки и вытянула шею.

В упор на нее смотрела толстая зеленая Гусеница.

Гусеница сидела на самом краю гриба, скрестив руки на груди, и спокойно покуривала длинную кривую трубку.

Глава пятая

Так советует Гусеница

Г УСЕНИЦА и Алиса молча смотрели друг на друга. Наконец Гусеница выпустила трубку изо рта и вялым, простуженным голосом спросила:

— Ты кто?

Разговор начинался не лучшим образом, но Алиса все-таки ответила:

— Я? Да я сама толком не знаю... то есть знаю, кем была сегодня утром. Но с тех пор... с тех пор я, наверно, раз пять менялась.

— Как так? — недовольно проговорила Гусеница. — Сама себя не знаешь?

— В том-то и дело, что не знаю, — вздохнула Алиса. — Я — это вовсе не я. Такая вот история.

— Какая история? — осведомилась Гусеница.

— Никуда не годная история, — вздохнула Алиса. — Извините, но объяснить я ничего не могу. Потому что сама не понимаю. Сейчас я совсем маленькая, а час назад была дылда дылдой. Ужасно неудобно!

— Отчего же? — не согласилась Гусеница.

— Ну, вы пока этого не понимаете, — сказала Алиса. — У вас еще все впереди. Сначала вы превратитесь в куколку, потом — в бабочку. Вот *тогда* почувствуете, что к чему.

— Это как посмотреть,— сказала Гусеница.

— Ну, может быть, *вы* на это посмотрите по-другому,— вздохнула Алиса.— А для меня это не жизнь, а сплошная мука.

— Для тебя? — надменно переспросила Гусеница.— А ты кто?

Все приходилось начинать сначала. Алисе очень не нравилось, как с ней обращается Гусеница. Она собралась с духом и заявила:

— А я хочу знать, кто *вы* такая!

— Зачем? — молвила Гусеница.

Алиса смутилась: она ведь действительно не знала зачем. У Гусеницы был, видимо, скверный характер, и Алиса пошла прочь.

— Стой! — сказала Гусеница и пошевелилась.— Я тебе кое-что скажу.

Это, конечно, был совсем другой разговор. Алиса повернула назад.

— Крепись! — доверительно сказала Гусеница.

— И это все? — стиснув зубы, спросила Алиса.

— Не совсем,— покачала головой Гусеница.

Алиса решила, что может и подождать — все равно делать нечего. Мало ли, вдруг Гусеница в конце концов скажет что-нибудь стоящее.

Несколько минут Гусеница молча попыхивала трубкой, затем отложила ее, скрестила руки на груди и спросила:

— Растешь?

— Расту,— кивнула Алиса.— А иногда наоборот. И потом, я кое-что стала забывать...

— Что «кое-что»? — нахмурилась Гусеница.

— У меня в голове перепутались все стихи,— призналась Алиса.— Вот хотела я прочесть стихи про птичку, а вышло про крокодила...

— «Про крокодила...» — задумчиво повторила Гусеница.— Прочти-ка мне лучше стишок про дядю Вильяма.

Алиса облегченно вздохнула, сложила руки на животе и начала:

«Дядя Вильям,— спросил удивленный малыш,—
Отчего ты стоишь вверх ногами?
Отчего ты друзьям и знакомым велишь
Называть рукава сапогами?»

«У меня, хоть и стал я уже стариком,
Голова совершенно пустая.
Раньше я ежедневно болтал языком,
А теперь я ногами болтаю!»

«Дядя Вильям, — юнец к джентльмену воззвал, —
Ты не слишком изящный мужчина,
Но как драная кошка, залез ты в подвал.
В чем подобной сноровки причина?»

«Я, приятель, ужасно боюсь темноты,
И в подвале воспитывал волю.
А теперь будешь волю воспитывать ты.
Залезай! Я, конечно, позволю».

«Дядя Вильям, — спросил шалопай старика, —
Тебе сварена манная кашка.
Как же ты умудрился в четыре глотка
Проглотить молодого барашка?»

«Проглотить? Проглотил. Я не спорю, мой друг,
Но твои замечания мелки.
За едой я бываю слегка близорук,
И, наверное, спутал тарелки».

«Дядя Вильям, — мальчишка воскликнул, дрожа, —
Всем известно, что ты непоседа,
Но зачем в зоопарке ты дразнишь моржа
И за что укусил муравьеда?»

«Слушай, милый ребенок, твоя болтовня
Не выводит меня из терпенья,
Только лучше заткнись, а не то у меня
Головой сосчитаешь ступени!»

— Укусил муравьеда? — спросила Гусеница.

— Укусил, — ответила Алиса.

— Все не так, — сказала Гусеница.

— Вы правы, все не совсем так, — согласилась Алиса. — Кое-какие слова стоят не на своем месте.

— Все совсем не так, от начала до конца, — решительно оборвала ее Гусеница.

Наступило молчание.

Потом Гусеница снова заговорила.

— Хочешь подрасти? — спросила она.

— Очень, — кивнула Алиса. — Хоть самую малость... Лишь бы больше не меняться. Вот в чем загвоздка.

— В чем? — удивилась Гусеница.

Алиса не ответила. Ей еще никогда не приходилось так туго, и она понемногу начинала терять терпение.

— Тебе не угодишь! — покачала головой Гусеница.

— Угодишь, угодишь! — воскликнула Алиса. — Мне надо немного подрасти, я же сказала. А трех сантиметров мне ну никак не хватает.

— Три сантиметра — дивный рост! — вспылила Гусеница и встала на дыбы.

В ней как раз и было три сантиметра росту.

— Это кому как... — плаксиво сказала Алиса.

А сама подумала: «Какие они тут все воображалы!»

— Привыкнешь,— посулила Гусеница.— Со временем. Тут она снова сунула трубку в рот и запыхтела.

Алиса терпеливо ждала, что будет дальше. Минуты через две Гусеница вытащила трубку изо рта, сладко зевнула и тряхнула головой. Потом она не спеша сползла на землю и двинулась к высокому одуванчику, небрежно заметив:

— С одной стороны вырастешь. С другой — наоборот.

— С одной стороны чего? — растерянно переспросила Алиса.

— Гриба,— процедила Гусеница и скрылась в траве.

Сколько Алиса ни смотрела на гриб, она так и не смогла понять, где у него одна сторона, а где другая. Потом она все-таки привстала на цыпочки, обхватила руками круглую шляпу и отломила по кусочку — слева и справа.

— Ничего, разберемся,— сказала она и откусила от левого кусочка.

В ту же минуту Алиса изо всех сил стукнулась подбородком о коленки.

Этот сюрприз порядком напугал Алису. Нельзя было терять ни минуты: а то, чего доброго, от нее остался бы один подбородок. Алиса принялась было за второй кусочек, но ничего не вышло — рот никак не хотел открываться. Каким-то чудом она все-таки отломила от гриба крошку и проглотила ее.

— Ура, голова свободна! — закричала Алиса.

Только зря она радовалась: в то же мгновение куда-то подевались ее ноги. Она глянула вниз и увидела только бесконечную шею, которая торчала из моря зелени, как заводская труба.

— Что это там такое зелененькое? — удивилась Алиса.— И потом, где мои ноги? Я без них как без рук... Кстати, рук тоже не видать. Бедные мои ручки!

Она попробовала взмахнуть руками — да что толку! Далеко-далеко внизу что-то замелькало среди зеленой листвы.

Да, так до рук не добраться, это сразу стало ясно. Алиса попыталась наклониться и очень обрадовалась, когда увидела, что шея у нее теперь умеет сгибаться и извиваться, как пожарная кишка. Алиса изящно изогнула ее и собиралась сунуть голову прямо в зелень, которая при ближайшем рассмотрении оказалась кроной столетнего дуба, как вдруг раздался Боевой Клич.

Алиса вздрогнула.

Только зря она радовалась:
в то же мгновение
куда-то подевались ее ноги.

С дерева взлетела Синица, кинулась на Алису и стала бить ее крыльями.

— Гадюка! — щебетала Синица.

— Я не Гадюка! — возмутилась Алиса.— Оставьте меня в покое, пожалуйста.

— Гадюка ты! — повторила Синица и всхлипнула.— Чего я только не делала, нет от них спасу!

— О чем это вы? — не поняла Алиса.

— Куда я только не пряталась! — причитала Синица.— И в траву, и в кусты, и в камыши... И в дупле пережидала... Но нет, этим змеям не угодишь!

Алиса по-прежнему ничего не понимала, но Синица не давала ей вставить ни словечка.

— Мало того, что я сижу на яйцах,— кричала Синица.— Я еще должна сидеть как на иголках! Сидеть и глядеть, не ползет ли где змея. И так день и ночь. Три недели глаз не смыкаю!

— Извините. Я ведь не нарочно,— вставила Алиса, до которой, наконец, дошло, в чем дело.

— И вот нашла я самое высокое дерево в Лесу,— тараторила Синица.— Верила, что сюда им не добраться. Так нет же! С неба прыгать начали... У, Гадючина!

— Да не змея я! Сколько раз повторять? — обозлилась Алиса.— Я...

— Ну, кто же ты такая? — насмешливо спросила Синица.— Соври попробуй.

— Я маленькая девочка,— неуверенно сказала Алиса.

— Ха-ха,— с презрением ответила Синица,— так я тебе и поверила! Ты что же думаешь, я маленьких девочек не видела? Видела. Но не с такой же шеей! Нет! Ты — змея. Меня не проведешь. Может, ты еще скажешь, что не ешь яиц?

— Нет, почему не ем? Ем,— призналась Алиса.— Но ведь все девочки едят яйца...

— Не знаю,— сказала Синица.— Не знаю... А ежели едят, так, значит, они змеи и есть. И точка.

Алиса так удивилась, что ничего не сказала. А Синица воспользовалась случаем и прибавила:

— Я-то знаю: ты ищешь мое гнездо. А кто ты там, девочка или не девочка, мне никакого дела нет.

— Это вам дела нет, а мне — есть,— взволновалась Алиса.— Честное слово, не искала я никакого гнезда.

— Ну и иди своей дорогой! — мрачно ответила Синица, устраиваясь на яйцах.

Идти по лесу Алисе мешала шея: она то и дело застревала в кустах, так что Алисе подолгу приходилось выпутываться из веток.

Потом Алиса вспомнила, что у нее еще осталось немножко гриба. Она принялась за него и жевала, пока не стала обычного роста. Дело это было долгое, она становилась то выше, то ниже, чем надо, пока не стала обыкновенной девочкой.

Алиса так от этого отвыкла, что поначалу ей было страшно неудобно. Но скоро все пошло на лад, и Алиса опять задумалась: «Ну вот, теперь все в порядке. Полдела сделано... Ну и чудеса! Каждую минуту — новое чудо. Хорошо, хоть я теперь такая же, как прежде, а если так, пора мне отправляться в волшебный сад... Как бы туда попасть?!

Тут Алиса вышла на широкую поляну и прямо перед собой увидела дом, а точнее, домик или даже домишко.

«Кто же здесь живет? — размышляла Алиса. — Пожалуй, мне подходить к этому домику не стоит, я только всех перепугаю. Посмотрят они на меня на такую — и света белого невзвидят». Алиса погрызла гриб, стала раз в пять меньше и только тогда направилась к дому.

Глава шестая

Поросенок и перец

Что делать дальше, Алиса не знала. Она остановилась у крыльца, когда из лесу показался Почтальон. Алиса решила, что это Почтальон потому, что через плечо у него висела сумка. Без сумки он был бы вылитый Карась.

Почтальон забарабанил в дверь. Потом дверь приоткрылась. С порога, вылупив глаза, глядела служанка — сущая Лягушка. На ней были кружевной передник и наколка.

Алиса, вся дрожа от любопытства, ждала, что будет дальше.

Карась вытащил из сумки громадный мятый конверт, протянул его Лягушке и провозгласил:

— Герцогине. Приглашение. От Королевы. На крокет.

Лягушка торжественно повторила:

— На крокет. От Королевы. Приглашение. Герцогине.

Затем Карась и Лягушка низко поклонились друг другу и стукнулись лбами.

Алиса расхохоталась, да так, что ей пришлось спрятаться за деревом, чтобы не спугнуть эту парочку. Когда она снова выглянула из лесу, Карась уже ушел, а Лягушка сидела на крыльце и внимательно смотрела в небо.

Алиса неуверенно приблизилась к дверям и постучала.

— Стучи, стучи, авось достучишься, — дружелюбно сказала Лягушка. — Только зря ты это. Я тебя и так вижу, а там, — она указала лапой на дверь, — такой кавардак, что стучи не стучи — все равно не услышат.

И правда, в доме был кавардак. Кто-то выл, кто-то чихал, кто-то спорил. Гремели тарелки.

— Скажите, пожалуйста, — спросила Алиса, — а можно, я войду?

— Авось достучишься, — развивала свою мысль Лягушка, не обращая на Алису никакого внимания. — Вот если бы ты была *там*, а я *тут*, и ты бы постучала, — я бы тебе открыла. А так чего стучать-то?

Лягушка по-прежнему смотрела в небо, и Алисе это не понравилось. «Но она ведь не нарочно, — подумала Алиса. — Просто у нее глаза на макушке. Вот она и смотрит вверх. Только почему она мне не отвечает?»

— Можно войти? — переспросила Алиса.

— Эх! — сказала Лягушка. — Посижу здесь до завтра и...

И из распахнувшейся двери вылетело тяжелое блюдо. Блюдо просвистело над Лягушкиной головой, оцарапало ей нос, трахнулось о дерево и разлетелось на куски.

— ...или до послезавтра, — равнодушно проговорила Лягушка. — Погода больно хороша!

— Можно войти? — закричала Алиса.

— И чего ты там забыла? — недоуменно спросила Лягушка. — Ты сама подумай...

Действительно, было о чем подумать. Но уж очень не понравилось Алисе, как Лягушка с ней обращается.

— И что они все спорят, — пробормотала Алиса. — Спорят и спорят как сумасшедшие.

По-видимому, Лягушка решила, что настал момент повторить еще раз все, что она уже сказала, и притом с некоторыми дополнениями.

— Эх! — махнула она лапой. — Посижу здесь до завтра или до послезавтра. Или до послепослепослезавтра. Вон погода-то какая!

— А как же я? — взмолилась Алиса.

— А так же, — любезно ответила Лягушка и запела вполголоса.

— Да что с ней разговаривать! — в отчаянии прошептала Алиса. — Она же дура набитая!

Она открыла дверь и вошла.

Дверь вела в сизую от дыма кухню. В самой середине на колченогом табурете сидела Герцогиня и нянчила Ребеночка. Над плитой склонилась Кухарка, помешивая поварешкой в чугунном котле, до краев наполненном супом.

— В этот... суп... переложили... перца... чхи! — проговорила Алиса, чихая на каждом слове.

Перца действительно хватало. Даже Герцогиня время от времени чихала, а про Ребеночка и говорить нечего — он то чихал, то орал, то чихал, то орал, и так далее, без передышки.

Только двое присутствующих совсем не чихали: Кухарка и здоровенный кот, который восседал на коврике у печки и улыбался от уха до уха.

— Извините, — робко начала Алиса, не зная, прилично ли ей первой заводить разговор, — вы не скажете, почему этот кот улыбается?

— Он Чеширский Кот, — ответила Герцогиня. — Вот и улыбается. Ах ты поросенок!

Последние слова Герцогиня произнесла с такой яростью, что Алиса подскочила. Впрочем, она тут же догадалась, что Герцогиня имеет в виду Ребеночка. Успокоившись, Алиса сказала:

— А я и не знала, что Чеширские Коты такие улыбчивые. Раньше я думала, что коты вообще не умеют улыбаться.

— Уметь-то они умеют, — разъяснила Герцогиня, — да не каждый улыбается.

— В жизни не слыхала, чтобы коты улыбались, — ввернула Алиса, очень довольная ходом разговора.

— А про что ты вообще слыхала? — ответила Герцогиня. — Куда тебе...

Алисе эти слова очень не понравились, и она решила поговорить о чем-нибудь другом. Пока она раздумывала, о чем бы спросить, Кухарка сняла котел с огня и принялась швырять все что ни попадя в Герцогиню и Ребеночка.

Сперва полетели кастрюли и сковородки, потом Кухарка перешла на банки, чашки, тарелки и подстаканники. Герцогиня не обращала на Кухарку ни малейшего внимания, хотя один подстаканник стукнул ее по затылку, а Ребеночек и без того выл не переставая, так что понять, попала ли в него Кухарка, не было никакой возможности.

— Перестаньте хулиганить! Ой, носик-то, носик поберегите! — закричала перепуганная Алиса, когда над головой Ребеночка просвистел медный таз и действительно едва не отхватил ему нос.

— Кстати, насчет носа, — проворчала Герцогиня. — Не суй нос в чужой вопрос. А то из-за тебя земля вертится в два раза медленнее, чем положено.

— И ничего подобного! — ответила Алиса, довольная тем, что наконец-то может себя показать. — Земля за двадцать четыре часа оборачивается вокруг своей оси, вследствие чего...

— Кстати, насчет следствия, — перебила ее Герцогиня и обратилась к Кухарке: — Отруби-ка ей голову. Без следствия.

Алиса с опаской посмотрела на Кухарку — а вдруг она примет к сведению эти слова? Но Кухарка энергично помешивала суп и никого слушать не желала. Алиса успокоилась и продолжала:

— Да, за двадцать четыре часа... Нет, за двенадцать... Нет, за...

— Стоп, — сказала Герцогиня. — Я, знаешь ли, не перевариваю цифр.

И она принялась баюкать Ребеночка, напевая колыбельную и встряхивая его изо всех сил на конце каждой строчки:

Когда чихает твой малыш
Часов по восемь с третью,
Ну, как его не угостишь
Дубиной или плетью!

П р и п е в

(его подхватили Кухарка и Ребеночек)

Вау! Вау! Вау!

Закончив припев, Герцогиня начала подбрасывать Ребеночка под потолок, да так, что он только повизгивал. Сквозь визг доносились такие слова:

Пусть он до перца не охоч,
Строптив и недоверчив,
Его разочек пропесочь,
Как следует поперчив!

П р и п е в

Вау! Вау! Вау!

— Лови! — томно сказала Герцогиня и швырнула Ребеночка Алисе. — Можешь его побаюкать. А мне пора переодеваться. Сегодня крокет у Королевы.

Сказав это, она вылетела из комнаты. Кухарка метнула ей в спину сковородку, но промахнулась.

Алиса едва успела подхватить Ребеночка. Это был очень странный Ребеночек. Ручки и ножки торчали у него в разные стороны, «как у осьминога», — подумала Алиса.

Лежа у Алисы на руках, загадочное существо пыхтело, как паровоз, извивалось, скручивалось, раскручивалось — словом, Алисе стоило большого труда его удержать.

Когда Алиса, наконец, разобралась, *как* баюкать Ребеночка, чтобы он не упал на пол (для этого пришлось завязать его узлом и придерживать за правое ухо и левую пятку, чтобы не развязался), она вынесла Ребеночка на свежий воздух.

— Если оставить его на кухне, — рассуждала она, — не сегодня-завтра его прикончат. Я должна спасти малыша от верной смерти.

Тут она замолчала, а Ребеночек перестал чихать и хрюкнул.

— Не хрюкай, — посоветовала ему Алиса. — Хрюканьем трудно выразить мысли.

Ребеночек опять хрюкнул, и Алиса в тревоге посмотрела на него, не понимая, что случилось.

Без сомнения, нос у Ребеночка был очень похож на пятачок. Собственно говоря, это и был пятачок. Кроме того, глазки у Ребеночка сделались подозрительно маленькими. Одним словом, Алисе его вид не очень понравился.

«Может, он захныкал, а не захрюкал», — предположила она и пристально посмотрела ему в глаза: не плачет ли?

Но нет, он не плакал.

— Вот что, голубчик, — задумчиво сказала Алиса, — если ты твердо решил стать свиньей, нам придется расстаться. Так что взвесь, пожалуйста, все «за» и «против»...

Ребеночек опять захныкал (или захрюкал, трудно сказать), и наступило молчание.

«Что же я с ним дома буду делать?» — подумала Алиса, но тут Ребеночек захрюкал снова, да так беспокойно, что Алиса опять озабоченно на него посмотрела. На этот раз ошибки быть не могло: она держала на руках самого настоящего поросенка!

Тут Алиса почувствовала, что уж это ни в какие ворота не лезет, опустила поросенка на землю и испытала огромное облегчение, когда увидела, как он бойко затрусил в сторону леса.

«Если бы этот Ребеночек вырос, — вздохнула Алиса, — он стал бы противным мальчишкой, а так, я думаю, из него выйдет славная свинка».

И Алиса стала размышлять о тех своих знакомых, из которых тоже запросто вышли бы самые настоящие свинки, и уже подумала: «Эх, знать бы, как их превратить...» — но тут она вздрогнула, потому что внезапно увидела Чеширского Кота, сидевшего на ветке высокого дерева в нескольких шагах от нее.

Кот ухмыльнулся. Алисе показалось, что улыбка у него добродушная. Но зато когти у Кота были длинные, а зубы — чересчур острые. Поэтому Алиса решила, что с Котом надо обращаться почтительно.

— Чеширский Котик... — несмело заговорила она, не зная, придется ли ему по душе такое обращение. Кот улыбнулся еще шире. «Он вроде бы доволен», — подумала Алиса и продолжала: — Чеширский Котик, скажите, пожалуйста, как мне выйти из этого леса?

— Ой, носик-то, носик поберегите! —
закричала перепуганная Алиса...

— Это зависит,— ответил Кот,— от того, куда ты хочешь попасть.

— А мне все равно — куда,— объяснила Алиса.

— Значит,— твердо сказал Кот,— все равно как.

— Мне бы хоть куда-нибудь выйти,— вздохнула Алиса.

— Ну,— заметил Кот,— куда-нибудь ты обязательно выйдешь. Если пройдешь сколько требуется.

Алиса поняла, что с этим не поспоришь, и задала другой вопрос:

— А кто здесь живет поблизости?

— Там,— сказал Кот и махнул правой лапой,— живет Шляпник. Там,— тут он махнул левой лапой,— живет Мартовский Заяц. Выбирай любого — оба давно сошли с ума.

— Зачем же я к ним пойду, если они сумасшедшие? — удивилась Алиса.

— Ничего не попишешь,— развел лапами Кот.— Мы здесь все... *того*. Я... *того*. Да и ты тоже.

— Откуда вы знаете, что я... *того*? — спросила Алиса.

— Откуда? — сказал Кот.— Да иначе ты бы сюда ни за что не попала.

— А откуда вы знаете, что вы... *того*?

— Положим,— сказал Кот,— собака не... *того*. Согласна?

— Да, я так всегда и считала,— кивнула Алиса.

— Превосходно! — продолжал Кот.— Заметим, что собака ворчит, когда злится, и машет хвостом, когда радуется. Ну а я? Я ворчу, когда радуюсь, а хвостом машу, когда злюсь. Следовательно, я... *того*.

— Вы не ворчите, вы урчите,— возразила Коту Алиса.

— Не вижу разницы,— ответил Кот.— Ты пойдешь к Королеве на крокет?

— Я бы пошла,— сказала Алиса,— да ведь меня никто не звал.

— Отлично. Там и встретимся,— промяукал Кот и исчез.

Алиса почти не удивилась — она уже привыкла к разным чудесам. Пока она глядела туда, где только что был Кот, он возник снова.

— Между прочим, что с Ребеночком? — спросил Кот. — Чуть было о нем не забыл.

— Он превратился в хрюшку, — спокойно ответила Алиса, как если бы с Котом не произошло ничего из ряда вон выходящего.

— Так я и знал, — мрачно произнес Кот и снова исчез.

Алиса немного подождала, на случай, если Кот возникнет, но Кот не возникал, и через несколько минут она тронулась в путь, туда, где, по словам Кота, жил Мартовский Заяц.

«Шляпников я видела, — рассуждала Алиса. — Они делают шляпы. А вот Мартовские Зайцы — это куда интереснее. Надо думать, они сходят с ума в марте... Но сейчас у нас май, и, значит, Мартовский Заяц не опасен... Во всяком случае, не так опасен, как в марте».

Тут Алиса посмотрела налево и опять увидела Кота.

— В хрюшку или в клюшку? — спросил Кот. — Я не расслышал.

— В хрюшку, — ответила Алиса. — И очень, очень вас прошу — не возникайте так внезапно. А то у меня даже голова закружилась.

— Учту! — заурчал Кот.

На этот раз он медленно-медленно растаял в воздухе: сначала исчез кончик хвоста, потом сам хвост, потом спина, лапы, а уж потом улыбка, она еще немного повисела в воздухе, хотя сам Кот давно уже улетучился.

— Да-а-а! — восхитилась Алиса. — Случалось мне видеть кота без улыбки. Но вот улыбку без кота!.. В жизни не видывала ничего удивительнее!

Она прошла еще несколько шагов и увидела дом Мартовского Зайца. В том, что это *тот самый* дом, сомнений быть не могло: вместо соломы крыша была устлана заячьим мехом, а дым валил из трубы, похожей на заячье ухо.

Это был очень большой дом. Поэтому, прежде чем подойти ближе, Алиса из осторожности погрызла кусочек гриба и немножко подросла. И все-таки шла она к дому Мартовского Зайца с опаской, повторяя про себя: «А что, если у него не все дома?.. Может, лучше пойти к Шляпнику?..»

Глава седьмая

Не все дома, но все пьют чай

У КРЫЛЬЦА под деревом стоял стол. За столом попивали чай Шляпник с Мартовским Зайцем. Между ними примостилась Соня. Заяц и Шляпник удобно облокотились на дремлющую Соню. Они навалились на Соню и прямо через нее перебрасывались разными замечаниями. «И как это Соня терпит? — задумалась Алиса.— Наверное, не чувствует ничего, потому что спит».

Стол был огромный. Но все трое сидели в одном углу, в страшной тесноте.

— Занято! Занято! — заголосили они, едва заметили Алису.

— Вот и не занято! — возмутилась Алиса и уселась в высокое кресло во главе стола.

— Винца желаете? — радушно предложил Заяц.

Алиса оглядела стол, но ничего, кроме чайника, не увидела.

— Где же здесь вино? — сказала она.

— Действительно, где? — удивился Заяц.

— Нет у вас никакого вина! — разозлилась Алиса.— Значит, нечего его предлагать. Это невежливо.

— Невежливо плюхаться в кресло без приглашения,— заметил Заяц.

— Прошу прощения. Вам, наверно, места не хватает,— съязвила Алиса.— А я и не заметила, какая тут теснота!

— Я бы на твоем месте постригся,— мечтательно проговорил Шляпник.

Он уже несколько минут молча и с большим интересом разглядывал Алису.

— Как вам не совестно? — строго посмотрела на него Алиса.— Так говорить невежливо.

Шляпник вытаращил глаза и спросил:

— Почему крокодил похож на дырокол?

«Вот это да! — обрадовалась Алиса.— Замечательная загадка!» И сказала:

— Минуточку. Сейчас отгадаю.

— Это как же? — удивился Мартовский Заяц.— Ты хочешь сказать, что отгадаешь эту загадку?

— Да,— ответила Алиса.

— Ну вот и сказала бы то, что хотела сказать,— проворчал Заяц.

— А я и хотела сказать то, что сказала,— возразила Алиса.— Это ведь одно и то же.

— Это как сказать! — воскликнул Шляпник.— Этак ты еще скажешь, что «Я вижу, что ем» и «Я ем, что вижу» — тоже одно и то же.

— Этак ты еще скажешь,— добавил Мартовский Заяц,— что «Я думаю, что говорю» и «Я говорю, что думаю» — тоже одно и то же.

— Этак ты еще скажешь,— забормотала Соня, открыв один глаз,— и что «Я говорю, что мне снится», и «Мне снится, что я говорю» — тоже одно и то же.

— Тебе снится, что ты говоришь, Соня. Это ты не ошиблась,— заметил Шляпник.

Разговор оборвался. Несколько минут все сидели молча, а Алиса вспоминала, что она знает о крокодилах и дыроколах, да так ничего и не вспомнила.

Первым заговорил Шляпник.

— Какое сегодня число? — спросил он Алису и вытащил из кармана часы.

На часы он глядел с отвращением, иногда встряхивал их и то и дело подносил к уху.

Алиса задумалась и, наконец, ответила:

— Четвертое.

— Отстают на два дня! — огорчился Шляпник.— Говорил я тебе, голова садовая, что этим маслом часы не смазывают,— добавил он и злобно поглядел на Зайца.

— Хорошее было масло,— кротко возразил Заяц,— сливочное.

— Сливочное-то сливочное. Да в механизм крошки попали,— проворчал Шляпник.— Кто тебя надоумил полезть в часы столовым ножом?!

Заяц взял часы и посмотрел на них. Потом он окунул их в чашку и посмотрел еще раз. Но ничего умнее не придумал, как повторить:

— Нормальное было масло.

Алиса с любопытством выглядывала из-за его плеча.

— Вот так часы! — сказала она.— Они же показывают не час, а число.

— А тебе что, жалко, что ли? — буркнул Шляпник.

— А твои часы что показывают? Год? — полюбопытствовал Заяц.

— Конечно, нет,— ответила Алиса.— Год, он ведь редко когда меняется.

— Но заметьте, что вход со двора,— заявил Шляпник.

Слова Шляпника ошеломили Алису. Правда, каждое слово стояло вроде бы на своем месте, и все-таки они ровным счетом ничего не значили.

— Как вы туманно выражаетесь,— сказала она.

— Соня опять спит,— ответил Шляпник и капнул Соне на нос горячего чаю.

Соня затрясла головой и, не открывая глаз, проворчала:

— Еще бы, еще бы. И я, братцы, того же мнения.

— Ну, как, разгадала загадку? — обратился Шляпник к Алисе.

— Нет, сдаюсь,— сказала Алиса.— А какая отгадка?

— Понятия не имею,— заявил Шляпник.

— Присоединяюсь,— важно сказал Заяц.

Алиса тяжело вздохнула.

— Время летит,— ответила она.— А вы тратите его на загадки без отгадок. Оно ведь не резиновое!

— Если бы ты лучше знала наше Время,— упрекнул ее Шляпник,— например, как я, ты бы не посмела называть его «оно». Оно — не оно, оно — он.

— Ничего не понимаю! — призналась Алиса.

— Куда тебе! — усмехнулся Шляпник и приосанился.— Ты с ним небось никогда не разговаривала...

— Нет, наверно,— уклончиво ответила Алиса.— Но зато я его понапрасну не изводила.

— О чем я и говорю! — вмешался Шляпник.— Попробовала бы ты его изводить, да еще понапрасну. Вот была бы ты с ним в человеческих отношениях, он бы для тебя в лепешку разбился, себя не пожалел бы. Допустим, сейчас утро. Пора в школу. Шепни ему пару слов, и пожалуйста — стрелки завертелись. А там и обедать пора.

— Пора, — согласился Заяц.

— Да, замечательно! — задумчиво сказала Алиса. — Только мне тогда есть не захочется.

— Это ты верно подметила, — согласился Шляпник. — Но это тоже можно уладить. Шепни ему пару слов...

— А вы что, так и делаете? — спросила Алиса.

Шляпник отчаянно тряхнул головой.

— Увы, — ответил он, — мы поссорились в марте прошлого года, когда у него (тут Шляпник ткнул ложечкой в Зайца) не все были дома. Это произошло, понимаешь ли, во время Торжественного Концерта, который устроила Королева Бубен. Мне поручили петь песенку:

> Отчего мышам летучим
> Не подняться прямо к тучам?

Ты, конечно, помнишь, как там дальше...

— Да, кажется, помню, — ответила Алиса.

— Как это там поется? — нахмурился Шляпник. — А!

> Кто достаточно летуч,
> Тот летает выше туч.
> Я лечу, как подстаканник,
> Братцы...

Соня встрепенулась и, не открывая глаз, забубнила:

— Братцыбратцыбратцыбратцыбратцыбратцыбратцы... — И тут ее заело, так что Шляпнику пришлось даже ущипнуть ее, чтобы замолчала.

— Ну так вот, — продолжал он, — только я пропел первое слово «Отчего», а Королева как вскочит да как закричит: «Он губит Время! Отрубить ему голову!»

— Подумать только! — ахнула Алиса.

— И вот с тех пор, — безнадежным голосом проговорил Шляпник, — Время на меня ноль внимания. И теперь у нас все время пять часов.

Алису осенила замечательная мысль.

— Так вот почему здесь столько чашек! — воскликнула она.

— Да, — вздохнул Шляпник. — Все пьют чай в пять часов, вот и нам приходится. У нас все время — время пить чай, а времени помыть чашки — нету.

— Значит, вы так и пересаживаетесь по кругу? — спросила Алиса.

— Пересаживаемся,— подтвердил Шляпник.— По-пьем чайку и пересядем. Попьем и пересядем.

— А что будет, когда чистые чашки кончатся? — отва-жилась спросить Алиса.

— Очень увлекательный разговор! — зевнул За-яц.— Поболтаем лучше о чем-нибудь другом... Пусть на-ша гостья что-нибудь расскажет. Кто «за»?

— Ой, да я ничего не знаю! — всполошилась Алиса.

— Тогда пускай Соня расскажет! — закричали Заяц и Шляпник.— А ну, просыпайся, Соня! — И они накину-лись на Соню и принялись щипать ее за бока.

Соня медленно открыла глаза.

— Я не спала,— прохрипела она.— Я, братцы, слыша-ла каждое ваше слово.

— Давай рассказывай! — потребовал Заяц.

— Будьте добры! — попросила Алиса.

— И смотри, Соня, не тяни,— вставил Шляпник.— А то заснешь на середине.

— Жили-были три маленькие сестрички,— затарато-рила Соня.— А звали их Элси, Лесси и Тилли. И жили они на дне одного колодца...

— Чем же они питались? — спросила Алиса, которая очень серьезно относилась к еде.

— Чаем да сахаром,— подумав, проговорила Со-ня.— А что?

— Вы только не обижайтесь,— сказала Алиса,— но этого просто не может быть! Они бы заболели.

— Они и болели,— ответила Соня.— Разными болез-нями.

Алиса попробовала было вообразить эту загадочную жизнь, но так была озадачена, что только спросила:

— А почему они жили на дне колодца?

— Кстати, хочешь еще чайку? — осведомился Заяц.

— Мне пока что чаю не давали,— обиделась Али-са.— Как же я могу хотеть еще?!

— Я полагал,— заметил Шляпник,— что, раз ты чаю не пила, ты еще хочешь чашечку...

— А вас никто не спрашивает! — сердито ответила Алиса.

— И она еще говорит о дурных манерах! — торжест-вующе воскликнул Шляпник.

Алиса так и не придумала, что на это сказать. Она на-лила себе чаю, намазала масла на хлеб, а потом поверну-лась к Соне и повторила свой вопрос:

— Так вот почему здесь столько чашек! —
воскликнула она.

— Так почему же они жили на дне колодца?

Соня снова подумала, поджала губы и ответила:

— Это был чрезвыЧАЙный колодец. Он был полон чая. А на дне лежал сахар.

— Не бывает таких колодцев! — вспылила Алиса.

Но Шляпник и Заяц зашипели на нее:

— Тссс!

А Соня напыжилась и сказала:

— Вести вы себя не умеете, вот что! Сами теперь досказывайте, вот что!

— Нет, нет! Пожалуйста, расскажите, что было дальше! — робко попросила Алиса. — Я больше так не буду. Конечно, вы правы: один такой колодец, наверно, где-то есть.

— Один? Ха! — пожала плечами Соня.

Впрочем, она, так и быть, продолжала:

— Ну, сестрички эти время зря не тратили — сперва тянули, потом гоняли, а после хлестать начинали...

— Кого же они хлестали? — испуганно спросила Алиса, забыв, что обещала не перебивать Соню.

— Чай, — мрачно ответила Соня.

— А тянули?

— Тоже чай, — еще мрачнее ответила Соня.

— А гоняли?

— Мне нужна чистая чашка, — заявил Шляпник. — Все пересаживаемся на один стул по часовой стрелке.

Сказав это, он действительно сдвинулся на одно место, за ним — Соня, за нею — Заяц, а за Зайцем — Алиса. Выиграл от этого один Шляпник. Алисе совсем не повезло: Мартовский Заяц только что опрокинул на свое блюдце молочник. Алиса не хотела опять обидеть Соню, но ей не терпелось задать вопрос:

— Я все-таки не поняла. Откуда они этот чай тянули?

— Из обычного колодца ты достаешь воду, — назидательно изрек Шляпник. — Ну а тут они натаскают себе чаю да сахару и тянут сколько влезет. И так — тридцать раз на дню. Понимаешь, балда?

— Да как они могли таскать чай из колодца?! — спросила Алиса у Сони, чувствуя, что от Шляпника ей толку не добиться. — Ты ведь сказала сама, что они жили *на дне*.

— Не на дне, а *на дню*, — ответила Соня. — Шляпник верно говорит.

Этот ответ так поразил Алису, что она ничего не сказала и молча стала слушать дальше.

— Ну вот... — проговорила Соня, зевнула и стала тереть глаза (видно, ее снова потянуло спать). — Ну вот. Жили они были, чай распивали. И вообще распевали про всякие пустяки, особенно про. те, которые начинаются на букву М.

— Почему на М? — удивилась Алиса.

— А почему бы нет? — вмешался Заяц.

Алиса промолчала.

Соня опять закрыла глаза и начала клевать носом. Но Шляпник ущипнул ее за ухо, она взвизгнула, проснулась и продолжала:

— ...начинаются на букву М: про мышеловку, про месяц, про момент, про молочный мусс, про мыло, про множество... Ты когда-нибудь слыхала, как поют про множество?

— Кажется, нет, — растерянно ответила Алиса. — Не думаю, чтобы...

— Если не думаешь, помолчи, — посоветовал Шляпник.

Этого Алиса так оставить не могла. В гневе она встала из-за стола и отправилась прочь. Соня тут же уснула, а Заяц и Шляпник не обратили на Алисин уход никакого внимания, хотя она раза два оглянулась в надежде, что ее позовут обратно.

Когда Алиса обернулась в последний раз, Заяц и Шляпник запихивали Соню в чайник.

— Ну нет! Сюда я больше ни ногой! — повторяла Алиса, пробираясь через лес. — Называется, попила чаю!

Тут она заметила высокое дерево. А в нем — дверцу. «Ну и ну! — покачала головой Алиса. — Целый день — сплошные чудеса. А что, если войти?»

Так она и сделала.

И снова оказалась все в том же длинном коридоре, рядом со стеклянным столиком.

— Теперь-то я знаю, что делать, — сказала Алиса и начала с того, что взяла со стола ключик и отперла дверь в сад.

Потом она достала из кармана кусочек гриба и грызла его, пока не протиснулась через узенький проход в тот самый сад с пестрыми клумбами и веселыми фонтанами.

Глава восьмая

Королевский крокет

У ВХОДА в сад рос пышный розовый куст. Он был усыпан белыми розами. У куста стояли садовники и деловито покрывали белые розы красной краской.

Алисе это показалось странным. Когда она подошла ближе, чтобы разобраться, в чем дело, один садовник сказал другому:

— Ты что, Пятерка?! Брызгаешь краской куда попало!

— Что я, нарочно? — надулся Пятерка. — Это Семерка пихается.

Семерка обернулся и фыркнул:

— Ну ты даешь, Пятерка! Всегда все валишь на других, а сам...

— Чья бы корова мычала, а твоя бы молчала, — дерзко ответил Пятерка. — Я вчера своими ушами слышал, что Королева велела отрубить тебе голову.

— Чего это она? — спросил тот садовник, который завел разговор.

— А тебе какое дело, Двойка?! — окрысился Семерка.

— Ты не вмешивайся, — сказал Пятерка. — Вот Двойке я с удовольствием отвечу... Видишь ли, Двойка, вчера этот дурень отнес на кухню еловую шишку вместо ананаса.

Семерка отшвырнул в сторону кисть и заорал:

— Ну, знаешь! Все-то ты врешь, и вообще...

Но тут он заметил Алису, с любопытством прислушивавшуюся к разговору, и стал по стойке «смирно». Два других садовника тоже обернулись и, увидав ее, принялись низко кланяться.

— Скажите, пожалуйста,— застенчиво спросила Алиса,— зачем вы раскрашиваете розы?

Пятерка и Семерка молча посмотрели на Двойку. Двойка почтительно зашептал:

— Изволите видеть, на этом кустике положено расти красным розам, а по недосмотру выросли белые. Если Ее Величество соблаговолит это дело заметить, нам головы не сносить. Вот мы и стараемся, исправляем, некоторым образом, ошибку, пока Их Величество не...

В это мгновение Пятерка, который все что-то высматривал в глубине сада, закричал:

— Королева! — и все трое плашмя упали на песок.

Послышался топот ног, и Алиса завертела головой во все стороны — так ей не терпелось увидеть настоящую, взаправдашнюю Королеву.

Сперва на дорожке появилось десять солдат, вооруженных пиками.

Солдаты были очень похожи на садовников: тощие и долговязые. За ними шли десять придворных, все в блестящих украшениях из червонного золота. И солдаты, и придворные выступали парами. За ними, тоже парами, держась за руки, выбежали Королевские Дети. Нежные малютки подпрыгивали и били в бубны. За ними чинно шествовали гости, по большей части Короли и Королевы. Среди них Алиса заметила Белого Кролика. Кролик болтал без умолку, заикался, испуганно улыбался всем подряд и прошел мимо, так и не узнав Алису. За гостями шел Бубновый Валет. На алой бархатной подушке он нес Королевскую Корону. А за ним шествовали король и королева бубен.

Алиса хотела было лечь на землю, как садовники, но потом решила, что это глупо. «К чему тогда все это шествие,— подумала она,— если каждый уляжется на живот и ровным счетом ничего не увидит!» Вот почему Алиса осталась стоять как стояла и все ждала, что же будет дальше.

Когда процессия поравнялась с Алисой, все остановились и уставились на нее, а Королева сурово спросила:

— Кто это?

С этим вопросом она обратилась к Валету, который только улыбнулся и поклонился в ответ.

— Дурак,— сказала Королева и недовольно дернула головой.

Потом она обратилась к Алисе:

— Как тебя зовут, деточка?

— Меня зовут Алиса, Ваше Величество,— почтительно ответила Алиса, а про себя добавила: «Да ведь это просто колода карт. Стану я их бояться!»

— А это кто?— спросила Королева, показав на трех садовников, которые по-прежнему лежали лицом вниз у розового куста.

Дело в том, что все карты носят одинаковые рубашки. Поэтому, пока садовники лежали рубашками вверх, Королева не могла дознаться, кто это — солдаты, или придворные, или сами Королевские Дети.

— А я почем знаю!— ответила Алиса, удивляясь собственной храбрости.— Это меня не касается.

Королева побагровела от ярости и, уставившись на Алису, проревела:

— Голову ей долой! Голову ей...

— Чушь!— решительно ответила Алиса.

Королева тут же умолкла.

Король подергал Королеву за рукав и, краснея, сказал:

— Пойми, дорогая, ведь это ребенок!

Королева дернула плечом и крикнула Валету:

— Переверни этих троих!

Валет осторожно поддел их носком сапога.

— Встать!— заорала Королева.

Садовники поднялись на ноги и немедленно принялись кланяться Королю, Королеве, Королевским Детям и всем кому придется.

— Прекратить!— взвизгнула Королева.— От ваших поклонов у меня кружится голова.

Затем она медленно перевела взгляд на розовый куст и спросила:

— Это чем же вы тут занимались?

— Ваше Королевское Величество,— взмолился Двойка, опустившись на одно колено,— мы хотели...

— Ясно!— перебила Королева, которая обо всем догадалась.— Головы долой!

Шествие двинулось дальше. Три солдата задержались у куста, чтобы привести приговор в исполнение. Один из садовников подбежал к Алисе, умоляя о помощи.

— Ничего вам не будет!— сказала Алиса и сунула всех троих в большой цветочный горшок.

Садовники поднялись на ноги
и немедленно принялись кланяться...

Солдаты некоторое время ходили вокруг куста и искали беглецов, а потом преспокойно отправились вдогонку за свитой.

— Все в порядке? — грозно спросила у них Королева.

— Голов как не бывало, Ваше Королевское Величество! — отрапортовали солдаты.

— Молодцы! — гаркнула Королева.— В крокет играете?

Солдаты молчали, глядя на Алису, потому что этот вопрос предназначался, конечно, ей, и никому другому.

— Так точно! — выкрикнула Алиса.

— За мной шагом... арш! — завопила Королева, и Алиса присоединилась к процессии, недоумевая, что же будет дальше.

— Чудесный денек,— услышала она чей-то шепот.

Рядом с ней шел Белый Кролик и тревожно заглядывал ей в глаза.

— Чудесный,— согласилась Алиса.— А где Герцогиня?

— Шшш! — засуетился Кролик.

Он беспокойно оглянулся, встал на цыпочки и зашептал Алисе на ухо:

— Ее приговорили к смертной казни...

— Почему? — спросила Алиса.

— Вы, должно быть, хотели сказать: «По чему можно судить о безобразном и безнаказанном поведении Королевы?» — быстро переспросил Кролик.— Вы, значит, считаете...

— Нет,— спокойно ответила Алиса.— Не считаю. По-моему, Герцогине это только пойдет на пользу. Я просто спросила: «Почему?»

— Герцогиня отшлепала Королеву...— начал объяснять Кролик.

Алиса захихикала.

— Шшш! — зашикал Кролик.— Умоляю вас, тише. Еще, чего доброго, дойдет до Королевы! Так вот, Герцогиня опоздала, а Королева ей и говорит...

— По местам! — раздался громовой голос Королевы. Все засуетились.

Минуты через две, когда все успокоилось, игра началась.

Крокет и так ужасно сложная игра, но играть в крокет с Королевой Алисе было совсем не под силу.

Обычно в крокет играют на зеленой лужайке. У Королевы вместо лужайки была твердая земля, вся в рытвинах и колдобинах. В крокет играют деревянными шарами и молотками на длинных ручках. У Королевы все было не так; не было никаких шаров, вместо шаров были живые колючие ежи. И никаких молотков, вместо них гостям выдали настоящих розовых фламинго. Ворот тоже не было. Королева позвала солдат и велела каждому солдату сделать «мостик». Поэтому ворота тоже были живые.

С фламинго Алисе пришлось повозиться. Он все время вертел головой, и когда Алиса попыталась ударить им по своему ежу (и может быть — кто знает! — попала бы прямо в ворота), фламинго изогнулся и посмотрел на Алису с таким озадаченным видом, что она волей-неволей рассмеялась. Между тем удрал еж. Впрочем, удрал не только еж. Солдат, который терпеливо делал мостик и изображал ворота, встал на ноги, отряхнулся и не спеша направился на другой конец площадки.

Гости били по шарам, то есть нет, по ежам, без всякой очереди и непрерывно ссорились. Своим поведением они быстро привели Королеву в неистовство. Она начала топать ногами и, главное, то и дело кричала:

«Голову долой!»

Алиса не на шутку испугалась. Правда, *пока* Королева ее не трогала, но Алиса понимала, что с минуты на минуту придет ее черед. «Что она со мной сделает? — беспокойно повторяла Алиса. — Все здесь только того и ждут, как бы кому-нибудь отрубить голову. Скоро ни одной головы не останется».

Она посмотрела по сторонам — не спрятаться ли где-нибудь, но тут заметила, что в воздухе творится что-то странное. Алиса сперва никак не могла понять, в чем дело, но вдруг ее осенило. «Да это же улыбка Чеширского Кота! — обрадовалась она. — Теперь будет с кем поговорить!»

— Как дела? — спросил Кот, когда в воздухе обозначились его усы.

Алиса подождала, пока появятся кошачьи глаза, и кивнула. «Подожду, пока покажутся его ушки, — рассудила она. — Или хотя бы одно ухо. Так он меня все равно не услышит».

Наконец стала видна вся кошачья голова. Алиса отпустила своего фламинго на землю и подробно рассказала Коту все, что произошло, страшно довольная тем, что есть кому ее послушать.

Кот, судя по всему, решил, что с Алисы хватит его головы, и оставил лапы и хвост невидимыми.

— Крокет — ужасная игра! — пожаловалась Алиса Коту. — Все орут как оглашенные... И играют не по правилам... То есть, может, и по правилам, да только правила ни в какие ворота не лезут... И потом, страшно неудобно, что шары и молотки, и даже ворота — живые! С воротами просто беда! Только я нацелилась, а они, ворота, встали, почесались и ушли на тот конец поля. И еще... Я почти что попала в ежа самой Королевы, а он увидел моего ежа, и был таков.

— Тебе нравится Королева? — тихонько спросил Кот.

— Совсем она мне не нравится, — ответила Алиса. — Она такая ду...

Тут Алиса заметила, что Королева стоит у нее за спиной и внимательно слушает. Поэтому Алиса сказала так:

— Она такая душка! И играет замечательно! Честно говоря, я собираюсь сдаться, ведь и так все ясно.

Королева ухмыльнулась и ушла.

— Это кто же такой будет? — спросил Король, подходя к Алисе и с интересом рассматривая голову Кота.

— Это мой приятель, Чеширский Кот, — объяснила Алиса. — Позвольте, я вам его представлю.

— Мне не нравится его вид, — сказал Король. — Но он может поцеловать мне руку, если хочет.

— Не хочет, — ответил Кот.

— Не будь нахалом, — посоветовал Король. — И не смей так на меня смотреть!

Сказав это, он спрятался у Алисы за спиной.

— Коты — к счастью, — заметила Алиса. — Я про это где-то читала, да только не помню где.

— Может, и к счастью, только мы этого Кота искореним, — решительно сказал Король и окликнул Королеву, которая в это время проходила мимо. — Дорогая! Искорени, пожалуйста, этого Кота!

У Королевы был один-единственный способ бороться с трудностями, большими и малыми.

— Голову долой! — рявкнула она, даже не взглянув на Кота.

— Надо сказать Палачу! — обрадовался Король. — Я его мигом приведу.

И убежал.

Алиса отправилась взглянуть, как идет игра. Издалека до нее донесся голос Королевы. Королева визжала от ярости. Она уже успела приговорить к казни троих — за потерю ежей и королевского доверия. Это сильно встревожило Алису, которая понятия не имела, где ее еж, и она тут же стала его искать.

Алисин еж дрался с другим ежом.

Оба свернулись клубком — тут бы по ним и ударить, — но, как на беду, Алисин фламинго ушел прогуляться по саду и теперь на другом краю площадки пытался взлететь на дерево. Когда Алиса наконец поймала его, сражение ежей уже кончилось, и оба они убежали. «Это дела не меняет, — устало подумала Алиса, — потому что ворот все равно нет». Она сунула фламинго под мышку, чтобы не сбежал, и вернулась к своему приятелю Коту.

Кот, вернее, его голова была в центре внимания. Шел великий спор между Палачом, Королем и Королевой. Все трое говорили одновременно, перебивая друг друга, а остальные молчали и явно чувствовали себя не в своей тарелке.

Завидев Алису, Палач, Король и Королева кинулись к ней и потребовали, чтобы она их рассудила. Тут они снова завопили так, что Алиса еле разобралась, кто что говорит.

Палач считал, что нельзя отрубить голову, если она ни к чему не приставлена. Он, Палач, такими глупостями не занимается и заниматься не будет.

Король считал, что если у кого-то есть голова, ее никогда не поздно отрубить, а Палач несет чепуху.

Королева считала, что если Палач и Король сию минуту не возьмутся за дело, она прикажет отрубить головы всем, кто попадется ей под руку.

(Именно поэтому у тех, кто ее слушал, был такой понурый вид.)

Алиса подумала-подумала и сказала:

— Кот Герцогини. Спросите лучше у нее.

— Она в тюрьме! — крикнула Королева Палачу. — Давай ее сюда, живо!

Палач помчался в тюрьму, да так, что пятки засверкали.

Между тем голова Кота начала расплываться в воздухе, и, когда Палач доставил Герцогиню, Кот уже растаял без следа. Король и Палач еще долго бегали по саду в поисках Кота, а все остальные вернулись обратно на площадку.

Глава девятая

История М. М. Гребешка

— Ах, ГОЛУБУШКА, как я тебе рада! — прошепелявила Герцогиня и, подхватив Алису под локоток, потащила за собой.

Алисе было приятно, что Герцогиня так повеселела. Она решила, что в прошлый раз, когда они виделись на кухне, Герцогиня злобствовала из-за перца.

«Если я когда-нибудь стану Герцогиней, — подумала Алиса (впрочем, не слишком уверенно), — у меня на кухне перца не будет! Суп от этого только выиграет. И вообще перец портит характер...» Этот вывод ей так понравился, что она продолжала: «Перец и горчица делают людей кусачими, уксус — кислыми, мороженое — холодными, а... а леденцы на палочке — милыми и добродушными. Вот если бы все об этом знали, детям давали бы одни леденцы!»

Алиса совсем позабыла, что рядом с ней Герцогиня, и вздрогнула, когда над самым ее ухом раздался вкрадчивый голос:

— Призадумалась ты, моя голубушка, замолчала. Какие из этого следуют выводы? Сразу сказать не могу, но обещаю поразмыслить.

— А может, никаких выводов не следует? — отважилась спросить Алиса.

— Ну что ты, деточка! — захихикала Герцогиня. — Выводы откуда хочешь, оттуда и следуют. Надо только хорошенько поломать голову.

Герцогиня решительно замотала своим противным острым подбородком.

Алисе, конечно, не хотелось быть невежливой. Чтобы поддержать разговор, она сказала:

— Хорошая игра крокет, как по-вашему?

— Еще бы! — воскликнула Герцогиня. — А выводы из этого такие: «Не суйте нос не в свой вопрос!» Ха-ха-ха!

— Вот-вот! — прошептала Алиса. — Мне даже кто-то говорил, что если сунуть нос не в свой вопрос, от этого земля будет вертеться в два раза медленнее.

— Ну конечно... Не вижу здесь ничего странного, — согласилась Герцогиня и, подумав, добавила: — А выводы из этого такие: «Береги платье снову, а честь смолоду»

«Дались ей эти выводы!» — подумала Алиса.

— Тебя, конечно, удивляет, почему мы не гуляем с тобой в обнимку, — помолчав, сказала Герцогиня. — Все дело в том, что я не знаю, как к этому отнесется твой фламинго... Но я тебя все-таки обниму. Обниму и расцелую. Попытка, как говорится, не пытка.

— Может укусить, — предупредила Алиса, которой как раз казалось, что попытка — пытка.

— Верная мысль! — восхитилась Герцогиня. — Горчица и фламинго кусаются. А выводы из этого такие: «У каждой пташки свои замашки».

— Горчица — никакая не пташка, — заметила Алиса.

— Ты и на этот раз права! — воскликнула Герцогиня. — О, как ясно ты мыслишь!

— По-моему, горчица — это полезное ископаемое, — продолжала Алиса.

— Совершенно справедливо! — кивнула Герцогиня, которая соглашалась со всем, что говорила Алиса. — Тут неподалеку есть богатые горчичные залежи. А выводы из этого такие: «Горчица — не птица, фламинго — не человек, судьба — индейка, а жизнь — злодейка»...

— Вспомнила, вспомнила! — перебила ее Алиса. — Это растение! Горчица, конечно, не очень-то похожа на растение. Но это роли не играет.

— Целиком и полностью с тобой согласна, — сказала Герцогиня. — И вот какой отсюда следует вывод: «Всегда будь сама собой». Или попросту говоря:

Если ты хочешь, чтобы твои знакомые, друзья и близкие, мнение которых ты уважаешь и с которыми ты считаешься, что немаловажно в трудную минуту, когда тебя подстерегают опасности, которых ты и не ожидаешь, пока живешь обычной, спокойной жизнью, которой ты обязан твоим друзьям и знакомым, мнение которых ты уважаешь, что немаловажно в ряде случаев, когда тебя подстерегают опасности, как нам подсказывает жизненный опыт, считали тебя, что называется, приличным человеком, будь то дома, в гостях или на открытом воздухе, который исключительно полезен для твоего здоровья,

будь сама собой!

— Мне кажется, я вас лучше пойму, — очень вежливо сказала Алиса, когда Герцогиня замолчала, — если вы все это напишете на бумажке. На слух все это звучит довольно непонятно.

— То ли я еще скажу, коли захочу! — гордо ответила Герцогиня.

— Ой, что вы! Не беспокойтесь, пожалуйста! Красивее все равно не скажешь, — поспешно вставила Алиса.

— О каком беспокойстве речь! — напыжилась Герцогиня. — Дарю тебе, голубушка, все, что я успела сказать до этой минуты.

«Ничего себе подарочек... — подумала Алиса. — Хорошо еще, таких подарков на день рождения не дарят!»

Но сказать это вслух она не посмела.

— Опять мы призадумались? — ласково спросила Герцогиня и ущипнула Алису.

— А я вообще иногда думаю! — взорвалась Алиса, которой все это порядком надоело.

— Ну конечно, — снова согласилась Герцогиня. — Ты думаешь, поросята чирикают в облаках — обычные, заурядные дела. И выв...

Но, к великому удивлению Алисы, Герцогиня запнулась на своем любимом слове, и рука ее задрожала.

Алиса подняла глаза и прямо перед собой увидела Королеву. Королева стояла, скрестив руки на груди, и хмурилась.

— Жаркое лето... Ваше Величество! — начала было Герцогиня, но от волнения осипла.

— Последнее предупреждение!!! — заорала Королева, топая ногами. — Кого-то из вас двоих — твою голову или тебя — я здесь больше не увижу. Выбирай!

Герцогиня выбрала — и дала стрекача.

— Пошли, что ли, поиграем, — бросила Королева Алисе.

Алиса так перепугалась, что ничего не ответила и молча поплелась за Королевой на крокетную площадку.

Другие гости, пользуясь отлучкой Королевы, отдыхали в тени. Впрочем, как только она вернулась, все бросились по местам. Еще издали Королева закричала, что всем поснимает головы, а во время игры то и дело говорила игрокам: «Дурак, голову долой!» или: «Дура, голову долой!»

Приговоренные отправлялись в тюрьму в сопровождении солдат. Неудивительно, что через полчаса на площадке не осталось ни души. Все, кроме Короля, Королевы и Алисы, сидели за решеткой и ждали казни.

Только тогда Королева унялась и обратилась к Алисе:

— Слушай-ка, ты уже видела М. М. Гребешка?

— Нет, — сказала Алиса. — Я и не знаю, что это за штука.

— Кто, М. М. Гребешка? Это наша гордость. Он выдает себя за осетра, но его полный титул — Мускул Морского Гребешка, — ответила Королева. — Правда, красиво?

— Очень! — согласилась Алиса.

— Тогда пошли! — скомандовала Королева. — Он тебе расскажет свою историю.

Уходя, Алиса слышала, как Король тихонько шепнул осужденным на казнь:

— Спасибо за внимание. Вы свободны.

«Ну вот! Это совсем другое дело!» — обрадовалась она. Честно говоря, ей было очень жаль тех, кому предстояло лишиться головы по милости Королевы.

Вскоре Королева и Алиса наткнулись на Грифона, дремавшего на солнышке (если вы не знаете, что собой представляет Грифон, посмотрите на картинку).

— Встать, бездельник! — закричала Королева. — Проводишь эту девочку. Она идет к Гребешку слушать его историю. Мне надо мигом вернуться: я назначила там несколько казней, надо лично проследить.

Королева ушла, и Алиса осталась с глазу на глаз с Грифоном. Он не очень-то ей понравился. «Но в конце концов, — подумала она, — еще неизвестно, кто опаснее, Грифон или эта очумевшая Королева».

Грифон сел и потер лапой глаза. Взглядом он проследил за уходящей королевой и, когда она скрылась из виду, фыркнул:

— Так-с, — сказал он не то Алисе, не то сам себе.

— Что? — спросила Алиса.

— А-а... — неопределенно ответил Грифон и махнул лапой вслед Королеве. — И чего она дурью мается? Отродясь у нас никого не казнили. Ну, потопали!

«Один говорит «Двинули!», другой — «Потопали!» — подумала Алиса и не спеша последовала за Грифоном. — Все командуют...»

Шли они недолго и очень скоро увидели Гребешка. Он, пригорюнившись, сидел на камушке, и, подойдя поближе, Алиса услышала его душераздирающие вздохи.

— Отчего он такой грустный? — сочувственно спросила Алиса.

А Грифон ответил почти так же, как и в первый раз:

— А-а... Дурью мается... Отродясь ему не было грустно. Ну, потопали!

Когда они подошли к Гребешку, он глянул на них полными слез глазами, но ничего не сказал.

— Эта вот девочка, — заявил Грифон, — интересуется твоей историей, дружище.

— Я расскажу ей мою историю, — глухим, слабым голосом отозвался Гребешок. — Садитесь. И упаси вас Бог сказать хоть слово, пока я не кончу.

Грифон и Алиса уселись. Наступило молчание.

Алиса подумала: «Интересно, как же он кончит, если никак не начнет?» Впрочем, она терпеливо ждала.

— Когда-то, — выдавил из себя Гребешок, — я был морским петушком!..

Последовало продолжительное молчание, прерываемое только вздохами Гребешка. Потом Грифон сказал:

— Гжккррх!

Алиса хотела было встать, откланяться и сказать: «Огромное вам спасибо за увлекательный рассказ!» — но потом решила, что история, наверное, все-таки не закончена, и так и осталась сидеть.

— Я был морским петушком, — повторил Гребешок, немного успокоившись, но все еще давясь слезами. — А остался от меня один... гребешок. Малышом — можно сказать, желторотым цыпленком — я, помнится, бегал в морскую школу. Учительницей там служила старая Черепаха, но мы все, бывало, звали ее Спрутом...

— Почему же Спрутом? — вмешалась Алиса. — Вы же говорите, это была Черепаха.

— Чему же вас учили? —
с любопытством спросила Алиса.

— Мы звали ее Спрутом, потому что она гонялась за нами с прутом, если что было не по ней,— недовольно ответил Гребешок.— Право, ты задаешь дурацкие вопросы.

— Эх ты! Самой, что ли, трудно догадаться! — укоризненно добавил Грифон.

Тут оба они замолчали и уставились на Алису, которая готова была провалиться сквозь землю. Наконец Грифон хлопнул Гребешка по плечу:

— Ладно, М. М.! Плети дальше...

И Гребешок продолжал:

— Ну вот, мы ходили в морскую школу. Эта школа была на дне, хотя ты, может быть, мне и не поверишь...

— А я разве что-нибудь сказала? — удивилась Алиса.

— Сказала! — капризно ответил Гребешок.

— Держи язык за зубами! — посоветовал Грифон, пока Алиса раздумывала, как ответить Гребешку.

Между тем Гребешок опять заговорил:

— Мы получили замечательное, из ряда вон выходящее образование... Нас каждый день воспитывал Морской Еж. Кстати, именно поэтому наша школа и называлась ежедневной...

— Ну и что! Я тоже каждый день хожу в школу,— перебила его Алиса.— Нашли чем хвастаться!

— В школу? Со всеми-всеми предметами? — всполошился Гребешок.

— Да,— подтвердила Алиса.— Нас даже учат музыке и рисованию.

— И прыжкам с вышки? — беспокойно спросил Гребешок.

— Этого только не хватало! — воскликнула Алиса.

— Ну, разве это школа! — облегченно вздохнул Гребешок.— Вот у нас в расписании прямо так и было написано:

ДОПОЛНИТЕЛЬНЫЕ ЗАНЯТИЯ

Музыка — Морская Корова
Труд — Рыба-Пила
Прыжки с вышки

— Ну какие у вас могли быть прыжки с вышки,— воскликнула Алиса,— если жили вы на дне моря!

— Мне-то эти предметы не довелось проходить,— вздохнул Гребешок.— Во время экзаменов у нас на море было большое волнение. От этого волнения я и провалился.

— Чему же вас учили? — с любопытством спросила Алиса.

— Ну, сперва, конечно, Почтению, Нотатению и Чистоплясанию, — ответил Гребешок. — А потом различным разделам Морефметики: Скольжению, Причитанию, Уможжению и Пилению.

— Я и не слыхивала про Уможжение, — смело призналась Алиса. — Что это такое?

Грифон сокрушенно всплеснул лапами.

— Не слыхала про Уможжение! — ахнул он. — Да ты хоть знаешь, что такое жжение, а?

— Кажется, знаю, — неуверенно ответила Алиса. — Это когда что-нибудь жжется. Верно?

— Ну вот, — продолжал Грифон, — если ты и теперь не понимаешь, что такое уможжение, ты, значит, просто дурочка.

Алисе не хотелось, чтобы Грифон и дальше продолжал в том же духе, и она торопливо спросила Гребешка:

— А что вы еще проходили?

— Что проходили? У нас еще была Болтаника, — ответил Гребешок, считая по пальцам. — Болтаника и Уродоведение, все их разделы. Потом была Палкебра и Драконометрия. Ну и, конечно, Водная Речь. Ее у нас вела старая Морская Корова, специально приплывала каждую неделю. У нее мы учились Хроматике, Морквологии и Свинтаксису. Но труднее всего мне давалась Физия и Хихика.

— А что такое Хроматика? — спросила Алиса.

— Танцы такие, — объяснил Гребешок. — Но я тебе этого не смогу показать: больно неповоротлив. А Грифона этому не учили.

— Не потянул, — пояснил Грифон. — Зато я учил иностранные языки. Меня обучала одна селедка, форменная была акула!

— Никогда у нее не занимался, — вздохнул Гребешок. — А ведь она преподавала поругальский, выспанский, наврешский, кидайский и даже упреканские языки!

— Вот-вот, — вздохнул Грифон в свой черед и зарылся мордой в лапы.

— А по скольку уроков у вас было в день? — спросила Алиса, которой разговор про школу уже надоел.

— Это как когда, — ответил Гребешок. — Сначала десять, на следующий день девять, потом восемь и так далее.

— Какое странное расписание! — удивилась Алиса.

— Ничего не странное, — возразил Грифон. — Сначала у нас было десять уроков — вот мы и списывали по десять раз в день. Потом сделали девять, потом — восемь. Ясно? А на десятый день мы списывали по одному разу, поэтому оно так и называется — раз-списание.

Алиса поразмыслила и спросила:

— Так что же, одиннадцатый день, выходит, был выходной?

— Да, — ответил Гребешок.

— А что же было на двенадцатый день? — поинтересовалась Алиса.

— Ладно, хватит об этом, — решительно оборвал ее Грифон. — Расскажи-ка ей лучше, дружище, о том, как мы проводили наш досуг.

Глава десятая

Фоксшпрот

ГРЕБЕШОК протяжно вздохнул. Потом он глянул на Алису, открыл рот, но ничего не сказал, а только всхлипнул. Прошло еще несколько минут.

— У него вроде как кость в горле, — заметил Грифон, тряхнул Гребешка и стукнул его что есть силы по спине.

Наконец Гребешок обрел голос и, хотя слезы все еще текли по его щекам, продолжил свою историю:

— Тебе, я думаю, не доводилось подолгу жить под водой...

— Не доводилось, — сказала Алиса.

— ...и конечно, тебе не случалось перекинуться словечком-другим со шпротами, а уж тем более, когда они не в своей тарелке...

— Только когда они в *моей* тарелке... — начала было Алиса, но вовремя спохватилась. — Нет, конечно, не случалось.

— ...а значит, ты и представить себе не можешь, какая прелесть этот фокшпрот, лучший танец на всем белом... море!

— Не могу, — призналась Алиса. — Что же это за танец?

— Первым делом, — серьезно сказал Грифон, — все выходят на берег и выстраиваются в ряд...

— В два ряда! — пылко воскликнул Гребешок. — Все, буквально все: моржи, черепахи, крабы... и так далее! Сперва отшвыривают в сторону медуз...

— ...что, кстати, занимает уйму времени... — вставил Грифон.

— ...потом — два шага вперед!..

— Шпроту наперевес! — крикнул Грифон.

— Без тебя знаю, — огрызнулся Гребешок. — Два шага вперед! Шпроту наперевес! Со шпротой подходим к партнеру...

— Меняемся шпротами! Отступаем на шаг!.. — подхватил Грифон.

— И вот, — перебил его Гребешок, — ты броса...

— ...ешь шпроту!... — заорал Грифон и заскакал на одной ножке.

— ...как можно дальше в море...

— Плывешь за ней! — завопил Грифон.

— Трижды кувыркаешься в волнах! — взвизгнул Гребешок и завертелся волчком.

— Снова меняешься шпротами! — заголосил Грифон.

— И опять на берег, и... и это вот и есть первая фигура, — заплетающимся языком проговорил Гребешок и вместе с Грифоном (который все это время прыгал по берегу как сумасшедший) в изнеможении рухнул на песок и надолго задумался.

Потом Грифон и Гребешок снова уставились на Алису.

— Прелестно! — сказала она.

— Ты небось не прочь посмотреть на такой танец? — предположил Гребешок.

— Не прочь, — без особой уверенности ответила Алиса.

— Давай-ка тряхнем стариной! — предложил Грифону Гребешок. — Обойдемся без шпрот. Не в шпротах счастье. Кто будет петь?

— Пой ты, Гребешок, — отмахнулся Грифон. — Я сегодня не в голосе.

И вот они принялись горделиво вытанцовывать перед Алисой, то и дело наступая ей на ноги и отбивая такт передними лапами.

Слова песни в исполнении Гребешка звучали протяжно и печально.

Говорит треска омару: «Ну-ка, шевелись, сынок,
А не то мне хвост отдавит неуклюжий Осьминог!
Тут — улитки, там — тюлени, словом, весь морской народ,
Так пойдем и спляшем танец под названием Фокшпрот!
Нам бы там бы, нам бы там бы, нам бы станцевать Фокшпрот!
Там бы нам бы, там бы нам бы, там бы проплясать Фокшпрот!»

«Что ты, что ты, что ты, что ты знаешь, юноша, о том,
Как, ныряя в море, шпроты грациозно бьют хвостом?»
Но омар ответил: «Нет уж, этот номер не пройдет.
Лучше с берега посмотрим, как танцуют твой Фокшпрот!
Нет уж, вот уж, нет уж, вот уж, больно нужен твой Фокшпрот!
Вот уж, нет уж, вот уж, нет уж, не пойду плясать Фокшпрот!»

«Не бойся, тут неглубоко! — раздался смех трески. —
Там — Франция, тут — Англия. Какие пустяки!
От берега до берега всего рукой подать.
Не капризничай, дружище, и пошли фокшпрот плясать!
Тут ли, там ли, тут ли, там ли — все равно пойдем плясать!
Там ли, тут ли, там ли, тут ли, а придется поплясать!»

— Большое спасибо. Мне было *очень* интересно, — с облегчением сказала Алиса, когда все кончилось. — Особенно мне понравилась эта удивительная песня. Про треску!

— Ну, что касается трески, — заговорил Гребешок, — то она... Ты ее когда-нибудь видела?

— Еще бы, — ответила Алиса, — но только в жареном ви... — тут она прикусила язык.

И вот они принялись горделиво вытанцовывать перед Алисой,
то и дело наступая ей на ноги
и отбивая такт передними лапами.

— Не знаю, что это за место такое — Жареномви, — сказал Гребешок, — но если ты ее там видела, и не раз, то, конечно, представляешь себе, как она выглядит.

— Представляю, — задумчиво проговорила Алиса, — она вся в сухариках, и у нее такие круглые глаза...

— В отношении сухариков ты заблуждаешься. При чем тут сухарики! Их бы сразу смыло водой. Что же касается глаз, тут ты права. Все дело в том... — Гребешок зевнул и смежил веки. — Объясни ей, в чем все дело, — попросил он Грифона.

— Все дело в том, — заговорил Грифон, — что треска в конце концов соглашается немножко побыть шпротой. Омар, ясное дело, зашвыривает ее в море. Лететь ей, ясное дело, не весело. Вот она со страху и делает круглые глаза. Да так и остается. Все.

— Спасибо, — поблагодарила его Алиса. — Вот никогда бы не подумала! Теперь я знаю о треске больше, чем раньше.

— Треска вообще-то не простая штучка, — доверительно сказал Грифон. — Когда она была в Маринаде, ее то и дело посещали разные министры и дипломаты: Камбала, Скумбрия, Зеркальный Карп... Очень часто приплывала одна Селедка в белом соусе. Изумительный, тонкий посол!

— Подумать только! — ахала Алиса.

— А на одного Сома она заревела белугой. И знаешь почему? — загадочно спросил Грифон.

— Понятия не имею, — призналась Алиса.

— Потому что уж больно он был *сомостоятельный*. И к тому же отрастил усы, — объяснил Грифон.

Алиса подумала немного, поглядела на Грифона и сказала:

— А вот у меня дома это называется с-а-м-о-стоятель-ный.

— Это у тебя дома, — фыркнул Грифон, — а у нас — с-о-м-о-стоятельный. И ничего хорошего от этого ждать не приходится.

— Это почему же? — спросила Алиса.

— А потому, — не слушая, ворчал Грифон, — что от этого — сплошное *сомоуправство*. Мол, каждый *сом* себе голова. Безобразие!

— Если бы я была треской, — сказала Алиса, которая никак не могла забыть фокшпрота, — я бы ни за что не позволила Осьминогу наступить мне на хвост. Я бы ему сказала: «Осторожней, пожалуйста... Вы что, хвоста не видите, что ли?»

— Ничего не поделаешь,— изрек Гребешок,— приходится терпеть. Осьминог — это еще полбеды. А вот без Кальмара или, на худой конец, без Щуки ни одна здравомыслящая рыба с места не тронется.

— Почему? — удивилась Алиса.

— А потому,— объяснил Гребешок,— что каждому приятно услышать, как прохожие оглядываются на тебя и охают: «Ах, какой Кальмар!» или: «Вот так Щука!»

— Вот так штука! — воскликнула Алиса.

— Да не штука, а щука! — рассердился Гребешок.— Ты лучше слушай, что тебе взрослые говорят.

— И вообще расскажи что-нибудь... о себе,— добавил Грифон.

— Я вам расскажу, что со мной сегодня приключилось,— смущенно сказала Алиса.— Потому что вчера... вчера я была совсем другая...

— В каком... э... Аспекте? — осведомился Гребешок.

— Нет уж! Ты давай расскажи про свои приключения,— вмешался Грифон.— А то с этим... Аспектом, я знаю, будет волынка на час.

И Алиса рассказала им обо всем, что с нею произошло, начиная с той минуты, когда она впервые увидела Белого Кролика. Сперва ей было немного не по себе, потому что Грифон и Гребешок придвинулись поближе, сели рядом, выпучили глаза и от удивления широко раскрыли свои огромные пасти.

Но Алиса набралась духу и продолжала рассказ как ни в чем не бывало. Грифон и Гребешок слушали ее затаив дыхание, пока она не дошла до того места в этой истории, когда она повстречалась с Гусеницей и прочла ей стихи про дядю Вильяма, а все слова в стихах, как назло, перепутались.

Тут раздался вздох, и Гребешок изрек:

— Лю-бо-пыт-но...

— Еще бы! — согласился Грифон.

— Все слова перепутались! — мечтательно повторил Гребешок.— Знаешь, хотелось бы послушать, как это у тебя выходит. Скажи ей, пусть что-нибудь прочтет,— повернулся он к Грифону, видимо считая, что Грифона Алиса послушается.

— Ну-ка, встань,— потребовал Грифон.— И прочти что хочешь.

«Ну и любят же они командовать! — подумала Алиса. — Все время им чего-то надо. Я в конце концов не в школе...»

Она встала, начала читать стихи, но в голове у нее все так перемешалось из-за этого фоксшпрота, что она сама толком не понимала, что говорит:

> Я слышу голос Судака:
> «Мне пережарили бока!
> Я не хочу в сметану
> И жариться не стану!»
>
> Пускай свистит нахальный Рак
> И голосят Лягушки.
> Судак — он вовсе не дурак,
> Он затыкает ушки.
>
> Все разбегаются пища,
> А наш Судак судачит:
> «Хо-хо! Я дам Киту — леща,
> Да так, что Кит заплачет!»
>
> Но чуть появятся Киты,
> Судак бросается в кусты
> И либо плачет, либо
> Совсем молчит, как рыба.

— Не помню я таких стихов, — промолвил Грифон.

— А я так вообще ничего похожего не слышал, — сказал Гребешок. — На мой взгляд, это сущая белиберда.

Алиса промолчала. Она села и закрыла лицо руками, не понимая, почему *все*, ну буквально *все* происходит шиворот-навыворот.

— Жду объяснений, — буркнул Гребешок.

— Какие уж тут объяснения? — заступился за Алису Грифон. — Ты, девочка, лучше еще что-нибудь прочти.

— Как он мог заткнуть ушки? — не унимался Гребешок. — Откуда у Судака ушки?

— Это все потому, что Рак свистнул, — предположила Алиса.

Но она сама мало что понимала и очень хотела поскорее прекратить этот разговор.

— Ну прочти какой-нибудь стих... — нетерпеливо повторил Грифон. — О природе... про садик, например...

— Про садик?

Алиса не посмела ослушаться, хотя и чувствовала, что все опять пойдет вкривь и вкось, и дрожащим голосом начала:

Я шла
мимо сада,
а в этом
саду
Сова и Пантера
делили еду.
Пантере —
творожники
и ветчина,
Сове —
подстаканник
и чашка одна.
Пантера умяла
свою ветчину,
Пантера
печально сказала:
«Ну-ну!»
Пантера вздохнула,
тряхнув головой,
и сытный
обед
закусила
Со...

— К чему нести всю эту околесицу! — перебил Алису Гребешок. — Ты ведь все равно не можешь объяснить, что к чему! Совсем меня запутала!

— Да! Брось ты это дело! — посоветовал Грифон, чем очень обрадовал Алису.

— Может, сплясать тебе еще что-нибудь? Из фокс-шпрота? — поинтересовался Грифон. — Или, может, Гребешок споет тебе песенку?

— Песенку, песенку! Если вам, конечно, не трудно, — ответила Алиса, да так радостно, что Грифон поджал губы и сказал:

— Ладно... О вкусах не спорят... Спой-ка ей твою любимую, старина. Про уху.

Гребешок тяжко вздохнул и, всхлипывая, затянул свою песню:

Скажите мне, ну чем плоха,
Чем не по вкусу вам уха?
Уха не может быть плохой!
Уха останется ухой!
Вот так уха, ха-ха!
Тот, кто по-настоящему хи-
Тер, тот поест моей ухи.
Нет ничего на свете ху-
Же, чем плохо сварить уху.
Если на вас напала ха-
Ндра, вас вылечит уха.

И шпроты, и треска, и хе-
К — все собрались в моей ухе. Хе-хе!
Вот так уха, ха-ха!

— Ну-ка, припев! — крикнул Грифон, и Гребешок уже открыл рот, но тут вдали раздался вопль:

— Заседание начинается!

— Пошли! — заторопился Грифон и потащил за собой Алису, не дожидаясь, пока песня кончится.

— Какое еще заседание? — задыхаясь, спросила Алиса на бегу, но Грифон только фыркнул:

— Поднажмем! — И побежал еще быстрее.

А ветерок еле-еле доносил до них печальные слова:
Вот так уха, ха-ха!

Глава одиннадцатая
Кто стащил пирожки?

КОГДА Алиса и Грифон вбежали в зал, Король и Королева Бубен уже восседали на троне, вокруг, как карты в колоде, толпились разные птицы и зверьки.

Перед Королем и Королевой стоял закованный в кандалы Бубновый Валет. Его караулили два солдата. Рядом с Королем примостился Кролик. В одной лапе он держал трубу, в другой — пергаментный свиток.

Посреди зала стоял стол, а на нем — огромное блюдо с пирожками. Пирожки были совсем свежие, и когда Алиса их увидала, у нее сразу разыгрался аппетит. «Вот кончится заседание, — подумала она, — тогда, наверно, поедим пирожков!» Но до этого было еще далеко, и Алиса принялась смотреть по сторонам, чтобы убить время.

За всю свою жизнь Алиса еще ни разу не была ни на одном заседании, тем более на заседании суда. Но она уже читала о суде в книжках и сразу догадалась, куда попала. «Вон там сидит Судья! — сообразила она. — Он — Судья, потому что на нем парик». (В Англии и в Стране Чудес все судьи носят парики, даже если у них нет лысины.)

Судьей, к слову сказать, был Король. Корона у него была надета поверх парика, и поэтому Король сидел прямо, словно аршин проглотил, и думал только о том, как бы корона не сползла набок (все это, если вам интересно, вы можете увидеть на картинке).

«А вот и присяжные, — догадалась Алиса. — Потому что их ровно двенадцать штук». (Алисе пришлось считать их на штуки, потому что одни присяжные были звери, а другие — птицы. В Англии и в Стране Чудес всегда бывает дюжина присяжных.)

— При-сяж-ны-е, — повторила Алиса еще раз, ужасно гордясь тем, что знает это трудное слово.

Она, конечно, была совершенно права, потому что на свете только немногие точно знают, что значит слово «присяжные». (А это люди, которые выслушивают и тех, кто обвиняет, и тех, кто защищает подсудимого, а после решают, виноват он или нет.)

Двенадцать присяжных что-то деловито писали на грифельных досках.

— Что это они делают? — шепотом спросила Алиса у Грифона. — Суд-то еще не начался, и писать им нечего.

— То есть как это нечего? — шепнул в ответ Грифон. — Они записывают свои имена. А то еще забудут, пока суд да дело.

— Что за вздор! — громко сказала Алиса, но тут Белый Кролик прокричал:

— Суд идет!

Король нацепил на нос очки и с тревогой огляделся, то ли чтобы увидеть, кто идет, то ли чтобы понять, кто кричал.

А присяжные в это время прилежно склонились над своими грифельными досками. Присмотревшись, Алиса увидела, что все они пишут одно и то же: *что за вздор*.

Один из них сперва написал все вместе: чтозавздор, но потом засомневался и начал советоваться с соседом.

«Представляю себе, на что будут похожи их доски, когда суд кончится!» — вздохнула Алиса.

У одного из присяжных (это был тот самый Билл!) грифель невыносимо скрипел. Этого Алиса не могла стерпеть.

Она подкралась к Биллу и выдернула грифель из его лапки.

Билл так ничего и не понял.

Сначала он поискал, куда делся грифель, потом бросил эту затею и принялся писать пальцем. Правда, от пальца на доске не оставалось никаких следов.

— Глашатай, прочтите обвинительный акт! — приказал Король.

Кролик трижды продудел, развернул свиток и прочел:

> Королева взяла
> Пирожков напекла,
> Напекла Королю на обед.
> Но забрал пирожки
> И украл пирожки
> Забубенный Бубновый Валет.

— Приговор, пожалуйста! — обратился Король к присяжным.

— Не всё сразу, Ваше Величество, — вмешался Кролик. — У нас еще много чего впереди.

— В таком случае, — рассудил Король, — вызовите первого свидетеля.

Белый Кролик снова продудел и выкрикнул:

— Первый свидетель!

Первым свидетелем был Шляпник.

Он вошел в зал, держа в одной руке чашку чаю, а в другой — бутерброд.

— Не серчайте, Ваше Величество, — молвил он, указывая на чашку и бутерброд, — что я с закуской. Когда за мной пришли, я как раз допивал чай.

— Вот и допил бы дома! — проворчал Король. — И давно ты этим занимаешься?

— Давно... — признался Шляпник и посмотрел на Мартовского Зайца, который как раз входил в зал заседаний об руку с Соней. — С четырнадцатого марта, если не ошибаюсь.

Первым свидетелем был Шляпник.
Он вошел в зал, держа в одной руке чашку чаю,
а в другой — бутерброд.

— С пятнадцатого, — сказал Заяц.

— С шестнадцатого, — пропищала Соня.

— Так и запишем, — обратился Король к присяжным. Присяжные записали все три числа, сложили и перевели их в градусы северной широты.

— Сними свою шляпу, — посоветовал Король свидетелю.

— Шляпа не моя, — ответил Шляпник.

— Краденая? — воскликнул Король и мигнул присяжным, которые тут же пошли строчить.

— Я держу шляпы на продажу, — пояснил Шляпник. — Собственной шляпы у меня нет. Я — Шляпник.

Королева надела очки и стала вглядываться в Шляпника. Он вздрогнул и побледнел.

— Выкладывай все как есть, — предложил Король. — И не нервничай. Иначе тебе отрубят голову.

Но Шляпник никак не мог взять себя в руки. Он переминался с ноги на ногу и опасливо поглядывал на Королеву. Совсем смешавшись, он откусил большой кусок от чашки, перепутав ее с бутербродом.

В этот момент Алиса почувствовала, что с нею происходит что-то загадочное, но что́, никак не могла понять, пока вдруг не почувствовала, что опять растет. Она хотела было встать и удалиться, но, поразмыслив, решила сидеть, пока ей хватает места.

— Ты чего пихаешься? — пропищала Соня, сидевшая рядом. — Распихалась!

— Ничего не поделаешь! — доброжелательно ответила Алиса. — Я расту.

— В суде расти запрещается! — возразила ей Соня.

— Чушь какая! — решительно сказала Алиса. — Да мы тут все растем, и ты, кстати, тоже.

— Я-то расту, как положено, не спеша, — обиделась Соня. — А ты вот что-то торопишься.

Надувшись, она отсела подальше.

Все это время Королева по-прежнему присматривалась к Шляпнику. Когда Соня пересела на другое место, Королева повернулась к одному из судейских и громко сказала:

— Принеси-ка мне, любезный, списки всех, кто пел на последнем Концерте!

Тут Шляпник задрожал так, что у него развязались шнурки на ботинках.

— Рассказывай все без утайки,— сурово произнес Король.— Иначе тебе отрубят голову, даже если ты не будешь нервничать.

— Я человек маленький, Ваше Величество,— дрожащим голосом проговорил Шляпник.— Я и чай-то пью, можно сказать, недавно, неделю-другую... Что же касается летучести мышей... а равно и бутербродов... бабушка надвое сказала...

— Что сказала? — заинтересовался Король.

— Надвое сказала,— повторил Шляпник.

— И ты не поделился со своей Родной Бабушкой?! — возмутился Король.— Хотя она и сказала «Надвое!». И ты думаешь, я тебе это спущу? Продолжайте, свидетель!

— Мы люди маленькие,— покорно повторил Шляпник.— И бабушка так сказала... В рассуждении летучести... Отчего у меня все и пошло вверх тормашками... К тому же Мартовский Заяц говорил...

— Не говорил! — крикнул Заяц.

— Говорил! — ответил Шляпник.

— Заяц все отрицает,— сказал Король.— Продолжайте, свидетель.

— Ну, тогда Соня говорила...— заторопился Шляпник и покосился на Соню.

Но Соня не возражала. Она спала.

— И вот тогда,— признался Шляпник,— я сделал еще один бутерброд.

— А что говорила Соня? — спросил присяжный

— Чего не помню, того не помню,— сокрушенно развел руками Шляпник.

— А ты вспомни,— посоветовал Король.— Иначе тебе отрубят голову.

Злосчастный Шляпник уронил чашку и бутерброд и рухнул на колени.

— Я, Ваше Величество, человек маленький...— начал он.

— Зато болтун большой,— вставил Король.

Тут одна морская свинка зааплодировала, но официальные лица немедленно призвали ее к порядку. (Это довольно трудное выражение, поэтому я объясню, что с ней сделали. Официальные лица сунули ее вниз головой в специальный мешок, завязали веревочкой, а потом сели сверху.)

«Здорово, что я попала в суд! — восхитилась Алиса. — Сколько раз читала в газете, что «после вынесения приговора раздались аплодисменты, но официальные лица призвали нарушителей спокойствия к порядку», и только теперь поняла, что это значит!»

— Если ты больше ничего не знаешь, — сказал Король Шляпнику, — у меня вопросов нет. Заходите, не забывайте!

— Что? — удивился Шляпник.

— Я хотел сказать «Всего доброго!» — поправился Король.

На этот раз зааплодировала другая морская свинка, но ее тоже призвали к порядку.

«Ну, с морскими свинками покончено, — подумала Алиса. — Теперь все пойдет как по маслу».

— Я, пожалуй, допью чай, — сказал Шляпник и с тревогой посмотрел на Королеву, которая перелистывала списки певцов.

— Можешь идти, — кивнул Король.

Шляпник, не завязав шнурков, пулей вылетел из зала.

— Кстати, когда он выйдет, отрубите ему голову, — негромко сказала Королева, обращаясь к официальным лицам.

Но когда они, наконец, протолкались к выходу, Шляпника след простыл.

— Следующий свидетель! — провозгласил Король.

Следующей была Кухарка Герцогини. В руках она несла перечницу.

Впрочем, Алиса еще раньше догадалась, кого вызывают, потому что все, кто стоял в проходе, внезапно начали чихать.

— Признавайся! — буркнул Король.

— Не буду! — ответила Кухарка.

Король озабоченно поглядел на Кролика. Кролик подумал-подумал и предложил:

— Ваше Величество! Свидетельницу надо допросить *с пристрастием!*

— Надо так надо, — скорбно сказал Король, сложил руки на груди, нахмурил брови, прищурился и басом спросил: — Что кладут в пирожки?

— Перец, — охотно ответила Кухарка.

— Чай да сахар, — раздался из зала сонный голос.

— Опять эта Соня! — взревела Королева. — Намордник на нее надеть! Голову ей отрубить! В шею ее вытолкать! К порядку ее призвать! За бок ее ущипнуть! Усы выдрать!

В зале поднялся шум и гам. Соню выставили за дверь, и, когда все немного успокоились, выяснилось, что Кухарка куда-то подевалась.

— Бывает! — облегченно вздохнул Король. — Следующий свидетель! — И шепнул на ухо Королеве: — Право, дорогая, допрашивай лучше сама. А то у меня голова идет кругом...

Алиса хладнокровно наблюдала, как Кролик водит лапой по списку свидетелей. Ей очень хотелось знать, кто же следующий. «Пока что, — подумала она, — они мало чего добились». Представьте, как же удивилась Алиса, когда Кролик прочел имя следующего свидетеля:

— Алиса!

Глава двенадцатая

Слово — Алисе!

— ЗДЕСЬ! — ответила Алиса.

Позабыв, как она выросла за последние несколько минут, Алиса вскочила, споткнулась о скамью, на которой сидели присяжные, и они повалились прямо в зал.

— Извините меня, пожалуйста! — в отчаянии воскликнула Алиса.

Присяжные барахтались на полу. Они немного напоминали золотых рыбок, трепыхающихся у перевернутого аквариума. Алиса тоже заметила это сходство, наклонилась и принялась судорожно подбирать присяжных и усаживать их обратно на скамейку, словно боялась, как бы они и впрямь не задохнулись.

— Объявляю перерыв, — сурово сказал Король. — До тех пор, пока *все* присяжные не сядут на свои места. Повторяю, *все*.

Затем Король внушительно посмотрел на Алису.

Алиса глянула на присяжных и увидела, что впопыхах посадила ящерку Билла вверх ногами. Билл никак не мог перевернуться и только грустно помахивал зеленым хвостом. Алиса посадила его как следует. «Только это ему все равно, — подумала она. — Что вниз головой, что вверх головой — толку от него мало».

Наконец присяжные пришли в себя и снова взялись за грифельные доски. Все они (кроме Билла) писали об одном и том же: как и по какой причине перевернулась скамья. Один Билл ничего не писал, он так переволновался, что просто сидел с открытым ртом и глядел в потолок.

— Что ты знаешь об этом деле? — спросил Король.

— Ничего, — сказала Алиса.

— *Совсем* ничего? — подозрительно посмотрел на нее Король.

— Совсем ничего, — ответила Алиса.

— Это очень важно! — многозначительно сказал Король, обращаясь к присяжным.

Присяжные заскрипели грифелями, но тут вмешался Белый Кролик.

— Вы хотели сказать «НЕважно», Ваше Величество, — благоговейно заметил он, шевеля бровями и подмигивая Королю.

— Да-да, разумеется, НЕважно. Я это и имел в виду, — спохватился Король и вполголоса забормотал: — Важно-неважно, важно-неважно, важно-неважно... — как будто пытался определить, какое слово перетянет.

Некоторые присяжные написали «важно», некоторые — «неважно». Алиса сидела у них за спиной и все это видела. «Но ведь это роли не играет», — подумала она.

Между тем Король, который усердно заносил что-то в записную книжку, крикнул:

— Тише! — И громко прочитал: — Правило номер сорок два. Все лица ростом до потолка обязаны покинуть зал заседаний.

Все уставились на Алису.

— Я ростом вовсе не до потолка, — возразила она.

— До потолка! — заупрямился Король.

— Ты выше крыши! — вставила Королева.

— Никуда я не пойду, — сказала Алиса. — И никакое это не правило. Вы его сами только что придумали.

— Вот и нет! — ответил Король. — Это самое старое правило на свете.

— Тогда оно было бы номер один, — заявила Алиса.

Король побледнел и захлопнул записную книжку.

— Выносите приговор! — сказал он присяжным дрожащим голосом.

— Ваше Величество! А, Ваше Величество! — подскакивая от нетерпения, проговорил Белый Кролик. — У нас имеются вещественные доказательства. Только что в суд поступила вот эта бумага.

— Что там написано? — оживилась Королева.

— Пока не знаю, — сказал Кролик. — Но судя по всему, это письмо, которое подсудимый написал... э... кое-кому.

— Вполне вероятно, — согласился Король. — Не написал же он никому. Согласитесь, это бы выглядело непривычно.

— А адрес есть? — спросил кто-то из присяжных.

— Нет! Нет адреса! — взвизгнул Белый Кролик. — И вообще снаружи ничего не написано! — Он развернул лист и добавил: — А это, оказывается, не письмо. Это стишки.

— Написанные рукой подсудимого? — справился другой присяжный.

— Нет! — ответил Белый Кролик. — В этом весь фокус.

Присяжные растерянно переглянулись.

— Он, наверно, подделал почерк, — предположил Король.

Присяжные просияли.

— Ваше Величество! — взмолился Валет. — Я ничего такого не писал. Пусть попробуют доказать. Там даже подписи нет!

— Раз нет подписи,— сказал Король Валету,— твое дело — табак. Ты, значит, задумал что-нибудь нехорошее. А иначе обязательно подписался бы как честный человек.

Все захлопали в ладоши. В первый раз за целый день Король сказал что-то толковое.

— Вина доказана! — рявкнула Королева.

— Не доказана! — вмешалась Алиса.— Вы же понятия не имеете, что там написано!

— Кролик, прочтите,— сказал Король.

Белый Кролик нацепил очки.

— С какого места начать, Ваше Величество? — спросил он.

— С начала,— торжественно ответил Король.— И шпарь до самого конца. После этого можешь остановиться.

Вот что прочел Белый Кролик:

> Я говорил ЕМУ о НЕЙ,
>   С НИМ вместе уходя.
>   Я все-таки ЕГО умней,
>   Хотя боюсь дождя.
> ОН обо МНЕ шепнул ЕМУ,
> Но все это — вранье.
>   ОНИ-то знают, почему
>   Вступились за НЕЕ.
>
> Я взял один, ОН взял другой,
>   И получилось три.
>   Но что ОНА — ни в зуб ногой,
>   ТЫ ИМ не говори.
>
> МЫ так ЕЕ подковырнем,
>   Что объяснит ОНА,
>   Зачем ОН сплетничал о НЕМ
>   И в чем ЕГО вина.
>
> Но ТЫ ИМ времени не дал.
>   Вот тут ОНА взяла
>   И НАМ устроила скандал.
>   Такие, брат, дела...
>
> ЕМУ не избежать тюрьмы,
>   А может быть, и МНЕ.
>   Об этом знаем только МЫ,
>   ОНА, ОНИ, ОНЕ.

— Оч-ч-чень важное вещественное доказательство,— улыбнулся Король, потирая руки.— Теперь пора выносить при...

— Нет, это невыносимо! — воскликнула Алиса. — Пусть хоть один присяжный объяснит, что все это значит, я ему конфетку дам! Тут ведь нет ни капли здравого смысла!

(За последние минуты Алиса так выросла, что теперь запросто перебивала самого Короля.)

Все присяжные нацарапали на своих досках: здравогосмысла, но никому из них и в голову не пришло что-нибудь объяснять Алисе.

— Чем меньше смысла, — сказал Король, — тем лучше. Нам, значит, не придется его искать. И все же мне еще не все ясно... — пробурчал он и заглянул в бумагу. — Что-то в этом есть... «Хотя боюсь дождя»... Ты боишься дождя? — спросил он у Валета.

Валет горестно кивнул.

— Еще бы, — ответил он.

(И неудивительно, Валет-то был картонный!)

— Та-а-ак! Дело идет на лад, — развеселился Король и опять забормотал: — «Они-то знают почему» — это, конечно, про присяжных. «Я взял один, он взял другой, и получилось три...» Вот! Это он так поступил с нашими пирожками!

— Но дальше ведь говорится, — вступилась за Валета Алиса, — «Вот тут она взяла»... Значит, Королева получила пирожки обратно!

— А как же! Вот они, пирожки, — благодушно сказал Король и любовно посмотрел на блюдо. — Тут все ясно. «Такие, брат, дела...» У тебя есть братец, дорогая? — игриво спросил он Королеву.

— Братец? Нету, — басом ответила Королева и запустила чернильницей в ящерку Билла.

Билл в конце концов обнаружил, что палец не оставляет никаких следов на грифельной доске, и бросил писать. Теперь он обмакнул палец в чернила, капавшие с его макушки, и опять застрочил. Так он и писал, пока чернила не высохли.

— А то бы мы твоего *братца*, — тонко улыбнулся Король и посмотрел на публику, — попросили тут *разобратца*.

Наступила гробовая тишина.

— Это остроумная шутка, — злобно добавил Король. Все захлопали.

— Пусть присяжные выносят приговор, — повторил он в тридцатый раз.

— Нет уж! — заявила Королева. — Ты им сперва скажи, какой приговор выносить, а потом пусть себе выносят на здоровье.

— Глупости! — закричала Алиса. — Так не делают!

— Не твое дело! — зарычала Королева и побагровела.

— Мое! — ответила Алиса.

— Голову ей долой! — гаркнула Королева.

Никто не пошевелился.

— Да что с вами церемониться! — воскликнула Алиса (теперь она была уже своего обычного роста). — Ведь вы — просто колода карт!

Тут вся колода взвилась в воздух и ринулась на нее. Алиса вскрикнула — то ли от ярости, то ли от испуга — и стала отбиваться... И вдруг она увидела, что лежит на берегу реки. Голова ее на коленях у сестры, а сестра осторожно снимает с ее лица сухие желтые листья, опавшие с дерева.

— Алиса, маленькая, просыпайся! — говорила сестра. — Что-то ты сегодня спишь и спишь...

— Мне снились такие удивительные вещи! — ответила Алиса.

И она обстоятельно рассказала сестре обо всех своих странных и необычайных приключениях. А когда она кончила рассказ, сестра поцеловала ее и сказала:

— Да. Действительно необыкновенный сон. А теперь беги пить чай. Уже поздно.

Алиса вскочила и побежала домой, а по дороге думала только о том, какой чудесный сон ей приснился.

Ее сестра еще долго сидела на берегу, упершись подбородком в колени, глядела на закат и размышляла об Алисе и об ее невероятных приключениях, пока сама не задремала. И вот что ей приснилось.

Сначала она увидела саму Алису: Алиса сидит рядом и рассказывает свою историю и смотрит ей прямо в глаза.

Ей даже почудилось, что она слышит голос Алисы и видит, как Алиса откидывает прядь волос, упавшую на глаза. И вот, пока она слушала Алису (или ей казалось, что слушала), вокруг засуетились те самые загадочные существа, которые приснились Алисе.

*Тут вся колода взвилась в воздух
и ринулась на нее.*

Высокая трава шуршала под ногами Белого Кролика, который снова куда-то опаздывал.... испуганная Мышь переплывала через пруд... звякали ложечки в чашках Мартовского Зайца и Шляпника... бушевала Королева... на коленях у Герцогини чихал Ребеночек... с грохотом била тарелки Кухарка... орал Грифон... скрипел грифель ящерки Билла... пыхтела в мешке призванная к порядку Морская Свинка... издалека доносились всхлипывания многострадального Гребешка...

Так сидела с закрытыми глазами Алисина сестра — и веря, и не веря в Страну Чудес, — но она отлично знала, что стоит ей открыть глаза, и все объяснится само собой, просто и скучно: шуршит под порывами ветра трава... покрылось рябью озерцо... звякают овечьи колокольчики... пронзительно покрикивает пастух... и нет ни Шляпника, ни Грифона, ни прочих диковинных существ, а просто на заднем дворе играют дети... и нет никакого Гребешка — это мычат коровы, возвращаясь домой...

А потом Алисина сестра представила себе, как Алиса станет взрослой, как на всю жизнь сохранит она чистое и простое сердце, как будут ее любить дети, как они будут слушать удивительные Алисины сказки (может быть, и эту сказку про Страну Чудес), как Алиса всегда будет знать, почему им весело, и почему грустно, и как она вспомнит свое собственное детство и счастливые летние дни.

*

Алиса! Для тебя одной
Я сказку сочинил,
Чтоб встала ты передо мной
Из выцветших чернил,
Как ландыш, выросший весной
На просеке лесной.

АЛИСА В ЗАЗЕРКАЛЬЕ

♛♛♛

ДЕЙСТВУЮЩИЕ ЛИЦА

БЕЛЫЕ

ФИГУРЫ

ТАРАРАМ, ЕДИНОРОГ, КОЗА
БЕЛЫЙ КОРОЛЬ, БЕЛАЯ КОРОЛЕВА
СТАРИК, УПАВШИЙ С КАЛАНЧИ
РЫЦАРЬ НА БЕЛОМ КОНЕ
ТИЛИБОМ

ПЕШКИ

МАРГАРИТКА, ЗАИТЦ, КАРАСЬ
ТОПСИК, ОЛЕНЕНОК
КАРАСЬ, ШЛЯМПНИК, МАРГАРИТКА

ЧЕРНЫЕ

ФИГУРЫ

ШАЛТАЙ-БОЛТАЙ, ПЛОТНИК, ТЮЛЕНЬ
ЧЕРНЫЙ КОРОЛЬ, ЧЕРНАЯ КОРОЛЕВА
100 ВОРОН, РЫЦАРЬ НА ЧЕРНОМ КОНЕ, ЛЕВ

ПЕШКИ

МАРГАРИТКА, ПОСЫЛЬНЫЙ, КАРАСЬ
РОДОДЕНДРОН, РОЗА
КАРАСЬ, ЛЯГУШКА, МАРГАРИТКА

❦❦

Дитя с безоблачным челом
        И безмятежным взглядом!
Помчалось время напролом,
        Но вот мы снова рядом:
И рой волшебных небылиц
        К тебе слетает со страниц.

Я позабыл твои черты,
        Но не страшусь возврата.
Давно меня забыла ты,
        Но это не утрата.
Мы вместе, и при свете дня
        Ты снова слушаешь меня.

Ты помнишь: полдень золотой,
        Рассказ чудесный начат,
Шумит весло, и так светло...
        Ты помнишь? Это значит,
Что убегающим годам
        Я нашу память не отдам.

Там, на дворе, опять пурга
        И вьюги людоедство.
А дома — свет от очага,
        Тепло и нежность детства.
Метели за окном метут,
        А сказка снова тут как тут.

Печаль попала на постой
        В повествованье это:
Ведь кончен «полдень золотой»
        И отзвенело лето...
Но следом за печалью зло
        К нам в нашу сказку не пришло.

1 Алиса встречается с Черной Королевой

2 Алиса через d3 по железной дороге на d4 (к Тилибому и Тараму)

3 Алиса встречает Белую Королеву (с шалью)

4 Алиса на d5 (лавка-река-лавка)

5 Алиса на d6 (Шалтай-Болтай)

6 Алиса на d7 (в лесу)

7 Рыцарь на Белом Коне берет Рыцаря на Черном Коне (в плен)

8 Алиса вступает на последнюю клетку (коронация)

9 Алиса становится Королевой

10 Алиса рокируется (пир в замке)

11 Алиса берет Черную Королеву (за шиворот) и выигрывает

1 Черная Королева на b5

2 Белая Королева на C4 (ловит шаль)

3 Белая Королева на C5 (превращается в Козу)

4 Белая Королева на f8 (оставляет яйцо на полке)

5 Белая Королева на C8 (убегает от Рыцаря на Черном Коне)

6 Рыцарь на Черном Коне на E7 (шах)

7 Рыцарь на Белом Коне на C5

8 Черная Королева на E8 (экзамен)

9 Королевы рокируются (входят в замок)

10 Белая Королева на A6 (суп)

ПРЕДИСЛОВИЕ АВТОРА

Поскольку шахматная задача, предложенная на предыдущей странице, оставила в недоумении некоторых моих читателей, следует сказать, что сами по себе ходы в ней безупречны. Возможно, чередование ходов черных и белых соблюдается не слишком строго, а под рокировкой трех Королев просто подразумевается, что они вошли в Замок, но каждый, кто даст себе труд расставить фигуры и разобрать партию в предложенном порядке, обнаружит, что шах на шестом ходу, взятие Рыцаря на Черном Коне на седьмом ходу, а также итоговый мат Черному Королю находятся в строгом соответствии с правилами игры.

В связи с новыми словами в стихотворении «Умзара Зум» (см. стр. 26) возникли различные мнения о том, как их следует читать. Уместно дать разъяснения и по этому поводу. Имя «Умзар» следует произносить с ударением на первом слоге — как «повар», а слово «чудо-юдоострый» с двумя ударениями: на третьем и пятом слогах от начала.

Рождество 1896 г.

Глава первая

В Зазеркалье

ОДНО было совершенно ясно: белый котенок был совсем ни при чем. Набезобразничал черный котенок. Все дело в том, что последние полчаса белый котенок был занят — он терпеливо дожидался, пока кошка Дина его умоет. Так что, как видите, к тому, что случилось, никакого отношения он не имел.

Кошка Дина всегда умывала котят так: одной лапой она придерживала котенка за ухо, а другой — терла ему мордочку (от носа к ушкам). Как я уже сказал, сейчас она умывала белого котенка, который покорно сидел и даже иногда подмурлыкивал... вне всякого сомнения понимая, что это делается ради его же блага.

Но черный котенок был уже умыт и теперь, воспользовавшись тем, что Алиса задремала в углу огромного старого кресла, вступил в неравный бой с клубком шерсти. Котенок катал его по полу до тех пор, пока клубок окончательно не размотался и не превратился в кучу спутанных ниток. Котенок забрался на эту кучу и принялся ловить собственный хвост.

— Ах ты разбойник! — закричала Алиса, схватила котенка и легонько шлепнула его по носу в знак того, что он попал в немилость.— До сих пор не научился, как себя вести!.. Дина, да когда же ты возьмешься за его воспитание?! — добавила она строго, обращаясь к кошке.

Тут Алиса подняла нитки, опять удобно устроилась в кресле и начала работу сначала. Но дело как-то не клеилось — ведь Алиса все время болтала: то с котенком, то сама с собой. Котенок чинно сидел у нее на коленях и с притворным интересом следил за тем, как постепенно растет клубок. Время от времени он вытягивал лапу и осторожно до него дотрагивался, словно пытался помочь Алисе.

— А знаешь, что завтра будет? — спросила Алиса котенка.— Ты бы наверняка догадался, если бы утром выглянул в окошко... Да, но ведь Дина как раз тебя умывала... Ты знаешь, я видела, как мальчишки таскали хворост для костра... Представляешь, сколько его нужно, чтобы костер хорошо горел?! Правда, потом повалил снег, и пришлось все отложить до завтра... но зато завтра мы с тобой обязательно пойдем поглядим на костер.

Тут Алиса намотала на шею котенку нитку: просто чтобы узнать, идет ему этот цвет или нет. Нитка запуталась, котенок спрыгнул на пол, и клубок снова наполовину размотался.

— Ух, как я на тебя рассердилась, когда увидела, что ты натворил! — продолжала Алиса, снова забираясь на кресло.— Честное слово, я хотела взять тебя за шиворот и выставить на улицу! И ты этого заслужил, хулиган! Что ты можешь сказать в свое оправдание? Помолчи, не перебивай меня,— добавила Алиса и погрозила котенку пальцем.— Сейчас я перечислю все твои грехи. Во-первых, ты два раза запищал, пока Дина тебя умывала. Не спорь со мной! Я сама слышала! Что ты сказал? (Тут Алиса притворилась, будто котенок ей что-то ответил.) Она попала тебе лапой в глаз? Сам виноват — нужно было зажмуриться, и ничего бы не случилось. Да помолчи ты немножко! Лучше послушай. Во-вторых: когда я дала Снежку молока, ты потянул родного брата за хвост. Что? Тебе захотелось попить? А Снежку что, не хотелось? И в-третьих: стоило мне отвернуться, как ты размотал целый клубок! Видишь, что ты натворил?! А ведь я еще тебя не наказала. Тебе отлично известно, что все наказания я откладываю до среды... Представляю, что было бы, если бы со мной так поступали! — воскликнула Алиса, обращаясь уже не к котенку, а к самой себе. — Если бы меня наказывали за все сразу... в конце года! Наверно, меня бы посадили в тюрьму... Или оставили бы без обеда. Даже — без пятидесяти обедов сразу! Ну, это как раз не очень-то страшно! Лучше остаться без пятидесяти обедов, чем съесть их в один присест!..

Слышишь, за окном падает снег? Как мягко опускаются снежинки на подоконник... Наверно, они о чем-то друг с другом разговаривают... А как нежно они шепчутся с деревьями и травой... Снег покрывает густым, теплым пухом всю землю и бормочет: «Спите все, спите все, до весны, до весны». А весной деревья просыпаются и, чуть задует ветер, начинают плясать... Как здорово! — засмеялась Алиса, всплеснула руками (и уронила клубок). — Если бы все так и было на самом деле. А осенью, когда желтеют листья, деревья начинают зевать, а потом засыпают...

Глупый котенок, скажи, ты умеешь играть в шахматы? Не смейся, я серьезно! Вчера, когда мы с сестрой играли, ты следил за нами так, как будто что-то понимаешь. А когда я сказала «Шах!», ты замурлыкал. И правильно — это был отличный шах. Я бы обязательно выиграла, если бы этот несчастный Конь не мешал моим фигурам. Слушай, давай понарошку...

О чем бы Алиса ни говорила, всюду она вставляла это «понарошку». Позавчера они с сестрой поссорились... и все из-за того, что Алиса предложила: «Давай играть, как будто мы с тобой понарошку короли и королевы». На это ее серьезная и почти совсем взрослая сестра возразила, что так они играть не могут и ничего у них не получится — ведь их всего двое. В конце концов Алиса сказала: «Ну и ладно. Ты будешь одной королевой, а я — всеми остальными». А еще она однажды страшно напугала свою старую няню, закричав ей прямо в ухо: «Няня! Я понарошку буду Злобной Гиеной, а ты — кроликом!»

Но мы отвлеклись от того, что Алиса говорила котенку:

— Давай понарошку ты будешь Черной Королевой, ладно? Знаешь, если ты сложишь лапки на животе, ты будешь вылитая Черная Королева. Ну-ка попробуй!

Алиса сняла Черную Королеву со стола и поставила ее перед котенком, но ничего не вышло; коненок никак не хотел правильно сложить лапы. Алиса рассердилась и поднесла его к зеркалу, чтобы он полюбовался, до чего он непослушный и невоспитанный.

— Если ты будешь себя плохо вести, — заявила она, — я перенесу тебя за Зеркало и оставлю жить в Зазеркальном Доме. Что ты на это скажешь?.. Ну, а теперь, если ты будешь слушать внимательно и не станешь меня перебивать, я расскажу тебе, как устроен этот Зазеркальный Дом. Во-первых, в нем есть та комната, которую сейчас видно в Зеркало... в точности такая же, как наша. Только все вещи там стоят наоборот. Если залезть в кресло, то видно почти всю зазеркальную комнату, кроме маленького уголка у камина. Ох, если бы еще увидеть и этот уголок!.. Интересно, горит в зазеркальном камине огонь или нет? И как это узнать? Правда, если у нас камин дымит, то дым виден и в той комнате. Но, может быть, это только понарошку: чтобы мы подумали, что там тоже есть огонь. Потом, там есть книжки, почти такие же, как наши, только все слова в них написаны наоборот, я-то знаю: как-то раз я поднесла книжку к Зеркалу, а с той стороны тоже появилась книжка, и я успела ее рассмотреть... А ты хочешь попасть в Зазеркальный Дом, котенок? Интересно, дадут тебе там молока? Наверно, зазеркальное молоко ужасно невкусное. Да, послушай, там ведь еще есть коридор!.. Если открыть нашу дверь, то в Зеркале будет виден маленький кусочек зазеркального коридора. Он очень похож на наш, но дальше-то он может оказаться совсем другим. Ох, как мне хочется попасть в Зазеркалье! Там наверняка столько удивительных вещей! Давай играть, как будто мы с тобой можем пройти сквозь Зеркало, как будто Зеркало понарошку превратилось в туман. Ох! Оно и вправду становится каким-то туманным... Теперь через него можно...

Тут — сама не понимая, как — Алиса очутилась на камине, над которым висело Зеркало. Оно действительно постепенно таяло и превращалось в серебристую блестящую дымку.

В ту же минуту Алиса шагнула вперед и спрыгнула с зазеркального камина на зазеркальный пол. Вот так она и попала в Зазеркалье.

Прежде всего Алиса проверила, горит ли огонь в камине, и убедилась в том, что горит, — самый настоящий яркий огонь, такой же, как у нее дома.

«Ну, значит, я не замерзну! — подумала Алиса. — Тут не то что у нас: никто меня не будет гнать от камина, так что я буду греться сколько душе угодно. А что с ними со всеми будет, когда они меня увидят в Зеркале, а добраться до меня не смогут!»

Она внимательно огляделась по сторонам. Все, что было видно в Зеркале из той комнаты, оказалось совершенно обычным. Зато все остальное выглядело совсем иначе, чем дома. Например, картины на стенах ожили, а часы, заднюю стенку которых Алиса много раз видела в Зеркале, превратились в маленького добродушного старичка. Старичок подмигнул Алисе и ухмыльнулся.

«Ну и беспорядок!» — подумала Алиса, заметив в золе у камина несколько шахматных фигур. Но в то же мгновение, ахнув, она встала на четвереньки и принялась внимательно их разглядывать. Фигуры... прогуливались по каминному коврику!

— Вот Черный Король и Черная Королева, — прошептала Алиса. — А вот Белая Королева и Белый Король. Они забрались на кочергу. А вот гуляют Ладьи... Кажется, они меня не слышат, — добавила она, когда Ладьи оказались совсем рядом. — И не видят. Я стала невидимкой!

Тут за спиной у Алисы кто-то запищал. Обернувшись, она увидела, что одна из стоявших на столе пешек упала и дрыгает ногами. Алиса с величайшим интересом глядела на нее, ожидая, что будет дальше.

— Деточка! — взвизгнула Белая Королева и полезла вверх по каминной решетке, по дороге зацепив шлейфом Белого Короля и опрокинув его прямо в золу. — Обожаемый Топсик! Царственное дитя!

— Царственное помело... — проворчал Король, потирая нос, пострадавший при падении. Он был вправе слегка обидеться на Королеву: ведь это из-за нее он упал и теперь весь — с головы до ног — был осыпан золой.

Алиса решила вмешаться: лежа на столе, пешечка продолжала пищать. Поэтому Алиса схватила Королеву и быстро поставила ее рядом с Топсиком.

Королева сказала «Ах!!» и тоже упала: ее оглушил стремительный перелет с камина на стол. Минуты две она молча сжимала Топсика в объятиях. Наконец, придя в себя, она подошла к краю стола и громко крикнула Королю, отрешенно сидевшему в куче золы:

— Прочь с вулкана!

— С какого вулкана? — заволновался Король и стал торопливо разгребать золу, как будто и впрямь рассчитывал найти под ней вулкан.

— Только что... меня... извергло... — задыхаясь, прокричала Королева, которая еще не совсем пришла в себя. — Постарайся... добраться сюда... обычным способом... Не позволяй... себя... извергать!

Алиса увидела, как Король начал медленно карабкаться по каминной решетке.

— Так вы и за два дня не доберетесь, — сказала она. — Давайте я помогу.

Но Король не ответил: очевидно, он и не догадывался о ее присутствии.

Алиса осторожно взяла его в руки и медленно поднесла к столу (намного медленнее, чем Королеву). Но тут ей пришло в голову, что неплохо было бы сдуть с Короля золу.

Впоследствии она не раз говорила, что никогда в жизни ей не приходилось видеть более уморительной физиономии, чем у Короля в тот момент, когда он внезапно повис в воздухе. Еще сильнее поразило Короля то, что невесть откуда налетел страшный ветер. От ужаса он не мог пошевелиться, но глаза у него делались все круглее и круглее, а рот открывался все шире и шире, пока Алиса не захохотала, да так, что ее рука задрожала и Король чуть было не полетел на пол.

— Ну и смешной же ты! — воскликнула Алиса, совершенно позабыв о том, что Король ее не слышит. — Я чуть тебя не уронила! Да закрой же рот — зола залезет... Ну, вот я тебя и почистила, — сказала она и, пригладив Королю волосы, поставила его на стол рядом с Королевой.

Король закатил глаза и упал. Так он и лежал, не шевелясь. Алиса забеспокоилась и обошла всю комнату в поисках воды, чтобы привести Короля в чувство. Правда, нашла она только бутылку чернил, но, вернувшись к столу, увидела, что Король уже пришел в себя и что-то испуганно шепчет Королеве, что именно, Алиса разобрала с трудом.

Король сказал:

— Дорогая, я весь дрожу: от пяток до кончиков бакенбард!

На что Королева ответила:

— Пятки у тебя есть. А бакенбард нету!

— Мне никогда, никогда не забыть,— заявил король,— это кошмарное мгновение!

— Ты непременно о нем забудешь,— сказала Королева,— если не запишешь его в записную книжку.

Алиса с любопытством наблюдала за тем, как Король достал из кармана чудовищных размеров записную книжку и принялся писать. Но тут ее осенила неожиданная мысль: Алиса ухватилась за конец карандаша, который был настолько велик, что доставал до королевского плеча, и стала водить им по собственному усмотрению.

Сперва несчастный Король молча боролся с карандашом, но Алиса была сильнее, и в конце концов он пробормотал:

— Дорогая! Я буду вынужден купить карандаш помягче: у этого слишком твердый характер. Он пишет, что ему вздумается...

— А что ему вздумалось?— осведомилась Королева, заглядывая в тетрадь (где, не без помощи Алисы, Король накорябал: «Белая Ладья сидит верхом на кочерге и скоро с нее свалится»).— По-моему, это не твои мысли, а чьи-то чужие.

На столе лежала книжка, и, наблюдая за Королем, которого она была готова в любую минуту обрызгать чернилами, конечно только в том случае, если он снова упадет в обморок,— так вот, наблюдая за Королем, Алиса листала страницы, пытаясь найти хоть какое-нибудь вразумительное место, потому что «вся книжка,— как она решила,— написана на каком-то странном языке».

На одной странице было напечатано:

Сверкалось... Скойкие сюды
Волчились у развел.
Дрожжали в лужасе грозды,
И крюх засвиревел.

Алиса долго ломала голову над тем, что бы это могло значить. Наконец ей в голову пришла блестящая мысль: «Ведь это зазеркальная книжка! Значит, если поднести ее к зеркалу, все слова встанут на свои места и будут написаны обычно, а не задом наперед!»

...наблюдая за Королем,
Алиса листала страницы...

И вот что прочла Алиса:

> Ты Умзара страшись, мой сын!
> Его следов искать не смей.
> И помни: не ходи один
> Ловить Сплетнистых Змей!»
> Свой чудо-юдоострый меч
> Он взял и дринулся вперед.
> Но — полон дум — он под Зум-Зум
> Раскидистый идет.
> И вот, пока он скрепко шпал,
> Явился Умзар огневой
> И он на Рыбцаря напал:
> Ты слышишь зронкий вой?
> Да, чудо-юдоострый меч
> Сильнее Умзара стократ!
> Зверой побрит, Герой спешит
> Спешит споржественно назад.
> «Я побредил его, Старик!
> Позволь, тебя я обниму!» —
> «Вот это час, вот это миг!» —
> Отец сказал ему.
> Сверкалось... Скойкие сюды
> Волчились у развел.
> Дрожжали в лужасе грозды,
> И крюх засвиревел.

«Очень красивые стихи! — решила Алиса, дочитав их до конца. — Но немножко непонятные. (Как видите, даже самой себе Алиса не призналась, что ничего не поняла.) — Правда, в голове у меня теперь полно всяких мыслей... только вот о чем они — не знаю! Понятно, что кто-то был побрит и кто-то кого-то побредил, но все-таки...»

— Ой! — закричала она, захлопывая книжку. — Мне ведь еще нужно посмотреть, что здесь за комнаты!.. Пока не пришлось возвращаться домой. Но сперва надо взглянуть на Зазеркальный Сад.

Она выскочила из комнаты и побежала по лестнице... то есть не побежала, а полетела. Как и положено в Зеркалье (так решила Алиса). А положено в Зазеркалье было так: нужно было одной рукой держаться за перила и плыть по воздуху, не касаясь ногами ступенек. Так Алиса и сделала: она выплыла в прихожую и непременно треснулась бы о дверь, если бы вовремя не уцепилась за ручку. От долгого полета по воздуху у нее закружилась голова, и она очень обрадовалась, когда оказалось, что в Зазеркальном Саду положено уже не летать,

а — просто ходить.

Глава вторая

В Саду говорящих цветов

«Надо забраться на Гору,— решила Алиса.— Оттуда будет виден весь Сад. А забраться туда лучше всего по этой дорожке... ну, конечно, не лучше всего... Идти все равно придется долго (так решила Алиса, когда прошла еще немного вперед и обнаружила, что дорожка все время крутится из стороны в сторону), придется идти очень долго, но в конце концов я все-таки заберусь на самый верх... Ну и ну, сколько же можно поворачивать?! Никакая это не дорожка, а просто юла какая-то... Наконец-то! Теперь остался один малюсенький кусочек... Ой, да что же это такое! Я опять вернулась назад! Придется пойти по другой дорожке!»

Так она и сделала. Дорожки уводили ее то взад, то вперед, но каждый раз упорно приводили ее обратно к Дому. Как-то раз, слишком быстро завернув за угол, Алиса не успела остановиться и уткнулась носом прямо в дверь.

— Отстань, пожалуйста,— обратилась Алиса к Зазеркальному Дому, делая вид, что он ей что-то сказал.— Все равно обратно я не вернусь. Ни за что! Конечно, сперва ты просишь, чтобы я открыла дверь, а потом захочешь, чтобы я прошла через Зеркало... и вернулась домой... и чтобы на этом кончились все мои приключения!

С этими словами Алиса решительно повернулась спиной к Дому и снова направилась к той же самой дорожке, твердо решив: ни за что не сходить с нее, пока не удастся забраться на вершину Горы. Несколько минут все вроде бы шло хорошо, и Алиса подумала: «Ну вот, я своего добилась!», но тут дорожка внезапно повернула направо и пожала плечами (по крайней мере так про это рассказывала Алиса). В тот же миг Алиса обнаружила, что поднимается вовсе не на Гору, а на крыльцо.

— Ужас какой-то! — воскликнула Алиса. — До чего же мне надоел этот Дом! Что он ко мне пристал?!

Далеко впереди виднелась Гора. Оставалось только начать все сначала. Теперь Алиса оказалась около огромной клумбы, в середине которой торчал Фикус в кадке, а по бокам росли Маргаритки.

— Уважаемый Гладиолус, — сказала Алиса, обращаясь к Гладиолусу, который при каждом дуновении ветра внушительно покачивал головой. — Уважаемый Гладиолус, как жаль, что ты не можешь сказать ни слова.

— Отчего же, могу, — вымолвил Гладиолус. — Могу, если рядом есть кто-нибудь, кто этого заслуживает.

Ошеломленная Алиса целую минуту стояла молча. Она просто была не в состоянии что-нибудь сказать. В конце концов, когда Гладиолус снова затряс головой, Алиса обратилась к нему, но очень робко, почти шепотом:

— Простите, разве цветы умеют говорить?

— Не хуже тебя, — сказал Гладиолус. — И уж, во всяком случае, значительно громче.

— Мы не привыкли первыми вступать в разговор, — сказала Роза. — Ах, как я ждала, когда же ты заговоришь! «Ну, — думаю я себе, — в этой особе *что-то* есть, но что это за *что-то* — вот вопрос». Как-никак ты очень милого цвета, а это ведь не мелочь!

— Цвет роли не играет, — заметил Гладиолус. — Обидно, что лепестки у нее не торчат вверх, это ее здорово портит.

Алисе было неприятно, что ее так обсуждают, а потому она принялась задавать вопросы:

— Скажите, а вам тут не страшно? Ведь вы совсем одни, и поухаживать за вами некому.

— Да вон же Фикус стоит! — сказала Роза. — Для чего же он, по-твоему, нужен?!

— Но ведь в случае опасности он вам ничем не поможет,— возразила Алиса.

— Это еще почему? — удивилась Роза.— Конечно, поможет. Он будет кусаться.

— Мы его потому и прозвали Фи-кус, что он кусается,— пояснила бледная Маргаритка.

— Неужели ты даже этого не знаешь? — взвизгнула другая Маргаритка, и тут они завизжали все вместе, и визжали так, что очень скоро во всем Саду ничего, кроме их визга, не осталось.

— Кхе-кхехм... Цыц! — рявкнул Гладиолус и бешено затряс головой, весь дрожа от возмущения.— Проклятье! Пользуются тем, что я не могу до них добраться! — пропыхтел он, повернувшись к Алисе.— Совсем от рук отбились!

— Не обращайте на них внимания! — сказала Алиса, чтобы его успокоить, и, подойдя к Маргариткам, которые снова заверещали, тихонько сказала: — Немедленно замолчите, иначе я вас посрываю.

Наступила тишина. Маргаритки позеленели от ужаса.

— Так им и надо! Поделом! — прокряхтел Гладиолус.— Все зло в мире — от Маргариток. Кроме того, они мне слова не дают сказать — перебивают. Я чуть не увял, когда услышал их дикие вопли.

— И все-таки непонятно, как вы научились говорить! — сказала Алиса, пытаясь его приободрить.— Вы изумительно говорите! Сколько раз я бывала в самых разных садах, но говорящих цветов никогда не видела.

— А ты приложи руку к земле,— посоветовал Гладиолус,— и тебе все станет ясно.

Так Алиса и сделала.

— Земля очень твердая,— сказала она.— Но при чем тут земля?

— Как правило,— ответил Гладиолус,— клумбы делают очень мягкими, поэтому цветы все время клюют носом и, понятное дело, молчат.

Алисе страшно понравилось это объяснение.

— Никогда бы не подумала! — воскликнула она.

— На мой взгляд, ты вообще никогда не думала, без всяких «бы»,— строго сказала Роза.

— Да уж, в жизни не видели такой идиотки,— пропищали Анютины Глазки и нахально подмигнули Алисе, так неожиданно, что она подскочила на месте (до этого Анютины Глазки не сказали ни слова).

— Заткните фонтан! — заорал на них Гладиолус.— Вы вообще никого в жизни не видели. Храпите целыми днями в тени, Глазок не продираете. Докатились: ничего не соображаете — вроде Божьей Коровки.

— Скажите, тут есть еще какие-нибудь люди? — спросила Алиса, предпочитая не отвечать на выпады Розы и Анютиных Глазок.

— Как же, конечно, есть,— сказала Роза.— Тут иногда появляется один цветок вроде тебя. Правда, лепестки у него не похожи на твои... уж не знаю почему.

— Вечно ты со своими «почему»,— проворчал Гладиолус.

— А он, этот цветок, на меня похож? — заинтересовалась Алиса, потому что решила, что в Саду есть еще одна девочка.

— Ну, в общем-то у него такой же нелепый вид,— сказала Роза.— Только лепестки короче. И темнее, чем у тебя.

— Они закрыты, как у Георгина,— заметил Гладиолус,— а не распущены, как у тебя.

— Но ты не огорчайся,— доброжелательно сказала Роза.— Просто ты начинаешь увядать: вот лепестки у тебя и обвисли. Конечно, это не слишком опрятно...

Алисе все это очень не понравилось. Поэтому, чтобы переменить ход разговора, она сказала:

— А что, этот цветок когда-нибудь здесь появится?

— Ты, наверно, скоро его увидишь,— ответила Роза.— Узнать его легко — у него целых девять тычинок.

— Где? — в изумлении спросила Алиса.

— А на голове,— заявила Роза.— Я страшно удивилась, что у тебя их нет. Я-то считала, что это общее правило.

— А вот и она! — крикнул Рододендрон.— Я слышу шаги на дорожке.

Алиса огляделась по сторонам и наконец заметила Черную Королеву. «Ну и вымахала!» — подумала Алиса, и с ней нельзя не согласиться: раньше, у камина, Королева была ростом с оловянного солдатика, а теперь она была на полголовы выше Алисы!

— Это все от свежего воздуха,— сказала Роза.— У нас тут дивный воздух.

— Я пойду к ней навстречу,— решила Алиса, потому что, как ей ни было интересно беседовать с цветами, она понимала, что переброситься парой слов с настоящей Королевой еще интереснее.

— Ничего у тебя не выйдет,— сказала Роза.— На твоем месте я бы пошла не навстречу, а в прямо противоположную сторону.

Алиса подумала, что уж это наверняка вздор, ничего не ответила Розе и направилась прямиком к Черной Королеве. Но, к ее удивлению, она тут же потеряла Королеву из виду и обнаружила, что снова шагает к крыльцу Зазеркального Дома.

Разозлившись, Алиса двинулась обратно и принялась разыскивать Королеву (которая и обнаружилась через некоторое время на противоположном краю Сада). Тут Алисе пришло в голову, что, пожалуй, стоит последовать совету Розы, и на этот раз она пошла не к Королеве, а от нее.

План полностью себя оправдал. Не прошло и минуты, как Алиса очутилась лицом к лицу с Черной Королевой и, главное, почти у самой Горы, на которую она уже давно пыталась забраться.

— Ты это куда? — спросила Черная Королева. — Ты это откуда? Отвечай вежливо, стой прямо и не грызи ногти.

В ответ Алиса объяснила — так ясно, как только могла, — что потерялась и уже не в первый раз попадает на эту вот дорожку.

— Что значит «эта вот дорожка»? — холодно спросила Черная Королева. — Тут нет этих и тех дорожек. Все они попросту мои... И вообще, зачем ты сюда явилась? — добавила она уже более любезно. — Пока думаешь, что мне сказать, сделай реверанс. Реверансы экономят массу времени.

Алису это немного удивило, но Королева нагнала на нее такого страху, что в конце концов Алисе пришлось ей поверить. «Нужно будет дома попробовать, — подумала она. — Если я буду опаздывать в школу, сделаю реверанс и сэкономлю массу времени».

— Твое время истекло. Отвечай, — сказала Королева, глядя на часы. — Когда начнешь говорить, рот открой чуточку шире. И не забывай обращаться ко мне «Ваше Величество».

— Я просто хотела поглядеть на Сад, Ваше Величество...

— Умница, — ласково сказала Королева и взъерошила Алисе волосы (Алисе это совсем не понравилось). — Ты вот сказала «сад». А ведь мне доводилось видеть сады, по сравнению с которыми это — пустырь.

Алиса не стала спорить и продолжала:

— А потом я решила взобраться на Гору и...

— Ты вот говоришь — «на гору», — перебила ее Королева. — А ведь я видывала горы, по сравнению с которыми эта — канава.

— Этого не может быть! — вступила Алиса в спор. — Гора не может быть канавой! Это чушь какая-то!

— С твоей точки зрения, это, возможно, и чушь, — покачав головой, сказала Черная Королева, — но я слыхивала чушь, по сравнению с которой эта — прописная истина.

Алиса опять сделала реверанс, боясь, как бы Королева ненароком не рассердилась. После этого они молча двинулись по дорожке, пока не дошли до вершины Горы.

Сперва Алиса только молча вертела головой и все рассматривала страну, которая теперь лежала перед ними. А страна была престранная: прямые узкие ручейки рассекали ее на ровные полосы, а каждую полосу делили на клетки низкие заборчики, тянувшиеся от одного ручейка до другого.

— Да это же точь-в-точь шахматная доска! — воскликнула наконец Алиса. — Если бы на ней еще были фигуры... Ой, да вот же они! — проговорила она в восторге. — Так, значит, тут разыгрывается Настоящая Шахматная Партия?! И целый мир — шахматная доска. Если, конечно, это настоящий мир. Как здорово! Как бы я хотела туда попасть! И... и стать пешкой... если позволят! Хотя больше всего на свете я хотела бы стать Королевой.

Сказав это, она робко глянула на Настоящую Королеву, но та лишь любезно улыбнулась и сказала:

— Это мы устроим. Если хочешь, можешь стать Белой Пешкой, а то Топсик еще слишком мал для серьезной игры. Начнешь со Второй Клетки, а когда дойдешь до Восьмой — станешь Королевой...

В ту же минуту они почему-то бросились бежать.

И много позже Алиса никак не могла понять, с чего это им вдруг вздумалось. Помнила она одно: они бежали, схватившись за руки, и Черная Королева неслась так быстро, что Алиса еле за ней поспевала. Королева то и дело покрикивала: «Давай! Давай!», но Алиса-то понимала, что не может бежать еще быстрее (правда, у нее не осталось сил на то, чтобы сказать об этом Королеве).

Главная же странность заключалась в том, что, пока они бежали, вокруг ничего не менялось. Как они ни спешили — все деревья оставались на своих местах. «Неужели они бегут вместе с нами?» — подумала озадаченная

И они побежали так быстро,
что почти полетели по воздуху,
не касаясь ногами земли.

Алиса. А Королева, словно угадав ее мысли, опять закричала:

— А ну быстрей! И молчи у меня!

Но у Алисы и в мыслях не было говорить. Ей казалось, что она никогда не сможет сказать ни слова — так она устала. А Королева все кричала: «Быстрей! Быстрей!» — и тащила ее все дальше.

— Теперь уже близко? — задыхаясь, спросила Алиса.

— Близко? — удивилась Королева.— Мимо близко мы пробежали минут десять назад. А ну быстрей!

И они побежали дальше в полном молчании. Ветер свистел в ушах у Алисы и, как ей показалось, пытался заплести ее распущенные волосы в косичку.

— Давай! Жми! — закричала Королева.— Быстрей! Еще быстрей!

И они побежали так быстро, что почти полетели по воздуху, не касаясь ногами земли. Внезапно, как раз когда Алиса почувствовала, что совсем выбилась из сил, они остановились.

Наконец до Алисы дошло, что она уже давно сидит на твердой земле и тяжело дышит.

Королева усадила ее поудобнее и ласково сказала:

— Можешь передохнуть.

Алиса удивленно взглянула на нее:

— По-моему, мы все время оставались под этим деревом. Вокруг — все то же самое.

— Разумеется,— сказала Королева.— А как же иначе?

— Ну, у меня дома,— все еще с некоторым трудом проговорила Алиса,— если уж начнешь бежать и будешь бежать очень долго, в конце концов окажешься на новом месте, а не на том же самом.

— Значит, твоя страна тяжела на подъем,— сказала Королева.— Вот у нас приходится бежать во весь дух, чтобы остаться на месте. А если нужно попасть куда-то еще, приходится бежать чуть не в два раза быстрее.

— Нет уж, лучше в другой раз,— сказала Алиса.— Мне и здесь очень нравится... только ужас как жарко... и пить хочется.

— Ну, это не беда! — добродушно сказала Королева и вытащила из кармана что-то завернутое в старую газету.— Хочешь воблы?

Алиса решила, что отказываться невежливо, хотя воблы ей совсем не хотелось. Она взяла ее и попыталась разгрызть: вобла была очень сухая и оч-чень соленая. Алиса подумала, что, наверно, никогда еще вобла не была так некстати.

— Пока ты утоляешь жажду,— сказала Королева,— я произведу необходимые измерения.

Она вытащила из кармана рулетку и принялась что-то мерить, время от времени втыкая в землю колышки.

— Когда я дойду до этого места,— сказала она, втыкая первый колышек,— ты получишь Надлежащие Инструкции... Еще воблы?

— Нет, нет, спасибо,— ответила Алиса.— Одной вполне достаточно!

— Значит, с жаждой мы покончили? — спросила Королева.

Алиса не знала, что ответить, но, к счастью, Королева и не стала дожидаться ответа: она опять взялась за рулетку.

— У второго колышка я повторю Инструкцию... чтобы ты чего-нибудь не позабыла. У третьего — скажу «До свидания!». А у четвертого мы расстанемся.

Теперь все колышки торчали из земли, и Алиса с живейшим интересом следила за тем, как Королева вернулась к дереву, а от дерева пошла к первому колышку.

Остановившись около него, она обернулась и сказала:

— За первый ход Пешка проходит две Клетки. Поэтому ты должна поскорее проскочить Третью Клетку — лучше всего на поезде. Тогда ты окажешься сразу на Четвертой Клетке. Там живут Тарарам и Тилибом... На Пятой Клетке в основном пух и перья... На Шестой — Шалтай-Болтай... Ты чего молчишь?

— А разве... я... должна что-то сказать? — испуганно спросила Алиса.

— Ты обязана сказать: «Благодарю вас за эти ценные сведения!» — сурово ответила Черная Королева.— Ну да ладно, будем считать, что ты это уже сказала... На Седьмой Клетке — Лес... Ну ничего, там тебя проводит Рыцарь на Белом Коне... А на Восьмой Клетке ты станешь Королевой (такой же, как я), и мы закатим пир горой!

Алиса встала, сделала реверанс и опять села.

У следующего колышка Черная Королева остановилась, опять обернулась и на этот раз сказала:

— Если забудешь какое-нибудь слово, справься о нем в Орфографическом Словаре... Сперва ступай на носок, а потом на пятку... Уважай старших... И веди себя как следует!

На этот раз она не стала ждать, пока Алиса сделает реверанс, быстро дошла до колышка, крикнула оттуда: «Привет!» — и побежала к последнему колышку.

Алиса так и не поняла, как это вышло, но у самого колышка Королева исчезла. То ли она растаяла в воздухе, то ли просто очень быстро добежала до Леса («Это она умеет!» — подумала Алиса), сказать трудно, но так или иначе, а Королева куда-то подевалась. Тут Алиса вспомнила, что теперь она — Белая Пешка и скоро ее очередь делать ход.

Глава третья

Зазеркальные насекомые

ПРЕЖДЕ всего, решила Алиса, нужно внимательно изучить страну, по которой собираешься путешествовать. «Я как будто отвечаю по географии, — подумала она, привстав на цыпочки и пытаясь разглядеть, что происходит внизу. — «Назови главные реки Зазеркалья!» — «Главных рек нет». — «Главные горы Зазеркалья?» — «Есть одна, я как раз на ней стою, но как она называется, не знаю!» — «Где находится столица Зазеркалья?»... Ой, кто это там летает над цветами? Конечно, это никакая не пчела... Пчелу невозможно разглядеть на таком расстоянии!» Алиса молча смотрела, как Неизвестное Существо кружилось над цветами, время от времени запуская в них свой хоботок.

Да, это была вовсе не пчела. Это был... слон, о чем в конце концов догадалась Алиса. Правда, сперва она в это не поверила... «И цветы, наверно, такие же огромные, — поразилась она. — Каждый цветок как дом или еще больше... И сколько же в нем меда! Надо поскорей спуститься вниз... Нет, уж лучше я потом спущусь, — решила она, остановившись (наверно, Алиса чуточку испугалась). — В ту сторону пока лучше не ходить. Ведь мне придется отгонять этих слонов, если им захочется меня ужалить... А как замечательно будет, когда потом меня спросят: «Как вы прошлись?» — а я отвечу. «Ой, спасибо (тут Алиса вежливо кивнула головой), большое спасибо. Правда, было чуть-чуть душновато... и потом, всю дорогу надо мной тучей вились слоны!» Пойду-ка я лучше в другую сторону, — решила она, — а на слонов посмотрю как-нибудь в другой раз. И вообще мне давно пора на Третью Клетку!»

Алиса сбежала вниз, к подножию Горы, и перепрыгнула через первый из шести маленьких ручейков.

. . . .

— Предъявите билеты! — сказал Кондуктор, просунув голову в окошко.

В тот же миг все пассажиры уже держали в руках по билету (билеты и пассажиры были одинакового размера, так что в вагоне сразу стало тесно).

— Предъяви билет, девочка! — потребовал Кондуктор, сурово глядя на Алису.

И тут раздалось Великое Множество Голосов («Как самый настоящий хор!» — подумала Алиса):

— Не задерживай его, девочка. У него совсем нет времени. Ведь время стоит тысячу фунтов — минута!

— У меня нет билета, — испуганно сказала Алиса. — На Горе, с которой я сюда попала, не было кассы.

И снова раздался Хор Голосов:

— На Горе не было места для кассы. Ведь земля на Горе стоит тысячу фунтов — клочок!

— Это дела не меняет, — сказал Кондуктор, — ты должна была купить билет у Машиниста.

И опять раздался Хор Голосов:

— У Человека, Который Ведет Паровоз. Ведь даже Паровозный Дым стоит тысячу фунтов — колечко!

«Не стану я им отвечать», — подумала Алиса. На этот раз Хора Голосов она не услышала, но зато, к ее величайшему удивлению, все пассажиры подумали хором (надеюсь, ты понимаешь, что значит «подумать хором», потому что мне это, честно говоря, не ясно): «Помалкивай. Ведь разговоры стоят тысячу фунтов — слово!»

«Они только и думают, что об этой несчастной тысяче фунтов», — решила Алиса.

Все это время ее внимательно рассматривал Кондуктор: сперва в телескоп, потом в микроскоп, а потом в театральный бинокль. В конце концов он сказал:

— Ты едешь не в ту сторону, — закрыл окно и ушел.

— Девочки, — сказал Джентльмен, сидевший напротив Алисы (он весь был завернут в белую бумагу), — девочки обязаны знать, куда они едут, даже если они не знают, который час.

Козел, дремавший слева от Бумажного Джентльмена, открыл глаза и сказал:

— Девочки обязаны знать, где находится касса, даже если они не знают, сколько будет дважды два!

Рядом с Козлом сидел Жук (это был очень странный поезд, и ехали в нем самые разные пассажиры). Все говорили по очереди, и теперь настала очередь Жука. Поэтому он небрежно заметил:

— Ее нужно отправить обратно. В багажном вагоне.

Алиса не видела, кто сидит рядом с Жуком, но тут она услышала, как чей-то голос игриво произнес:

— Скажите, неужели нельзя прицепить второй паровоз?

После этого послышался кашель, и игривый голос замолк.

«По-моему, это Лошадь», — решила Алиса. В то же время у самого ее уха раздался невероятно *тоненький голосок*:

— Вы могли бы изумительно пошутить... в том духе, что вот у Лошади грива, а выражается она игриво... Что-то в этом роде.

На другом конце вагона чей-то голос тихо сказал:

— Наклеим на нее бумажку: «Алиса, не кантовать».

А другие голоса («Сколько же здесь народу!» — подумала Алиса) заговорили в ответ:

— Давайте отправим ее заказным письмом... Или пошлем по телеграфу... Или заставим тянуть наш вагон вместо паровоза! — и так далее, и тому подобное.

Но Джентльмен, Завернутый в Белую Бумагу, наклонился к ней и прошептал:

— Ничего не бойся, девочка, и на каждой остановке бери два обратных билета...

— Не хочу! — нетерпеливо перебила его Алиса. — И вообще я не имею никакого отношения к этому поезду... Я только что была в Лесу... и хочу обратно!

— Вы могли бы отлично пошутить, — сказал *тоненький голосок* у нее **над ухом.** — В том духе, что если уж ВЛЕЗ В ЛЕС, то чего же оттуда вылезать... Что-то в этом роде.

— Не хочу! — сказала Алиса, безуспешно пытаясь понять, кто это говорит. — Шутите, пожалуйста, сами, если считаете нужным.

Тоненький голосок тяжело вздохнул: он, по-видимому, был очень несчастен, и Алисе захотелось его утешить. «Хоть бы он вздыхал, как все остальные», — подумала она. Но вздох был такой слабый, что она ни за что бы его не услышала, если бы он не раздался у самого ее уха. Из-за этого в ухе стало щекотно, и это отвлекло ее от страданий *тоненького голоска.*

— Я знаю, вы мне друг, — продолжал *тоненький голосок,* — добрый, старый, надежный друг. И вы не обидите меня только за то, что я... Насекомое.

— Насекомое? А какое? — встревоженно спросила Алиса. На самом деле она просто хотела узнать, может ли это насекомое ужалить или, чего доброго, укусить, но решила, что спросить об этом прямо — невежливо.

— Ах, значит, вы не любите... — начал было *тоненький голосок,* но его заглушил гудок паровоза.

Все пассажиры повскакивали со своих мест. Вскочила и Алиса.

Лошадь высунулась из окна, после чего снова уселась на место и спокойно сказала:

— Ничего страшного. Сейчас поезд будет прыгать через ручей.

Все сразу успокоились. Одна Алиса чуть-чуть волновалась. Ей почему-то казалось, что поезда не умеют прыгать. «Зато мы попадем на Четвертую Клетку», — подумала она.

В тот же миг Алиса почувствовала, как вагон поднимается в воздух, и в ужасе ухватилась за ближайший предмет. Предметом оказалась Козлиная Борода.

Но Борода растаяла и исчезла, как только Алиса за нее схватилась, и в тот же миг она очутилась на траве, под деревом, а Комар (потому что именно он разговаривал с Алисой *тоненьким голоском*) уселся на ветку у нее над головой и обмахивал Алису своими крыльями.

Это был огромный Комар, «ростом с цыпленка», подумала Алиса. Впрочем, его она не боялась — ведь они уже успели поговорить в поезде.

— Итак, вы вообще не любите насекомых? — спросил Комар как ни в чем не бывало.

— Люблю... если они умеют говорить, — ответила Алиса, — а там, где я живу, ни одно насекомое этого не умеет.

— Обществом каких насекомых вы изволили наслаждаться у себя на родине? — спросил Комар.

— Я вовсе не наслаждалась их обществом, — объяснила Алиса. — Я их ужасно боюсь... особенно тех, что покрупнее. Зато я помню, как их зовут.

— Они, конечно, откликаются, если их позвать? — небрежно заметил Комар.

— Я не знала, что они умеют... откликаться.

— Зачем же им имена, — возразил Комар, — если они на них не откликаются?

— Насекомым, конечно, незачем, — сказала Алиса. — Но, наверно, так удобнее людям. Ведь это люди их как-то назвали. А для чего вообще нужны имена?

— Понятия не имею, — ответил Комар. — Дальше в лесу есть такое место, где ни у кого нет имени. Впрочем, это к слову. Вы, кажется, хотели перечислить мне насекомых, с которыми вы знакомы, а теперь тратите время зря.

— Ну, во-первых, пчела и шершень, — сказала Алиса и загнула два пальца.

— Вот именно, — ответил Комар. — Если вы внимательно посмотрите во-о-он на тот цветок, то заметите, что над ним вьется *пчелампа*, а неподалеку от нее летает *торшершень*. Они сделаны из стекла, и у обоих есть красивые железные подставки.

— А чем они питаются? — с величайшим любопытством осведомилась Алиса.

— Керосином, — ответил Комар. — Назовите еще кого-нибудь.

«Наверно, — подумала Алиса, — насекомые всегда летят на свет потому, что им хочется превратиться в *пчелампу* и *торшершня*!» Насмотревшись на них, она сказала:

— Во-вторых, бывает саранча.

— Посмотрите на ветку у вас над головой,— промолвил Комар.— И вы увидите, что на ней сидят *саранчашка* и *саранчайник*. У *саранчашки* на голове блюдце с лимоном, а у *саранчайника* на носике ситечко. Крылья у них у обоих сделаны из пирога с вареньем, а головы — сахарные.

— А чем они питаются? — озабоченно спросила Алиса.

— Трехслойным мармеладом,— ответил Комар.— А гнездятся они в Серванте.

— В-третьих, бабочка,— сказала Алиса, наглядевшись на *саранчайника* с сахарной головой.

— Взгляните себе под ноги,— заметил Комар (Алиса испуганно отскочила в сторону),— и вы увидите, что на одуванчике сидит *баобабочка*. Крылья у нее сделаны из веток, а голова — из зеленых листьев *баобаба*.

— А чем она питается?

— Вареным баобабом.

Алису это смутило.

— А если она не найдет ни кусочка вареного баобаба? — с тревогой спросила она.

— В таком случае она, разумеется, умрет.

— Но ведь ей, наверно, редко попадается вареный баобаб,— задумчиво произнесла Алиса.

— Он ей никогда не попадается,— ответил Комар. Минуту Алиса сидела молча, а Комар развлекался тем, что с жужжанием летал у нее над головой. Наконец он снова уселся на ветку и сказал:

— Надеюсь, вы не намерены потерять свое имя?

— Конечно, нет,— растерянно ответила Алиса.

— Не знаю, не знаю...— пробормотал Комар.— Вы только подумайте, как удобно вернуться домой без имени! Например, вас вызывают на уроке. Учительница говорит: «Иди к доске...» — и тут она замолчит, потому что у вас не будет имени, и вы, разумеется, сможете сделать вид, что зовут не вас, а кого-то там!

— Ничего из этого не выйдет,— сказала Алиса,— и все равно придется отвечать мне, а не кому-то там. Если учительница забудет, как меня зовут, она скажет: «Эй, ты!», или «Эй!», или еще как-нибудь.

— Если она скажет вам «эй»,— беспечно проговорил Комар,— вы сможете не отвечать ей. Это шутка. Мне хотелось бы считать, что это ваша шутка.

— Почему? — удивилась Алиса. — Ведь это шутка совсем не смешная.

Но Комар только тяжело вздохнул, и Большая Слеза скатилась по его щеке.

— Зачем вы шутите, — сказала Алиса, — если у вас от этого портится настроение?

Комар только вздохнул и, видимо, исчерпал запас вздохов, потому что, когда Алиса оглянулась, на ветке уже никого не было. Становилось все холоднее, трава стала совсем сырой, а потому Алиса встала и пошла дальше.

Она шла и шла, пока не вышла на большую поляну, за которой снова начинался Лес. В новом Лесу было еще темнее, чем в прежнем, и Алиса засомневалась, стоит ли ей идти дальше. «Нет, назад я не вернусь, — в конце концов решила она. — Мне обязательно нужно добраться до Восьмой Клетки!»

— Должно быть, это тот самый Лес, — размышляла она, — про который Комар сказал, что здесь ни у кого нет имени. Интересно, а с моим именем что случится? Оно потеряется? А мне дадут новое... и наверняка страшно уродливое. И мое старое имя привяжется к кому-нибудь другому! Как в объявлении о пропаже: *«Разыскивается пес Дружок, белое пятно на правой задней лапе. Отзывается также на имена Шарик и Ролик...»* И вот потеряю я мое имя и всех, кто мне повстречается по пути, буду спрашивать: «Извините, вы случайно не Алиса?», пока кто-нибудь не ответит: «Угу». Только кто же мне ответит?

Так она размышляла, пока шла через поляну. В Лесу было темно и прохладно.

— Ну, — сказала Алиса, очутившись в тени, — может быть, я и потеряю имя, но все равно после такой жары так приятно посидеть под... под... под чем? — Тут она положила руку на ствол дерева. — Интересно, а оно само как себя называет? Неужели никак? Неужели у него нет имени?

Минуту она постояла молча, а потом снова заговорила:

— Значит, Комар был прав! Ну хорошо, а кто я такая? Сейчас вспомню. Обязательно вспомню. Непременно вспомню!!!

Но ничего не вышло, и все, что Алиса смогла придумать после долгих размышлений, было:

— Могу поспорить, что мое имя начинается на «ы»! Или, может быть, на твердый знак...

— А чем они питаются? —
с величайшим любопытством осведомилась Алиса.

В это время мимо проходил Олененок. Он ни капельки не испугался, когда заметил Алису.

— Иди сюда! — позвала она и протянула руку, чтобы его погладить, но Олененок отскочил в сторону, остановился и снова посмотрел на нее; наконец он спросил:

— Как тебя зовут? (И какой же у него был чудесный, ласковый голос!)

«Действительно, как же меня зовут?» — подумала несчастная Алиса и ответила:

— Никак.

— Это имя тебе не подходит, — сказал Олененок. — Попробуй вспомни еще какое-нибудь.

Алиса принялась вспоминать, но ничего из этого не вышло.

— А как тебя зовут? — робко спросила она. — Мне почему-то кажется, что, если ты вспомнишь, у меня это тоже получится.

— Пошли в ту сторону, — предложил Олененок. — Я, наверно, вспомню, но только на опушке.

Алиса обняла его за шею, и они пошли дальше, пока снова не вышли на поляну. Тут Олененок подпрыгнул и рванулся в сторону.

— Я Олененок! — радостно крикнул он. — А ты... Ты человек!

Тут он в ужасе глянул на Алису и в то же мгновение стрелой понесся в Лес.

Алиса глядела ему вслед, чуть не плача от того, что так быстро рассталась с таким симпатичным спутником. «Зато теперь я знаю, как меня зовут, — подумала она. — Это как-то поднимает настроение. Алиса... Ни за что больше не забуду! Интересно, а какая стрелка указывает правильную дорогу?»

Вряд ли стоило задавать этот вопрос: через Лес проходила всего одна дорога, и обе стрелки указывали в одну и ту же сторону.

— Посмотрим, что будет на развилке, — решила Алиса. — Там наверняка стрелки будут направлены в разные стороны.

Но Алиса ошиблась. На развилке обе стрелки тоже смотрели в точности в одну и ту же сторону. На одной было написано *Там живет Тарарам*, а на другой — *Там проживает Тилибом*.

«Скорее всего, — подумала Алиса, — скорее всего, они живут вместе! Странно, как это раньше мне не пришло в голову?.. Но задерживаться у них мне нельзя! Я только скажу «Как поживаете?» и спрошу, как выйти из этого Леса. Пока не стемнеет, я должна добраться до Восьмой Клетки».

И она пошла дальше и шла себе, болтая всякую всячину, пока, завернув за угол, не увидела двух очень маленьких и очень толстеньких человечков, которые очутились перед ней совершенно неожиданно. Так неожиданно, что она вздрогнула. Правда, она сразу успокоилась, потому что поняла, что это...

Глава четвертая

Тилибом и Тарарам

ОНИ стояли под деревом, взявшись за руки. Алиса почти сразу догадалась, кто они такие: ведь у одного человечка на воротничке было написано *«арарам»*, а у другого — *«илибом»*.

— Наверно, — решила Алиса, — сзади на воротничках написана буква «т».

Она было собралась это проверить, но тут Тилибом, который до этого стоял совершенно неподвижно и не мигая глядел на Алису, проворчал:

— Если ты считаешь, что нас выставили на обозрение, нечестно смотреть на нас бесплатно. Если уж нас выставили на обозрение, то не для того, чтобы на нас глазели задаром. Никоим образом!

— С другой стороны, — добавил Тарарам, — если ты придерживаешься противоположного мнения, нечестно все время молчать.

— Извините меня, пожалуйста, — сказала Алиса, потому что больше ничего не могла придумать. У нее в голове вертелись слова одной старой песенки, и она чуть не прочла вслух:

> Тили-тили-тили-бом!
> Поехал в гости Тилибом.
> Тарарам, оставшись дома,
> Сломал трещотку Тилибома.
> Тилибом и Тарарам
> Подняли страшный тарарам!
>
> Тарарам сказал знакомым,
> Что будет драться с Тилибомом.
> В тот же миг со всех сторон
> Прилетело сто ворон,
> А Тилибом и Тарарам
> Опять подняли тарарам.

— Я знаю, что тебе пришло в голову, — строго сказал Тилибом, — но клянусь, все было вовсе не так. Никоим образом!

— С другой стороны, — добавил Тарарам, — если все так и было, то все именно так и было. Если же все было бы так, то все не могло бы быть не так. Но поскольку все было не совсем так, все было совершенно не так. Ясно и логично!

— Скажите, пожалуйста, — вежливо спросила Алиса, — как мне выйти из этого Леса? Становится темно, а я сбилась с дороги.

Но братья только переглянулись.

Они были до того похожи на двух школьников, что Алиса, указав на Тилибома пальцем, строго проговорила:

— Встань и отвечай, раз тебя спрашивают!

— Никоим образом! — гаркнул Тилибом и со щелчком захлопнул рот.

— Тогда отвечай ты! — велела Алиса Тарараму, хотя и была совершенно уверена, что он крикнет: «С другой стороны!» (что он и сделал).

— Это нечестно,— возмутился Тилибом.— Первое, что следует делать, если уж ты пришла в гости, это сказать «Как поживаете?» и пожать руки хозяевам.

Тут братья нежно обняли друг друга, а свободные руки протянули Алисе.

Чтобы никого не обидеть, она пожала им руки одновременно, и в тот же момент оказалось, что они водят хоровод. Алису это ничуть не удивило и, как она рассказывала впоследствии, ей не показалось странным даже то, что в ту же минуту зазвучала музыка. Оказалось, что это играет дерево, вокруг которого они вели хоровод: ветки терлись о корни, как смычки о струны.

— Представь себе,— рассказывала потом Алиса своей старшей сестре,— как мне стало смешно, когда оказалось, что я пою: «Я люблю, конечно, всех, но Тилибома больше всех!» Правда, я не помню, когда мы начали петь, но у меня было такое чувство, что пели мы ужасно долго.

Кавалеры у Алисы были маленькие и толстенькие, а потому скоро выдохлись.

— Четырех кругов вполне достаточно. И даже более того,— пропыхтел Тилибом, и они бросили водить хоровод так же внезапно, как и начали. В ту же минуту прекратилась и музыка.

Тилибом и Тарарам опять не мигая уставились на Алису. Наступило неловкое молчание, а она все не могла сообразить, как же начать беседу с людьми, с которыми ты только что водил хоровод. «По-моему, как-то неловко спрашивать, как они поживают,— подумала она.— У меня такое ощущение, как будто про это мы уже говорили».

— Вы, наверно, устали? — наконец спросила Алиса.

— Никоим образом. И большое тебе спасибо за заботу,— ответил Тилибом.

— Очень тебе обязан,— добавил Тарарам.— Кстати, как ты относишься к стихам?

— К стихам? Ну, вообще-то... — осторожно начала Алиса.— Скажите, пожалуйста, если я пойду по этой дороге, я скоро выйду из Леса?

— Что именно ей прочесть? — торжественно спросил Тарарам у Тилибома, не обращая на вопросы Алисы ни малейшего внимания.

— «Тюлень и Плотник», кажется, длиннее всего, — ответил Тилибом и прочувствованно похлопал брата по плечу.

В ту же секунду Тарарам начал:

Вокруг была ночная мгла...

Алиса решительно перебила.

— Если эти стихи очень длинные, — сказала она, изо всех сил стараясь быть вежливой, — то, может быть, лучше вы мне сначала скажете, по какой дороге...

Тарарам мило улыбнулся и начал с начала:

> Вокруг была ночная мгла,
> А по небу луна плыла,
>   И туча шла за тучей.
> Вдобавок солнышко пекло,
> И было ужас как светло.
>   Да, *оччень* странный случай.
>
> В обиде фыркнула луна:
> «Я вам, как видно, не нужна» —
>   И страшно покраснела.
> Шумела мокрая вода,
> Песок был желтый (как всегда),
>   И травка зеленела.
>
> Вот в эту ночь (простите, день!)
> У моря Плотник и Тюлень
>   Гуляли до рассвета.
> Тюлень воскликнул: «Вот тоска!
> На берегу полно песка.
>   Меня тревожит это.
>
> Не мог бы ты часам к шести
> Весь этот берег подмести?»
>   Но Плотник не ответил:
> Утер слезу и ни гугу
> (Ну, а песка на берегу
>   Он просто не заметил).
>
> «Эй, Караси, — сказал Тюлень, —
> Вам что, на дне лежать не лень?
>   Пойдем пройдемся, братцы!» —
> «А ты, — сказали Караси, —
> Акулу лучше пригласи.
>   Счастливо прогуляться!»
>
> Но три неопытных малька
> Уже спешат издалека,
>   Чтобы пройтись с Тюленем,
> А Кашалоты и Плотва
> Взирают на мальков с едва
>   Заметным удивленьем.

Они гуляли до утра...
Вдруг Плотник закричал: «Ура!
    Мы, кажется, у цели!»
Присели на песок они
(Тюлень устроился в тени,
    Мальки на солнце сели).

Тюлень сказал: «Я не пойму,
Зачем (а также почему)
    На свете есть капуста.
И каковы причины те,
Из-за которых в решете
    Подчас бывает пусто».

«Постой,— взмолились Караси,—
Полегче что-нибудь спроси.
    Все это странно как-то...»
А Плотник нехотя изрек
(В его глазах стоял упрек):
    «Тюлень, побольше такта!»

Тюлень продолжил: «Как всегда,
У нас с тобой сковорода,
    Горчица и сметана.
А раз у нас все это есть,
То кой-кого мы можем съесть!» —
    И улыбнулся странно.

Но Караси сказали: «Нет!
Еще не знал весь белый свет
    Такого преступленья!»
Тюлень заметил: «До чего ж
Сегодняшний пейзаж пригож...
    Прекрасна жизнь тюленья!

Мы очень рады, Караси,
Что вы пришли сюда. Спаси-
    бо». Плотник лег устало
И прошептал: «Ты что, ослеп?!
Ну кто так толсто режет хлеб?
    К тому же перца мало».

Тюлень сказал: «Мне все претит!
Куда пропал мой аппетит?!
    Нам не простят обмана!
Мы их съедим в расцвете сил!..»
А Плотник только и спросил:
    «Послушай, где сметана?»

Тюлень воскликнул: «Как всегда,
Я помираю со стыда!» —
    И сел у сковородки.
В его глазах была тоска
(Он вытер с помощью платка
    Слезу на подбородке).

Тут Плотник заявил: «Пора!
Мы с Карасями тут с утра.
    Скорей пошли обратно!»
Но промолчали Караси.
А почему?.. У них спроси.
    Хотя и так понятно.

— Мне больше нравится Тюлень,— сказала Алиса.—
Все-таки ему было жалко бедных Карасей. И потом, он
даже заплакал и вытер слезу платком.

— Но при этом съел больше Плотника,— возразил Тарарам.— Кроме того, платком он вытирал сметану.

— Безобразие! — возмутилась Алиса.— Раз так, мне
больше нравится Плотник: ведь он съел меньше Тюленя.

— Никоим образом! Ведь он съел все, что ему досталось,— сказал Тилибом.

Задача оказалась неразрешимой. Помолчав, Алиса ответила:

— Ну и ладно! Оба они хороши...

Но тут она замолчала, потому что из Лесу послышался
рев, который она сперва приняла за гудок паровоза, а потом — за урчание дикого зверя.

— Скажите, тут водятся хищные животные? — робко
спросила она.

— Это храпит Черный Король,— ответил Тарарам.

— Пошли на него посмотрим! — закричал Тилибом,
и братья повели ее к месту, где спал Король.

— Не правда ли, трогательное зрелище? — сказал
Тилибом.

Алиса, честно говоря, так не думала. Король, скрючив-
шись, лежал под деревом и издалека напоминал продав-
ленную кушетку. Вдобавок на нем были мятая пижама
и ночной колпак с кисточкой. Время от времени он звучно всхрапывал.

— И как у него голова не оторвется от храпа? —
мимоходом заметил Тилибом.

— Как бы он не простудился — трава совсем сырая,—
сказала Алиса (она была очень вдумчивой девочкой).

— Ему снится сон,— сказал Тарарам.— А как ты думаешь, что ему снится?

— Никто этого не узнает, пока Король не проснется
и сам не расскажет,— ответила Алиса.

— Вот и нет! Вот и нет! Ему снишься ты! — воскликнул довольный Тарарам и захлопал в ладоши.— А как
по-твоему: где ты окажешься, если перестанешь ему
сниться?

— Там же, где и была,— ответила Алиса.

— Как бы не так!—презрительно сказал Тарарам.—Тебя вообще нигде не будет. Ведь ты—просто один из его снов!!!

— И если Король проснется,— добавил Тилибом,— ты улетучишься—бац! Бумм! Пшшш!— как лопнувший шарик.

— А вот и не улетучусь!—сердито закричала Алиса.—Кстати, если Я всего лишь один из снов Короля, то интересно, кто Вы такие?

— Тоже сны, разумеется,— пояснил Тарарам.

Сказано это было так громко, что Алиса заметила:

— Тише! Смотрите, если будете так шуметь, Король проснется.

— Ну, знаешь, не тебе судить, проснется он или нет,— сказал Тилибом,— ведь ты—всего лишь его сон. Ты отлично знаешь, что ты невзаправдашняя.

— Нет, взаправдашняя,— сказала Алиса и заплакала.

— Слезами делу не поможешь,— высказался Тарарам.— От плача взаправдашнее не станешь.

— Если бы я была невзаправдашняя,— ответила Алиса, улыбаясь сквозь слезы (все это было совсем не страшно, и ей в конце концов стало весело),—я бы тогда не умела плакать.

— Уж не хочешь ли ты сказать, что плачешь настоящими слезами?—с величайшим презрением перебил ее Тарарам.

«Я знаю, что все это понарошку,— подумала Алиса,— и поэтому плакать — глупо». Она вытерла слезы и, стараясь держаться как можно веселее, сказала:

— Ну ладно, мне пора выбираться из Лесу. Становится совсем темно. Наверно, скоро пойдет дождик.

Тилибом раскрыл огромный зонт, спрятался под ним вместе с Тарарамом и посмотрел на небо.

— Может, дождь и будет. Только вряд ли,— сказал он.— По крайней мере под этим зонтиком.

— А что, если дождь пойдет вокруг зонтика?

— Это его дело... Пусть идет, если ему хочется пройтись,— ответил Тарарам.— Мы не возражаем...

— «Эгоисты!»— подумала Алиса и уже собралась было сказать «До свидания!» и уйти восвояси, как вдруг Тилибом выскочил из-под зонта и схватил ее за руку.

— Каково! Каково?!— спросил он, задыхаясь от возмущения. Глаза у него сделались круглыми и желтыми, как у кота. Дрожащей рукой он указывал на какую-то Разноцветную Штуковину, лежавшую под деревом.

— Это трещотка,— сказала Алиса, внимательно рассмотрев Разноцветную Штуковину.— Она умеет замечательно трещать, и не нужно ее бояться,— добавила она, думая, что Тилибом испугался.— Не нужно! Это самая обычная трещотка, довольно старая и, кажется, сломанная.

— Каково! Каково?! — взвизгнул Тилибом, затопал ногами и затряс головой.— Так и есть! Ее сломали! — тут он взглянул на Тарарама, который тут же спрятался под зонтиком.

Алиса обняла Тилибома и попыталась его утешить.

— Стоит ли расстраиваться из-за какой-то старой трещотки,— сказала она.

— Не старая она, не старая! — разозлившись еще сильнее, заорал Тилибом.— Она новая! Моя чудная, новехонькая трещотка! Я купил ее прошлой осенью...

Тут он завизжал на весь Лес.

В это время Тарарам упорно пытался залезть в зонтик и закрыться в нем изнутри: это было настолько захватывающее зрелище, что Алиса начисто забыла о разбушевавшемся Тилибоме. Правда, Тарарам так и не смог довести дело до конца: зонтик вместе с содержимым покатился по траве, причем около ручки торчала Тарарамова голова. Голова по очереди открывала то рот, то глаза, и все вместе «было удивительно похоже на пойманного карася», как решила Алиса.

— Надеюсь, ты не станешь уклоняться от Честного Боя? — немного успокоившись, спросил Тилибом у Тарарама.

— Не стану,— мрачно ответил Тарарам, выкарабкиваясь из зонтика.— Только пусть она поможет нам надеть доспехи.

Тут оба брата, держась за руки, скрылись в Лесу и через некоторое время вернулись, нагруженные всяким добром: диванными валиками, ковриками, кастрюлями, ведрами, одеялами, занавесками, салфетками, утюгами, подушками, сковородками, креслами-качалками и плюшевыми гардинами.

— Надеюсь, ты умеешь пришивать и пришпиливать,— сказал Тилибом Алисе.— Все, что мы принесли, пойдет в дело.

Много позже Алиса признавалась, что никогда в жизни не видела такой суматохи: оба братца ужасно суетились, надели на себя кучу всяких вещей и все время ругали ее за то, что она пришивает и пришпиливает слишком медленно.

Много позже Алиса признавалась,
что никогда в жизни не видела такой суматохи...

«Когда я все пришпилю, они будут как две капли воды похожи на огородные пугала,— подумала Алиса, прилаживая на шею Тарараму диванный валик (как он выразился, «чтобы обезопасить голову»).

— Голова,— поучал ее Тарарам,— самое слабое место в бою. Главное, не потерять голову, если, к примеру, коварный враг захочет ее отрубить.

Алиса засмеялась, но, чтобы не обидеть Тарарама, притворилась, что на нее напал кашель.

— Сегодня я, кажется, бледнее обычного? — спросил Тилибом, надевая на голову сковородку.

— Да, чуточку,— ласково сказала Алиса.

— Вообще-то я очень отважен,— прошептал Тилибом,— но как раз сегодня у меня разболелась голова.

— А у меня второй день ноют зубы! — немедленно закричал Тарарам.— Зубы важнее головы: значит, мне хуже, чем тебе.

— Тогда лучше все отложить до завтра,— сказала Алиса, считая, что это прекрасный повод для заключения мира.

— Мы обязаны малость подраться,— ответил Тилибом.— Но, думается, бой будет не слишком долгим... Который час?

— Полпятого,— ответил Тарарам, взглянув на часы.

— Тогда дерёмся до шести, а в шесть обедаем! — предложил Тилибом.

— Ладно,— печально согласился Тарарам.— Только пусть она на нас смотрит... Не подходи слишком близко,— добавил он.— Если я настроен воинственно, я кидаюсь с мечом на все, что вижу.

— А я кидаюсь с мечом на все, что подвернется,— крикнул Тилибом,— все равно, вижу или нет!

Алиса засмеялась:

— Вы, наверно, все время попадаете по деревьям.

Тилибом с достоинством улыбнулся.

— Не думаю,— сказал он,— что к шести часам здесь останется хотя бы одно целое дерево.

— И все из-за трещотки! — воскликнула Алиса, все еще надеясь, что им станет хоть чуточку стыдно драться из-за такой чепухи.

— Но ведь она была совсем новая! Из-за старой я, может быть, и не стал бы драться,— ответил Тилибом.

«Вот если бы сейчас прилетело сто ворон...» — подумала Алиса.

— У нас только один меч,— сказал брату Тили-бом.— Но ты, если хочешь, можешь взять зонтик. Он даже острее. Пора начинать, а то темнеет и я почти ничего не могу разглядеть.

— А я не только не могу, но и не хочу,— сказал Тара-рам.

Действительно, внезапно стало совершенно темно. Алиса решила, что надвигается гроза.

— Какая черная туча! — воскликнула она.— Как быстро она приближается! Ой, по-моему, у нее крылья!

— Вороны! — завопил Тилибом.

Оба братца дернули что есть мочи и через минуту исчезли из виду. Алиса побежала за ними, но потом остановилась под высоким деревом.

«Здесь воронам до меня не добраться,— подумала она.— Им ни за что не пролететь через чащу. Хорошо бы, они перестали хлопать крыльями, а то в Лесу начнется самый настоящий ураган! Ну вот, кто-то потерял шаль... Она летит прямо на меня!»

Глава пятая

Пух — перо

А̲ЛИСА поймала шаль и оглянулась по сторонам в поисках хозяйки. В тот же миг из Лесу выскочила Белая Королева. Королева беспомощно размахивала руками, как будто собиралась взлететь. Алиса пошла ей навстречу.

— Хорошо еще, я заметила вашу шаль,— сказала Алиса, набрасывая ее на плечи Королеве.

Королева испуганно посмотрела на Алису и быстро пробормотала что-то вроде «пух-перо, пух-перо». Тут Алиса сообразила, что ей самой придется завести разговор, и робко сказала:

— Простите, но если судить по виду Вашего Величества...

— Как? Судить Повидло Моего Величества? — вздрогнула Королева.— Уверяю тебя, Повидло тут совершенно ни при чем: шаль сама потерялась. Она, знаешь ли, все время норовит куда-нибудь смыться.

Алиса решила, что не стоит начинать разговор с Королевой со Спора о Повидле, и сказала:

— Конечно, конечно, Ваше Величество. Если вы посоветуете мне, с чего нужно начать, я постараюсь пришпилить вашу шаль.

— Ах, нет! Не надо! — простонала несчастная Королева.— Я и так битый час с ней провозилась.

«Ну, ей не обойтись без посторонней помощи! — подумала Алиса.— Удивительная неряха, хоть и Королева! Платье наизнанку, а шпильки...»

— Так хорошо? — спросила она, пришпилив шаль.

— Не знаю, просто не знаю. Что с ней стряслось! — тоскливо сказала Королева.— У этой шали гадкий, подлый характер! Я ведь пришпилила ее и тут, и тут, и тут, но ей никак не угодишь!

— Да, но так она держалась только с одной Стороны,— возразила Алиса и ловко приколола шаль.— О Господи! Что с вашей головой?! По виду Вашего Величества можно подумать...

— Повидлу Моего Величества нельзя подумать. Оно не умеет думать,— раздраженно ответила Королева.— И при чем тут Повидло? Просто у меня в волосах немножко запутался Гребешок. А расческу я потеряла позавчера.

Алиса аккуратно высвободила Гребешок и принялась причесывать Королеву.

— Ну вот! Теперь совсем другое дело! — воскликнула она, когда все шпильки очутились на своих местах.— Но, по-моему, вам нужен Парикмахер.

— С удовольствием назначу Парикмахером тебя,— подхватила Королева.— Условия льготные: куча денег и Повидло Моего Величества через день.

Алиса засмеялась и ответила:

— Деньги мне не нужны... А Повидла я терпеть не могу.

— Зря. Повидло что надо,— заметила Королева.

— Ну, сегодня мне Повидла не хочется.

— А сегодня ты его и не получишь,— сказала Королева.— Повидло выдается только завтра и вчера, но ни в коем случае не сегодня.

— Но ведь завтра рано или поздно превратится в сегодня,— не согласилась с Королевой Алиса.

— Не превратится,— сказала Королева.— Завтра — оно и есть завтра. Я же сказала: Повидло выдается через день, значит, не сегодня, правда?

— Не понимаю,— ответила Алиса.— Здесь какая-то ошибка.

— Это из-за того, что у меня вся жизнь — задом наперед,— любезно пояснила Королева.— Сперва все удивляются...

— Задом наперед? — повторила пораженная Алиса.— Что это значит?

— ...но потом догадываются, что в этом есть известные преимущества. Например, я помню и то, что было, и то, что будет.

— Я помню только то, что было,— заметила Алиса.— Откуда же мне знать то, что еще не случилось.

— Ну, раз ты помнишь только то, что было, у тебя не память, а ерунда,— сказала Королева.

— А Вы что помните лучше всего? — нерешительно спросила Алиса.

— Да то, что случится на следующей неделе,— небрежно ответила Королева.— Вот тебе пример,— продолжала она, наклеивая на палец большой кусок пластыря.— У Короля есть Посыльный. Сейчас этот Посыльный сидит в тюрьме. Но суда еще не было. Суд будет в следующую среду. А уж потом Посыльный что-нибудь натворит... но это в самую последнюю очередь.

— А если он ничего не натворит? — спросила Алиса.

— Что ж, тем лучше для него,— сказала Королева и обмотала пластырь кусочком бинта.

Алисе нечего было возразить.

— Конечно, тем лучше, — сказала она. — Но за что же тогда его посадили в тюрьму?

— Тут ты заблуждаешься, — возразила Королева. — Ты сама-то когда-нибудь сидела в тюрьме?

— Нет, — ответила Алиса. — Правда, иногда меня наказывали... за кляксы в тетрадках...

— Вот видишь! — обрадовалась Королева. — Это делалось для твоей же пользы!

— Да, но я сажала кляксы, — сказала Алиса, — а вы посадили посыльного, хотя он этого и не делал.

— Если бы Посыльный еще и сажал кляксы, — заметила Королева, — он был бы виноват никак не меньше, чем теперь. Не ме-ень-ше, не ме-е-е-ньше, не ме-е-е-е-е-еньше!

Каждое «не меньше» напоминало визг все больше и больше. Наконец Королева изо всех сил завопила: «не ме-е-е-е-е-е-е-е-е-е-е-еньше!!!» — и замолчала.

Алиса только успела сказать: «Все-таки где-то тут ошибка...», как Королева завопила снова, да так пронзительно, что Алисе волей-неволей пришлось умолкнуть.

— Ой-ой-ой! Мамочки! — орала Королева и размахивала правой рукой так, что она неминуемо должна была оторваться. — Ой-ой-ой! Мой пальчик! Ой-ой-оюшки!

Алисе пришлось заткнуть уши: вопли Королевы отчасти напоминали паровозную сирену.

— В чем дело? — спросила Алиса, когда сирена стала выть потише. — Вы укололись?

— Да нет, пока что не укололась, — спокойно сказала Королева. — Но в ближайшее время уколюсь. Ой-ой-ой-ой!

— И когда же вы собираетесь уколоться? — улыбаясь, спросила Алиса.

— Когда я начну прикалывать шаль, булавка расстегнется, — проговорила измученная Королева, — и я... Ой!

В этот момент булавка действительно расстегнулась, а Королева подхватила ее на лету и попыталась водворить на место.

— Осторожно! — крикнула Алиса и бросилась к Королеве. — Она снова...

Но было уже поздно: булавка вонзилась Королеве в палец.

— Чур, считается за рану, — сказала она Алисе с улыбкой. — Теперь ты поняла, что значит помнить все задом наперед?

— А почему же вы теперь не кричите? — спросила Алиса, с готовностью затыкая уши.

— По этому поводу я уже кричала, — ответила Королева. — Что же, прикажешь все сначала начинать?

Между тем снова стало светло.

— Неужели вороны улетели? — сказала Алиса. — Наконец-то, как я рада! А я-то думала, что уже вечер.

— Вот бы и мне научиться радоваться! — заметила Королева. — Когда-то меня научили, но я позабыла, как это делается. Здорово тебе живется: гуляешь себе по Лесу и радуешься сколько хочешь.

— Мне здесь *так* одиноко! — тоскливо сказала Алиса и, подумав о том, *как* ей одиноко, заплакала.

— Немедленно, немедленно прекрати! — воскликнула истерзанная Королева, в отчаянии ломая руки. — Ты сама подумай: ведь ты уже не маленькая. Ты сама подумай: ведь тебе еще долго идти. Ты сама подумай: который сейчас час. Ты сама подумай... о чем-нибудь, скажем, сколько будет семью девять... Только, пожалуйста, перестань плакать!

Алиса засмеялась сквозь слезы.

— А вы... если начинаете о чем-нибудь думать, разве перестаете плакать? — спросила она.

— Еще бы, — решительно ответила Королева. — Нельзя делать двух дел сразу: ты или плачешь, или думаешь. Ну вот скажи мне, сколько тебе лет?

— Семь... точнее, семь с половиной.

— Точнее не обязательно, — заметила Королева. — Я тебе и так поверю. А теперь ты попробуй поверить мне: знаешь, мне *сто один* год, *пять* месяцев и *четыре* дня.

— Как-то не верится... — сказала Алиса.

— Не верится? — сочувственно переспросила Королева. — Ну попробуй еще раз: встань в исходное положение — руки на поясе, ноги на ширине плеч. Закрой глаза, заткни уши и сделай глубокий вздох. Начали!

Алиса рассмеялась.

— Ничего не выйдет, — сказала она. — Я не умею верить в невероятные вещи.

— Ты просто давно не упражнялась, — предположила Королева. — В твои годы я каждый день занималась этим по полчаса. Случалось, что до завтрака я успевала одним махом поверить в шесть невероятных вещей. Ну вот, опять эта шаль!

Булавка опять расстегнулась, и внезапный порыв ветра подхватил шаль и перенес ее через узенький ручеек. Королева снова замахала руками и поспешила за шалью. На этот раз шаль далеко не ушла.

— Поймала! Поймала! — торжествующе закричала Королева. — Теперь я докажу тебе, что сама могу с ней справиться!

— Значит, палец болит меньше? — вежливо поинтересовалась Алиса и тоже перескочила через ручеек.

. . . .

. . . .

— Конечно, меньше! — воскликнула Королева и визгливо затянула: — Ме-еньше! Ме-е-еньше! Ме-е-е-еньше! Ммме-е-е-е...

Тут Королева замекала, как самая настоящая коза, да так похоже, что Алиса вздрогнула.

Она взглянула на Королеву, которая, казалось, внезапно обросла козьим пухом. Алиса принялась протирать глаза, после чего обернулась по сторонам. Она никак не могла понять, что случилось. Где она? Почему вокруг полки, забитые товаром? И потом, кто же это? Неужели за прилавком сидит Коза? Как Алиса ни терла глаза, все оставалось по-прежнему: она действительно очутилась в крошечном темном магазинчике, а прямо перед ней на табуретке восседала Коза и вязала, время от времени деловито поглядывая на Алису поверх очков.

— Что желаете купить? — осведомилась Коза, на минуту отрываясь от вязания.

— Я еще не знаю, что я хочу купить, — вежливо сказала Алиса. — Я сперва на все вокруг посмотрю (конечно, если вы не против), а потом...

— Я не против, — ответила Коза. — Можешь посмотреть направо, можешь — налево. Но посмотреть на все вокруг ты не сможешь ни при каких обстоятельствах... если, конечно, у тебя нет глаз на затылке.

На затылке у Алисы глаз не было, и она ограничилась тем, что оглянулась по сторонам и подошла к полкам.

Полки, казалось бы, ломились от самых разных товаров, но странность заключалась в том, что стоило подойти к ним поближе, чтобы рассмотреть, что на них лежит, как сразу же оказывалось, что именно эти полки совершенно пустые. Зато все остальные набиты до отказа.

— Мне за ней не угнаться! — жалобно сказала Алиса, после того как несколько минут подряд пробегала за какой-то блестящей штучкой: иногда ее можно было принять за куклу, иногда за помидор, но штучка, как назло, все время лежала на две полки выше той, на которую смотрела Алиса.

— Это она нарочно! — возмутилась Алиса. — Ну да ладно! — добавила она, потому что тут ее осенила изумительная мысль. — Погоди же!.. Я загоню тебя на самую верхнюю полку... Сквозь потолок тебе наверняка не пролезть!

Но ничего у Алисы не вышло: штучка лихо проскочила сквозь потолок с таким видом, как будто никогда ничем другим не занималась.

— Ты кто — девочка или мартышка? — спросила Коза и взяла еще пару спиц. — Посиди спокойно, а то у меня из-за тебя голова закружилась.

Алиса взглянула на Козу и обомлела: коза вязала четырнадцатью спицами.

«И как это у нее выходит? — ужаснулась Алиса. — Теперь она похожа не на Козу, а на Дикобраза!»

— Кстати, грести ты умеешь? — спросила Коза, протягивая Алисе пару спиц.

— Немножко умею... но не на полу... и не спицами... — начала было Алиса, но тут спицы в ее руках превратились в весла, и Алиса вместе с Козой очутилась в узенькой лодочке, плывущей по тихой речке между высокими берегами. Алиса сразу же налегла на весла.

— Пух-перо! Пух-перо! — заорала Коза и схватила еще пару спиц.

Похоже было, что ответа Козе не требуется. Алиса промолчала и опять взмахнула веслами. «Что это за вода такая? — подумала она. — Весла в ней застревают так, что не вытащишь».

— Пух-перо! Пух-перо! — снова заорала Коза и выхватила еще пару спиц. — Кабан в весла! Поднять порося!

«Откуда поднять? — поразилась Алиса. — А вот было бы здорово, если бы сейчас в лодке оказался маленький розовый поросенок!»

— Пух-перо и одна ведьма! — рявкнула Коза, вытаскивая откуда-то новую связку спиц. — Ты что, не слышала, что я сказала? Поднять порося! Кабан и весла! Направление норд-хвост!

— Еще бы не слышала, — сказала Алиса. — Вы это уже несколько раз говорили. Скажите, а где же этот кабан?

— В воде, разумеется! — ответила Коза, затыкая часть спиц за рога (даже она уже не могла с ними управиться). — Пух-перо?

— Скажите, зачем вы все время повторяете: «Пух-перо, пух-перо»? — спросила Алиса, которой это порядком надоело. — Я же не птица.

— Нет, птица, — ответила Коза. — Ты гусыня надутая, вот ты кто.

Алиса обиделась, и несколько минут в лодке царило молчание. А лодку тихо сносило по течению, и время от времени весла застревали в густых водорослях. Кое-где на обрывистых берегах речки стояли деревья.

— Ой! — в восторге закричала Алиса. — Какие красивые лилии! Подождите, пожалуйста!

— Я-то тут при чем? — сказала Коза, не отрываясь от вязанья. — Мне можешь не говорить «пожалуйста». Я эти лилии не сажала — мне они не нужны.

— Ох, нет... я просто хотела сказать, что... если вы можете, подождите, пожалуйста, а я пока сорву несколько... самых красивых, — попросила Алиса. — Если, конечно, вы не возражаете против того, чтобы лодка остановилась.

— А я тут при чем? — удивилась Коза. — Ты гребешь — ты и останавливайся.

Алиса перестала грести, и течение медленно притянуло лодку к зарослям лилий.

И вот... Алиса закатывает рукава, и перегибается через борт, и опускает руки по локоть в прозрачную воду, и осторожно обрывает плотные стебли (чтобы ни в коем случае не обронить ни одного лепестка!), и касается воды кончиками распустившихся волос, и напрочь забывает о Козе с ее вязаньем, и разгоревшимися глазами глядит на все новые и новые лилии, шуршащие у бортов лодки.

«Только бы лодка не перевернулась! — подумала Алиса. — Ах, какие чудесные лилии! Только вон до тех мне не дотянуться».

И правда, было страшно досадно («Как будто они нарочно от меня убегают», — подумала Алиса), ужасно досадно, что, хотя ей и попадались довольно красивые лилии, самые красивые все-таки оставались слишком далеко от лодки.

— Чем они красивее, тем дальше! — в конце концов сказала она со вздохом. — До чего же упрямые — никак не даются в руки!

Тут Алиса — румяная, вымокшая, усталая — вернулась на свое место и принялась раскладывать на дне лодки свои сокровища.

Она почти не обратила внимания на то, что лилии сразу увяли и потеряли аромат. Даже настоящие ли-

Алиса перестала грести,
и течение медленно притянуло лодку
к зарослям лилий.

лии — как тебе отлично известно — увядают почти сразу. А ведь это были зазеркальные лилии, и, как только Алиса уложила их у своих ног, они растаяли, как снег. Но Алиса этого не заметила: вокруг было еще очень много удивительных вещей.

Они еще немного проплыли, но тут левое весло зарылось в воду и не захотело (как потом говорила Алиса) из нее вылезать. Вот почему рукоять весла вздыбилась, ударила Алису и, не обращая никакого внимания на ее крики, повалила ее на кучу лилий.

Алисе было нисколечко не больно; она снова уселась на скамейку, а Коза — Коза все это время вязала с таким видом, как будто ничего не случилось.

— Доигралась! — сказала она, когда Алиса уже сидела на своем месте, очень довольная тем, что не вылетела из лодки. — Доигралась! Я же говорила тебе: поднять порося! Кабан в весла!

— Кабан? А где же он? — спросила Алиса, осторожно всматриваясь в воду. — Интересно, как выглядят Плавучие Кабаны? Вы думаете, это он ударил по веслу?

Но Коза только ехидно захихикала и продолжала вязать.

— Здесь вообще много кабанов? — спросила Алиса.

— Пруд пруди, — ответила Коза. — Полно тут кабанов. Разнообразный выбор. Богатый ассортимент. Что желаете купить?

— Купить? — переспросила Алиса, одновременно испугавшись и удивившись, потому что весла, лодка, речка — все пропало и она снова очутилась в том же маленьком темном магазинчике.

— Я хотела бы купить яйцо, — сказала она застенчиво. — Сколько стоят яйца?

— Одно яйцо стоит одну денежку, два — в два раза дешевле, — ответила Коза.

— Как? Два дешевле, чем одно? — удивилась Алиса и достала кошелек.

— Только если уж купишь два, придется съесть оба, — уточнила Коза.

— Дайте мне, пожалуйста, одно, — сказала Алиса и положила монету на прилавок, подумав: «Так спокойнее, а то второе может оказаться не очень свежим».

Коза взяла монету и запрятала ее в сундук. После этого она сказала:

— Я никогда никому ничего не даю прямо в руки... Это бы испортило все дело. Пойди и возьми его сама.

С этими словами она взяла яйцо и... нет, не положила, а поставила его на самую дальнюю полку.

«Интересно, почему это испортило бы все дело? — подумала Алиса, на ощупь пробираясь среди столов и стульев (в лавочке была тьма кромешная). — Странно, чем дольше я иду, тем дальше от меня яйцо. Это что? Стул?.. Стул... с ветками... Как, с ветками? И потом, откуда здесь деревья?! И ручеек?! Ну и магазин!»

. . . .

. . . .

Она шла и шла и все больше удивлялась. Все, что попадалось ей по пути, превращалось в дерево или в куст, стоило лишь подойти поближе. Поэтому Алиса решила, что и с яйцом случится то же самое.

♛♛♛♛♛♛♛♛♛♛♛♛♛♛♛♛♛♛♛♛♛♛♛♛♛♛♛

Глава шестая

Шалтай-Болтай

Но ЯЙЦО оставалось на месте и только делалось все больше и больше. Подойдя поближе, Алиса заметила, что оно очень похоже на человечка, а когда подошла совсем близко, поняла, что это сам Шалтай-Болтай.

«Ну конечно, это он! — подумала Алиса. — У него это на лбу написано».

И вправду, на лбу у Шалтая-Болтая можно было написать что хочешь: такой это был огромный лоб. Сам Шалтай, скрестив ноги по-турецки, восседал на высоченном заборе, таком высоченном, что Алиса никак не могла понять, почему он до сих пор оттуда не свалился. Шалтай пристально смотрел куда-то в сторону и не обращал на Алису ни малейшего внимания. Поэтому она решила, что он все-таки не настоящий, а игрушечный.

— Ох, — сказала Алиса, — ох, до чего же он похож на яйцо! — И подставила руки, чтобы поймать Шалтая, на случай, если ему вдруг придет в голову упасть.

— Весьма оскорбительно, — после продолжительного молчания высказался Шалтай-Болтай, по-прежнему не глядя на Алису, — весьма оскорбительно слышать, как тебя обзывают яйцом, весьма!

— Я ведь только сказала, что вы похожи на яйцо, — добродушно возразила Алиса, — и потом, яйца тоже бывают довольно симпатичными, — добавила она, надеясь, что выйдет комплимент.

— Кое-кто, — заметил Шалтай-Болтай, все так же глядя в сторону, — кое-кто здесь довольно туго соображает.

Алиса никак не могла придумать, что ему ответить: их разговор был вовсе не похож на разговор; ведь Шалтай-Болтай ни разу к ней не обратился. Судя по тому, куда был устремлен его взгляд, последнее замечание Шалтая относилось к соседнему дереву. Поэтому Алиса постояла немного молча, а потом прочла вот такие стихи (очень тихо, чтобы не услышал Шалтай):

> Шалтай-Болтай сидел на стене,
> Шалтай-Болтай свалился во сне.
> Вся королевская конница, вся королевская рать
>   Не может Шалтая,
>   Не может Болтая,
>   Шалтая-Болтая,
>   Болтая-Шалтая, Шалтая-Болтая собрать[1].

— Последняя строчка, по-моему, длинновата, — громко добавила она, совершенно позабыв о том, что Шалтай может ее услышать.

— Прекрати болтовню, — сказал Шалтай-Болтай и в первый раз посмотрел прямо на Алису, — скажи-ка лучше, как тебя зовут и зачем ты сюда явилась.

— Меня зовут Алиса, и я...

— Довольно дурацкое имя! — нетерпеливо перебил ее Шалтай. — Что оно означает?

---

[1] Эти стихи перевел Самуил Яковлевич Маршак.

— Разве имя должно что-нибудь означать? — спросила озадаченная Алиса.

— Вне всякого сомнения, — фыркнул Шалтай-Болтай. — Лично мое имя указывает на ту хрупкую форму, которая мне присуща. Потрясающая форма! А с таким именем, как у тебя, можно быть какой хочешь формы, даже самой уродливой.

— А почему вы здесь один? — спросила Алиса, испугавшись надвигающегося спора.

— А потому что здесь больше никого нет! — выпалил Шалтай-Болтай. — Ты что, думала, я не знаю ответа на такую загадку? Загадывай по новой!

— Вам не кажется, что для вас было бы безопаснее спуститься на землю? — продолжала Алиса, конечно, и не думая загадывать загадки, а просто беспокоясь об этом занятном человечке. — Забор ведь такой... высоченный!

— Ты загадываешь чудовищно легкие загадки, — проворчал Шалтай-Болтай. — Нисколечко не безопаснее. Ну, положим, я упал (что, впрочем, совершенно невероятно), но, положим... — Тут он поджал губы и стал таким солидным и важным, что Алиса еле удержалась, чтобы не засмеяться. — Положим, я упал... — продолжал он, — ведь Сам Король обещал мне (Ага! Ага! Теперь можешь краснеть и бледнеть, если хочешь, конечно; ты ведь не думала, не гадала, что я такое скажу!)... Сам Король обещал мне... он стоял передо мной вот как ты сейчас... Он обещал... обещал...

— Послать всю королевскую конницу и всю королевскую рать, — неосторожно перебила Шалтая Алиса.

— Ну, знаешь! — возмутился Шалтай. — Век бы тебе этого не узнать, но ты, наверно, подслушивала под дверьми, глядела в замочную скважину, подсматривала через окно и пряталась в шкафу, когда мы с ним разговаривали.

— Ой, честное слово, я ничего такого не делала, — сказала Алиса. — Про это ведь в книжке написано.

— Ах вон оно что! Это другое дело. Такие события достойны занесения в книгу, — сказал Шалтай, успокоившись. — Это и есть История Родного Края. А теперь взгляни-ка на меня! Я один из тех, кому доводилось беседовать с Королем. Второго такого, как я, ты, может статься, никогда больше не увидишь. А для того чтобы показать тебе, что я не загордился, разрешаю пожать мою руку!

Он улыбнулся — от уха до уха — и наклонился (так что чуть не полетел с забора), протягивая Алисе руку. Пожимая ее, Алиса с тревогой смотрела на Шалтая. «Если он улыбнется еще хоть чуточку сильнее, — думала она, — не знаю, что тогда случится с его головой. Боюсь, что верхняя половинка отвалится».

— Да-с, вся королевская конница и вся королевская рать, — продолжал Шалтай-Болтай, — соберет меня за одну секунду. Уж это-то наверняка! Впрочем, наша беседа идет слишком быстро, вернемся к предпоследнему замечанию.

— Простите, но я не помню, какое из них было предпоследнее, — очень вежливо сказала Алиса.

— В таком случае начнем все с начала, — ответил Шалтай-Болтай, — и теперь моя очередь выбирать, про что говорить. Итак, вот тебе вопрос. Сколько, ты сказала, тебе лет?

— Семь с половиной, — подумав, ответила Алиса.

— Чушь! — торжествующе воскликнул Шалтай. — Ничего похожего ты мне не говорила!

— Я думала, вы просто спросили «Сколько тебе лет?», — сказала Алиса.

— Надо было бы, спросил бы, — ответил Шалтай-Болтай.

Алисе не хотелось с ним спорить, и она промолчала.

— Семь с половиной... — задумчиво повторил Шалтай-Болтай. — Никуда не годный возраст. Если бы ты спросила совета у меня, я сказал бы: «Остановись на семи!» Но теперь уже слишком поздно.

— Я ни с кем не советуюсь, расти мне дальше или нет! — возмущенно ответила Алиса.

— Это что, ниже твоего достоинства? — спросил Шалтай.

Алиса возмутилась еще сильнее.

— Я только хочу сказать, — ответила она, — что никто не может расти или не расти по собственному желанию!

— Сомневаюсь, — сказал Шалтай, — что Никто вообще может расти. У него для этого нет данных. А у тебя есть. Но ты вполне могла бы остановиться на семи, если бы тебя вовремя по-дружески поправили.

— Какой у вас изумительный поясок! — внезапно произнесла Алиса (ей казалось, что про ее возраст они уже поговорили более чем достаточно; и потом, они же по очереди выбирают, о чем разговаривать, а сейчас была как раз ее очередь). — То есть, — секунду поразмыслив, поправилась она, — изумительный галстук. Ой, то есть нет, я имела в виду поясок... Ох, извините, пожалуйста! —

И в ужасе она замолчала, потому что Шалтай изменился в лице, и Алиса уже начала жалеть, что завела этот разговор.

«Как бы мне узнать,— подумала она,— где у него шея, а где талия!»

Судя по всему, Шалтай-Болтай страшно рассердился. Сперва он сидел совершенно молча, потом что-то проворчал и только потом заговорил.

— Весьма... оскорбительно,— сказал он наконец,— когда Кое-Кто не может отличить галстук от пояска!

— Да, это ужасно невежливо с моей стороны,— покорно призналась Алиса, и Шалтай смягчился.

— Это галстук, девочка, и притом очень красивый галстук. Мне его подарили Белый Король и Белая Королева. Вот!

— Так это подарок? — сказала Алиса, очень довольная тем, что наконец-то нашла подходящую тему для разговора.

— Я получил этот галстук,— задумчиво продолжал Шалтай-Болтай, скрестив ноги и упершись локтями в коленки,— в качестве *неденьрожденного* подарка.

— Простите...— поразилась Алиса.

— Ничего, ничего, я ничуть не обижен,— сказал Шалтай.

— Нет, я хотела бы узнать, что такое *неденьрожденный* подарок?

— Ну, просто такой подарок, который дарят не в день твоего рождения.

Алиса задумалась.

— Мне больше нравятся *деньрожденные* подарки,— сказала она наконец.

— Ты сама не понимаешь, что говоришь! — закричал Шалтай-Болтай.— Сколько дней в году?

— Триста шестьдесят пять,— ответила Алиса.

— А сколько у тебя дней рождения?

— Один.

— А сколько получится, если отнять один от трехсот шестидесяти пяти?

— Ну, это просто. Триста шестьдесят четыре.

Шалтай-Болтай нахмурился.

— Предпочел бы проверить твои подсчеты письменно,— промолвил он с сомнением.

Алиса улыбнулась, но вынула записную книжку и по-
считала в столбик:

$$
\begin{array}{r}
365 \\
-1 \\
\hline
364
\end{array}
$$

Шалтай-Болтай взял записную книжку и долго смотрел на то, что написала Алиса.

— Вроде бы сосчитано верно...— начал он.

— Вы смо́трите вверх ногами! — перебила его Алиса
и перевернула книжку.

— Так и есть! — воскликнул Шалтай.— Мне сразу показалось, что в твоих расчетах что-то немного непривычно. Как я и сказал, вроде бы сосчитано верно... но теперь,
когда все стало вниз ногами, можно сказать... Хотя как
раз сейчас у меня нет времени, чтобы все тщательно проверить, но все-таки можно уверенно сказать, что... для
неденьрожденных подарков у нас остается триста шестьдесят
четыре дня.

— Конечно,— согласилась Алиса.

— И только один день, когда можно получать *деньрожденные!* Вот видишь! Ничего себе огород!

— Я не понимаю, что вы имеете в виду под огоро-
дом,— сказала Алиса.

Шалтай-Болтай презрительно усмехнулся.

— Куда тебе... Ты и не поймешь, пока я тебе не объясню. Я просто хотел сказать: «Ничего себе, славненький
сногсшибательный аргументик!»

— Но огород вовсе не значит «славненький сногсшибательный аргументик»,— возразила Алиса.

— Когда лично я употребляю слово,— все так же
презрительно проговорил Шалтай-Болтай,— оно меня
слушается и означает как раз то, что я хочу: ни больше ни
меньше.

— Это еще вопрос,— сказала Алиса,— захотят ли слова вас слушаться.

— Это еще вопрос,— сказал Шалтай,— кто здесь хозяин: слова или я.

Алиса была настолько ошарашена, что не ответила,
и через минуту Шалтай снова заговорил:

— У некоторых слов особый нрав... Особенно у глаго-
лов, они самые нахальные... С прилагательным ты что хочешь, то и делаешь... а вот с глаголом!.. Впрочем, у меня
с ними разговор короткий! Водонепроницаемость! Вот
лично моя точка зрения!

— Скажите, пожалуйста,— страшно вежливо спросила Алиса,— что именно вы имеете в виду?

— Ну вот, молодец! Ты задала действительно умный вопрос,— сказал довольный Шалтай.— Под водонепроницаемостью я подразумевал следующую мысль: мы с тобой уже достаточно долго беседуем, и я не прочь узнать, что ты собираешься делать дальше, так как, надо полагать, ты не намерена провести под этим забором остаток твоих дней.

— Неужели одно слово может столько всего значить! — задумчиво сказала Алиса.

— Когда я даю слову много работы,— сказал Шалтай-Болтай,— я всегда плачу ему сверхурочные.

— Ох,— сказала Алиса, потому что ведь надо было что-нибудь сказать.

— Да... Я плачу им по пятницам, и видела бы ты, какая выстраивается очередь,— покачав головой, важно добавил Шалтай.

(Алиса не решилась спросить у него, сколько слова получали за работу, поэтому я, к великому сожалению, не смогу сообщить об этом тебе.)

— Уважаемый Шалтай-Болтай,— сказала Алиса,— вы замечательно объясняете, какое слово что значит. Не могли бы вы заодно объяснить мне смысл стихотворения под названием «Умзара Зум»?

— Валяй читай,— тут Шалтай-Болтай уселся поудобнее,— я могу объяснить любые стихи из тех, что были когда-нибудь придуманы, и почти все, которых еще никто не придумал.

Алиса обрадовалась и начала читать:

Сверкалось... Скойкие сюды
Волчились у развел.
Дрожжали в лужасе грозды,
И крюх засвиревел.

— Для начала вполне достаточно,— перебил ее Шалтай-Болтай.— Тут и так полно трудных слов. «Сверкалось» — значит, что уже рассвело, скоро обед, но в то же время уже немножко смеркалось.

— Понятно,— сказала Алиса.— А что значит «скойкие»?

— Ну, это просто. «Скойкие» — значит, «бойкие и скользкие». «Бойкие» — это все равно что «стойкие». Понимаешь, это как вешалка в прихожей: на одно слово повесили сразу два смысла.

— Теперь ясно,— задумчиво ответила Алиса.— А что значит «сюды»?

— «Сюды» — они вроде бурундуков... и еще вроде ящериц... и еще они похожи на открывалки для бутылок.

— Какие они, наверно, занятные!

— Да уж, — согласился Шалтай-Болтай. — Кроме всего прочего, они гнездятся на солнечных часах... а питаются они творожниками.

— А что такое «волчиться»?

— «Волчиться» — значит «кружиться волчком и волочиться по земле».

— А «развелы» — это, наверно, цветы. Они растут у солнечных часов, — сказала Алиса, сама поражаясь собственной догадливости.

— Естественно. Они называются «развелами», потому что их там слишком много развелось. Особенно слева и справа от часов.

— И кроме того, сзади и спереди, — добавила Алиса.

— Именно, именно. Ну, «дрожжали» — это значит «дрожали, визжали и в то же время пухли, как дрожжи» (вот, кстати, еще одна Вешалка!). «В лужасе» — это, конечно, «в луже и в ужасе». Что касается «гроздов», то это маленькие, робкие птички, перья у них стоят торчком, и вообще грозд похож на живой веник.

— Так, а «крюх»? — спросила Алиса. — Мне, право, неудобно, что вы тратите свое время на...

— «Крюх» — это своего рода зеленый боров. А вот насчет «и» я не очень уверен. Наверно, это сокращенное «вдали от родного дома»: в том смысле, что крюх заблудился.

— А «засвиревел»?

— «Засвиреветь» — это что-то среднее между «засвистеть, как свирель» и «свирепо зареветь» и при этом еще чихнуть где-то посредине. Впрочем, ты наверняка услышишь, как кто-нибудь засвиревет... в чаще... среди сосен. А если один раз услышишь, будешь более чем довольна! Кто это научил тебя такой сложной штуке?

— Я нашла ее в книжке, — сказала Алиса. — Но какие-то стихи, правда легче этих, мне кто-то читал вслух... кажется, Тарарам.

— Да, коль скоро речь зашла о поэзии, — сказал Шалтай, отводя в сторону руку, — коль скоро речь зашла о поэзии, не могу не напомнить тебе, что лично я, если уж на то пошло, читаю стихи ничуть не хуже, чем все остальные...

— Ох, что вы, что вы! — поспешно перебила Шалтая-Болтая Алиса, пытаясь остановить его.

Они называются «развелами»,
потому что их там слишком много развелось.
Особенно слева и справа от часов.

— Фрагмент, который я сейчас оглашу, — продолжал он, не слушая Алису, — написан исключительно для того, чтобы развлечь тебя перед дорогой.

Тут Алиса поняла, что ей придется выслушать Шалтая-Болтая.

— Благодарю вас, — печально сказала она и приготовилась слушать.

Зимой, когда буран затих,
Я вам пропел вот этот стих.

Только на самом деле я его не пою, а читаю, — пояснил Шалтай.

— Да я вижу, что не поете, — ответила Алиса.

— Если ты видишь, пою я или нет, у тебя чрезвычайно острое зрение, — сурово заметил Шалтай.

Алиса промолчала.

Весной, среди густой травы,
Его поймете даже вы.

— Благодарю вас, — сказала Алиса.

А в летний полуденный зной
Стих будет вновь исполнен мной.
И осенью, когда начнутся первые заморозки и до
      известной степени пожелтеет листва,
Вы вспомните мои слова.

— Конечно, я постараюсь их запомнить до осени, — сказала Алиса, — только некоторые строчки слишком длинные, и я их, наверно, позабуду.

— Перестань делать мне замечания! — ответил Шалтай-Болтай. — Все, что ты говоришь, — бессмыслица, и это сбивает меня с толку.

Черкнул я рыбам пару строк,
Гласивших: «Я суров и строг!»
Большой переполох на дне.
И рыбки отвечают мне.
Вот строки Рыбьего Письма:
«Простите, сэр, но мы весьма...»

— Извините, но у меня такое ощущение, будто я не совсем понимаю, что вы читаете, — сказала Алиса.

— Дальше будет проще, — заявил Шалтай.

Ну, я, разумеется, пишу им в следующем письме:
«Вы просто не в своем уме!»
Но рыбы пишут мне в ответ:
«Попридержи язык! Привет!»

> Я им писал и раз, и два —
> Но тратил попусту слова.
> Не дрогнула моя рука:
> Я чайник взял из сундука.
> И я налил в него воды,
> Во избежание беды.
> Тут *кое-кто* пришел ко мне
> Сказать, что рыбки спят на дне.
> Я отвечал ему: «Иди
> И спящих рыбок разбуди!» —
> Я повторил, собравшись с духом,
> Я рявкнул у *него* над ухом.

Дойдя до этого места, Шалтай-Болтай так завопил, что Алиса вздрогнула и подумала: «Не хотела бы я оказаться этим *кое-кем*!»

> Но *кое-кем* владела спесь,
> И он сказал: «Нет уж, ты иди туда сам, с меня хватит,
>   надоело, знаешь ли. Я останусь здесь».
> Но *кое-кто* сказал со спесью:
> «Кончай орать. Останусь здесь я».
> Сказав: «Пока! Я ухожу
> И лично рыбок разбужу!» —
> Я тут же кинулся к реке,
> Но к этому времени дверь у рыбок, разумеется, уже
>   давно была на замке.
> И я тогда полез в окно,
> И я налег на ставни, но...

Наступило продолжительное молчание.

— Это конец? — робко спросила Алиса.

— Конец, — сухо ответил Шалтай-Болтай. — Всего наилучшего. Всех благ.

«Ну и ну!» — подумала Алиса. После такого намека на то, что ей пора уходить, задерживаться было просто невежливо. Она встала и протянула Шалтаю руку.

— До свидания, — сказала она как можно беззаботнее. — До скорой встречи.

— Если мы с тобой встретимся, лично я тебя не узнаю, — недовольно ответил Шалтай-Болтай, подавая ей мизинец. — Все люди друг на друга похожи.

— Ну, обычно человека можно узнать по лицу, — задумчиво произнесла Алиса.

— Именно, именно. Об этом я и говорю, — сказал Шалтай-Болтай. — У тебя слишком обыкновенное лицо. Два глаза... два уха, посередине нос... под ним, как водится, рот... Всегда, всегда одно и то же! Вот если бы у тебя один глаз был на ухе, а другой — на подбородке... или, скажем, рот на лбу... тогда я, может быть, тебя бы узнал.

— Рот на лбу — это некрасиво, — возразила Алиса. — И глаз на подбородке тоже.

Но Шалтай-Болтай только пробормотал: «Семь раз примерь...» — и закрыл глаза.

Алиса еще подождала, не заговорит ли он с ней, но Шалтай сидел с закрытыми глазами и не обращал на нее никакого внимания. Поэтому она сказала «До свидания!» и, не получив ответа, потихоньку пошла дальше, бормоча: «Из всех неблаговоспитанных (тут она повторила это слово вслух, потому что очень приятно, когда попадаются такие серьезные длинные слова)... из всех неблаговоспитанных людей, с которыми мне приходилось встречаться, этот...» Она так и не успела додумать эту фразу до конца, потому что в этот момент по Лесу раздался оглушительный треск.

Глава седьмая

Лев и Единорог

В ТУ ЖЕ минуту через Лес побежали солдаты. Сперва они появлялись поодиночке то тут, то там. Потом Алисе стали попадаться десятки и сотни. В конце концов солдаты повалили целыми толпами. Алиса поскорее спряталась за дерево, чтобы как-нибудь случайно не попасть им под ноги.

За всю свою жизнь она не видела солдат, которые с таким трудом держались бы на ногах.

То и дело они спотыкались и шлепались на землю. Стоило упасть одному, и на него наваливались все, кто шел следом. Очень скоро на каждой поляне лежали штабеля солдат.

Тут появилась конница. Лошадям было немножко легче: ведь у каждой лошади ног в два раза больше, но даже они то и дело спотыкались. При этом всадники моментально вылетали из седла.

Получилась ужасная свалка, и Алиса облегченно вздохнула, когда, наконец, выбралась на опушку. Тут она увидела Белого Короля. Он сидел на кочке и что-то прилежно заносил в свою записную книжку.

— Я послал всю мою рать! — хвастливо закричал Король, увидев Алису. — Моих отважных парней! Они тебе не попадались по дороге?

— Еще бы, — сказала Алиса, — в Лесу их несколько тысяч.

— Точнее, четыре тысячи двести семнадцать, — поправил Король, заглянув в записную книжку. — Правда, я не смог послать всю мою конницу, потому что два Коня нужны в сегодняшней партии. Кроме того, пришлось оставить при себе двух Посыльных. Они сейчас в городе. Кстати, посмотри, может, ты кого-нибудь разглядишь, они должны появиться с той стороны.

— Нет, никого, — ответила Алиса.

— Мне бы твое зрение! — печально сказал король. — Подумать только, суметь увидеть Никого! И на таком огромном расстоянии! В это время дня я могу разглядеть только близких знакомых, и то с некоторым трудом.

Но Алиса его не слушала, потому что по-прежнему внимательно смотрела на дорогу.

— Кто-то бежит! — неожиданно закричала она. — Но только очень медленно... и потом, он как-то странно себя ведет!

(Посыльный, а это был именно он, все время подскакивал, кланялся, извивался, растопыривал руки и размахивал ими как веером.)

— Вовсе не странно, — сказал Король. — Он Иностранный Посыльный... а это у него такие Иностранные Манеры. Он придерживается Иностранных Манер и Зарубежных Обычаев, только когда ему позволяет здоровье. А зовут его Заитц.

— Я знаю одного мальчика на букву «З»,— сразу же начала Алиса играть в свою любимую игру,— я люблю его, потому что он Здоров, я ненавижу его, потому что он Зануда, я дам ему на обед Землянику и... и... и... Замазку. Его зовут Заитц, и он живет...

— Он живет в Замке,— сказал простодушный Король и не подозревая, что тоже включился в игру (Алиса в это время пыталась вспомнить город на «З»).— Второго Посыльного зовут Шлямпник. Мне приходится держать сразу двоих Посыльных: одного для Присылания и другого для Посылания.

— Что-что? — переспросила Алиса.

— Что «что-что»? — не понял Король.

— Я просто переспросила,— сказала Алиса.— Я не понимаю, почему один нужен для Присылания, а другой — для Посылания.

— Я ведь тебе уже объяснил,— раздраженно повторил Король.— У меня на службе сразу двое Посыльных: один — для Приносительства, а другой — для Уносительства.

Тут подоспел Посыльный для Приносительства: он никак не мог отдышаться и, вместо того чтобы что-нибудь сказать, размахивал руками и строил испуганному Королю страшные рожи.

— Эта девочка любит одного мальчика на «З». По-видимому, вас,— сказал Король, пытаясь отвлечь внимание Посыльного от своей персоны и прячась за Алису.

Но все было напрасно: Иностранные Манеры и Зарубежные Обычаи час от часу становились все загадочнее: Посыльный дергался и закатывал круглые глаза на лоб.

— Не смейте меня пугать! — крикнул Король.— Я сейчас упаду в обморок!.. Дайте мне земляники!

К величайшему удивлению Алисы, Посыльный залез в мешок, висевший у него на шее, и вытащил оттуда горсть земляники, которую Король немедленно проглотил.

— Еще! — пробормотал Король.

— Земляники больше нет, осталась одна замазка,— ответил Посыльный, опять заглянув в мешок.

— Ну, давайте замазку,— слабеющим голосом проговорил Король.

Алиса обрадовалась, увидев, что он понемногу приходит в себя.

— В случае обморока ничто не сравнится с замаз-кой,— сообщил Король, кончив жевать.

— По-моему, вода или нашатырный спирт полез-нее,— рассудительно заметила Алиса.

— А я и не говорю, что нет ничего полезнее замаз-ки,— ответил Король.— Я сказал, что ничто не может с ней сравниться.

С этим Алиса спорить не стала.

— Вы кого-нибудь повстречали по дороге? — спросил Посыльного Король, протягивая руку за добавкой.

— Никого,— сказал Посыльный.

— Совершенно верно,— сказал Король.— Эта девочка тоже его видела. Таким образом, вы ходите быстрее, чем Никто.

— Я стараюсь,— угрюмо ответил Посыльный.— Меня никто не может обогнать.

— Да, Никто не может вас обогнать,— согласился Король,— иначе он бы пришел сюда первым. Ну ладно, теперь вы отдышались и можете рассказать нам, что слышно в городе.

— Я скажу вам на ухо,— заявил Посыльный и приставил руки рупором к самому уху Короля.

Алиса страшно огорчилась, потому что тоже рассчитывала услышать новости. Впрочем, шептать Посыльный не стал. Наоборот, он изо всех сил заревел прямо в ухо Королю:

— Они принялись за ста-а-а-арое!

— По-вашему, это называется «сказать на ухо»?! — завопил несчастный Король, вскакивая и дрожа всем телом.— Если вы еще раз выкинете такой номер, я сделаю из вас в-ва... в-ва... в-ватрушку! У меня и так все время была мигрень, а теперь — самое настоящее землетрясение в голове!!!

«Наверное, это очень крошечное Землетрясение»,— подумала Алиса.

— А кто принялся за старое? — рискнула она спросить.

— Само собой, Лев и Единорог,— сказал Король.

— Они что, дерутся из-за короны?

— Разумеется,— ответил Король,— но смешнее всего то, что они дерутся из-за моей короны! Пошли на них поглядим!

И они побежали в сторону города. По дороге Алиса все время повторяла слова одной старой песенки:

Лев
И один Единорог
Дрались из-за короны.
Сломав Единорогу рог,
Лев отлупил его — как мог.
Им дали яблочный пирог,
Лапшу и макароны.
Раздался шум из-за дверей,
Забарабанил кто-то,
И перетрусивших зверей
Прогнали
За ворота!

А тот... кто... победит... получит корону? — еле выговорила Алиса — так она запыхалась.

— Ну что ты, дитя мое, — ответил Король. — Что за странная мысль!

Пробежав еще немного, Алиса пробормотала:

— Будьте... так добры... подождите... минуту.... давайте... передохнем!..

— Я действительно добр, — сказал Король, — но не самонадеян. Я не могу ждать минуту: она наверняка нас обогнала. Минуты, знаешь ли, необычайно проворны, совсем как Сплетнистые Змеи!

Алиса была не в силах ему отвечать, поэтому дальше они бежали молча, пока не увидели огромную толпу, в самой середине которой дрались Лев и Единорог. Их закрывало облако пыли, и сперва Алиса никак не могла понять, кто где; но потом она узнала Единорога: ведь на носу у него рос длинный-предлинный Рог.

Они оказались неподалеку от Шлямпника (второго Посыльного), который следил за схваткой, держа в одной руке чашку чая, а в другой — бутерброд.

— Его недавно выпустили из тюрьмы, — шепнул Алисе Заитц. — А перед тем как его посадили, у него не хватило времени допить чай. Ну, а в тюрьме, известное дело, его кормили одними мельхиоровыми подстаканниками. Вот он и проголодался. Как дела, Малыш? — ласково спросил он, хлопая Шлямпника по плечу.

Шлямпник мотнул головой, после чего вернулся к бутерброду.

— Как тебе жилось в тюрьме, Малыш? — спросил Заитц.

Шлямпник опять мотнул головой, и на этот раз одинокая слеза блеснула на его щеке. Но он не сказал ни единого слова.

— Ну скажи что-нибудь! — потребовал Заитц.

Но Шлямпник отхлебнул чаю, сжевал новый кусок бутерброда и промолчал.

— Да заговорит он или нет! — заорал Король. — Скажи хотя бы, как они дерутся?!

Шлямпник сделал безнадежную попытку заговорить и проглотил гигантский кусок бутерброда.

— Они дерутся о-очень хорошо, — ответил он, спотыкаясь и заикаясь, — про-осто замечательно дерутся. Оба получили по шее примерно во-осемьдесят семь раз.

— Им, наверно, пора дать лапшу и макароны, — осторожно заметила Алиса.

— Лапша уже готова, — сказал Шлямпник. — И макароны тоже. Я их только что попро-обовал.

Как раз в это время драка кончилась, и Лев и Единорог, отдуваясь, уселись на землю.

— Объявляется десятиминутный перерыв на полдник! — прокричал Король.

Заитц со Шлямпником принялись за работу: они разносили подносы с лапшой и макаронами. Алиса взяла немножко лапши, но она была совершенно холодная.

— На сегодня достаточно, — сказал Король Шлямпнику. — Сбегай и скажи, что пора барабанить.

Шлямпник поклонился и убежал, подскакивая на ходу, как кузнечик.

Некоторое время Алиса внимательно смотрела ему вслед. Внезапно она радостно улыбнулась.

— Смотрите! Смотрите! — закричала она. — Вон бежит Белая Королева! Она вылетела во-о-он из того Леса... До чего же быстро бегают эти королевы!

— Должно быть, ее преследуют враги, — невозмутимо ответил Король. — Их в этом Лесу как собак нерезаных.

— Наверно, ее нужно спасти! — воскликнула Алиса, удивленная его спокойствием.

— Не стоит, дитя мое, право, не стоит, — сказал Король. — Она страшно быстро бегает. Королеву труднее поймать, чем Сплетнистую Змею. Но если хочешь, я могу записать о ней что-нибудь приятное в записную книжку... Королева обворожительна! — добавил он нежно и взялся за карандаш. — Кстати, ты не помнишь, *абваражительна* пишется через четыре «А» или через три?

В это время к ним вразвалочку подошел Единорог; лапы он засунул в карманы.

— Он у меня своих не узнает! — сказал он вскользь Королю и огляделся по сторонам.

— Ну куда ему, как же, еще бы, — довольно тревожно ответил Король. — Но, по-моему, вам все-таки не следовало протыкать Льва рогом насквозь.

— Ему нисколечко не больно,— беззаботно заявил Единорог и двинулся было дальше, но тут его взгляд упал на Алису. Он уставился на нее, всем своим видом выражая величайшее отвращение.

— Это чего же такое? — спросил он наконец.

— Это девочка! — охотно ответил Заитц, подошел к Алисе и представил ее Единорогу (расставив руки в стороны, как того требуют Иностранные Манеры).— Я ее как раз сегодня нашел. И доставил сюда в лучшем виде!

— Подумать только! А я-то был уверен, что девочки — это сказочные чудища,— сказал Единорог.— Кстати, оно живое?

— Оно умеет говорить! — торжественно ответил Заитц.

Единорог двусмысленно посмотрел на Алису и потребовал:

— Скажи что-нибудь!

Алиса невольно улыбнулась:

— Знаете, я всегда считала, что единороги — это тоже сказочные чудища! И никогда в жизни я не видела живого Единорога.

— Ну, вот мы и свиделись! — сказал Единорог.— Если ты поверишь в меня, я, так и быть, поверю в тебя. Идет?

— Конечно, идет, если вам так больше нравится,— сказала Алиса.

— Слетай-ка за пирогом, старик! — обратился Единорог к Королю.— У меня от твоих макарон оскомина!

— Разумеется... разумеется...— пробормотал Король и подозвал Заитца.— Тащи сюда мешок,— сказал он шепотом.— Да нет, не этот... в этом замазка!

Заитц вынул из мешка здоровенный яблочный пирог и дал его подержать Алисе, а сам достал из того же мешка блюдо, тарелки и ножи. Как они все там уместились, Алиса не поняла: мешок был такой маленький, а Заитц, как фокусник, вынимал из него все новые и новые тарелки.

В это время к ним подошел Лев: глаза у него все время закрывались — такой он был сонный и измученный.

— Что это такое? — спросил он гулким басом, глядя прямо на Алису.

— А самому слабо́ догадаться? — ехидно крикнул Единорог.— Куда тебе! Даже я не сразу понял, что это такое.

Лев равнодушно посмотрел на Алису:

— Может, животное... Может, растение... А может, просто камень... на дороге валяется...— сказал он, зевая на каждом слове.

— Сперва займемся пирогом,
а потом — короной, —
заявил Единорог...

— Это сказочное чудище! — высказался Единорог, помешав Алисе самой ответить.

— Ну, тогда раздавай нам пирог, Чудище, — сказал Лев, ложась на землю и укладывая голову на передние лапы. — И вы тоже... садитесь, — обратился он к Королю и Единорогу. — Займемся пирогом!

Судя по всему, Королю было боязно сидеть между двумя огромными зверями, но сесть больше было некуда.

— Сперва займемся пирогом, а потом — короной, — заявил Единорог, лукаво взирая на корону, которая, лишь только прозвучали эти слова, чуть не слетела с королевской головы — так эта голова задрожала.

— Ты у меня свету невзвидишь, — лениво сказал Лев.

— Еще как взвижу! — ответил Единорог.

— Щенок, я гнался за тобой через весь город и в конце концов сломал твой рог, — злобно возразил Лев, привстав со своего места.

Тут вмешался Король, который попытался предотвратить ссору; он был очень встревожен и заикался от волнения.

— Через весь город? — спросил он. — Порядочное расстояние. Скажите, вы гнали его через Старый Мост или через Рыночную Площадь? Дело в том, что со Старого Моста открывается великолепный вид!

— Не помню я, как я его гнал, — проворчал Лев, укладываясь на место. — Там было страшно пыльно. Ну сколько можно возиться с пирогом, а, Чудище?

Алиса сидела на берегу ручейка и держала блюдо с пирогом на коленях. Она изо всех сил пилила пирог ножом.

— У меня ничего не выходит! — сказала она в ответ (к тому, что ее называют Чудищем, Алиса уже привыкла.) — Я отрезала несколько кусков, но они опять срослись.

— Ты не умеешь обращаться с Зазеркальными Пирогами, — заметил Единорог Алисе. — Сперва раздай нам по куску, а уж потом нарежь пирог.

Предложение было совершенно нелепым, но Алиса послушно встала и обошла всех с блюдом в руках, причем пирог сам разрезался на три части.

— А теперь отрежь нам по кусочку, — сказал Лев, едва Алиса вернулась на свое место с пустым блюдом.

— Это нечестно! — завопил Единорог, когда Алиса присела перед пирогом с ножом в руках, не зная, как к нему подступиться. — Чудище дало Льву в два раза больше, чем мне!

— Зато ей самой ничего не досталось, — сказал Лев. — Ты ведь любишь яблочные пироги, Чудище?

Но прежде чем Алиса успела ответить Льву, раздался барабанный бой.

Алиса никак не могла сообразить, кто же это барабанит: в воздухе гремело бум-бум-бум, слева и справа доносилось бом-бом-бом, у Алисы в голове звучало бам-бам-бам, так что она чуть не оглохла. Она вскочила и перепрыгнула через ручеек.

. . . .

Она еще успела увидеть, как встали Лев и Единорог, как грозно они друг на друга посмотрели, прежде чем зажмурила глаза и крепко заткнула уши, пытаясь отделаться от этого ужасного грома, треска и грохота.

«Ну, — подумала Алиса, — если Лев и Единорог не испугались такого барабанного боя, то я вообще себе не представляю, как их выгнать из города!»

Глава восьмая

«Это я сам додумался!»

Шум понемногу утих, и в конце концов наступила мертвая тишина. Алиса с тревогой подняла голову. Вокруг не было ни души, и ей почудилось, что Лев, Единорог и чудаковатые Иностранные Посыльные ей попросту примерещились. Правда, у ее ног по-прежнему лежало огромное блюдо, то самое, на котором она пыталась разрезать яблочный пирог. «Значит, все это было на самом деле,— подумала Алиса.— Но, может быть... может быть, все мы кому-то снимся?! Хорошо еще, если мне. А если Черному Королю?»

— Ужасно не хочется быть частью чужого сна,— довольно жалобно проговорила Алиса.— Надо бы все-таки пойти разбудить Короля и посмотреть, что из этого выйдет!

Но в эту минуту ее размышления были прерваны громким криком: «Эгегей! Огогой! Шах!» — и она увидела, что прямо на нее несется Рыцарь — на Черном Коне и сам весь в черном. Рыцарь бешено размахивал мечом. Прямо перед носом у Алисы Конь остановился, и, прокричав «Я взял тебя в плен!», Рыцарь кувырнулся с седла прямо на землю.

Как ни была напугана Алиса, в этот момент она сильнее всего испугалась за Рыцаря и с беспокойством смотрела, как он забирается обратно в седло. Стоило Рыцарю устроиться в седле, как он снова начал:

— Я взял тебя в пле...

Но тут кто-то заулюлюкал: «Огогой! Эгегей! Шах!» — и Алиса оглянулась, пытаясь понять, с какой стороны надвигается новая опасность.

Оказалось, что кричал Рыцарь на Белом Коне. Он подскакал к Алисе и кувырнулся с седла в точности так же, как и Черный Рыцарь. Затем он залез обратно в седло, и некоторое время оба Рыцаря — молча и не мигая — глядели друг на друга. Алиса смотрела на них с изумлением.

— Она моя пленница, коллега,— сказал наконец Черный Рыцарь.

— Может, и твоя,— ответил Белый Рыцарь.— Зато я прискакал и ее спас.

— Раз так, сразимся за нее! — сказал Черный Рыцарь и надел шлем (до этого шлем болтался у седла; он был слегка похож на коровью голову).

— Надеюсь, вы соблюдаете Кодекс Чести? — осведомился Белый Рыцарь, также надевая шлем.

— Соблюдал, соблюдаю и буду соблюдать,— ответил Черный Рыцарь Белому, и они принялись наскакивать друг на друга с таким азартом, что Алиса укрылась за деревом, чтобы ненароком не попасть под удар.

«Интересно, что же это за Кодекс Чести? — подумала она, наблюдая за сражением из-за дерева. — Первое Правило, видимо, заключается в том, что если один Рыцарь стукнет другого мечом, то тот, кого стукнули, вылетает из седла. Если же Рыцарь промахнется, то вылетает из седла сам... Второе Правило такое: меч полагается держать обеими руками — как сачок... До чего же жутко они гремят, когда падают! Как будто не Рыцарь упал, а пустое ведро! И до чего же у них смирные Кони: позволяют на себя влезать, падать и снова влезать, как будто они не Кони, а табуретки!»

Наконец, Третье Правило Кодекса Чести, на которое Алиса не обратила внимания, заключалось в том, что уж если Рыцарь вылетал из седла, то о землю он ударялся обязательно головой. Сражение кончилось тем, что оба Рыцаря упали одновременно, и некоторое время из земли рядышком торчали две пары ног. Придя в обычное положение, Рыцари пожали друг другу руки, после чего Черный Рыцарь сел в седло и ускакал.

— Не правда ли, убедительная победа? — отдуваясь, спросил Белый Рыцарь.

— Не знаю, — с сомнением в голосе ответила Алиса. — Я не хочу быть ничьей пленницей. Я хочу быть Королевой.

— А вы и станете Королевой, когда перейдете через следующий ручей, — сказал Рыцарь. — Я провожу вас до опушки... А потом вернусь обратно. На этом кончится мой ход.

— Большое вам спасибо, — поблагодарила Алиса. — Позвольте, я помогу вам снять шлем.

Судя по всему, самому Рыцарю это было не под силу. В конце концов Алиса все-таки вытряхнула его из шлема.

— Уф, теперь можно и отдышаться, — сказал Рыцарь и, выпятив губу, сдул свои длинные волосы со лба, после чего обернулся к Алисе и посмотрел на нее большими близорукими глазами. Тут Алисе пришло в голову, что никогда раньше такого Рыцаря она не видала.

На Рыцаре были жестяные латы (которые явно были ему велики), а за плечом у него вверх тормашками висела какая-то непонятная корзина с болтающейся крышкой. На эту корзину и уставилась Алиса.

— Я вижу, вы любуетесь моей корзиночкой, — дружелюбно сказал Рыцарь. — Я держу в ней бутерброды и галстуки. Видите, она висит вверх ногами для того, чтобы вещи не вымокли под дождем. Это я сам додумался!

— Да там нечему мокнуть! — ласково заметила Алиса. — Ведь крышка открыта и все давным-давно попадало на землю!

— Вот как? Об этом я не подумал, — пробормотал Рыцарь и покраснел от обиды. — Корзинка, выходит, пустая. А пустая она мне не нужна...

Сказав это, он отвязал корзину и уже было собрался зашвырнуть ее в кусты, как вдруг его осенила внезапная мысль, и он аккуратно повесил корзину на ветку.

— Дошло, зачем я это сделал? — спросил он у Алисы.

Алиса недоуменно пожала плечами.

— Весь расчет на пчел, которые устроят в моей корзинке жилье... Тогда у меня всегда будет свежий мед.

— Да, но ведь у вас к седлу привязан настоящий улей... или, во всяком случае, что-то ужасно на него похожее... — сказала Алиса.

— Н-да. Это отличный улей, — недовольно ответил Рыцарь. — Первоклассный улей. Но до этой минуты в него не залетела ни одна пчела. Кстати, рядом с ним висит мышеловка. Не знаю, то ли мыши отпугивают пчел, то ли пчелы — мышей, но ни те, ни другие мне пока не попадались.

— Не понимаю, зачем вам мышеловка, — сказала Алиса. — Вряд ли мыши начнут разгуливать по лошади.

— Согласен, вряд ли, — ответил Рыцарь. — Но все же, если им взбредет в голову сунуть сюда нос, они тут же попадутся в мышеловку... Видите ли, — продолжал он, немного подумав, — нужно быть готовым ко всему. Между прочим, именно из этих соображений я надел на Коня проволочный намордник.

— Зачем? — воскликнула Алиса вне себя от любопытства.

— Чтобы предохранить его от укусов Злобных Акул, — объяснил Рыцарь. — Это я сам додумался. А теперь помогите мне, пожалуйста, забраться в седло. Я провожу вас до опушки... А что это у вас за блюдо?

— Оно из-под яблочного пирога, — сказала Алиса.

— Пожалуй, лучше прихватить его с собой, — заметил Рыцарь. — Оно может пригодиться, если мы где-нибудь по пути случайно отыщем яблочный пирог. Давайте я его засуну в мешок.

Как Алиса ни старалась, это заняло много времени, потому что Рыцарь был ужасный растяпа и никак не мог засунуть блюдо как следует: первая попытка кончилась тем, что в мешок попал он сам, а блюдо осталось снаружи.

— Опасное предприятие,— сказал он, когда блюдо наконец было водворено на место.— Опасное предприятие — очутиться в одном мешке с шилом.

Тут Рыцарь повесил мешок у седла, рядом с пучками редиски, утюгами, тапочками и прочими разностями.

— Советую вам заплести косичку,— сказал он Алисе, когда все было готово.

— Зачем? — улыбаясь, спросила Алиса.

— Дело в том,— ответил Рыцарь взволнованно,— что в пути у вас могут растрепаться волосы. В этих местах, случается, дует довольно свежий ветер. Свежий, как эта редиска.

— Наверно, у вас есть какой-нибудь план, как сделать, чтобы волосы не растрепались? — спросила Алиса.

— Пока у меня такого плана нет,— признался Рыцарь.— Но зато у меня есть хитрый план, как сделать, чтоб волосы не выпадали.

— Пожалуйста, объясните, в чем же он заключается.

— Пожалуйста,— сказал Рыцарь.— Берется длинная палка. Эта палка ставится на голову. Затем на палку навиваются волосы наподобие плюща. Волосы выпадают потому, что они свисают вниз! Вверх ничего упать не может! Это я сам додумался. Если хотите, можете попробовать.

Алисе показалось, что это не самый удобный план, и несколько минут она шла молча, обдумывая странную мысль Белого Рыцаря и время от времени останавливаясь, чтобы помочь ему,— бедняга Рыцарь оказался неважным наездником.

Стоило Коню остановится (а случалось это довольно часто), и Белый Рыцарь перелетал через его голову. Стоило Коню тронуться (а случалось это довольно неожиданно), и Белый Рыцарь перелетал через хвост. Все остальное время он довольно уверенно держался в седле, хотя изредка падал набок. Поскольку он всегда выбирал тот бок, с которого шла Алиса, она вскоре догадалась, что спокойнее всего держаться подальше и от Коня и от всадника.

— Вам, видимо, не хватает опыта,— рискнула она заметить, подсаживая Рыцаря на лошадь, после того как он сверзился с нее в шестой раз.

Рыцарь слегка обиделся и страшно удивился.

— С чего вы взяли, что мне не хватает опыта? — спросил он, вскарабкиваясь на Коня и одной рукой вцепляясь Алисе в волосы, чтобы как-нибудь случайно не перевалиться на другую сторону.

— Если бы у вас был опыт, вы бы реже падали.

— У меня Огромный Опыт! — важно ответил Рыцарь.— Колоссальный Опыт!

Алиса не придумала ничего лучше, как сказать: «Вон оно что!» — но постаралась, чтобы эти слова прозвучали помягче. Они молча двинулись дальше. Рыцарь ехал, закрыв глаза, и что-то нашептывал себе под нос, а Алиса шла рядом, с тревогой ожидая, когда же он упадет в следующий раз.

— Высшая Школа Верховой Езды! — неожиданно вскричал Рыцарь, плавно помахивая рукой. — Высшая Школа Верховой Езды учит нас всегда сохранять... — Эта фраза закончилась так же внезапно, как и началась, потому что Рыцарь упал и зарылся головой в землю прямо перед носом у Алисы. На этот раз она не на шутку испугалась и тревожно спросила, поднимая Рыцаря:

— Надеюсь, кости у вас целы?

— Пустяки, — ответил Рыцарь таким тоном, как будто два-три сломанных ребра для него ничего не значат, — пустяки. Высшая Школа Верховой Езды, как я уже заметил, учит нас всегда сохранять равновесие. Вот так, смотрите!

Он отпустил уздечку и раскинул руки, чтобы показать Алисе, о чем идет речь. На этот раз он упал на спину и подгадал как раз под копыта собственному Коню.

— Огромный Опыт! — повторял он все то время, пока Алиса ставила его на ноги. — Огромный, Значительный Опыт!

— Как вам не стыдно! — не выдержала Алиса. — Вам не на настоящей лошади ездить, а на деревянной!

— А что, деревянные лошадки не слишком резвые? — заинтересовался Рыцарь, хватаясь за шею Коня очень вовремя, потому что иначе опять вылетел бы из седла.

— Не слишком, не слишком. Они много спокойнее настоящих лошадей, — ответила Алиса (и как ни старалась, не смогла скрыть улыбку).

— Я себе одну такую заведу, на пробу, — задумчиво сказал Рыцарь. — Или даже парочку. Одним словом, штук пятнадцать.

Опять наступило молчание, которое прервал Рыцарь:

— Я до чего хотите могу додуматься. Я полагаю, вы помните, что, когда вы в последний раз меня поднимали, у меня был довольно задумчивый вид.

— Да, действительно! — согласилась Алиса.

— Понимаете, я как раз придумывал Новый Способ Перелезания Через Заборы. Хотите, расскажу?

— Конечно, очень хочу, — вежливо ответила Алиса.

— Я изложу вам ход моей мысли, — сказал Рыцарь. — Понимаете, я сказал себе: «Самое трудное — ноги.

Голова и так уже достаточно высоко». Итак, мы кладем голову на кромку забора! Напоминаю: голова уже на достаточной высоте! После этого... встаем на голову!!! Теперь ноги тоже выше забора!!! И дело в шляпе!

— Да, вы правы, дело в шляпе,— сказала Алиса, задумчиво глядя на шлем Белого Рыцаря.— А вам не кажется, что это довольно сложный способ?

— Я пока не пробовал,— серьезно ответил Рыцарь.— Поэтому не могу ответить наверняка. Но боюсь, что он действительно сложноват.

Рыцарь ужасно огорчился. Алиса опять взглянула на шлем.

— Какой у вас удивительный шлем! — сказала она весело.— Это вы тоже сами додумались?

Рыцарь горделиво поглядел на шлем, притороченный к седлу.

— Да,— ответил он.— Но я додумался до другого шлема, похлестче этого. Он имеет форму телескопа. В те времена, когда я его нáшивал, стоило мне упасть с коня, и шлем первым делом утыкался в землю. Так что сам я почти и не падал... Правда, опасность заключалась в том, что я иногда в него проваливался; однажды так и вышло... Но самое ужасное было то, что в этот момент подъехал другой белый рыцарь и решил, что это его шлем, и нахлобучил его на голову... вместе со мной!

Когда Рыцарь об этом рассказывал, у него сделалось такое лицо, что Алиса не смела улыбнуться.

— Бедняжка,— сказала она.— Ему, наверно, было нелегко носить вас на голове.

— Разумеется,— подтвердил Рыцарь.— Я отдавил ему всю макушку. И только тогда он догадался, что внутри кто-то есть. Но прошли месяцы, прежде чем меня оттуда выскребли. Пока меня выскребали, настроение у меня было кислое, как клюква.

— Настроение не может быть кислым, как клюква,— возразила Алиса.

Рыцарь покачал головой.

— Да, оно было еще кислее. Честное слово! — воскликнул он и с воодушевлением взмахнул рукой, после чего немедленно выпал из седла и угодил головой в канаву.

Алиса бросилась к нему: Рыцарь опять ее напугал, потому что довольно долго из канавы торчали одни его ноги, и она решила, что на этот раз он здорово стукнулся. Впрочем, несмотря на то что Алиса видела только его пятки, она быстро успокоилась, потому что из канавы до нее донесся спокойный голос Рыцаря.

— ...Еще кислее,— повторил голос.— Но с его стороны было бесстыдством хватать чужие шлемы... да еще когда кто-то сидит внутри.

— Удивительно, как это у вас получается — так спокойно разговаривать, стоя вверх ногами,— сказала Алиса, вытащила Рыцаря и уложила его у самого края канавы.

Это замечание поразило Рыцаря.

— Какая разница, где у меня голова, а где ноги? — спросил он.— Голова-то все равно работает точно так же. Больше того, когда стоишь вверх ногами, в голову приходят выдающиеся мысли... Самая моя гениальная мысль,— добавил он, помолчав минуту,— касалась Рецепта Нового Пирога. Эта мысль у меня родилась за супом.

— И Пирог успели приготовить, пока вы ели второе? — спросила Алиса.— Как здорово! Я бы ни за что не управилась...

— Нет. Не пока я ел второе,— задумчиво сказал Рыцарь.— В тот день я не ел второго.

— Так, значит, вам испекли Пирог назавтра? А в тот день вы ели какой-то другой Пирог?

— Назавтра? Нет,— ответил Рыцарь.— Не назавтра. По правде говоря,— добавил он, опустив глаза и переходя на шепот,— по правде говоря, его вообще не испекли. По правде говоря, его вообще никогда не испекут. А Пирог был бы замечательный. Это я сам до него додумался.

— А какая у него должна была быть начинка? — спросила Алиса, пытаясь приободрить Рыцаря; но у бедняги был уже совсем понурый вид.

— Начинка? — простонал Рыцарь.— Начинка из промокашки.

— Наверно, это не очень вкусно...

— Да, не очень, если промокашка — одна,— живо ответил Рыцарь,— но если ее много и если ее сдобрить клеем и фиолетовыми чернилами, вы представить себе не можете, как меняется вкус! Ну, тут мы с вами расстанемся.

Они как раз вышли к опушке. У Алисы был озадаченный вид: она все еще размышляла о Промокашечном Пироге.

— Что-то вы загрустили,— забеспокоился Рыцарь.— Знаете, я вам спою песню — и вам сразу полегчает.

— А она длинная? — спросила Алиса, которая уже не могла спокойно слышать ни о песнях, ни о стихах.

— Очень! — ответил Рыцарь.— Очень длинная, но очень, очень и очень жалостная. Кто ее ни услышит, тот или зарыдает, или...

*Впрочем, несмотря на то, что Алиса
видела только его пятки,
она быстро успокоилась...*

— Или что? — спросила Алиса, потому что Рыцарь внезапно замолчал.

— ...или не зарыдает. А название этой песни... Оно называется *«Нельзя ли павиана...»*.

— Вот как? Неужто так называется песня? — спросила Алиса, делая вид, что ее это заинтересовало.

— Да нет! Вы не понимаете! — раздраженно ответил Рыцарь. — Это ее название так называется. А сама она называется *«Однажды лысому ежу...»*

— Ага. Значит, я должна была сказать: «Это и есть название песни?» — исправилась Алиса.

— Да нет же! Это она так называется. А название песни — *«За дикого кота»*. Но это только название.

— Так какая же это песня? — спросила совершенно ошарашенная Алиса.

— К этому я и перехожу, — сказал Рыцарь. — Это песня — *«Старик, упавший с каланчи»*. Слова и музыка — мои. Я до них сам додумался.

Сказав это, он бросил поводья и слез с Коня. Пение явно доставляло ему удовольствие. Медленно отбивая такт правой рукой, с бледной улыбкой на своей круглой физиономии он начал.

Из всех необычайных событий, которые приключились с Алисой в Зазеркалье, это она запомнила яснее всего. И через многие годы в ее памяти сохранилась эта картина, как будто видела она это только вчера: светло-голубые глаза и нелепая улыбка Белого Рыцаря, отблески заходящего солнца на его золотистых волосах, ослепительный блеск доспехов, Конь, мирно щиплющий травку неподалеку, сумрак Леса у нее за спиной, — все это запомнилось Алисе навсегда, пока она стояла себе, прислонясь к дереву и прикрыв щитком глаза, разглядывала эту странную пару — Коня и Рыцаря — и в полусне прислушивалась к печальной мелодии песни.

«Ну нет! До мелодии он *не сам* додумался, — подумала Алиса. — Ведь это «И мой сурок со мною...». Она слушала очень внимательно, но почему-то ей совсем не хотелось плакать.

СТАРИК, УПАВШИЙ С КАЛАНЧИ

Ты эту песенку потом
С друзьями разучи.
 Я был знаком со Стариком,
 Упавшим с каланчи.

Спросил я: «Как и почему
Ты влез на каланчу?»
Похлопал он по моему
По правому плечу
И отвечал печально мне:
«Я занят ловлей мух,
Я продаю их по цене
Полденежки — за двух.
Я продаю их морякам
С пиратских бригантин,
Но иногда съедаю сам:
Ведь я живу один».

Но я в тот день решал вопрос,
Как отрастить усы,
Имея только купорос,
Линейку и весы.
И вот, не слушая его,
Я в бешенстве кричу:
«Зачем и как и отчего
Ты влез на каланчу?» —
«С ковров я остригаю ворс, —
Ответил старикан, —
И делаю из ворса — морс
(Полденежки — стакан!);
Его прозвали *лимонад*, —
Печально молвил он, —
За то, что много лет назад
Я клал в него лимон».

Но я раздумывал о том,
Нельзя ли павиана
Заставить в бубен бить хвостом
И петь под фортепьяно.
И я сказал: «Ответь, старик,
А то поколочу,
С какою целью ты проник
На эту каланчу!»
Он отвечал: «В чужом краю,
Где скалы да пески,
Ищу я рыбью чешую
И косточки трески.
Хочу из этой чешуи
Я сшить себе жилет.
Такой жилет мне не сносить
За девяносто лет!
И вот что я тебе скажу, —
Проговорил старик, —
Недавно лысому ежу
Я подарил парик,
А год назад я откопал
Подсвечник без свечи:
Вот потому-то я упал
С проклятой каланчи!»

Но я раздумывал о том,
Как выкрасить кита,
Чтоб выдавать его потом
За дикого кота.
И я сказал в ответ ему:
«Старик, я не шучу,
Но не пойму я,
Почему
Ты влез на каланчу!!!»

Прошли года, но и теперь,
Измазавшись в клею,
Иль прищемив ногою дверь,
Иль победив в бою,
Я непрерывно слезы лью,
И этих слез ручьи
Напоминают мне о том,
Кто был почтенным стариком,
Со мной согласным целиком,
Всегда болтавшим языком,
Любившим тех, кто с ним знаком
(А также тех, кто незнаком),
Питавшимся одним песком,
Махавшим грозно кулаком,
Глотавшим все одним куском,
Смеявшимся над пустяком,
И лихо ездившим верхом,
И бившим окна молотком,
Ловившим кошек гамаком,
Упавшим с каланчи.

Кончив петь, Рыцарь ухватил Коня за поводья и развернул его в ту сторону, откуда они только что пришли.

— Вам осталось совсем немножко,— сказал он.— Спуститесь к подножию холма, перейдете через ручеек, и вы — Королева. Но сперва проводите меня,— добавил он, как только Алиса с надеждой посмотрела в сторону ручья.— Я вас не задержу. Постойте здесь и помашите мне платком, пока я не скроюсь за поворотом. Это придаст мне бодрости и сил.

— Хорошо,— сказала Алиса.— Большое спасибо, что проводили меня и спели песню. Она мне очень понравилась.

— Надеюсь, что так,— неуверенно ответил Рыцарь.— Но плакали вы меньше, чем я рассчитывал. Надеюсь, что, спев эту песню, я не упал в ваших глазах.

Они пожали друг другу руки, и Рыцарь неторопливо поскакал по направлению к Лесу. «Думаю, он скоро упадет в моих глазах,— подумала Алиса, глядя на удаляющегося Рыцаря.— Ну вот! Прямо головой о землю! Так, обратно вскарабкался без труда... Это потому, что вокруг седла столько всего понавешано...» Так она размышляла, глядя, как Конь неторопливо двинулся дальше, как Рыцарь вновь упал, сперва налево, а потом направо. После четвертого или пятого падения они добрались до поворота, а Алиса помахала им платком и подождала, пока они не скрылись из виду.

«Хорошо, если это прибавило ему бодрости, — подумала она, сбегая вниз с холма. — Остался последний ручеек, и я — Королева! Как это солидно звучит!» Еще несколько шагов, и, крикнув: «Наконец-то Восьмая Клетка!» — она перепрыгнула через ручеек и бросилась на

. . . .

траву, чтобы немножко отдышаться. Трава была мягкая-мягкая, и то тут, то там качались желтые головки одуванчиков. «Наконец-то я здесь! Ой, что это у меня на голове?» — воскликнула она в ужасе и дотронулась до чего-то тяжелого, похожего на обруч.

«Откуда же эта штука взялась — ума не приложу», — подумала Алиса, сняла этот непонятный обруч с головы и положила его на колени, чтобы рассмотреть. Это была золотая корона.

Глава девятая
Королева Алиса

— Вот здорово! — воскликнула Алиса. — Неужто я в самом деле стала королевой?! И вот что я вам скажу, Ваше Величество, — тут же добавила она (ведь Алиса ужасно любила делать себе замечания), — полежали на травке — и хватит. Королевы так никогда не поступают.

Тут Алиса отправилась дальше. Сперва ей было страшновато: а вдруг корона свалится с головы, — но в конце концов она успокоилась. «Все равно пока меня никто не видит, — решила Алиса, снова усевшись на траву, — а если я действительно королева, то, наверно, научусь носить корону как полагается».

В Зазеркалье Алиса настолько привыкла к разным Загадочным Происшествиям, что нисколько не удивилась, когда обнаружила, что рядом с ней сидят Черная и Белая Королевы. Она хотела было спросить, откуда они здесь взялись, но побоялась, что это выйдет не слишком вежливо. «Зато, — подумала она, — ничего страшного не будет, если я спрошу, закончилась ли партия».

— Будьте любезны, скажите, пожалуйста... — начала она, робко поглядывая на Черную Королеву.

— Говори, только если тебя спрашивают, милочка, — холодно заметила Черная Королева.

— Ох, но если бы все так делали, — сказала Алиса, не упуская возможности поспорить, — и если бы вы говорили, только если вас о чем-нибудь спросят, а Все Остальные стали бы дожидаться, пока вы их о чем-нибудь спросите, то все-все сидели бы и молчали. Значит...

— Дичь! — прикрикнула Черная Королева. — Несуразная дичь! Неужели не ясно, что... — Тут она нахмурилась и замолчала. Поразмыслив, она заговорила снова, но уже о совершенно другом: — Так ты осмелилась о себе сказать «Если я настоящая королева»? С какой стати? Пока ты никакая не королева. У тебя есть шансы стать настоящей королевой, если ты сдашь соответствующий экзамен. Кстати, чем раньше ты его сдашь, тем лучше для тебя.

— Но я ведь только сказала «если», — принялась оправдываться Алиса.

Черная Королева, передернув плечами, процедила:

— И это милое дитя еще утверждает, что сказала только «если»!

— Но она сказала намного, намного больше, — простонала Белая Королева, ломая руки. — Уму непостижимо, сколько она тут наговорила. Зачем, зачем ты это сделала, девочка?!

— Настоятельно тебе рекомендую, — сказала Алисе Черная Королева, — а) всегда говорить правду, б) сначала подумать, а потом отвечать, в) все, что сказала, записать в записную книжку.

— Но я и не думала... — начала было Алиса, но Черная Королева мгновенно ее перебила:

— Вот об этом я и твержу! Ты обязана думать! Какой смысл в девчонке, которая несет бессмыслицу? Даже в шутке есть какой-то смысл, а девчонка, насколько мне известно, важнее шутки! Тут ты меня не застанешь врасплюх!

— Я не знаю, что такое «застать врасплюх», — призналась Алиса.

— А разве я сказала, что знаешь? — протянула Черная Королева. — По-моему, я сказала только, что врасплюх ты меня не застанешь! Даже если очень постараешься!

— Бедняжка, так уж у нее голова устроена, — обратилась Белая Королева к Черной. — Ее все время тянет поспорить... а о чем, она сама не знает.

— У нее злобный и угрюмый нрав, — заметила Черная Королева.

Минуту все сидели в оцепенении. Наконец Черная Королева обратилась к Белой:

— Приглашаю вас, Ваше Величество, на Торжественный Обед, который сегодня дает Алиса.

Белая Королева слабо улыбнулась и ответила:

— А я приглашаю вас, Ваше Величество.

— Я и не знала, что даю сегодня Торжественный Обед, — вмешалась Алиса. — Но раз я его даю, то я и должна приглашать гостей.

— Времени, чтобы нас пригласить, у тебя было вполне достаточно! — мрачно заметила Черная Королева. — Впрочем, тебя, судя по всему, не водили на Уроки Сносного Поведения, не говоря уже о Хорошем.

— На уроках учат не Сносному Поведению, а Арифметике, — возразила Алиса.

— Раз так, начнем прямо с нее, — обрадовалась Черная Королева. — Тебе же хуже, моя милая.

— Ты ведь знаешь Сложение? — спросила Белая Королева. — Сколько будет один плюс один плюс один плюс один плюс один плюс один плюс один плюс один плюс один плюс один?

— Ой, я сбилась со счета, — испуганно ответила Алиса.

— Ну-с, с этим все ясно. Сложения она не знает, — заявила Черная Королева. — Но может быть, ее случайно научили вычитанию? Сколько будет, если отнять от семи восемь?

— Не знаю, — начала Алиса, — но зато...

— Нет! Она... не знает Вычитания! — печально сказала

Белая Королева. — Но ведь ты, наверно, знаешь Деление? Правда? Раздели булку ножом — что получится?

— Может быть... — сказала Алиса, но Черная Королева махнула рукой и ответила за нее:

— Разумеется, бутерброд! У тебя еще осталась надежда исправить положение: вот тебе дополнительный пример на Вычитание: что останется, если отнять у собаки кость?

Алиса задумалась:

— Кость не останется, это ясно, я ее отняла... Собака тоже не останется: она побежит за мной, чтобы меня укусить... и уж тогда меня, конечно, тоже не останется!

— Что же, по-твоему, ничего не останется? — спросила Черная Королева.

— Да, наверно...

— Ответ, как всегда, глубоко ошибочный, — сказала Черная Королева, — останется собачье терпение.

— А почему...

— Это э-ле-мен-тар-но! — закатила глаза Черная Королева. — Собака потеряет терпение? Верно?

— Скорее всего... — осторожно ответила Алиса.

— Значит, если собака убежит, терпение останется! — торжествующе воскликнула Королева.

Алиса, стараясь сохранить серьезность, сказала:

— Да, но это... терпение ведь тоже может куда-нибудь убежать, в какую-нибудь другую сторону. И потом, собака может потерять не терпение, а, скажем... скажем, самообладание. Тогда что? — но в то же время подумала: «О чем же это мы говорим?!»

— В Арифметике она ни в зуб ногой, — хором закричали Королевы.

— А вы? — спросила Алиса у Белой Королевы, страшно недовольная тем, что ее все время ловят на ошибках.

Королева тяжело вздохнула и зажмурилась.

— Я немного умею складывать, — сказала она, — конечно, если это нужно не срочно. Но от Вычитания у меня всегда кружится голова...

— Ты знаешь азбуку? — спросила Черная Королева.

— Конечно, — ответила Алиса.

— Я тоже, тоже знаю азбуку, — прошептала ей на ухо Белая Королева. — По вечерам мы будем вместе повторять ее, дорогая. Ты знаешь, у меня есть один секрет, но тебе я скажу: я умею читать слова из одной буквы! Правда, феноменально? Но ты не расстраивайся, я уверена, что с возрастом и ты к этому придешь.

Тут снова заговорила Черная Королева.

— Вот тебе Простой Вопрос из Практической Жизни, — сказала она. — Как делают хлеб?

— Ой, это я знаю! — обрадовалась Алиса. — Сначала выращивают зерно, а потом везут его на мельницу, и там...

— На мыльницу? — поразилась Белая Королева. — Неужели его там мылят?

— Конечно, нет, — объяснила Алиса. — Его там мелют.

— Это ты мелешь чушь, — сказала Черная Королева. — В тебе нет серьезности ни на копейку. Между прочим, — добавила она, — девочке не помешал бы Освежающий Ветерок. Она слишком долго думала, и у нее начался жар.

Тут обе Королевы принялись обмахивать Алису зелеными ветками, пока она не попросила их перестать: Королевы подняли такой ветер, что в ушах свистело.

— Ну-с, она пришла в себя, — сказала Черная Королева. — Продолжим. Ты, вероятно, считаешь, что знаешь Иностранные Языки? Как будет *тру-ля-ля* по-французски?

— Такого слова вообще нет, — ответила Алиса.

— А разве кто-нибудь говорил, что есть? — надменно спросила Черная Королева.

Алиса задумалась. Наконец ей показалось, что она нашла выход из положения.

— Если вы скажете, что значит *тру-ля-ля*, я переведу его на французский! — воскликнула она.

Но Черная Королева поджала губы и ответила:

— Мы, королевы, в сделки не вступаем.

«Если бы еще вы, королевы, не вступали в споры», — подумала Алиса.

— Не будем ссориться, — взволнованно сказала Белая Королева. — Еще один вопрос, дорогая: отчего бывает молния?

— Молния, — решительно ответила Алиса, потому что на этот счет она была вполне уверена, — молния бывает от грома... то есть нет... — тут же исправилась она, — все наоборот!

— Поздно! — сказала Черная Королева. — Поправки не принимаются. Прежде чем болтать языком, следует подумать о Возможных Последствиях.

— Кстати, — вмешалась Белая Королева, мигая и теребя синий платочек, — кстати, в прошлый вторник была ужасная гроза. Я имею в виду один из позавчерашних вторников.

Алиса удивилась.

— У меня дома,— сказала она,— никогда не бывает по нескольку вторников одновременно.

— На твоем месте я бы это скрыла,— ответила Черная Королева,— а не хвасталась на каждом перекрестке. У нас бывает по два-три дня одновременно. А зимой мы приглашаем по пять ночей сразу — чтобы согреться.

— А пять ночей сразу — теплее, чем одна? — осторожно осведомилась Алиса.

— Разумеется, ровно в пять раз теплее.

— Но тогда они и в пять раз холоднее, потому что...

— Совершенно вер-но! — отчеканила Черная Королева.— В пять раз теплее и в пять раз холоднее. А я в пять раз умнее и в пять раз богаче, чем ты!

Алиса вздохнула и смолчала. «Это вроде загадки без отгадки»,— подумала она.

— Кстати, во время грозы я встретила Шалтая-Болтая,— ни на кого не глядя, пробормотала себе под нос Белая Королева.— Он стоял у соседнего дома и держал под мышкой чайник...

— Зачем? — спросила Черная Королева.

— Он сказал, что у него там живет дружок,— проговорила Белая Королева,— один гиппопотам. Но как раз в ту ночь гиппопотама там не было. Он вышел пройтись.

— А когда он там бывает? — спросила Алиса.

— Преимущественно по четвергам,— сказала Королева.

— Я знаю,— сказала Алиса.— Шалтай-Болтай искал вовсе не гиппопотама. Он хотел расправиться с рыбками, которые...

Тут Белая Королева ее перебила:

— Я не могу без трепета вспомнить эту грозу! — прошептала она.

— Ты никак не можешь обойтись без трепета,— с упреком заметила Черная Королева.

— Крыша,— продолжала Белая Королева,— крыша провалилась, а в дыру посыпался гром — вот такими кусищами! Он перебил мне все стулья... и вообще мебель... не говоря уже о диванных валиках... От ужаса я побледнела и... и изменилась до неузнаваемости!

«Как будто в такую грозу,— подумала Алиса,— да еще ночью, вообще кого-нибудь можно узнать!»

Но она промолчала, чтобы не обидеть Белую Королеву.

— Вы уж нас простите, Ваше Величество,— сказала Черная Королева Алисе и заботливо погладила Белую Королеву по растрепанной голове.— Мы все время хотим сделать как лучше, мы стараемся. И не наша вина, что мы все равно, как правило, несем совершеннейшую чушь.

Белая Королева стыдливо глянула на Алису. Алиса почувствовала, что ей обязательно нужно сказать что-нибудь утешительное, но ничего не могла придумать.

— Мы отвратительно воспитаны,— продолжала между тем Черная Королева.— Но все-таки у нас сносный характер. Погладьте нас по головке и посмотрите, как нам будет приятно.

Но этого Алиса не осмелилась сделать.

— Немного ласки... и перманентная завивка... сделают с нами чудеса...

Белая Королева вздохнула и положила голову Алисе на плечо.

— Ба-аиньки...— протянула она.

— Бедняжку сморило! — сказала Черная Королева.— А вы, любезная, причешите ее... заплетите ей косичку... и спойте колыбельную.

— Я не знаю ни одной колыбельной,— ответила Алиса, доставая гребешок.

— Самую трудную работу, как обычно, взваливают на меня,— сказала Черная Королева и завела колыбельную:

> Спи, королева,
> Скорее усни.
> Три Королевы остались одни,
>   Трех Королев приглашают к столу,
>   Трем Королевам — почет на балу.
> Спи, потому что нам скоро пора
> На бал — до рассвета,
> На пир — до утра.

Далее в том же духе,— добавила она и положила голову Алисе на колени.— Теперь спой колыбельную мне. Мне необходимо вздремнуть.

Через минуту обе королевы уже спали и тихонько похрапывали.

— Ну, а мне что делать?! — воскликнула Алиса, недоуменно взирая на спящих дам.— Наверно, никому еще не приходилось баюкать двух королев сразу. Никому! За всю Историю! Потому что нигде ведь не бывает двух королев одновременно... Да проснитесь же вы, сони несчастные! — крикнула она, но в ответ раздался только мерный храп.

Королевы храпели все сильнее, и сквозь храп совершенно отчетливо доносились слова какой-то песенки. Понемногу Алиса стала различать даже отдельные фразы и страшно расстроилась, когда королевы внезапно куда-то исчезли.

Оказалось, что она уже давно стоит перед дверью, над которой большими буквами выведено: «КОРОЛЕВА АЛИСА». К двери были прибиты звонки. Под одним была приколочена табличка: «ДЛЯ ГОСТЕЙ», а под другим — точно такая же с надписью: «ДЛЯ ЖАЛОБ И ПРЕДЛОЖЕНИЙ».

— Подожду, пока кончится песенка,— решила Алиса,— а потом позвоню. Только... только в какой звонок мне звонить? — озадаченно спросила она.— Я, по-моему, не ГОСТЬ, не ЖАЛОБА и не ПРЕДЛОЖЕНИЕ. Я — Королева. Здесь нужен звонок «для королев».

В это время дверь приотворилась, в щель просунулся чей-то зубастый клюв и сказал: «Приема нет. Сколько раз повторять!» — после чего дверь с треском захлопнулась.

Алиса долго стучала и звонила, пока, наконец, очень унылая и дряхлая Лягушка, сидевшая под соседним деревом, не встала и не заковыляла в ее сторону. На Лягушке было платье в горошек и огромные сапоги.

— Чего надо? — спросила она сиплым басом.

Алиса обернулась. Она была готова поругаться с кем угодно.

— Кто здесь отвечает за эту дверь? — строго спросила она.

— Которую дверь? — удивилась Лягушка.

Алиса топнула ногой от злости:

— Конечно, вот эту!

Лягушка пожевала губами, подошла к двери и поковыряла ее лапой, как будто полюбопытствовала, отойдет ли краска. Потом она одурело взглянула на Алису.

— Кто отвечает за эту дверь? — переспросила она.— А зачем отвечать? Разве она чего-нибудь спрашивает?

Лягушка совсем осипла, и Алиса с трудом разобрала, что она сказала.

— Что вы имеете в виду? — для верности спросила Алиса.

— Я вроде ясно сказала,— ответила Лягушка.— Оглохла ты, что ли? Она тебя о чем-нибудь спрашивала?

— Нет,— ответила Алиса.— Я в нее стучала.

— Зря...— прохрипела Лягушка.— Она у нас этого не любит.

Тут Лягушка подскочила к двери и ловко пхнула ее своим сапогом.

— Ты ее не трожь,— посоветовала она, снова направляясь к дереву.— И она тебя... не тронет.

В это время дверь приотворилась,
в щель просунулся чей-то зубастый клюв
и сказал: «Приема нет. Сколько раз повторять!»

В это время дверь распахнулась, и чей-то пронзительный голос запел:

> Нам сказала Алиса: «Скорее ко мне!
>   Будем все пировать в Зазеркальной стране!
> Я теперь буду править волшебной страной!
>   Не хотите! ли! вы! отобедать! со мной?»
>   И сотни голосов подхватили:
> «Так наполним стаканы без лишних хлопот,
>   А кошек и мышек засунем в компот,
> Попробуем пуха, а также пера,
>   И все прокричим трижды тридцать «ура!!!».

Послышались крики и неясный шум аплодисментов. «Трижды тридцать — это девяносто. Интересно, считает там кто-нибудь или нет?» — подумала Алиса. Наступило молчание, и тот же пронзительный голос пропел следующий куплет:

> Нам сказала Алиса: «Прошу вас учесть,
>   Что со мной пообедать — великая честь!
> Потому что я правлю волшебной страной!!
>   Не хотите ли! вы! отобедать со мной?!»

И голоса подхватили:

> «Так налей мне в стакан керосин или клей,
>   А себе ты, дружище, касторки подлей.
> Мы подушку съедим, простыню и матрас,
>   И крикнем «ура!!!» семью семьдесят раз!»

— Семью семьдесят! — в отчаянии повторила Алиса. — Сколько же это будет? Лучше войти сейчас, а то... — Она вошла, и в тот же момент воцарилась мертвая тишина.

Проходя через зал, Алиса беспокойно оглядывала стол. Гостей было штук пятьдесят, и все — самого невероятного вида: там были птицы, рыбы, насекомые и даже цветы.

«Хорошо, что не я их приглашала, — подумала она. — Я бы ни за что не сообразила, кого позвать, а кого нет».

Во главе стола стояли три кресла. В них уже сидели и Черная и Белая Королевы, но кресло в середине пустовало. Алиса уселась в него, хотя ей и было не по себе. Все по-прежнему молчали, и Алиса ждала, когда же кто-нибудь заговорит.

Начала Черная Королева.

— Ты, как всегда, опоздала. Суп они уже навернули, — сказала она. — Подайте жаркое!

Прямо перед Алисой поставили блюдо с Бараньей Ногой. Она с тревогой посмотрела на Ногу, не зная, как с ней обращаться.

— Да не стесняйся! — сказала Черная Королева. — Я сейчас тебя с ней познакомлю. Алиса — Баранья Нога. Баранья Нога — Алиса.

Баранья Нога привстала на блюде и раскланялась. Алиса тоже поклонилась, не зная, испугаться или нет.

— Хотите кусочек? — спросила она у Белой Королевы, взяв нож и вилку.

— Категорически возражаю, — решительно ответила Черная Королева. — Категорически возражаю против Отрезания Кусков от Наших Знакомых. Это бесчеловечно!.. Принесите пудинг!

Баранью Ногу унесли, а на ее место поставили Пудинг.

— Пожалуйста, не знакомьте меня с Пудингом, — прошептала Алиса. — Иначе мы останемся без обеда. Хотите кусочек?

Но Черная Королева быстро пробормотала:

— Пудинг — Алиса. Алиса — Пудинг... Унесите Пудинг! — И Пудинг мгновенно унесли, как раз в тот момент, когда он поклонился Алисе.

«Почему здесь распоряжается Черная Королева?!» — подумала Алиса и закричала:

— Принесите Пудинг назад! Немедленно!

И в тот же миг Пудинг очутился на прежнем месте. Он был огромный, как колесо, и Алиса сперва не знала, как к нему подступиться. Но все-таки она преодолела свою застенчивость, отрезала кусочек и подала его Черной Королеве.

— Хамство какое! — пробасил Пудинг. — А если бы я отрезал от вас кусок, что бы вы сказали?!

Он говорил густым, жирным голосом. Алиса ничего ему не ответила: она смотрела на него с открытым ртом и удивлялась.

— Тебе придется что-нибудь сказать, — заметила Черная Королева. — Неудобно, когда за столом высказывается один Пудинг.

— Вы знаете, мне сегодня прочли ужасно много стихов, — сказала Алиса и струсила, потому что в тот же момент наступила тишина и все уставились на нее. — И вот что, по-моему, странно: все эти стихи были про рыб. Почему здесь все говорят только о рыбах?

В ответ Черная Королева сказала нечто совершенно несуразное.

— Насчет рыб,— медленно и сурово проговорила Королева на ухо Алисе,— насчет рыб тебе лучше обратиться к Ее Белому Величеству. Она припасла для тебя очаровательную загадку... всю в стихах... и всю о рыбах. Я думаю, она нам ее прочтет?

— Как мило, что вы об этом вспомнили,— заворковала Белая Королева.— Это будет упоительно! Можно, я прочту?

— Прочтите, пожалуйста,— попросила Алиса.

Белая Королева игриво улыбнулась и потрепала Алису по щеке, после чего прочла:

> Рыбу ловят в пруду.
> Как известно, для этого опыт особый не нужен.
> Я на рынок пойду
> И, конечно, куплю эту чудную рыбу на ужин.
> Рыбу, я вам скажу,
> Я ни жарить, ни парить, пожалуй, не буду.
> Рыбу я положу
> На огромное и чрезвычайно красивое блюдо.
> Вот зову я слугу...
> Но простите, а вы мне помочь не могли бы?
> Оторвать не могу
> Я проклятую рыбу от блюда, а блюдо от рыбы.
> Пожеланье мое
> Заключается в том, чтобы рыбу призвали к порядку.
> Вы хотите отведать ее?
> Но сначала найдите ответ на загадку.

— Можете подумать, хотя это все равно не поможет,— сказала Черная Королева.— А пока... За здоровье Королевы Алисы! — взвизгнула она не своим голосом.

Тут все гости кинулись пить за здоровье Алисы, хотя и делали это кто как: одни нахлобучили стаканы на головы и слизывали капли, стекавшие у них по носу. Другие опрокинули графины и бутылки и вылизывали скатерть. Наконец, трое гостей, больше всего похожие на носорогов, забрались на блюдо с Бараньей Ногой и стали торопливо угощаться подливкой. «Как поросята»,— подумала Алиса.

— Теперь попытайтесь выразить в краткой речи свою признательность гостям,— процедила Черная Королева.

— Не бойся, мы тебя поддержим,— прошептала Белая Королева.

Алиса послушно встала, хотя и чувствовала себя неловко.

— Спасибо,— шепнула она Белой Королеве,— но меня вовсе не нужно поддерживать.

— Вздор. Иначе ничего не выйдет,— сказала Черная Королева.

Алиса покорилась.

(«Они страшно толкались! — рассказывала она впоследствии о том, как королевы ее поддерживали.— Они сдавили меня с боков, как будто хотели расплющить меня в лепешку».)

Так оно и было: королевы пихались локтями и толкались так, что она чуть не поднялась в воздух.

— В моей краткой речи я хочу поднять вопрос о...— начала было Алиса. Но вместо вопроса она сама поднялась и повисла над столом. Еле-еле успела она уцепиться за скатерть и с трудом вернулась в прежнее положение.

— Берегись! — завопила Белая Королева и обеими руками вцепилась Алисе в волосы.— Берегись! Сейчас начнется!

И тут действительно началось нечто невообразимое. Свечи выросли до потолка и принялись водить хоровод. Тарелки взмахнули ложками и, как воробьи, разлетелись по углам («Как самые настоящие воробьи»,— подумала Алиса, если в такой неразберихе еще можно было о чем-то думать).

В этот момент она услышала хриплый смех где-то поблизости и, оглянувшись, увидела, что вместо Белой Королевы в кресле развалилась Баранья Нога.

— Ку-ку, вот и я! — раздался голос из кастрюли с супом.

Обернувшись, Алиса увидела, что из кастрюли показалась веселая улыбающаяся физиономия Белой Королевы. В тот же миг она бесследно исчезла в супе.

Нельзя было терять ни минуты. Некоторые гости уже лежали на блюдах, а с другого края стола в сторону Алисы направлялся ухмыляющийся Половник и злобно покрикивал:

— Прочь с дороги!

— Довольно! — закричала Алиса и обеими руками потянула за скатерть: достаточно было одного рывка, и блюда, тарелки, гости, подсвечники полетели на пол...

— Ну, а тебя...— сказала она, в гневе обращаясь к Черной Королеве, которая, как она считала, была причиной всего этого безобразия... но Королевы рядом уже не было: она стала маленькой, совсем крошечной и теперь бегала по столу за своей шалью, а шаль волочилась за ней.

Но Алиса была слишком взволнована, чтобы чему-либо удивляться.

— Ну, а тебя,— повторила она, схватив крошечную Королеву в тот самый миг, когда она перепрыгивала через вилку, невесть откуда свалившуюся на стол,— ну, а тебя я возьму за шиворот, как котенка, и буду трясти, трясти, трясти, трясти...

♛♛♛♛♛♛♛♛♛♛♛♛♛♛♛♛♛♛♛♛♛♛♛♛♛♛♛♛♛♛♛♛♛♛♛♛

Глава десятая

Встряска

Сказав это, Алиса действительно схватила королеву за шиворот и принялась ее трясти.

Королева и не думала сопротивляться. Чем сильнее трясла ее Алиса, тем меньше становилась Черная Королева. Она делалась все мягче и мягче... все круглей и круглей... все пушистей и пушистей, пока, наконец, Алиса не увидела, что держит за шиворот...

Глава одиннадцатая

Пробуждение котенка

Глава двенадцатая

Кому все это приснилось

— **М**ОЖЕТ быть, Ваше Величество соизволит мурлыкать потише? — спросила Алиса, протирая глаза и обращаясь к котенку почтительно и чуть-чуть обиженно.— Из-за вас я не досмотрела сон... Ой! Какой это был сон!.. И знаешь, глупый котенок, ведь ты тоже был там... в Зазеркалье. Честное слово!

К сожалению, у котят (как уже давно заметила Алиса) есть дурная манера мурлыкать в ответ на любой вопрос.

— Вот если бы они мурлыкали в знак согласия,— рассуждала Алиса,— а мяукали, когда им что-то не нравится, с ними еще кое-как можно было бы разговаривать. Но чего от них ждать, если они всегда только мурлычут!

В ответ котенок замурлыкал. И кто знает, был он согласен с Алисой или нет.

Среди шахматных фигур Алиса разыскала Черную Королеву и поставила ее перед котенком.

— Ну, признавайся! — закричала она, хлопая в ладоши.— Признавайся: ведь ты был Черной Королевой?!

(«Но котенок,— рассказывала она впоследствии своей сестре,— отвернулся и притворился, что ничего не понимает. И все-таки он был немножко смущен. Поэтому я думаю, что была права».)

— Пожалуйста, будь посерьезней! — засмеялась Алиса.— И почаще делай реверансы, особенно когда думаешь, что... что мяукнуть. Запомни: это экономит массу времени!.. Послушай, Снежок,— обратилась она к белому котенку, которого по-прежнему вылизывала Дина.— Когда же, наконец, Дина отпустит Ваше Белое Величество? Вот, наверно, почему ты был так ужасно растрепан, когда был Белой Королевой... Дина! Ты и не знаешь, что вылизываешь Ее Белое Величество! Как тебе не стыдно! Разве можно так обращаться с Королевами?.. Интересно, а в кого превратилась Дина? — Тут Алиса села на каминный коврик, ведь так намного удобнее разговаривать с котятами.— Ну-ка, Дина, отвечай: ты ведь была Шалтаем-Болтаем? Правда?! Только ты пока не говори об этом знакомым, а то я все-таки не очень уверена. Кстати, Дина, если ты побывала в моем сне, тебе должна была больше всего понравиться еще одна вещь: там все время читали стихи про рыбу! Завтра я устрою тебе настоящий пир: пока ты будешь завтракать, я буду читать тебе «Тюленя и Плотника», и тебе будет казаться, что ты ешь карасей в сметане!..

— А теперь давай решим, кому же все это приснилось,— сказала Алиса черному котенку.— Ты со мной согласен? И нечего все время лизать лапку с таким видом, как будто ты сегодня не умывался. Понимаешь, все это могло присниться или мне, или Черному Королю. Конечно, он был частью моего сна... Но ведь и я была частью его сна! Неужели все это приснилось Черному Королю? Ведь ты, глупый котенок, был его Королевой и должен знать, так это или нет... Ну помоги же мне! И перестань лизать лапку...

Но противный котенок сделал вид, что не слышит, и занялся следующей лапой.

Кому же все это приснилось, как ты считаешь?

КЕННЕТ ГРЭМ
ВЕТЕР В ИВАХ

ВЕТЕР В ИВАХ

КРОТ   ДЯДЮШКА РЭТ   МИСТЕР ТОУД

ДЯДЮШКА БАРСУК

ДЯДЮШКА ВЫДРА   МЫШАТА   ЕЖАТА

ЛАСКИ   ХОРЬКИ

ГОРНОСТАИ

****

1

На речном берегу

КРОТ ни разу не присел за все утро, потому что приводил в порядок свой домик после долгой зимы. Сначала он орудовал щетками и пыльными тряпками. Потом занялся побелкой. Он то влезал на приступку, то карабкался по стремянке, то вспрыгивал на стулья, таская в одной лапе ведро с известкой, а в другой малярную кисть. Наконец пыль совершенно запорошила ему глаза и застряла в горле, белые кляксы покрыли всю его черную шерстку, спина отказалась гнуться, а лапы совсем ослабели.

Весна парила в воздухе и бродила по земле, кружила вокруг него, проникая каким-то образом в его запрятанный в глубине земли домик, заражая его неясным стремлением отправиться куда-то, смутным желанием достичь чего-то, неизвестно чего.

Не стоит удивляться, что Крот вдруг швырнул кисть на пол и сказал:

— Все!

И еще:

— Тьфу ты, пропасть!

И потом:

— Провались она совсем, эта уборка!

И кинулся вон из дома, даже не удосужившись надеть пальто. Что-то там, наверху, звало его и требовало к себе. Он рванулся вверх по крутому узкому туннелю. Туннель заменял ему дорожку, посыпанную гравием и ведущую к главным воротам усадьбы, которая есть у зверей, живущих значительно ближе к воздуху и солнышку, чем Крот.

Он спешил, скреб землю коготками, стремительно карабкался, срывался, снова скреб и рыл своими маленькими лапками, приговаривая:

— Вверх, вверх, и еще, и еще, и еще!

Пока наконец — хоп! — его мордочка не выглянула на свет, а сам он не заметил, как стал радостно кататься по теплой траве большого луга.

— Ух, здорово! — восклицал он. — Здорово! Намного лучше, чем белить потолок и стены!

Солнце охватило жаром его шерстку, легкий ветерок ласково обдул разгоряченный лоб, а после темноты и тишины подземных подвалов, где он провел так много времени, восторженные птичьи трели просто его оглушили.

Крот подпрыгнул сразу на всех четырех лапах в восхищении от того, как хороша жизнь и как хороша весна, если, конечно, пренебречь весенней уборкой. Он устремился через луг и бежал до тех пор, пока не достиг кустов живой изгороди на противоположной стороне луга.

— Стоп! — крикнул ему немолодой кролик, появляясь в просвете между кустами. — Гони шесть пенсов за право прохода по чужой дороге!

Но Крот даже взглядом его не удостоил и, презрительно сдвинув с пути, в нетерпении зашагал дальше, мимоходом поддразнивая всяких других кроликов, которые выглядывали из норок, чтобы узнать, что там случилось.

— Луковый соус! Луковый соус! — бросил им Крот, и это звучало довольно глумливо, потому что кому приятно напоминание, что твою родню подают к столу под луковым соусом!

К тому времени, когда он был уже далеко, кролики придумывали колкость ему в ответ, и начинали ворчать, и упрекать друг друга:

— Какой же ты глупый, что ты ему не сказал...

— А ты сам-то, сам-то чего ж...

— Но ты же мог ему напомнить...

И так далее в этом же роде. Но было уже, конечно, поздно, как это всегда бывает, когда надо быстро и находчиво оборвать насмешника.

...Нет! На свете было так хорошо, что прямо не верилось! Крот деловито топал вдоль живой изгороди то в одну, то в другую сторону. Пересекая рощицу, он видел, как всюду строили свои дома птицы, цветы набирали бутоны, проклёвывались листики. Всё двигалось, радовалось и занималось делом. И вместо того чтобы услышать голос совести, укоряющий: «А побелка?», он чувствовал один только восторг от того, что был единственным праздным бродягой посреди всех этих погружённых в весенние заботы жителей. В конце концов самое лучшее во всяком отпуске — это не столько отдыхать самому, сколько наблюдать, как другие работают.

Крот подумал, что он полностью счастлив, как вдруг, продолжая бродить без цели, он оказался на самом берегу переполненной вешними водами реки. Он прежде никогда её не видел, такого, как ему представилось, гладкого, лоснящегося, извивающегося, огромного зверя, который куда-то несся, за кем-то гнался, настигал, хватал, тут же оставлял, смеялся, моментально находил себе другого приятеля, кидался на него и, пока тот отряхивался от речных объятий, бросался на него снова. Всё вокруг колебалось и переливалось. Блики, бульканье, лепет, кружение, журчание, блеск.

Крот стоял очарованный, околдованный, заворожённый. Он пошёл вдоль реки. Так идёт маленький рядом со взрослым, рассказывающим волшебную сказку. И, наконец утомившись, присел на берегу. А река всё продолжала рассказывать свои прекрасные переливчатые сказки, которые она несла из глубины земли к морю, самому ненасытному на свете слушателю сказок.

Крот сидел на травке, поглядывал на противоположный берег и вдруг заметил, что прямо под кромкой берега темнелся вход в норку, как раз над поверхностью воды.

«Ах, — стал мечтательно раздумывать Крот, — каким прелестным жильём могла бы оказаться такая норка для зверя со скромными запросами, любящего малюсенькие прибрежные домики, вдали от пыли и шума...»

И пока он приглядывался, ему показалось, что нечто небольшое и яркое мерцает там, прямо посреди входа, потом оно исчезло, затем снова мигнуло, точно крошечная звездочка. Но вряд ли звездочка могла появиться в таком неподходящем месте. Она была слишком маленькой и слишком яркой, чтобы оказаться, например, светлячком.

Крот все смотрел и смотрел. Он обнаружил, что «звездочка» подмигивает именно ему. Таким образом выяснилось, что это глаз, который немедленно начал обрастать мордочкой, точно картинка рамой, — коричневой мордочкой с усами. Степенной круглой мордочкой с тем самым мерцанием в глазу, которое и привлекло внимание Крота. Маленькие, аккуратные ушки и густая шелковистая шерсть. Ну конечно, это был дядюшка Рэт — Водяная Крыса.

Оба зверя постояли, поглядели друг на друга с некоторой опаской.

— Привет, Крот, — сказал дядюшка Рэт — Водяная Крыса.

— Здравствуй, Рэт, — сказал Крот.

— Не хочешь ли зайти ко мне? — пригласил дядюшка Рэт.

— Хорошо тебе говорить «зайти», — сказал Крот, слегка обидевшись.

Дядюшка Рэт на это ничего не ответил, нагнулся, отвязал веревку, потянул ее на себя и легко ступил в маленькую лодочку, которую Крот до сих пор не замечал. Она была выкрашена в голубой цвет снаружи, в белый — изнутри, и была она размером как раз на двоих, и Кроту она сразу же пришлась по душе, хотя он пока еще не совсем понимал, для чего существуют лодки. Дядюшка Рэт аккуратно греб, направляясь к противоположному берегу, и, причалив, протянул переднюю лапу, чтобы поддержать Крота, боязливо ступившего на дно лодки.

— Опирайся! — сказал он. — Смелее!

И Крот не успел оглянуться, как уже сидел на корме настоящей лодки.

— Вот это денек! — восклицал он, пока Рэт отталкивал лодку и вновь усаживался за весла. — Можешь себе представить, ведь я ни разу в жизни не катался на лодке. Ни разу!

— Что?

Дядюшка Рэт — Водяная Крыса так и остался с разинутым ртом:

— Никогда не ка... Ты ни разу в жизни не... Я не представля... Слушай, а зачем ты жил до сих пор на свете?

— Думаешь, без лодки и жить, что ли, нельзя? — неуверенно возразил Крот. Он уже готов был поверить, что и в самом деле без лодки не проживешь!

Крот восседал, развалившись на мягкой подушке, и рассматривал весла, уключины и вообще все те чудесные вещи, которыми была оборудована лодка, и с приятностью ощущал, как дно под ним слегка покачивается.

— Думаю? Да я просто в этом убежден! — сказал дядюшка Рэт, наклоняясь вперед и энергично взмахивая веслами. — Поверь мне, мой юный друг, что нету дела, которым и вполовину стоило бы заниматься, как попросту — попросту — повозиться с лодкой, ну просто повозиться, ну просто...

— Осторожно, Рэт! — вдруг закричал Крот.

Но было уже поздно. Лодка со всего маху врезалась в берег. Зазевавшийся, размечтавшийся гребец лежал на дне лодки, и пятки его сверкали в воздухе.

— ...повозиться с лодкой, — договорил он, весело смеясь. — С лодкой, в лодке или возле лодки. Это не имеет значения. Ничего не имеет значения. В этом-то вся прелесть. Неважно, поплывешь ты в лодке или не поплывешь, доплывешь, куда плыл, или приплывешь совсем в другое место, или вовсе никуда не приплывешь, — важно, что ты все время занят, и при этом ничего такого не делаешь, а если ты все-таки что-то сделал, то у тебя дел все равно останется предостаточно и ты можешь их делать, а можешь и не делать — это решительно все равно. Послушай-ка! Если ты сегодня ничего другого не наметил, давай-ка махнем вниз по реке и хорошо проведем время. А?

Крот пошевелил всеми пальцами на всех четырех лапах, выражая этим свое полное удовольствие, глубоко, радостно вздохнул и в полном восторге откинулся на подушки.

— О, какой день!.. Какой день!.. — прошептал он. — Поплыли! Сейчас же!

— Тогда минуточку посиди спокойно,— сказал дядюшка Рэт.

Он закрепил петлей веревку на металлическом колечке у причала, взобрался по откосу к своей норе и вскоре появился снова, сгибаясь под тяжестью плетеной корзины, у которой просто распирало бока.

— Засунь ее под лавку,— сказал он Кроту, передавая корзину в лодку. После этого он отвязал веревку и снова взялся за весла.

— Что в ней? — спросил Крот, ерзая от любопытства.

— Жареный цыпленок,— сказал дядюшка Рэт коротко,— отварной язык-бекон-ростбиф-корнишоны-салат-французские булочки-заливное-содовая...

— Стоп, стоп! — завопил Крот возбужденно.— Этого слишком много!

— Ты в самом деле так думаешь? — спросил его дядюшка Рэт с серьезной миной.— Но я всегда все это беру с собой на непродолжительные прогулки, и мои друзья каждый раз мне говорят, что я скупердяй и делаю слишком ничтожные запасы.

Но Крот уже давно не слушал. Его внимание поглотила та новая жизнь, в которую он вступал. Его опьяняли сверкание и рябь на воде, запахи, звуки, золотой солнечный свет. Он опустил лапу в воду и видел бесконечные сны наяву.

Дядюшка Рэт — Водяная Крыса, добрый и неизменно деликатный, греб себе и греб, не мешая Кроту, понимая его состояние.

— Мне нравится, как ты одет, дружище,— заметил он после того, как добрых полчаса прошло в молчании.— Я тоже думаю заказать себе черный бархатный костюм, вот только соберусь с деньгами.

— Что? — спросил Крот, с трудом возвращаясь к действительности.— Прости меня, я, должно быть, кажусь тебе неучтивым, но для меня это все так ново. Так, значит, это и есть речка?

— Не речка, а река,— поправил его дядюшка Рэт,— а точнее, Река с большой буквы, понимаешь?

— И ты всегда живешь у реки? Это, должно быть, здорово!

— Возле реки, и в реке, и вместе с рекой, и на реке. Она мне брат и сестра, и все тетки, вместе взятые, она и приятель, и еда, и питье, и, конечно, как ты понимаешь, баня и прачечная. Это мой мир, и я ничего другого себе не желаю. Что она не может дать, того и желать нет никакого смысла, чего она не знает, того и знать не следует. Господи! Сколько прекрасных часов мы провели вместе! Хочешь — летом, хочешь — зимой, осенью ли, весной ли, у нее всегда есть в запасе что-нибудь удивительное и интересное. Например, в феврале, когда полые воды высоки, в моих подвалах столько воды, что мне в жизни не выпить! А мутные волны несутся мимо окон моей парадной спальни! А потом, наоборот, вода спадает и показываются островки мягкого ила, которые пахнут, как сливовый пудинг, а тростник и камыши загораживают путь весенним потокам, и тогда я могу ходить почти что по ее руслу, не замочив ботинок, находить там вкусную свежую пищу, отыскивать вещи, выброшенные легкомысленными людьми из лодок...

— И тебе никогда не бывает скучно? — отважился перебить его Крот.— Только ты и река, и слова больше не с кем сказать?

— Слова не с кем... Нет, я не должен судить тебя слишком строго,— добродушно заметил дядюшка Рэт.— Ты тут впервые. Откуда же тебе знать! Да ведь берега реки так густо заселены всяким народом, что многие даже переселяются в другие места. О нет, нет! Сейчас совсем не то, что бывало в прежние времена! Выдры, зимородки, разные там другие птицы, шотландские курочки — решительно все вертятся у тебя целый день под ногами и все требуют, чтобы ты для них что-нибудь делал, как будто у тебя нет никаких своих забот!

— А вон там что? — спросил Крот, показывая на густой лес, темной рамой обрамлявший прибрежные заливные луга.

— Это? А, это просто Дремучий Лес,— заметил дядюшка Рэт коротко.— Мы, береговые жители, не так уж часто туда заглядываем.

— А разве... а разве там живут не очень хорошие эти... ну...— проговорил Крот, слегка разволновавшись.

— М-да,— ответил дядюшка Рэт.— Ну, как тебе сказать... Белки, они хорошие. И кролики. Но среди кроликов всякие бывают. Ну и, конечно, там живет Барсук. В самой середине. В самой, можно сказать, сердцевине. Ни за какие деньги он не согласился бы перебраться куда-нибудь в другое место. Милый старый Барсук! А никто его и не уговаривает, никто его и не трогает. Пусть только попробуют! — добавил он многозначительно.

— А зачем его трогать? — спросил Крот.

— Ну там, конечно, есть и другие, — продолжал дядюшка Рэт, несколько колеблясь и, по-видимому, выбирая выражения. — Ласки там, горностаи, лисы, ну и прочие. Вообще-то они ничего, я с ними в дружбе. Проводим время вместе иногда и так далее, но, понимаешь, на них иногда находит, короче говоря, на них нельзя положиться, вот в чем дело.

Кроту было хорошо известно, что у зверей не принято говорить о возможных неприятностях, которые могут случиться в будущем, и поэтому он прекратил расспросы.

— А что за Дремучим Лесом? — решился он спросить спустя долгое время. — Там, где синева, туман и вроде бы дымят городские трубы, а может, и нет, может, это просто проплывают облака?

— За Дремучим Лесом — Белый Свет. А это уже ни тебя, ни меня не касается. Я там никогда не был и никогда не буду, и ты там никогда не будешь, если в тебе есть хоть капелька здравого смысла. И, пожалуйста, хватит об этом. Ага! Вот, наконец, и заводь, где мы с тобой устроим пикник.

Они свернули с основного русла, поплыли, как казалось на первый взгляд, к озерку, но это было на самом деле не озеро, потому что туда вела речная протока. К воде сбегали зеленые лужочки. Темные, похожие на змей коряги виднелись со дна сквозь прозрачную, тихую воду. А прямо перед носом лодки, весело кувыркаясь и пенясь, вода спрыгивала с плотины. Она лилась на беспокойное, разбрасывающее брызги мельничное колесо, а колесо вертело жернова деревянной мельницы. Воздух был наполнен успокаивающим бормотанием, глухим и неясным, из которого время от времени возникали чьи-то чистые, бодрые голоса.

Было так прекрасно, что Крот смог только поднять кверху передние лапки и, затаив дыхание, произнести:

— Ух ты!

Дядюшка Рэт бортом подвел лодку к берегу, привязал ее, помог выйти еще не вполне освоившемуся Кроту и вытащил на берег корзину с провизией.

Крот попросил разрешения распаковать корзинку, на что дядюшка Рэт охотно согласился. Он с большим удовольствием растянулся на травке, в то время как Крот с воодушевлением выудил из корзинки скатерть и расстелил ее на траве, потом один за другим стал доставать та-инственные свертки и разворачивать их, каждый раз замирая и восклицая:

— О! О! О!

Когда было все готово, дядюшка Рэт скомандовал:

— Ну, старина, набрасывайся!

И Крот тут же с удовольствием подчинился этой команде, потому что он начал уборку, как водится, очень рано, и с тех пор маковой росинки у него во рту не было, а с утра произошло столько всяких событий, что ему казалось, что миновал не один день.

— Что ты там увидел? — спросил вдруг дядюшка Рэт, когда они заморили червячка и Крот смог на минуточку оторвать свой взгляд от скатерти.

— Я смотрю на ровный ряд пузырей, которые движутся по поверхности воды. Мне это кажется странным.

— Пузыри? Ага! — произнес дядюшка Рэт каким-то щебечущим голосом, точно приглашая кого-то разделить с ними завтрак.

Возле берега из воды показалась широкая гладкая морда, и дядюшка Выдра вылез на сушу, передергивая шкуркой и отряхивая с себя воду.

— Вот жадюги! — сказал он, направляясь к разложенным на скатерти яствам.— Ты чего ж не пригласил меня, Рэтти?

— Да мы как-то неожиданно собрались,— пояснил дядюшка Рэт.— Кстати, познакомься, мой друг — мистер Крот.

— Очень приятно,— сказал дядюшка Выдра.

И они тотчас стали друзьями.

— Какая везде суматоха! — продолжал дядюшка Выдра.— Кажется, весь белый свет сегодня на реке. Я приплыл в эту тихую заводь, чтобы хоть на минутку перевести дух и уединиться, и вот, здравствуйте, наткнулся на вас. Извините, я не совсем то хотел сказать, ну, вы понимаете.

Сзади в кустах, еще кое-где покрытых сухой прошлогодней листвой, что-то зашуршало, из чащи выглянула втянутая в плечи полосатая голова, уставилась на них.

— Иди сюда, Барсук, старый дружище! — крикнул дядюшка Рэт.

Барсук выдвинулся было на два-три шага, но, пробормотав: «Хм! Компания собралась!», тут же повернулся и скрылся из виду.

Сзади в кустах,
еще кое-где покрытых сухой прошлогодней листвой,
что-то зашуршало...

— Вот он всегда так, — разочарованно заметил Рэт. — Ну просто не выносит общества. Сегодня мы его, конечно, больше не увидим. Кто тебе нынче встретился на реке? — спросил он дядюшку Выдру.

— Ну, во-первых, конечно, наш достославный мистер Тоуд — Жаба. В новенькой лодочке, одет весь с иголочки, в общем, все новое и сплошная роскошь.

Дядюшка Рэт и дядюшка Выдра поглядели друг на друга и рассмеялись.

— Когда-то он ходил только под парусом, — сказал дядюшка Рэт. — Потом яхта ему надоела, и загорелось — вынь да положь — плоскодонку с шестом. Больше ничем не желал заниматься, хлебом не кормите, дайте только поплавать на плоскодонке с шестом. Чем кончилось? Ерундой! А в прошлом году ему взбрело в голову, что он просто умрет без дома-поплавка. Завел себе барку с домом, и все мы без конца гостили на этой барке, и все мы притворялись, будто это нам страшно нравится. Ему уже виделось, как он весь остаток жизни проведет в доме на воде, только ведь не успеет мистер Тоуд чем-либо увлечься, как уже остывает и берется за что-нибудь следующее.

— И при всем том хороший парень, — заметил дядюшка Выдра задумчиво. — Но никакой устойчивости... особенно на воде.

С того местечка за островком, где они расположились, было видно основное русло реки, и как раз в это время в поле зрения внезапно вплыла спортивная двойка. Гребец, невысокий, толстенький, изо всех сил греб, сильно раскачивая лодку и поднимая тучи брызг, и видно было, что он очень старается. Дядюшка Рэт встал и окликнул его, приглашая присоединиться к обществу, но мистер Тоуд — потому что это был он — помотал головой и с прежним старанием принялся за дело.

— Он опрокинется ровно через минуту, — заметил дядюшка Рэт, снова усаживаясь на место.

— Это уж непременно, — хихикнул дядюшка Выдра. — А я вам никогда не рассказывал интересную историю, которая называется «Мистер Тоуд и сторож при шлюзе?» Вот как это было...

Сбившаяся с пути франтоватая мушка-веснянка крутилась как-то неопределенно, летая над водой то вдоль, то поперек течения, видно опьяненная весной. И вдруг посреди реки возник водоворот, послышалось — плюх! —

и мушка исчезла. И дядюшка Выдра, между прочим, то-же. Крот оглянулся. Голос дядюшки еще звенел у него в ушах, а между тем место на травке, где он только что сидел развалясь, было решительно никем не занято. И вообще гляди хоть до самого горизонта, ни единой выдры не увидишь.

Но вот на поверхности воды снова возник ряд движущихся пузырьков. Дядюшка Рэт мурлыкал какой-то мотивчик, а Кроту вспомнилось, что по звериному обычаю запрещено обсуждать неожиданное исчезновение товарища, куда бы он ни девался и по какой причине или даже вовсе без всяких причин.

— Ну так, — сказал дядюшка Рэт, — я думаю, нам уже пора собираться. Как вам кажется, кому из нас лучше упаковывать корзинку? — Он говорил так, что было ясно: ему самому с этим возиться неохота.

— Позволь, позволь мне! — выпалил Крот.

И дядюшка Рэт, конечно, позволил.

Но укладывать корзинку оказалось вовсе не так приятно, как распаковывать.

Это обычно так и бывает. Но Крот сегодня был расположен всему радоваться. Поэтому он справился с делом без особого раздражения. Хотя когда он уже все сложил и крепко стянул корзинку ремнями, то увидел тарелку, которая уставилась на него из травы. А потом, когда положение было исправлено, дядюшка Рэт обратил его внимание на вилку, которая, между прочим, лежала на самом виду. Но этим дело не кончилось, потому что обнаружилась еще и банка с горчицей, на которой Крот сидел, сам того не замечая.

Предвечернее солнце стало понемногу садиться. Дядюшка Рэт не спеша греб к дому, находясь в мечтательном расположении духа, бормоча себе под нос обрывки стихов и не очень-то обращая внимание на Крота.

А Крот был весь полон едой, удовольствием и гордостью и чувствовал себя в лодке как дома (так ему, во всяком случае, казалось), а кроме того, на него мало-помалу стало находить какое-то беспокойство, и вдруг он сказал:

— Рэтти, пожалуйста, позволь теперь мне погрести.

Дядюшка Рэт улыбнулся и покачал головой:

— Погоди, еще не пора. Сначала я должен дать тебе несколько уроков. Это вовсе не так просто, как тебе кажется.

Крот минутку-другую посидел спокойно. Но чем дальше, тем больше он завидовал своему другу, который так ловко, так легко гнал лодку по воде, и гордыня стала ему нашёптывать, что он мог бы и сам грести ни капельки не хуже.

И он вскочил и ухватился за вёсла так неожиданно, что дядюшка Рэт, который глядел куда-то вдаль и продолжал бормотать стихи, от неожиданности полетел со скамьи так, что ноги его оказались в воздухе, а торжествующий Крот водрузился на его место.

— Прекрати, дуралей! — закричал на него дядюшка Рэт со дна лодки. — Ты не умеешь... Ты сейчас перевернешь лодку!

Крот рывком закинул вёсла назад, приготовился сделать мощный гребок. Но он промахнулся и даже не задел вёслами поверхности воды. Его задние ноги взметнулись выше головы, и сам он очутился на дне лодки поверх распростёртого там хозяина. Страшно испугавшись, он схватился за борт, и в следующий момент — плюх! — лодка перевернулась, Крот очутился в воде и понял, что вот-вот захлебнется. Ох какая вода оказалась холодная, и ох до чего же она была мокрая!

И как звенела она у Крота в ушах, когда он опускался на дно, на дно, на дно! И каким добрым и родным казалось солнышко, когда он, отфыркиваясь и откашливаясь, выныривал на поверхность. И как черно было его отчаяние, когда он чувствовал, что погружается вновь. Но вот твёрдая лапа схватила его за загривок. Это был Рэт, и он смеялся. Во всяком случае, Крот чувствовал, как смех от сильного плеча дядюшки Рэт спускается по лапе и проникает ему, Кроту, в загривок.

Дядюшка Рэт схватил весло и сунул его Кроту под мышку, потом то же самое он проделал с другой стороны и, пристроившись сзади, отбуксировал несчастного зверя на берег. Он выволок его и усадил на землю. Это был не Крот, а размокший, плачевного вида тюфяк, набитый печалью.

Дядюшка Рэт слегка отжал из него воду и примирительно сказал:

— Ладно уж, глупышка, побегай вдоль берега, пока не пообсохнешь и не согреешься. А я поныряю, поищу корзинку.

Так несчастному Кроту, абсолютно мокрому снаружи и посрамленному изнутри, пришлось маршировать взад-вперёд, пока он немного не пообсох.

Тем временем дядюшка Рэт опять вошел в воду, доплыл до опрокинутой лодки, перевернул ее, привязал у берега и по частям выловил свое скользящее по волнам имущество. Затем он нырнул на самое дно и, отыскав корзину, не без труда вытащил ее на берег.

Когда все было снова готово к отплытию, и подавленный, вконец расстроенный Крот вновь занял место на корме, и они тронулись в путь, Крот сказал глухим, дрожащим от волнения голосом:

— Рэтти, мой благородный друг! Я вел себя глупо и оказался неблагодарным. У меня просто сердце замирает, как я себе представлю, что из-за меня чуть не пропала эта прекрасная корзина. Я оказался совершеннейшим ослом, я это знаю. Прошу тебя, прости и забудь, пусть все будет по-прежнему, хорошо?

— Хорошо, хорошо,— бодро отозвался дядюшка Рэт.— Так уж и быть. Мне немного понырять не вредно! Я ведь все равно в воде с утра до ночи. Так что не расстраивайся, забудь и не думай. А знаешь что? Я считаю, тебе было бы не худо немного пожить у меня. В моем доме все просто и без затей, не то что у мистера Тоуд (правда, ты пока что не видел его усадьбы), все-таки я думаю, что тебе у меня будет неплохо. Я научу тебя грести и плавать, и скоро ты совсем освоишься на реке, не хуже нас, речных жителей.

Крот так был тронут добротой своего друга, что у него перехватило горло и куда-то подевался голос, и ему даже пришлось тыльной стороной лапки смахнуть набежавшие слезинки.

Но дядюшка Рэт деликатно отвернулся, и понемногу Крот опять пришел в прекрасное настроение и даже смог дать отпор двум шотландским курочкам, которые судачили по поводу его грязноватого вида.

Когда они добрались до дому, дядюшка Рэт растопил камин в гостиной, прочно усадил Крота в кресло возле огня, одолжил ему свой халат и свои шлепанцы, развлекал его всякими речными историями до самого ужина. Это были захватывающие истории, особенно для такого далекого от реки зверя, как Крот. Дядюшка Рэт рассказывал о запрудах и неожиданных наводнениях, о страшной зубастой щуке, о пароходах, которые швыряются опасными твердыми бутылками или кто-то швыряет с них, а может, и они сами, кто же их знает, о цаплях и о том, какие они гордячки, не со всяким станут разговаривать, о приключениях у плотины, о ночной рыбалке, в которой обычно принимает участие дядюшка Выдра, и о далеких экскурсиях с Барсуком. Они весело вдвоем поужинали, но вскоре заботливому хозяину пришлось проводить сонного Крота наверх, в лучшую спальню, где тот сразу же положил голову на подушку и спокойно заснул, слыша сквозь сон, как его новообретенный друг Река тихонечко постукивает в окно.

Этот день был только первым в ряду таких же дней, и каждый из них был интереснее предыдущего, а лето тем временем разгоралось, созревало, продвигалось все вперед и вперед.

Крот научился плавать и грести, полюбил проточную воду и, приникая ухом к тростниковым стеблям, умел подслушивать, что́ им все время нашептывает и нашептывает ветер.

2

На широкой дороге

— Рэтти, — сказал Крот однажды ясным летним утром, — я хочу тебя о чем-то попросить, можно?

Дядюшка Рэт сидел на берегу реки и напевал песенку. Он только что ее сам сочинил, и она, надо сказать, очень ему нравилась. Он не обращал внимания ни на Крота, ни на кого бы то ни было вообще. Он с раннего утра досыта наплавался в реке вместе со своими друзьями утками. Когда вдруг утки неожиданно становились в воде вниз головой, как это свойственно уткам, он тут же нырял и щекотал им шейки, как раз в том месте, где мог оказаться подбородок, если бы он у них был, до тех пор щекотал, пока им не приходилось торопливо выныривать на поверхность. Они выныривали, разбрызгивая воду, сердясь и топорща на него свои перышки, потому что невозможно сказать в с е, что ты о ком-то думаешь, когда у тебя голова под водой. Под конец они уж просто взмолились и попросили его заняться своими собственными делами и оставить их в покое. Ну вот, дядюшка Рэт и отстал от них, и уселся на бережке на солнышке, и сочинил про них песенку, которую он назвал

УТИНЫЕ ПРИПЕВКИ

В тихой, сонной заводи —
Гляньте, просто смех! —
Наши утки плавают
Хвостиками вверх.

Белых хвостиков — не счесть,
Желтых лапок — вдвое.
Где же клювы? Тоже есть,
Но только под водою!

— Там, где заросли густы,
Где шустрят плотвички,
Мы всегда запас еды
Держим по привычке.

То, что любишь, делай ты,
Мы же, в свой черед,
Любим вверх держать хвосты,
А клюв — наоборот.

С криком кружатся стрижи
В небе без помех,
Мы ныряем от души
Хвостиками вверх!

— Мне что-то не очень, Рэтти,— заметил Крот осторожно. Сам он не был поэтом, стихи ему были как-то безразличны, он этого и не скрывал и говорил всегда искренне.

— И уткам тоже не очень,— бодро заметил дядюшка Рэт.— Они говорят: «И почему это нельзя оставить других в покое, чтобы они делали как хотят, что хотят и когда хотят, а надо вместо того рассиживаться на берегах, и отпускать всякие там замечания, и сочинять про них разные стишки и все такое прочее. Это довольно-таки глупо». Вот что говорят утки.

— Так оно и есть, так оно и есть! — горячо поддержал уток Крот.

— Вот как раз и нет! — возмутился дядюшка Рэт.

— Ну, нет так нет,— примирительно отозвался Крот.— Я вот о чем хотел тебя попросить, не сходим ли мы с тобою в Тоуд-Холл? Я столько слышал: «Жаба — мистер Тоуд — то, да мистер Тоуд — се», а до сих пор с ним не познакомился.

— Ну, разумеется,— тут же согласился добрый дядюшка Рэт и выкинул на сегодня поэзию из головы.— Выводи лодку, и мы туда быстренько доплюхаем. К нему когда ни появись, все будет вовремя. Утром ли, вечером ли, он всегда одинаковый. Всегда в хорошем настроении, всегда рад тебя видеть, и каждый раз ему жаль тебя отпускать.

— Мистер Тоуд, наверно, очень хороший зверь,— заметил Крот, садясь в лодку и берясь за весла в то время, как дядюшка Рэт устраивался поудобнее на корме.

— Он действительно просто замечательный зверь,— ответил дядюшка Рэт.— Такой простой, и привязчивый, и с хорошим характером. Ну может, он не так уж умен, но все же не могут быть гениями, и, правда, он немножечко хвастун и зазнайка. Но все равно у него много превосходных качеств, у нашего мистера Тоуд, в самом деле, много превосходных качеств.

Миновав излучину, они увидели красивый и внушительный, построенный из ярко-красного кирпича старинный дом, окруженный хорошо ухоженными лужайками, спускающимися к самой реке.

— Вот и Тоуд-Холл,— сказал дядюшка Рэт.— Видишь слева бухточку, где на столбике объявление: «Частная собственность. Не чалиться», там как раз его лодочный сарай, там мы и оставим свою лодку. Справа — конюшни. А это, куда ты смотришь, банкетный зал. Самое старое строение из всех. Мистер Тоуд довольно богат, и у него, пожалуй, самый хороший дом в наших краях. Только мы при нем это особенно не подчеркиваем.

229

Легко скользя, лодка пересекла бухту, и в следующий момент Крот стал сушить весла, потому что они уже въезжали в тень большого лодочного сарая. В сарае было много хорошеньких лодочек, подвешенных к поперечным балкам при помощи канатов или поднятых на стапеля. Ни одной лодки не было спущено на воду, и вообще здесь все выглядело как-то заброшенно и неуютно, и казалось, что сюда уже давно никто не заглядывал.

Дядюшка Рэт поглядел вокруг.

— Понимаю,— сказал он.— С лодочным спортом покончено. Ему надоело, он наигрался. Интересно, какая новая причуда теперь им овладела? Пошли поищем, где он. Очень скоро мы сами все это услышим, не беспокойся.

Они сошли на берег и двинулись наискосок через веселые, цветущие лужайки на поиски хозяина, на которого вскорости и наткнулись, найдя его сидящим в плетеном кресле с очень сосредоточенным выражением лица. Огромная карта была расстелена у него на коленях.

— Ура! — закричал он, вскакивая, лишь только завидел их.— Это замечательно!

Он горячо пожал лапы обоим, не дожидаясь, пока ему представят Крота.

— Как это мило с вашей стороны! — выплясывал он возле гостей.— Я только что собирался послать кого-нибудь в лодке за тобой, Рэтти, и дать строгий наказ немедленно тебя привезти, как бы ты там ни был занят. Вы мне очень нужны оба. Ну, чем вас угостить? Войдите в дом, перекусите немножечко. Вы даже не представляете себе, как здорово, что вы появились именно сейчас!

— Давай-ка посидим тихонько хоть минутку, Тоуд,— сказал дядюшка Рэт, усаживаясь в кресло, в то время как Крот занял другое, бормоча учтивые слова насчет «прелестной резиденции».

— Самый прекрасный дом на всей реке! — воскликнул мистер Тоуд хвастливо.— На всей реке и вообще где бы то ни было, если хотите,— добавил он.

Дядюшка Рэт легонько толкнул Крота. К сожалению, мистер Тоуд заметил это и страшно покраснел. Наступило неловкое молчание. Потом мистер Тоуд расхохотался.

— Да ладно, Рэтти. Ну, у меня такой характер, ты же знаешь. И на самом-то деле это ведь не такой уж плохой дом, правда? Признайся, что тебе он тоже нравится. А теперь послушай. Будем благоразумны. Вы как раз те, кто мне нужен. Вы должны мне помочь. Это чрезвычайно важно.

— Полагаю, это связано с греблей, — заметил дядюшка Рэт с невинным видом. — Ты делаешь большие успехи, хоть и поднимаешь брызги чуть-чуть больше, чем надо. Но если ты проявишь терпение и поупражняешься как следует, то ты...

— Вот еще, лодки! — перебил его мистер Тоуд с отвращением в голосе. — Глупые мальчишеские забавы! Я уже давным-давно это оставил. Пустая трата времени, вот что я вам скажу. Мне просто до слез вас жалко, когда я вижу, как вы тратите столько драгоценной энергии на это бессмысленное занятие. Нет, я наконец-то нашел сто́ящее дело, истинное занятие на всю жизнь. Я хочу посвятить этому остаток своей жизни и могу только скорбеть о зря потраченных годах, выброшенных на пустяки. Пойдемте со мной, Рэтти, ты и твой доброжелательный друг, если он будет так любезен, здесь недалеко идти, всего лишь до конюшни. Там вы кое-что увидите.

Он пошел вперед, указывая им путь в сторону конюшенного двора, а следом за ним двинулся дядюшка Рэт с выражением крайнего сомнения на лице. И что же они увидели? Во дворе стояла выкаченная из каретного сарая новехонькая цыганская повозка канареечно-желтого цвета, окаймленная зеленым, и с красными колесами!

— Ну! — воскликнул мистер Тоуд, покачиваясь на широко расставленных лапах и раздуваясь от важности. — Вот вам истинная жизнь, воплощенная в этой небольшой повозочке. Широкие проселки, пыльные большаки, вересковые пустоши, равнины, аллеи между живыми изгородями, спуски, подъемы! Ночевки на воздухе, деревеньки, села, города! Сегодня здесь, а завтра — подхватились — и уже совсем в другом месте! Путешествия, перемены, новые впечатления — восторг! Весь мир — перед вами, и горизонт, который всякий раз иной! И заметьте, это самый прекрасный экипаж в таком роде, свет не видал более прекрасного экипажа. Войдите внутрь и посмотрите, как все оборудовано. Все в соответствии с моим собственным проектом!

Кроту было необыкновенно любопытно поглядеть, и он торопливо поднялся на подножку и полез внутрь повозки. Дядюшка Рэт только фыркнул и остался стоять, где стоял.

Все было сделано действительно очень разумно и удобно. Маленькие коечки, столик, который складывался и приставлялся к стене, печечка, рундучки, книжные полочки, клетка с птичкой и еще — чайники, кастрюльки, кувшинчики, сковородки всяких видов и размеров.

— Полный набор всего, чего хочешь! — победоносно заявил мистер Тоуд, откидывая крышку одного из рундучков. — Видишь, печенье, консервированные раки, сардины — словом, все, чего ты только можешь пожелать. Здесь — содовая, там — табачок, почтовая бумага и конверты, бекон, варенье, карты, домино, вот ты увидишь, — говорил он, пока они спускались на землю, — ты увидишь, что ничего, решительно ничего не забыто, ты это оценишь, когда мы сегодня после обеда тронемся в путь.

— Я прошу прощенья, — сказал дядюшка Рэт с расстановкой, жуя сухую соломинку, — мне показалось или я в самом деле услышал что-то такое насчет «мы» и «тронемся в путь» и «после обеда»?

— Ну милый, ну хороший, ну старый друг Рэтти, ну не начинай разговаривать в такой холодной и фыркучей манере, ну ты же знаешь, ты просто д о л ж е н со мной поехать! Я просто никак не могу без тебя обойтись, ты уж, пожалуйста, считай, что мы уговорились. И не спорь со мной — это единственное, чего я совершенно не выношу. Не собираешься же ты всю жизнь сидеть в своей старой, скучной, тухлой речке, жить в прибрежной норе и только и знать, что плавать на лодке? Я хочу показать тебе мир! Я хочу сделать из тебя зверя, как говорится, с большой буквы, дружочек ты мой!

— Мне наплевать! — сказал дядюшка Рэт упрямо. — Я никуда не еду, и это совершенно твердо. Я именно собираюсь провести всю жизнь на реке в прибрежной норе и плавать на лодке как плавал. Мало того, Крот тоже останется со мной и будет делать все то, что делаю я, правда, Крот?

— Да, конечно, — отозвался верный Крот, — я всегда буду с тобой, и как ты скажешь, так все и будет. И все-таки, знаешь, было бы вроде весело... — добавил он задумчиво.

Бедный Крот! Жизнь Приключений! Для него все было так ново, так интересно. Его манили новые впечатления. К тому же он просто влюбился с первого взгляда в канареечный экипажик и его замечательное оборудование.

Дядюшка Рэт понял, что творится в его голове. Он заколебался. Он не любил никого огорчать, а к тому же любил Крота и готов был почти на все, чтобы порадовать его. Мистер Тоуд пристально глядел на обоих.

— Пошли в дом, перекусим чего-нибудь,— сказал он дипломатично.— Мы все это обсудим. Ничего не надо решать сразу. Мне в общем-то все равно. Я хотел доставить вам удовольствие, ребята. «Жить для других» — таков мой девиз.

Во время ленча — а он был отличным, как все вообще в Тоуд-Холле,— мистер Тоуд все-таки не удержался. Не обращая никакого внимания на дядюшку Рэт, он играл на неопытной душе Крота, как на арфе. По природе разговорчивый, с богатым воображением, тут уж он просто не закрывал рта. Он рисовал перспективу путешествия, вольной жизни, всяких дорожных удовольствий такими яркими красками, что Кроту с трудом удавалось усидеть на стуле. Постепенно как-то само собой получилось, что путешествие оказалось делом решенным, и дядюшка Рэт, внутренне не очень-то со всем согласный, позволил своей доброй натуре взять верх над его личным нежеланием. Ему было трудно разочаровывать друзей, которые успели глубоко погрузиться в планы и предчувствия, намечая для каждого дня в отдельности занятия и развлечения, планируя их на много недель вперед.

Когда все окончательно созрели для поездки, мистер Тоуд вывел своих компаньонов на луг за конюшней и велел поймать старую серую лошадь, которой предстояло во время путешествия выполнять самую тяжелую и пыльную работу, хотя, к ее неудовольствию, с ней никто предварительно не посоветовался. Она открыто предпочитала луг, и поэтому некоторое время пришлось потратить, чтобы ее изловить. Тем временем мистер Тоуд набил рундучки еще плотнее всякими необходимыми вещами, а лошадиные торбы с овсом, мешочки с луком, охапки сена и всякие мелкие корзинки прикрепил снизу ко дну повозки.

Наконец лошадь изловили и запрягли, и путешественники тронулись в путь, все что-то говоря разом, кто сидя на козлах, кто шагая рядышком с повозкой,— кому как заблагорассудилось.

Было золотое предвечерье. Запах пыли, которую они поднимали по дороге, был густой и успокаивающий. Из цветущих садов по обеим сторонам дороги их весело окликали птицы. Добродушные путники, которые попадались навстречу, останавливались и здоровались с ними, говорили несколько слов в похвалу красивой повозки, а кролики, сидя на крылечках своих домов, спрятанных в живой изгороди, поднимали передние лапки и восклицали: «Ах! Ах! Ах!»

Поздним вечером, усталые и счастливые, находясь уже очень далеко от своего дома, они свернули на пустырь, распрягли лошадь, чтобы она попаслась. Они уселись поужинать на травке возле повозки. Мистер Тоуд хвастался тем, что́ он предпримет в ближайшие дни; а звезды вокруг них все разгорались и разгорались, и желтая луна, которая молча появилась неизвестно откуда, придвинулась, чтобы побыть с ними и послушать, о чем они говорят. Наконец они улеглись на свои коечки, и мистер Тоуд, блаженно вытягивая ноги под одеялом, сказал сонным голосом:

— Спокойной ночи, ребята! Вот это настоящая жизнь для джентльмена! И не говорите мне больше ни слова о реке.

— Я не говорю о реке, Тоуд, ты же видишь, я ничего не говорю. Но я думаю о ней,— вздохнул Рэт печально.— Я думаю о ней все время!

Крот высунул лапу из-под одеяла, нащупал в темноте лапу друга и пожал ее.

— Я сделаю, как ты захочешь, Рэтти,— прошептал он.— Хочешь, мы завтра рано утром убежим? Очень-очень рано? И вернемся в нашу милую норку на реке?

— Нет, погоди, уж доведем дело до конца,— ответил дядюшка Рэт тоже шепотом.— Спасибо тебе. Но я предпочел бы находиться рядом с мистером Тоуд, пока это путешествие не завершится. Небезопасно оставлять его одного. За ним надо приглядеть. Впрочем, все скоро кончится. Его причуды недолговечны. Спокойной ночи!

Конец был даже ближе, чем Рэт мог предположить. Надышавшись свежим воздухом и получив массу новых впечатлений, мистер Тоуд спал так крепко, что, сколько его ни трясли утром, вытрясти его из постели не удалось. Так что дядюшка Рэт и Крот спокойно и мужественно принялись за дела, и, пока дядюшка Рэт обихаживал лошадь, разжигал костер, мыл оставшуюся от ужина посуду и готовил завтрак, Крот отправился в ближайшую деревню, которая была вовсе не близко, чтобы купить молока и яиц и еще кое-что необходимое, что мистер Тоуд, конечно, позабыл взять с собой. Когда вся трудоемкая работа была сделана и оба зверя, уставшие донельзя, присели отдохнуть, на сцене появился мистер Тоуд, свеженький и веселый, и тут же принялся расписывать, какую приятную и легкую жизнь они теперь ведут по сравнению с заботами и хлопотами домашнего хозяйства.

Они прелестно провели этот день, ездили туда-сюда по заросшим травкой холмам, вдоль узеньких переулочков и остановились на ночлег, опять подыскав подходящий пустырь. Но только уж теперь гости следили, чтобы хозяин по-честному делал свою долю работы. А кончилось дело тем, что, когда на следующее утро пришло время трогаться в путь, мистер Тоуд не был в таком уж восторге от простоты кочевой жизни и даже сделал попытку снова улечься на койку, откуда был извлечен силой.

Путешественники двигались по узким деревенским улочкам и только к обеду выехали на большак. Тут катастрофа, стремительная и непредвиденная, буквально обрушилась на них. Катастрофа, которая оказалась решающей в их путешествии и совершенно перевернула дальнейшую жизнь их друга, «достославного мистера Тоуд».

Они тихонечко двигались по дороге, Крот шагал впереди повозки, возле лошадиной морды, и беседовал с лошадью, потому что лошадь жаловалась, что на нее никто не обращает внимания, а мистер Тоуд и дядюшка Рэт шли позади повозки, разговаривая друг с другом, во всяком случае, Тоуд говорил, а дядюшка Рэт время от времени вставлял: «Да, именно так» или: «А ты что ему ответил?», сам же в это время думал о чем-то совершенно постороннем, когда далеко позади себя они услышали какое-то предупреждающее бормотание, напоминающее отдаленное жужжание пчелы. Оглянувшись, они увидели небольшое облачко пыли, в центре которого находилось что-то очень энергичное, что приближалось к ним с невероятной скоростью, время от времени из-под пыли вырывалось какое-то «би-би», словно невидимый зверь жалобно выл от боли. Почти не обратив на это внимания, друзья вернулись было к прерванной беседе, как вдруг в один миг мирная картина совершенно изменилась.

«Би-би» нахально ворвалось им прямо в уши...

Порывом ветра и вихрем звуков их отбросило в ближайшую канаву, а ЭТО, казалось, неслось прямо на них!

«Би-би» нахально ворвалось им прямо в уши, и на мгновение они успели увидеть сверкающее стекло и богатый сафьян, и великолепный автомобиль, огромный, такой, что перехватило дыхание, с шофером, напряженно вцепившимся в руль, на какую-то долю секунды завладел всей землей и воздухом, швырнул в них окутавшее и ослепившее их облако пыли, уменьшился до размеров пятнышка вдали и снова превратился в пчелу, жужжащую в отдалении.

Старая серая лошадь, которая ступала по дороге, мечтая о своем лужке возле конюшни, совершенно растерялась в этих суровых обстоятельствах и потеряла над собой контроль. Она стала пятиться, пятиться, не останавливаясь, несмотря на все усилия Крота, не обращая внимания на его призывы к ее разуму, она толкала повозку назад и назад к глубокой канаве, что шла вдоль дороги. Повозка на секунду повисла над бездной, покачнулась, послышался душераздирающий «крак!», и канареечно-желтая повозка, их радость и гордость, лежала на боку в канаве, разбитая вдребезги.

Дядюшка Рэт носился взад и вперед по дороге не помня себя от злости.

— Эй вы, негодяи! — кричал он, потрясая обоими кулаками в воздухе. — Вы — мерзавцы! Разбойники с большой дороги! Вы — дорожные... свиньи! Я подам на вас в суд! Я вас по судам затаскаю!

Его тоска по дому мгновенно улетучилась, и он ощущал себя шкипером канареечно-желтого судна, посаженного на мель из-за удали моряков судна-соперника, и он пытался припомнить все те прекрасные и ядовитые слова, которыми он пиявил владельцев паровых катеров, когда они подплывали слишком близко к берегу и поднятая ими волна подмывала коврик в его гостиной.

Мистер Тоуд уселся в пыль посреди дороги, вытянул задние лапы прямо перед собой и, не отрываясь, глядел туда, где исчез автомобиль. Дышал он прерывисто, на лице откуда-то появилось безмятежное и счастливое выражение, и время от времени он мечтательно бормотал: «Би-би!»

Крот попытался успокоить лошадь, в чем через некоторое время и преуспел. Потом он поглядел на повозку, которая валялась на боку в канаве. Это было действительно печальное зрелище. Все стекла и панели разбиты вдребезги, оси разбросаны по всему белу свету, птица в клетке плачет и просится, чтобы ее выпустили.

Дядюшка Рэт подошел к Кроту, но даже их общих усилий не хватило, чтобы выровнять разбитую повозку.

— Эй, Тоуд,— закричали они в один голос,— что ты сидишь, иди помоги нам!

Мистер Тоуд не ответил ни словечка, он даже не шелохнулся, и они забеспокоились, что же такое с ним случилось. Он был как зачарованный. Счастливая улыбка играла на губах. Взгляд был устремлен вслед их погубителю. Время от времени он бормотал: «Би-би!» Дядюшка Рэт потряс его за плечо.

— Ты идешь или нет помогать нам? — спросил он довольно жестко.

— Великолепное, потрясающее видение...— пробормотал мистер Тоуд, не трогаясь с места.— Поэзия движения. Истинный способ путешествовать. Единственный способ передвигаться! Сегодня — здесь, а завтра уже там, где ты смог бы в другом случае оказаться только через неделю! Прыжок — и ты уже перепрыгнул деревню, скачок — и ты уже перескочил через город! Всегда ты — это чей-то горизонт! О радость! О би-би! О боже мой, боже мой!

— Перестань валять дурака, Тоуд! — прикрикнул Крот.

— Подумать только, что я этого не знал,— продолжал мистер Тоуд все на той же мечтательной ноте.— О бессмысленно потраченные мною годы! Ведь я даже и не знал, мне даже и не снилось! Но теперь, когда я знаю, теперь, когда я полностью отдаю себе отчет! О какая дорога, усеянная цветами, простирается теперь передо мной! О какие облака пыли будут расстилаться вслед за мной, когда я буду проноситься мимо с этаким беззаботным видом! Какие кареты я буду опрокидывать в канавы, шикарно проносясь мимо них и даже не оглядываясь! Глупые, жалкие повозки, ничтожные повозки, канареечно-желтые повозки!

— Что с ним делать? — спросил Крот у своего друга.

— Да ничего,— ответил дядюшка Рэт твердо.— Потому что мы ничего и не сможем сделать. Видишь ли, я-то его давно знаю. Теперь на него наехало. У него снова бзик. Это сразу не пройдет. Будет бредить, как лунатик, погруженный в прекрасный сон, и толку от него никакого не будет. Не обращай на него внимания. Пойдем поглядим, что можно сделать с повозкой.

Тщательное исследование показало, что если бы им даже, паче чаяния, и удалось поднять повозку, к дальнейшему использованию она все равно уже не пригодна. Оси совершенно поломались, а откатившееся колесо просто разлетелось в щепки.

Дядюшка Рэт связал вожжи узлом и закинул их на спину лошади, взял ее под уздцы, а в свободную лапу — клетку с ее истеричной обитательницей.

— Пошли,— сказал он Кроту с мрачным видом.— До ближайшего городка не то пять, не то шесть миль, и нам предстоит пройти их пешком. Чем скорей мы пойдем, тем лучше.

— А что же будет с мистером Тоуд? — обеспокоенно спросил Крот, когда они тронулись в путь.— Как же мы оставим его посреди дороги, ведь он явно не в себе? Это даже опасно. Представь себе, что еще одно ЭТО помчится по дороге?

— Наплевать на него! Я с ним больше дела иметь не желаю!

Но не успели путники пройти и десяти шагов, как за спиной у них послышалось шлепанье ног и мистер Тоуд присоединился к ним, взял их обоих под ручку и, все еще задыхаясь, снова вперил свой взор в пустоту.

— Послушай-ка, Тоуд,— резко обратился к нему дядюшка Рэт,— как только мы доберемся до города, ты должен сразу же отправиться в полицейский участок, узнать, что им известно про этот автомобиль и кто его хозяин, и подать на него жалобу. А потом тебе надо найти кузнеца или колесника и позаботиться, чтобы повозку доставили в город и привели в порядок. Это, конечно, займет время, но она не совсем безнадежно поломана. Мы с Кротом пока сходим в гостиницу и снимем удобные номера, где мы могли бы пожить, пока повозку чинят. За то время ты немножко отойдешь от пережитого потрясения.

— Участок? Жалоба? — бормотал мистер Тоуд, будто во сне.— Мне? Мне жаловаться на это прекрасное, небесное видение, которого я был удостоен? Чинить повозку? Я навсегда покончил с повозками! Я больше никогда и не взгляну на повозку, я даже и слышать о ней ничего не желаю. О, Рэтти! Ты даже и не знаешь, как я вам благодарен, что вы согласились на это путешествие. Я бы один без вас не поехал, и тогда... тогда бы мне никогда бы не явился этот лебедь, этот луч солнца, этот громовой удар! Этот обворожительный звук никогда не коснулся бы моего уха, а этот колдовской запах — моего обоняния. Я всем обязан вам, мои самые лучшие друзья!

Дядюшка Рэт отвернулся от него в полном отчаянии.

— Теперь ты видишь, — обратился он к Кроту поверх головы обезумевшего приятеля. — Он безнадежен. Я сдаюсь. Как только мы дойдем до города, отправимся тут же на вокзал, и, если нам повезет, мы еще сегодня к вечеру доберемся домой, на Берег Реки. И если только ты когда-нибудь обнаружишь, что я снова отправился на увеселительную прогулку с этим противным типом... — Он фыркнул и все свои дальнейшие слова на протяжении их утомительного пути адресовал исключительно Кроту.

Прибыв в город, они тут же отправились на вокзал и поместили своего незадачливого приятеля в зал ожидания второго класса, дав носильщику два пенса и строго наказав не спускать с него глаз. Потом они пристроили лошадь в гостиничной конюшне и отдали кое-какие распоряжения относительно повозки и ее содержимого. И вот наконец почтовый поезд высадил их на станции недалеко от Тоуд-Холла, и они проводили зачарованного, грезящего наяву хозяина до самой двери, ввели внутрь, велели экономке, чтобы она его покормила, раздела и уложила в постель. После этого они вывели свою лодку из лодочного сарая и поплыли вниз по реке, к себе домой. Уже совсем поздним вечером они сели поужинать в своей уютной гостиной в речном домике, к величайшей радости и удовлетворению дядюшки Рэт. Весь следующий день дядюшка Рэт провел, нанося визиты друзьям и болтая с ними о том о сем, а к вечеру отыскал Крота, который к тому времени хорошо выспался и в прекрасном настроении сидел с удочкой на берегу.

— Слыхал новости? — сказал Рэт. — По всему берегу только об этом и говорят. Тоуд отправился в город первым поездом. Там он купил себе самый большой и самый дорогой автомобиль.

****

3

Дремучий лес

КРОТУ уже давно хотелось познакомиться с Барсуком. По тому, как о нем говорили, Крот заключил, что Барсук — очень важная фигура и, хотя он редко появлялся, его влияние на всех отчетливо ощущалось. Но когда бы Крот ни обратился с просьбой к дядюшке Рэт, тот каждый раз отвечал очень неопределенно.

— Хорошо, хорошо, — говорил дядюшка Рэт. — Он сам как-нибудь появится, тогда я тебя с ним познакомлю. Отличный парень! Но ты должен принимать его не только таким, какой он есть, но и когда он есть.

— А ты не мог бы пригласить его сюда, устроить, например, званый обед или что-нибудь такое? — спросил Крот.

— Да он не придет, — просто ответил дядюшка Рэт. — Барсук ненавидит общество, и приглашения, и обеды, и все такое в этом духе.

— Ну, а предположим, мы с тобой сами сходим к нему?

— Я убежден, что ему это решительно не понравится, — сказал дядюшка Рэт с тревогой. — Он такой застен-

241

чивый, да нет, он бы просто на нас обиделся! Я еще ни разу не решился явиться к нему в дом, хотя мы с ним очень давно знакомы. Кроме того, нам просто нельзя. Он живет в самой середине Дремучего Леса.

— Ну и что? — заметил Крот.— Помнишь, ты же говорил, что там нет ничего особенного.

— Ну говорил,— ответил дядюшка Рэт уклончиво.— Но мы пока что туда не пойдем. Не сейчас, понимаешь. Это очень далеко, и в это время года он, во всяком случае, не бывает дома, и вообще он сам придет, ты подожди.

Кроту пришлось удовлетвориться этим объяснением. Но Барсук все не появлялся, а каждый день приносил свои развлечения, и так продолжалось до того времени, пока лето окончательно не ушло и холод, дождь и раскисшие дороги не заставили сидеть дома, а набухшая река неслась мимо окон с такой скоростью, что ни о какой гребле даже и подумать было невозможно. В это время Крот снова поймал себя на том, что мысли его неотступно вертятся вокруг Барсука, который живет своей непонятной жизнью совершенно один в своей норе в самой глуши Дремучего Леса.

Зимой дядюшка Рэт много спал: рано ложился, а по утрам вставал очень поздно. В течение короткого дня он сочинял стихи или занимался какими-нибудь другими домашними делами, и, конечно, кто-нибудь из зверей постоянно заглядывал к ним поболтать. Само собой, было много рассказов, полных интересных наблюдений и всяких удачных сравнений, все пускались в воспоминания о лете и о том, каким оно выдалось.

О, лето было роскошной главой в великой книге Природы, если внимательно в нее вчитаться. С бесчисленными иллюстрациями, нарисованными самыми яркими красками! Они изображали весь нескончаемый пестрый карнавал, который разворачивался на берегу реки прекрасными живыми картинами. Первым появился алый вербейник, потряхивая спутанными локонами, заглядывая с берега в зеркало реки и улыбаясь собственному отражению. А потом не задержался и кипрей, нежный и задумчивый, как облако на закате. Окопник белый, взявшись за руки с алым, приполз следом. Наконец однажды утром застенчивый и робкий шиповник тихо ступил на сцену, и каждому становилось так очевидно, как будто об этом возвестили аккорды струнного оркестра, переходящие в гавот, что июнь окончательно наступил. На сцене ожидался еще один персонаж — пастушок, который будет резвиться с нимфами, рыцарь, которого дамы ждут у окошек, принц, который поцелуем пробудит к жизни спящую принцессу — лето. И когда таволга, веселая и добродушная, одетая в благоухающий кремовый камзольчик, заняла свое место, то все было готово на сцене, чтобы летний спектакль начался.

Ах, какой это был спектакль! Сонные звери, укрывшись от дождя и ветра, стучавших в двери, в своих уютных норках, вспоминали ясные рассветы за час до восхода солнца, когда туман, еще не успевший рассеяться, тесно прилегал к поверхности воды. Нырнешь в холодную воду и бежишь по берегу, чтобы согреться. А вслед за этим появлялось солнце, и преображалась земля, вода и воздух. Серое становилось золотым, и рождался цвет оттого, что солнце снова с ними. Они вспоминали послеобеденную лень жаркого летнего полудня, когда можно было зарыться в густой травяной подлесок и чувствовать, как солнышко проникает туда маленькими золотыми пятнышками. А потом купание и катание по реке, прогулки вдоль пыльных улочек и по тропинкам среди спелой пшеницы. А после этого, наконец,— длинные вечера, когда завязывались ниточки добрых отношений, возникали дружеские связи, составлялись планы на завтрашний день. Было о чем поговорить в короткие зимние дни, когда звери собирались возле камина. Но у Крота все-таки оставалась еще горсточка свободного времени, и вот однажды, когда дядюшка Рэт, сидя в кресле возле огня, то задремывал, то пытался срифмовать слова, которые никак не рифмовались, он принял решение пойти самому и изучить Дремучий Лес и, может, завязать знакомство с Барсуком.

Стоял тихий холодный день, небо над головой было стального цвета, когда он шмыгнул наружу из теплой гостиной. Земля вокруг была гола и безлистна, и он подумал, что никогда еще не заглядывал так глубоко в суть вещей, как в этот зимний день, когда природа была погружена в свой ежегодный сон и точно сбросила с себя все одежды. Холмы и лощины, карьеры и все скрытые листьями местечки, которые летом казались таинственными копями, интересными для исследования, теперь были печально доступны со всеми их секретами и, казалось, просили пока не замечать их неприкрытой бедности, доколе они снова не наденут свои богатые маскарадные костюмы и не очаруют опять своими прежними обманами. С одной стороны, все это выглядело жалко, а с другой — вселяло надежду и даже подбадривало. Его радовало то, что он по-прежнему любит землю, неприкрашенную, застывшую, лишенную наряда. Он разглядел ее, что называется, до костей, и кости эти оказались красивы, крепки и естественны. Он сейчас вовсе и не мечтал о теплых зарослях клевера или о шелесте заколосившихся трав. Ветки живой изгороди без листьев, голые сучья бука и вяза казались красивыми, и в бодром настроении он шел, не останавливаясь, в сторону Дремучего Леса, который чернел внизу, точно грозный риф в каком-нибудь тихом южном море.

Поначалу, когда он только вошел в лес, его ничто не встревожило. Сухие сучки потрескивали под ногами, поваленные деревья перегораживали путь, грибы на стволах напоминали карикатуры, пугая его в первый момент своей похожестью на что-то знакомое, но далекое. Все это казалось ему поначалу забавным и веселым. Но лесная глубь понемногу заманивала, и он уже проникал туда, где было таинственно и сумеречно, где деревья начинали подкрадываться к нему все ближе, а дупла стали кривить рты.

Здесь было очень тихо, темнота надвигалась неуклонно, быстро, сгущаясь и спереди и позади него, а свет как бы впитывался в землю, как вода в половодье. И вдруг стали появляться гримасничающие рожицы. Сначала ему показалось, что он неясно увидел где-то там, из-за плеча, чье-то лицо: маленькую злую клинообразную рожицу, которая глядела на него из дупла. Когда он повернулся и поглядел на нее в упор, она исчезла.

Он ускорил шаги, бодро убеждая самого себя не позволять себе воображать всякое, а то этому просто конца не будет. Он миновал еще одно дупло, и еще одно, и еще, а тогда — ну да! да нет! ну да, конечно! — маленькое узкое личико с остренькими глазками, оно мелькнуло на мгновенье и скрылось в дупле. Он заколебался, потом подбодрил сам себя и, сделав усилие, пошел дальше. И потом вдруг — точно они были там все время — у каждого дупла, а их были сотни, вблизи и в отдалении, оказалась своя рожица, которая появлялась и тут же исчезала, и каждая делала гримасу или вперяла в него злобный, ненавидящий взгляд.

Если бы, думалось ему, он мог оторвать свой взгляд от этих углублений в стволах, похожих на отверстия органных труб, эти мерзкие видения немедленно прекратились бы. Он покинул тропу и устремился в нехоженый лес.

Тогда вдруг послышался свист. Когда Крот впервые его услыхал где-то далеко за спиной, свист был пронзительный, но негромкий. Но он все же заставил Крота поспешить. Такой же пронзительный, но негромкий свист, зазвучавший далеко впереди, привел его в замешательство, внушив желание вернуться. Когда он в нерешительности остановился, свист вдруг возник сразу справа и слева, казалось, что кто-то этот свист ловит и передает дальше через весь лес, до самого отдаленного уголочка. Эти, которые передавали свист, были бодры и энергичны и ко всему готовы. А Крот... Крот был один и невооружен, и на помощь звать ему было решительно некого, а ночь уже наступала.

И тогда вдруг послышался топот. Он подумал, что это падают сухие листья, такой легкий и нежный был этот звук сначала. Потом, постепенно нарастая, звук приобрел свой ритм, и его ни за что другое и принять было нельзя, как за топ-топ-топ маленьких ножек, топающих пока что очень далеко. Спереди или сзади он доносился? Сначала казалось, что спереди, потом — сзади, потом — и оттуда и оттуда сразу. Топот рос и умножался, пока он не стал слышен отовсюду, и, казалось, надвигался и окружал его. Когда он встал неподвижно и прислушался, он увидел несущегося прямо через чащу кролика. Он ожидал, что кролик приостановится или, наоборот, кинется от него в сторону. Вместо этого зверек мазнул по нему боком, проскакивая мимо, мордочка искажена, глаза огромные.

— Спасайся, дурак, спасайся! — услышал Крот его бормотание, когда кролик, завернув за ствол дерева, скрылся в норке каких-то своих знакомых.

Топот усилился, зазвучал как внезапный град, ударивший по ковру из сухих листьев. Теперь казалось, будто весь лес куда-то мчался, бежал, догонял, устремляясь к чему-то или к кому-то. Крот тоже в панике побежал, без цели, не зная, куда и зачем. Он на что-то натыкался, во что-то проваливался, под чем-то проскакивал, от чего-то увертывался. Наконец он укрылся в глубокой темной расщелине старого вяза, которая казалась уютной, надежной, может, даже и безопасной, хотя кто мог знать наверное? Так или иначе, он слишком устал, чтобы бежать дальше, у него хватило сил, чтобы свернуться калачиком на сухих, занесенных в расщелину ветром листьях, в надежде, что здесь он в безопасности хоть на время. И пока он так лежал, дрожа, будучи не в состоянии успокоить дыхание, прислушиваясь к топоту и свисту в лесу, он наконец-то понял, понял до самого донышка то, что называется страхом и с чем сталкиваются жители полей, лесов и разных зарослей, то, что испытывают они в самые темные минуты своей жизни, от чего дядюшка Рэт тщетно пытался его оградить, — Ужас Дремучего Леса!

Тем временем дядюшка Рэт в тепле и уюте дремал возле своего камина. Листочек с неоконченным стихотворением соскользнул с колен, голова откинулась, рот приоткрылся, а сам он уже бродил по зеленым берегам текущих во сне речек. Затем уголек в камине осыпался, дрова затрещали, пыхнули язычком пламени, и он, вздрогнув, проснулся. Вспомнив, чем он занимался перед тем как задремать, он нагнулся и поднял с пола стихи, попытался вникнуть в них, потом оглянулся, ища глазами Крота, чтобы спросить, не придет ли ему в голову подходящая рифма.

Но Крота не было.

Он прислушался. В доме было очень тихо.

Тогда он позвал:

— Кро-от! Дружочек! — несколько раз и, не получив ответа, вышел в прихожую.

Шапки Крота на вешалке не было. Его галоши, которые обычно стояли возле подставки для зонтов, тоже отсутствовали.

Дядюшка Рэт вышел из дома и тщательно обследовал размокшую поверхность земли, надеясь найти его следы. Следы, конечно, отыскались. Галоши были новые, остренькие пупырышки на подошвах еще не стерлись. Он видел их отпечатки в грязи, прямо ведущие в сторону Дремучего Леса. Минуту-другую дядюшка Рэт постоял в задумчивости. Вид у него был очень мрачный. Потом он вернулся в дом, обвязался ремнем, сунул за него пару пистолетов, взял в руки дубинку, которая стояла в прихожей в углу, и быстрыми шагами двинулся по Кротовым следам.

Уже наступили сумерки, когда он добрался до опушки и без колебаний погрузился в лес, с тревогой глядя по сторонам, высматривая хоть какой-нибудь признак присутствия своего друга. То тут, то там злые рожицы выглядывали из дупел, но тут же исчезали при виде доблестного зверя, его пистолетов, его здоровенной серой дубинки, зажатой в лапах; и свист, и топот, которые он отчетливо слышал, как только вошел в лес, постепенно смолкая, совсем замерли, стало очень тихо. Он мужественно шел через весь лес в самый дальний его конец. Потом он плюнул на тропинки и стал ходить поперек леса, все время громко окликая:

— Кротик! Кротик! Кротик! Где ты? Это я, твой друг, Рэт!

Он терпеливо обыскивал лес уже в течение часа, а может, и больше, когда наконец, к своей радости, услышал тихий отклик. Идя на голос, он пробирался сквозь сгущающуюся темноту к комлю старого вяза с расщелиной, откуда и доносился слабенький голосок:

— Рэтти! Неужели это в самом деле ты?

Дядюшка Рэт заполз в расщелину и там обнаружил Крота, совершенно измученного и все еще дрожащего.

— О, Рэт! — закричал он.— Как я перепугался, ты не можешь себе представить!

— Вполне, вполне понимаю,— сказал дядюшка Рэт успокаивающим тоном.— Тебе не стоило ходить, Крот. Я изо всех сил старался тебя удержать. Мы, те, кто живет у реки, редко ходим сюда поодиночке. Если уж очень понадобится, отправляемся хотя бы вдвоем, так оно бывает лучше. Кроме того, есть тысяча вещей, которые надо знать, мы в них разбираемся, а ты пока что — нет. Я имею в виду всякие там пароли, и знаки, и заговоры, и травы, которые при этом должны быть у тебя в кармане, и присловья, которые ты при этом произносишь, и всякие уловки и хитрости, которые совсем просты, когда ты их знаешь, но их обязательно надо знать, если ты небольшой и несильный или если ты попал в затруднительное положение. Конечно, когда ты Барсук или Выдра, тогда совсем другое дело.

— Уж, наверное, доблестный мистер Тоуд не побоялся бы прийти сюда один, правда? — спросил Крот.

— Старина Тоуд? — переспросил дядюшка Рэт, смеясь от души.— Да он сам носа сюда не покажет, насыпь ты ему полную шапку золотых монет. Кто угодно, только не он!

Крота очень ободрил беззаботный смех друга, так же как и вид его дубинки и двух сверкающих пистолетов, и он перестал дрожать и почувствовал себя смелее и понемногу стал приходить в нормальное расположение духа.

— Ну вот,— сказал дядюшка Рэт,— теперь нам надо с тобой взять себя в руки и отправиться домой, пока осталась еще хоть капелька света. Не годится тут ночевать, ты сам понимаешь. Слишком холодно, и вообще...

— Милый Рэтти, — сказал несчастный Крот. — Мне очень жаль, но я просто не в силах двинуться от усталости, и с этим ничего не поделаешь. Ты должен дать мне отдохнуть еще чуточку, чтобы ко мне вернулись силы, если они вообще хоть когда-нибудь вернутся.

— Хорошо, хорошо, — сказал добросердечный Рэт. — Валяй отдыхай. Все равно уже ни зги не видно, а попозже, может, покажется молодой месяц.

Таким образом, Крот хорошенечко зарылся в сухие листья, вытянулся и вскоре заснул. Правда, сон его был беспокойным и прерывистым. А дядюшка Рэт тоже, кое-как накрывшись листьями, чтоб было потеплее, прилег и стал терпеливо ждать, держа на всякий случай пистолет наготове.

Когда Крот наконец, отдохнувший и бодрый, проснулся, дядюшка Рэт сказал:

— Ну, я сейчас погляжу, все ли снаружи спокойно, и нам уже в самом деле пора.

Он подошел ко входу в их убежище и высунул голову наружу. Затем Крот услышал, как он спокойно сказал самому себе:

— Ого! Ого! Вот это да!

— Что происходит, Рэтти? — спросил Крот.

— Снег происходит. А вернее, просто идет. Снегопад вот что.

Крот, присев на корточки рядом с дядюшкой Рэт, выглянул из укрытия и увидел, что лес совершенно изменился. Еще совсем недавно он казался ему таким страшным! Ямы, дупла, лощины, лужи, рытвины и другие черные угрозы путешествующему быстро исчезали, сияющий волшебный ковер возникал повсюду и казался слишком нежным для грубых шагов. Тонкая белая пыльца наполняла воздух, ласково касаясь щеки крошечными иголочками, а черные стволы деревьев выступали как бы подсвеченные необычным, идущим от земли светом.

— Так, так, ну, ничего не поделаешь, — сказал дядюшка Рэт, немного поразмыслив. — Мне кажется, Крот, нам надо двигаться и не терять присутствия духа. Хуже всего то, что я не знаю точно, где мы находимся. И к тому же этот снег все изменил, и все выглядит совершенно иначе!

Действительно, все кругом изменилось до неузнаваемости. Крот ни за что бы не догадался, что это тот же самый лес. Но делать было нечего, и они отважно двинулись в путь, выбрав направление, которое казалось наиболее обещающим. Они шли, держась за лапы и подбадривая себя тем, что оба притворялись, будто узнают старого друга в каждом следующем дереве, мрачно и молча их приветствовавшем. Или находили полянки, прогалины и тропинки с якобы знакомым изгибом, который перебивал монотонную одинаковость белизны и древесных стволов, упрямо отказывавшихся отличаться друг от друга.

Час или два спустя они совсем утратили ощущение времени. Они остановились, уставшие, потерявшие всякую надежду, решительно не зная, что дальше делать, и сели на поваленный ствол перевести дух и хоть прикинуть, как же им быть. У них все ныло и болело от усталости и ушибов. Они несколько раз проваливались в ямы и вымокли насквозь. Снегу нападало столько, что они едва брели через сугробы, с трудом переставляя свои маленькие лапки, а деревья росли все чаще и чаще и были уж совсем неотличимы одно от другого. Казалось, этому лесу нет конца, и начала у него тоже нет, нет и никакой разницы в любом его месте, и что самое худшее — выхода из него тоже никакого нет.

— Мы не можем тут долго рассиживаться, — сказал дядюшка Рэт. — Надо нам еще раз попытаться выбраться или вообще что-нибудь предпринять. С таким холодом не шутят, а снег скоро сделается глубокий-глубокий, настолько, что нам через него вброд не перейти.

Он огляделся вокруг и сказал:

— Послушай, вот что приходит мне в голову. Видишь, вон там, чуть пониже, лощина, там земля какая-то маленько горбатая, кочковатая какая-то, вроде изрытая. Давай спустимся туда, попробуем поискать какое-нибудь убежище, какую-нибудь пещерку или норку с сухим полом, где можно укрыться от этого пронзительного ветра и снежной завирухи. Там мы хорошенечко отдохнем, а потом снова попробуем выбраться, а то мы с тобой оба до смерти устали. Кроме того, снег может перестать или еще вдруг найдется какой-нибудь выход.

Они снова поднялись и, с трудом пробираясь, пошли в сторону лощины в поисках пещерки или хоть подветренного уголка, который укрыл бы их от ветра и метели. Они как раз осматривали тот кочковатый участок, о котором говорил дядюшка Рэт, когда вдруг Крот споткнулся и, взвизгнув, полетел на землю ничком.

— Ой, лапа! Ой, моя бедная лапа!

Действительно всё кругом изменилось до неузнаваемости.

И он уселся прямо на снег, обхватив заднюю лапу передними.

— Бедняжка! — посочувствовал дядюшка Рэт. — Ну скажи, как тебе сегодня не везет, а! Ну-ка, покажи лапу. Конечно, — продолжал он, опускаясь на колени, чтобы получше рассмотреть, — лапа порезана, никаких сомнений. Погоди, сейчас я достану платок и перевяжу.

— Я, должно быть, споткнулся о сучок или пень, — сказал Крот печально. — Ой, как болит!

— Уж очень ровный порез, — заметил Рэт, внимательно рассматривая лапу. — Нет, никакой это не сучок и не пень. Это порезано острым краем чего-то металлического. Странно! — Он на минуту задумался и стал исследовать близлежащие рытвины и кочки.

— Какая тебе разница, об чего я порезался? — сказал Крот, от боли забывая, как надо говорить правильно. — Все равно больно, обо что бы я ни порезался.

Но дядюшка Рэт, после того как крепко стянул ранку платком, не обращая внимания на Крота, стал изо всех сил раскапывать снег. Он разгребал его, копал, расшвыривал всеми четырьмя лапами, а Крот взирал на него нетерпеливо, время от времени вставляя:

— Ну, Рэт, ну пошли же!

И вдруг дядюшка Рэт закричал:

— Ура!

И потом:

— Уррра! Урра-ра-ра!

И начал из последних сил отплясывать джигу прямо на снегу.

— Что ты нашел, Рэтти? — спросил Крот, все еще держа заднюю лапу обеими передними.

— Иди и посмотри! — сказал дядюшка Рэт в восторге, продолжая плясать.

Крот дохромал до того места и внимательно посмотрел.

— Ну и что, — сказал он с расстановкой, — я вижу достаточно хорошо. Я видел такую штуку тысячу раз и раньше. Знакомый предмет, я бы сказал. Скоба для того, чтобы счищать грязь с обуви. Что из этого? Чего выплясывать вокруг железной скобы?

— Но неужели ты не понимаешь, что это значит для нас? — воскликнул дядюшка Рэт нетерпеливо.

— Я понимаю, что это значит, — ответил Крот. — Это обозначает, что какой-то беззаботный и рассеянный тип швырнул этот предмет посреди Дремучего Леса, где об него обязательно споткнется любой прохожий. Довольно бездумный поступок, я бы сказал. Когда мы доберемся до дому, я непременно пожалуюсь... кому-нибудь, вот увидишь.

— О господи! О господи! — воскликнул дядюшка Рэт в отчаянии от такой тупости. — Сейчас же перестань разглагольствовать, иди и разгребай снег!

И он сам тут же принялся за работу, и снег летел во все стороны.

Его дальнейшие старания опять увенчались успехом, и на свет появился довольно потертый дверной коврик.

— Видал, что́ я тебе говорил! — воскликнул он с торжеством.

— Ничего ты мне не говорил, — заметил Крот, что было истинной правдой. — Ну, нашел еще один предмет, ну, домашний предмет, изношенный и выброшенный за ненадобностью, чему, как я вижу, ты безумно радуешься. Лучше давай быстренько спляши джигу вокруг него, если тебе так уж хочется, и, может, мы пойдем дальше и не будем больше тратить время на помойки. Его что, по-твоему, едят, этот коврик? Или, может быть, спят под ним? Или можно на нем по снегу поехать домой, как на санях-самоходах, а? Ты, несносный грызун!

— Ты... хочешь... сказать, — закричал дядюшка Рэт, волнуясь, — что этот коврик тебе ничего не говорит?!

— На самом-то деле, Рэт, — отозвался Крот с раздражением, — хватит уж этих глупостей! Ну скажи, кто и когда слышал, чтобы дверные коврики умели говорить? Они не разговаривают. Они совсем не такие. Они знают свое место.

— Да послушай ты, ты — толстолобый зверь! — ответил дядюшка Рэт, уже по-настоящему сердясь. — Кончай болтать. Молчи и копай. Копай, рой, скреби и ищи. Особенно там, где пригорочки, если ты хочешь спать эту ночь на сухом и в тепле, потому что это наша самая последняя возможность!

И дядюшка Рэт с жаром набросился на соседний сугроб, ощупывая все вокруг своей дубинкой и яростно раскапывая снег.

Крот тоже озабоченно копал, больше для того, чтобы не огорчать друга, чем с какой-либо другой целью, потому что, как он считал, его друг просто понемножечку сходил с ума.

Минут десять усердной работы, и дубинка наткнулась на что-то, что отозвалось пустотой. Рэт копал до тех пор, пока не сумел просунуть лапу и пощупать, потом попросил Крота, чтобы он подошел помочь ему. Оба зверя стали изо всех сил копать и копали до тех пор, пока даже Кроту не стало ясно, зачем они это делали. В том, что казалось на первый взгляд сугробом, обнаружилась крепкого вида дверь, выкрашенная в темно-зеленый цвет. Сбоку висела железная петля звонка, а чуть ниже была укреплена небольшая медная табличка, на которой была красивыми, аккуратными буквами выгравирована надпись, которую они прочли при свете луны:

> ### МИСТЕР БАРСУК

Крот повалился в снег от удивления и восторга.

— Рэтти! — закричал он в раскаянии. — Ты чудо! Настоящее чудо, вот кто ты! Теперь я все понял! Ты все это вычислил шаг за шагом в твоей мудрой голове с того самого момента, как я упал и порезал лапу! Ты увидел порез, и тут же твой проницательный ум сказал тебе: «Не иначе как железная скоба!» Тогда ты взялся копать и отыскал эту самую скобу. Но остановился ли ты на этом? Нет! Кто-нибудь мог бы, но только не ты! Твой интеллект продолжал трудиться. «Найти бы мне теперь дверной коврик, — сказал ты самому себе, — и тогда моя теория подтвердится». И конечно, ты находишь коврик. Ты, Рэт, такой умный, что ты мог бы найти, чего бы ты только ни захотел. «Ну, так эта дверь существует, словно я видел ее своими глазами. И ничего другого не остается, как ее обнаружить». Ну конечно, я читал про такие вещи в книгах, но я никогда не встречался с этим в жизни. Тебе бы надо отправиться туда, где тебя по-настоящему оценят. Ты же тут среди нас, простых ребят, пропадаешь. Если бы у меня была такая голова, как у тебя, Рэтти...

— Но поскольку ее у тебя нет, — прервал его дядюшка Рэт довольно сердито, — я думаю, что ты, разглагольствуя, просидишь всю ночь на снегу. Немедленно поднимайся, хватайся за петлю и звони, а я буду стучать.

Пока дядюшка Рэт стучал, накидываясь на дверь со своей дубинкой, Крот набросился на звонок, чуть ли не повис на железной петле и раскачивался на ней, болтая обеими задними лапами в воздухе, и было слышно, что где-то вдали, в глубине отзывается колокольчик.

****

4

Дядюшка Барсук

ОНИ терпеливо ждали, перетаптываясь с ноги на ногу, чтобы вконец не озябнуть, и ждали, как им показалось, довольно долго. Наконец они услышали медленное шарканье, которое приближалось к двери изнутри. Кроту представилось, будто кто-то идет в ковровых шлепанцах, которые ему велики и у которых стоптаны задники. Так оно и было на самом деле.

Послышался звук отодвигаемого засова, дверь приоткрылась всего на несколько дюймов, как раз настолько, чтобы можно было просунуть длинную мордочку и глянуть парой заспанных глазок.

— Так, если это повторится еще раз,— сказал недовольный голос,— я ужасно рассержусь. Кто это смеет беспокоить жителей в это время и в такую ночь? Ну-ка, отвечайте!

— Барсук! — закричал дядюшка Рэт.— Впусти нас, пожалуйста, это я, Рэт, и мой друг, Крот, мы заблудились в снегу.

— Что? Рэтти? Мой милый дружище! — воскликнул дядюшка Барсук уже совсем другим голосом.— Входи же, оба входите, скорее. Боже мой, да вы, должно быть, прямо погибаете! Подумать только! Заблудились в снегу! И не где-нибудь, а в Дремучем Лесу да еще в такую позд-ноту! Ну давайте входите, входите.

Оба путника чуть ли не перекувырнулись друг через друга, так им хотелось поскорее попасть внутрь, и оба с удовольствием и облегчением услышали, как за ними за-хлопнулась дверь.

На Барсуке был длинный халат и действительно совер-шенно стоптанные шлепанцы, он держал в лапе плоский ночник и скорее всего направлялся в спальню, когда его застиг их настойчивый стук. Он посмотрел на них и по-доброму каждого потрепал по голове.

— Это вовсе не такая ночь, когда маленьким зверькам можно бродить по лесу,— сказал он отечески.— Боюсь, это все твои проказы, Рэтти. Ну, идемте, идемте на кух-ню. Там пылает камин, и ужин на столе, и все такое про-чее.

Он шел, шаркая, неся перед собой свечу, а они в при-ятном ожидании следовали за ним, подталкивая друг дру-га по длинному, мрачному и, по правде говоря, довольно обшарпанному коридору в прихожую, от которой, как им показалось, расходились другие коридоры и переходы, та-инственные и на вид бесконечные. Но в прихожую выхо-дили также еще и крепкие, дубовые двери. Одну из них дядюшка Барсук распахнул настежь, и они сразу же очу-тились в тепле и свете большой, с пылающим камином кухни. Пол в кухне был из старого, исшарканного кирпи-ча, в огромном устье камина пылали бревна, в углу — уют-ное место для отдыха, исключавшее самую мысль о сквоз-няке. Там стояли два кресла с высокими спинками, лицом обращенные друг к другу, приглашая расположенных к беседе гостей посидеть в них. Посередине помещения стоял длинный стол, сколоченный из простых досок, по-ложенных на козлы, вдоль стола по обеим сторонам тяну-лись две скамьи. В торце стола, возле которого стояло отодвинутое кресло, были видны остатки ужина, просто-го, но обильного. Ряды чисто вымытых тарелок подмиги-вали с полок буфета, стоящего в дальнем углу кухни, а с балок над головой свешивались окорока, пучки высу-шенных трав, сетки с луком, корзины, полные яиц. Каза-лось, что в этом месте доблестное воинство вполне могло бы устроить пир после славной победы над врагом, или сборщики урожая, человек сто, могли бы отпраздновать

Праздник Урожая с песнями и плясками, или, на худой конец, двое-трое закадычных друзей без больших запросов могли бы удобно усесться за этим столом, посидеть, покурить, поболтать всласть. Рыжеватый кирпичный пол посылал улыбки продымленному потолку, дубовые табуретки, отполированные до блеска частым употреблением, обменивались бодрыми взглядами друг с другом, тарелки в буфете подмигивали кастрюлькам на полках, а веселый отсвет камина играл решительно на всем без всякого разбора.

Добрейший Барсук усадил их у огня на табуретки и посоветовал скинуть мокрую одежду и обувь. Потом он сходил и принес им халаты и шлепанцы, самолично промыл Кроту ранку на ноге теплой водичкой и залепил пластырем, и нога сделалась как и была, а может, даже и еще лучше! Им, приведенным сюда метелью, наконец-то обсохшим и согревшимся в объятиях света и тепла, слышавшим за спиной звон накрываемых на стол тарелок, теперь, когда они обрели надежное пристанище, казалось, что холодный, бездорожный Дремучий Лес не тут, снаружи, а где-то далеко, за много-много миль, и все, что они там пережили,— это полузабытый страшный сон.

Когда наконец нежданные гости основательно «поджарились», Барсук призвал их к столу, где он сервировал для них трапезу. Они изрядно проголодались и до того, но, когда они увидели ужин, который был накрыт для них, им захотелось съесть все. Вопрос был только в том, на что наброситься сначала, потому что все было так привлекательно! Довольно продолжительное время беседа вообще исключалась, а когда она возобновилась, то приобрела тот достойный сожаления характер, который возникает от разговора с набитым ртом.

Правда, дядюшка Барсук не обращал на это решительно никакого внимания, так же как и на локти, положенные на стол, или на то, что все говорят разом. Поскольку сам он не любил бывать в обществе, то полагал, что условности не имеют значения. (Мы, конечно, понимаем, что он ошибался и что его взгляд на это был слишком узок; все это имеет значение, а почему — долго объяснять.) Он сидел в своем кресле во главе стола, мрачно кивая головой, пока пришельцы рассказывали о своих злоключениях. Казалось, его не удивляло решительно ничего

в их рассказах. Он не приговаривал: «Я вас предупреждал» или: «Я же об этом сто раз говорил», и не поучал их, что, мол, надо было так-то и так-то поступить, и не упрекал их, что, мол, почему они не сделали то-то и то-то. Это необычайно расположило к нему Крота.

Когда с ужином наконец-то покончили и каждый из них почувствовал, что съесть еще хотя бы кусочек небезопасно, потому что шкура может лопнуть, и что теперь ему наплевать на всех и вся, они собрались возле догорающих, затягивающихся пеплом угольков большого камина, и каждый подумал, как это прекрасно сидеть так поздно, и ничего не бояться, и быть таким сытым. После того как они поболтали о том о сем, Барсук спросил с большим интересом в голосе:

— Ну, хорошо. А теперь расскажите, какие новости в ваших краях? Как поживает наш приятель Тоуд?

— О, чем дальше, тем хуже,— сказал дядюшка Рэт с сожалением, а Крот, который сидел в кресле, наслаждаясь теплом от камина и задрав ноги выше головы, постарался напустить на себя искренне печальный вид.— Еще одна автомобильная катастрофа на прошлой неделе. И очень сильная,— продолжал дядюшка Рэт.— Понимаешь, он хочет сам сидеть за рулем, а к этому ну просто безнадежно неспособен. Нанял бы он лучше приличного, надежного, хорошо обученного зверя в шоферы, да платил бы ему как следует, да поручил бы ему дела, связанные с автомобилем, все бы и наладилось. Но где уж там! Он считает себя прирожденным шофером и решительно никого не слушает, вот отсюда неприятности и получаются.

— И сколько же у него их было? — спросил Барсук подавленно.

— Машин или катастроф? — спросил Рэт.— Впрочем, что касается нашего приятеля, то это в конце концов одно и то же. Это уже седьмая. А что до предыдущих... Ты ведь помнишь его каретный сарай? Он весь забит, ну то есть абсолютно весь, до самой крыши забит обломками его предыдущих автомобилей, и кусочки-то эти размером не больше твоей шляпы. Я думаю, тебе все ясно, не так ли?

— Он уже три раза попадал в больницу,— вставил Крот.— А уж сколько денег он переплатил на штрафы, даже страшно подумать!

— Да и это еще полбеды,— сказал дядюшка Рэт.— Он богатый, конечно, это всем известно, но не миллионер же! Дело в том, что он никуда не годный шофер, не признающий ни правил, ни законов. Одно из двух: либо он разорится, либо погибнет в катастрофе. Барсук, подумай! Ведь мы его друзья, не должны ли мы что-нибудь предпринять?

Барсук глубоко задумался.

— Послушайте! — сказал он через некоторое время довольно сурово.— Вы, надеюсь, понимаете, что я ничего не могу сделать теперь?

Оба его приятеля наклонили головы, вполне понимая, что он имел в виду. Согласно звериному этикету, никого из зверей нельзя заставлять, чтобы он совершил что-либо героическое, или требующее приложения всех сил, или даже сравнительно небольшого напряжения, когда речь идет о зиме. В это время все звери сонные, а некоторые по-настоящему спят. Все так или иначе зависят от погоды. И все отдыхают от пламенных летних дней, когда каждый мускул подвергался серьезному испытанию и вся их энергия была пущена в ход.

— Хорошо,— сказал Барсук.— Тогда так и решим. Как только год переломится, ночи станут короче, ну, знаете, когда начинаешь ерзать и хочется вскочить и быть уже вполне бодрым к тому времени, как солнце встанет, а то и раньше, ну, вы сами понимаете...

Оба кивнули с серьезным видом. Они понимали.

— Ладно. Тогда мы,— продолжал Барсук,— то есть ты, и я, и вот еще наш друг Крот,— мы тогда за него серьезно возьмемся. Мы не позволим ему валять дурака. Мы его заставим войти в разум, даже силой, если понадобится. Эй, да ты спишь, Рэт?

— Нет, нет, нет,— сказал дядюшка Рэт, вздрагивая и просыпаясь.

— Он после ужина уже раза два или три засыпал,— засмеялся Крот.

Он-то чувствовал себя вполне бодрым и даже оживленным, сам не зная почему. А причина была, несомненно, в том, что он был и по рождению, и по воспитанию подземный житель, и дом Барсука был в том же духе, что и его собственный, вот почему он себя тут так хорошо чувствовал. А дядюшка Рэт, чьи окна выходили на прохладную, дышащую ветерком реку, естественно, находил, что воздух тут тяжел и душен.

— Ну, пора нам всем ложиться,— сказал Барсук, вставая и доставая для них плоские подсвечники.— Пошли со мной, я покажу вам ваши апартаменты. И не спешите утром вставать, завтрак в любое время, когда пожелаете.

И он повел своих гостей в комнату, которая служила наполовину спальней, а наполовину — кладовой. Большую часть занимали зимние запасы Барсука: груды яблок, репы и картошки, корзины, полные орехов, и кувшины с медом. Но две небольшие, чисто застланные кровати, стоявшие на незаставленной части пола, так и манили к себе, а белье было хоть и грубоватой ткани, но приятно пахло лавандой, так что дядюшка Рэт и Крот, в тридцать секунд стряхнув с себя всю одежду, нырнули в чистые простыни с великой радостью и удовлетворением.

В точном соответствии с предписанием доброго хозяина оба усталых путника на следующее утро спустились к завтраку очень поздно и обнаружили яркий огонь, пылающий в камине, и двух юных ежиков, сидевших на лавке за столом, евших овсяную кашу из деревянных мисок. Ежики положили ложки, вскочили и вежливо поклонились вошедшим.

— Сидите, сидите,— сказал им дядюшка Рэт приветливо,— доедайте. Вы, юноши, откуда взялись? Наверное, заблудились в снегу, а?

— Да, сэр,— почтительно отозвался старший из ежиков.— Я и вот Билли, мы было пошли в школу, мама нам велела, и мы, конечно, заблудились, сэр, и Билли испугался и начал плакать, потому что он еще маленький и пугается. Мы как раз оказались возле двери мистера Барсука, возле черного хода, и решились постучать, сэр, потому что мистер Барсук, он, как известно, очень добрый...

— Понимаю, понимаю,— сказал дядюшка Рэт, отрезая тонкий кусочек ветчины от большого окорока, а Крот тем временем положил пару яиц в кастрюльку.— А как там погода? И не говори «сэр» через каждые два слова.

— Кошмарная погода, сэр, снегу навалило — ужас! — сказал ежик.— На улицу не выйдешь.

— А где Барсук? — спросил Крот, подогревая кофе.

— Хозяин удалился в кабинет, сэр, и сказал, что будет очень занят все утро, и просил не беспокоить его ни под каким видом.

Эти слова были понятны всем присутствующим. Дело в том, что когда ты живешь изо всех сил целые полгода подряд, то другие полгода ты спишь или дремлешь. И неловко все время повторять, что тебе хочется спать, когда у тебя в доме гости. Неудобно как-то об этом без конца напоминать. Всем было ясно, что Барсук, как следует позавтракав, удалился в свой кабинет, уселся в кресло, задрал ноги на стул, что стоит напротив, положил на мордочку красный платок и занялся тем, чем обычно занимаются в это время года.

Колокольчик на входной двери громко зазвонил, и дядюшка Рэт, лапы которого были перепачканы маслом, потому что он намазывал себе хлеб, послал маленького Билли поглядеть, кто там пришел.

Было слышно, как в прихожей кто-то долго отряхивается, и вскоре Билли вернулся в сопровождении дядюшки Выдры, который с громкими приветствиями кинулся обнимать друзей.

— Ну, хватит, хватит,— пробормотал дядюшка Рэт, прожевывая ветчину.

— Я так и знал, что вы здесь,— бодро заметил дядюшка Выдра.— Там, на берегу реки, все в панике: «Рэт не ночевал дома, и Крота тоже нигде нет, что-нибудь, наверное, ужасное случилось» — и следы ваши, конечно, занесло снегом. Но я так и знал. Когда кто попадет в затруднение, тот отправляется к Барсуку, или Барсук сам как-то об этом узнает, и я пошел прямо сюда, в Дремучий Лес, по снегу. Ух как там сегодня красиво! Солнце встало красное-красное, окрасило розовым снег сквозь черные стволы деревьев. И такая тишина! А время от времени целая шапка снега — шлеп! — срывается с ветки, и ты отскакиваешь и ищешь, где бы укрыться. За ночь прямо ниоткуда воздвиглись снежные дворцы, и снежные пещеры, и снежные мосты, и террасы, и крепостные валы. Играть бы и играть во все это часами. Там кое-где валяются огромные ветки — они рухнули под тяжестью снега, а малиновки по ним скачут с таким важным видом, точно это они все сделали. Пока я шел, гусиный клин пролетел у меня над головой высоко в небе, потом парочка-троечка грачей покружились над деревьями. Поглядели, полетали и отправились по домам с брезгливым выражением. Ни одного здравого существа не встретилось, чтобы порасспросить о вас. На полпути я встретил кролика — сидел на пеньке и начищал свою глупую мордочку передними лапами. Ох и испугался же он, когда я подкрался к нему сзади и положил лапу на плечо. Мне пришлось пару раз его стукнуть, чтоб добиться хоть какого-нибудь толку.

В конце концов мне удалось вытянуть из него, что какой-то кролик видел в Дремучем Лесу Крота вчера вечером. В кроличьих норах вчера только и разговору было, как Крот, задушевный друг нашего Рэтти, попал в переплет и заблудился. *Они* все нарочно стали его заманивать и водить по лесу кругами.

«Почему же вы не поспешили на помощь? — спросил я.— Конечно, ума у вас лишнего нет, но все-таки вас целые сотни, и есть среди вас здоровые парни, и норы ваши под землей расходятся во все стороны, и вы не могли его позвать и помочь ему укрыться в безопасном месте? Хотя бы попытались устроить его как-нибудь поудобнее!»

А он только сказал: «Что? Мы? Кролики?» Ну, я стукнул его еще разок и пошел дальше. Во всяком случае, я хоть кое-что узнал, а если бы мне еще попались *Они,* я бы узнал и побольше, но *Они* боялись мне попадаться.

— И тебе не было нисколько... ну... жутко? — спросил его Крот, вспоминая при словах «Дремучий Лес» пережитые накануне страхи.

— Жутко? — улыбнулся дядюшка Выдра, сверкнув набором крепких белых зубов.— Я бы показал им «жутко», попробовали бы *Они* со мной свои штучки! Крот, дружище, не в службу, а в дружбу, поджарь мне кусочек-другой ветчинки, я страшно голоден, а потом мне надо перекинуться парочкой слов с Рэтти, мы с ним сто лет не виделись.

Добродушный Крот, отрезав несколько кусочков от окорока, велел ежатам их поджарить, а сам вернулся к прерванному завтраку. А дядюшка Выдра и дядюшка Рэт, усевшись нос к носу, завели оживленную беседу, обсуждая специфические речные новости, и надо сказать, что такая беседа бесконечна, и течет и журчит, как сама река.

Тарелка с жареной ветчиной была опустошена и отправлена для добавки, когда в кухню вошел Барсук, зевая и потягиваясь. Он поздоровался со всеми как обычно — спокойно и просто, задав каждому по доброму вопросу.

— Дело идет к обеду,— сказал он Выдре.— Оставайся и поешь с нами, утро такое холодное, и ты, наверно, здорово проголодался?

— Да, весьма основательно,— сказал дядюшка Выдра, подмигивая Кроту.— При одном взгляде на этих молодых

— Дело идет к обеду, — сказал он Выдре. —
Оставайся и поешь с нами...

обжор, этих молодых ежей, набивающих животы жареной ветчиной, кто хочешь начнет умирать с голоду.

Ежата как раз почувствовали, что снова проголодались после овсяной каши и большого труда, который пришлось затратить, жаря ветчину. Они робко взглянули на Барсука, но сказать ничего не решились.

— Ну, ребятишки, теперь вам пора домой к маме,— сказал Барсук ласково.— Я кого-нибудь пошлю вас проводить.

Он дал каждому из них по шестипенсовой монетке, потрепал по головке, и ежата ушли, почтительно кланяясь и дотрагиваясь до козырьков.

Вскоре все опять уселись за стол.

Крот оказался рядом с дядюшкой Барсуком, и, поскольку те двое были все еще погружены в речные сплетни и ничто не могло их от этого занятия отвлечь, он воспользовался случаем и заметил Барсуку, как уютно и по-домашнему он чувствует себя у него в доме.

— Под землей ты всегда знаешь, где ты находишься,— сказал Крот.— Ничего с тобой не случится и никто на тебя не набросится. Ты сам себе хозяин, и тебе не надо ни с кем советоваться и обращать внимание, кто что о тебе скажет. Там, над головой, что-то происходит, а тебе до этого нет никакого дела, и ты ни о ком и не думаешь. А как захочешь — раз! — и можешь подняться наверх, и пожалуйста — все тебя дожидается и все к твоим услугам.

— Именно это я всегда и говорю,— сказал Барсук.— Нигде нет такой тишины и покоя, как под землей. И нигде ты не чувствуешь себя в большей безопасности. А если вдруг мыслям твоим станет тесно и тебе захочется простора, стоит только копнуть, поскрести — и пожалуйста! А если тебе покажется, что твой дом чересчур велик, закопай парочку проходов — вот и все. Никаких тебе плотников, никаких строителей, никаких советов через забор, а главное — никакой погоды! Погляди на Рэтти. Стоит только паводку подняться на парочку футов выше обычного, и вот он уже вынужден перебираться в гостиницу, в неуютный и неудобный номер, и к тому же страшно дорогой. Возьми мистера Тоуд. Я ничего не хочу сказать, Тоуд-Холл — это лучший дом во всей округе, если говорить о доме как таковом. Ну а вдруг пожар? Что тогда будет с ним? А вдруг ураган снесет черепицу? Или стена треснет? Или окно разобьется? Что тогда будет с ним? Или вдруг сквозняк, я ненавижу сквозняки! Нет, наверху, пожалуйста, работайте, веселитесь, гуляйте — все это хорошо. Но жить надо под землей. Я в этом глубоко убежден.

Крот поддержал его всей душой, и дядюшка Барсук в конце концов с ним очень подружился.

— После обеда я покажу тебе весь свой дом, — сказал он. — Я думаю, тебе он понравится. Ты понимаешь толк в архитектуре.

После еды, когда те двое уселись в уголочек возле камина и затеяли оживленный спор насчет угрей, Барсук засветил фонарь и пригласил Крота следовать за ним. Они пересекли прихожую и двинулись по одному из главных коридоров. Колеблющийся свет фонаря на мгновение высвечивал по обеим сторонам разные помещения — то маленькие, величиной не больше шкафа, а иные такие просторные и впечатляющие, как парадная столовая в Тоуд-Холле. Узенький проход, шедший под прямым углом к главному, привел их к другому коридору, и тут все повторилось сначала. Крот был потрясен размерами и размахом всех этих ответвлений, длиной сумрачных переходов, толстыми сводами набитых припасами кладовых, солидностью кирпичной кладки, колоннами, арками, прочно вымощенными полами.

— Откуда же ты нашел силы и время все это построить? — вымолвил он наконец. — Это потрясающе!

— Было бы действительно потрясающе, если бы я все это построил сам, — ответил Барсук просто. — Но в действительности я этого ничего не делал. Я только расчищал коридоры и помещения по мере надобности. Их здесь вокруг еще гораздо больше. Я вижу твое недоумение и сейчас тебе все объясню. Видишь ли, давно-давно на том месте, где теперь шумит Дремучий Лес, задолго до того, как он вырос таким, каким ты его знаешь, тут был город — человеческий город. Здесь, где мы с тобой сейчас стоим, они жили: ходили, разговаривали, спали, занимались своими делами. Здесь они держали конюшни и пировали, отсюда они отправлялись на войну или уезжали торговать. Это был могущественный народ, они были богаты и умели хорошо строить. Строили они крепко, потому что верили, что их город будет стоять вечно.

— Что же все-таки с ними со всеми случилось? — спросил Крот.

— Кто знает? — сказал Барсук. — Народы приходят, живут, процветают, строятся, а потом уходят. Таков их удел. А мы остаемся. Здесь жили барсуки, я слыхал, задолго до того, как построился город. Мы можем на время уйти, переждать, перетерпеть, а потом появиться снова. Мы всегда будем.

— И что же случилось, когда люди отсюда ушли?

— Когда люди ушли, — продолжал дядюшка Барсук, — за дело взялись сильные ветры и затяжные ливни — терпеливо, не останавливаясь, день за днем, год за годом. Может быть, и мы, барсуки, как могли, помогали — кто знает? Вниз, вниз, вниз опускался город, опускался, разрушался, исчезал. И тогда вверх, вверх, вверх потянулся лес. Постепенно проросли семена, молодые деревца вытягивались и крепли, на помощь им явились ежевика и папоротники. Листья опадали, становились перегноем, образуя почву, и покрывали руины. Весенние ручьи нанесли земли и песку, засыпали щели, и вот наш дом был опять готов, и мы переселились в него. То же самое происходило там, наверху. Явились звери, им здесь понравилось, они осели, устроились, стали расселяться, и жизнь вошла в свою колею. Они не утруждали себя мыслями о прошлом, они о нем никогда не думают, им некогда. Место это, конечно, холмистое, кочковатое, здесь полно ям и всяких рытвин, но в этом есть и преимущества. Звери не думают и о будущем. Возможно, люди опять сюда явятся, может статься, опять всего лишь на время. Сейчас Дремучий Лес плотно населен, среди его обитателей есть и хорошие, и плохие, и так себе, никакие. Я, конечно, не называю имен. Разнообразие и создает мир. Но я могу себе представить, что ты уже и сам о них кое-что знаешь.

— Ох, кажется, знаю! — сказал Крот, поеживаясь.

— Ну, ничего, ничего, — сказал Барсук, похлопывая его по плечу, — это было твое первое знакомство с ними. На самом деле они не такие уж плохие. Что ж, надо ведь жить и давать жить другим. Но завтра я кое с кем поговорю, и у тебя больше не будет никаких неприятностей. Мои друзья ходят в этих краях где хотят, иначе кое-кому придется иметь дело со мной.

Вернувшись назад, они увидели, что дядюшка Рэт беспокойно мечется взад-вперед по кухне. Воздух подземелья был для него слишком тяжел и действовал ему на нервы; казалось, что он всерьез думает, что речка куда-нибудь сбежит, если он не приглядит за ней хорошенько. Он надел пальто и сунул свои пистолеты за пояс.

— Пошли, Крот,— сказал он нетерпеливо, увидев входящих.— Нам надо выйти засветло, я не хочу снова ночевать в Дремучем Лесу.

— Хорошо, дружочек,— отозвался дядюшка Выдра.— И я с вами пойду, я тут каждую тропинку с закрытыми глазами найду. И если кому-нибудь по дороге придется оторвать голову, положитесь на меня, я оторву.

— Не суетись, Выдра,— сказал дядюшка Барсук.— Мои туннели ведут гораздо дальше, чем ты думаешь. И у меня есть запасные выходы в разных местах опушки, хотя я и не всех в это посвящаю. Если уж вы действительно собрались, то воспользуйтесь одним из моих коротких путей. Не беспокойтесь и посидите еще немножко.

Но дядюшка Рэт продолжал волноваться о своей реке, и Барсук, взяв в руки фонарь, повел их сырым и душным туннелем, который то извивался в каменистой породе, то нырял вниз, под кирпичные своды, и тянулся, как им показалось, на несколько миль. Наконец сквозь заросли, скрывавшие выход, забрезжил слабый дневной свет. Наскоро со всеми попрощавшись, Барсук поспешно выпихнул их наружу. Он постарался, чтобы все, по возможности, приняло прежний вид, замаскировав вход хворостом, опавшими листьями и ветками ползучего кустарника. И тут же удалился.

Они увидели, что стоят на самой опушке Дремучего Леса. Позади них громоздились валуны. Ежевичные плети, обнаженные корни деревьев — все было навалено и переплетено друг с другом. Перед ними лежало огромное пространство спокойно дремлющих, обрамленных черными на фоне снега живыми изгородями, а там, далеко, поблескивали воды старого друга — Реки, и зимнее солнце висело, низкое и красное, возле самого горизонта.

Дядюшка Выдра, как знающий все тропинки, возглавил всю компанию, и они двинулись гуськом напрямик через поле туда, где в живой изгороди был лаз к реке. Остановившись возле него и оглянувшись, они окинули взглядом сразу всю массу леса, темную, плотную, пугающую, мрачно возвышающуюся среди окружающей ее белизны. Они тут же повернулись и заторопились к дому, к каминному теплу и милым, знакомым вещам, на которых играют отблески огня, к голосу воды, который бодро звучит за окном, к реке, которую они знали и которой доверяли в любых ее настроениях. Она никогда не пугала их никакими неожиданностями.

И пока Крот торопливо шагал, сладко предвкушая тот момент, когда он снова окажется дома, среди вещей, которые он знал и любил, он ясно понял, что он не лесной зверь, что жить ему надлежит возле возделанного поля и живых изгородей, недалеко от хорошо вспаханной борозды, выпаса, ухоженного сада, деревенской улочки, по которой можно не спеша пройтись вечерком.

Не для него — для других — эта суровая жизнь, полная лишений, требующая стойкости и упорства, не для него открытия, столкновения, которые неизбежны в этих медвежьих углах; он должен быть мудрым, должен держаться приятных и безопасных мест, по которым пролегает его стезя, и на ней его ждет немало приключений по-своему увлекательных, их хватит ему до конца дней.

****

5

Добрый старый дом

О‍ВЦЫ беспорядочно толпились у плетня, прочищая свои тонкие ноздри и топая изящными передними ножками, высоко задирая головы. В морозном воздухе легкий парок поднимался над овечьим загоном, когда двое друзей в прекрасном настроении проходили мимо, без умолку болтая и смеясь. Они возвращались через поля и села, проведя целый день с дядюшкой Выдрой, охотясь и исследуя обширные гористые места, где многие речушки, впадающие в их собственную реку, начинались малюсенькими ручейками.

Тени короткого зимнего дня уже надвигались на них, а им было еще порядочно идти. Шагая наугад через пашню, они услышали овец и направились туда, и вот прямо за овечьим загоном они обнаружили утоптанную тропу, идти по которой становилось совсем легко, а к тому же направление дороги как раз отвечало тому тоненькому голоску, который живет в каждом звере и который всегда безошибочно может сказать: «Да, совершенно верно, дорога ведет к дому».

— Похоже, что мы идем в деревню,— сказал Крот с некоторым сомнением, замедляя шаги, потому что тропа постепенно превратилась в дорожку, а дорожка — в улицу, которая сейчас и собиралась поручить их заботам хорошо вымощенной щебнем дороги.

Звери не очень-то любят деревни, и их собственные тропы, по которым идет оживленное движение, прокладываются независимо от деревенских дорог, несмотря на то что в деревне есть церковь, почта и пивная.

— Да ничего,— сказал дядюшка Рэт,— в это время года мужчины, женщины, дети, собаки, кошки — вообще все надежно сидят дома, возле печек. Мы быстренько проскользнем без всяких неприятностей и даже можем взглянуть на них через окошки и посмотреть, что они делают, если хочешь.

Ранние декабрьские сумерки совершенно завладели маленькой деревушкой, когда они подходили к ней на мягких лапах по только что выпавшему, тонкому, как зубной порошок, снежку. Почти ничего не было видно, кроме темных, оранжево-красных квадратов по обеим сторонам улочки, откуда свет от камина или от лампы переливался через оконные переплеты в темноту лежащего снаружи мира. Большинство низких решетчатых окошек не были стыдливо прикрыты гардинами, и для заглядывающих с улицы все обитатели домиков, собравшиеся вокруг обеденного стола, занятые рукодельем или со смехом беседующие и жестикулирующие, обладали той прелестной грацией, которую даже самый опытный актер не смог бы уловить и передать,— той естественной грацией, которая сопутствует полному неведению, что за тобой наблюдают.

У обоих зрителей, переходивших от «театра» к «театру», бывших довольно далеко от собственного дома, в глазах появлялась печаль, когда они видели, как кто-то гладит кошку, или берет на руки уснувшего малютку и переносит его на постель, или как уставший человек потягивается и выколачивает трубку о тлеющее в камине полено.

Но ощущение дома и уюта особенно четко исходило от одного завешенного тюлем, обращенного к ночи лицом окна: так отделен был стенами и занавесками этот теплый, уютный мир от внешнего мира Природы, что, казалось, он совершенно о нем позабыл.

Близко к белому тюлю висела птичья клетка, силуэт ее ярко вырисовывался на фоне штор, каждая проволочка, каждая жердочка были ясны и узнаваемы, все, вплоть до зернышек и наполовину склеванного вчерашнего кусочка сахара. На средней жердочке помещалась и сама нахохлившаяся птица, голова надежно зарыта в перышки; она была так близко, что им представлялось, захоти они и хорошенечко постарайся, они смогут ее погладить. Даже кончики ее хохолка, точно нарисованные карандашом, были видны на их экране.

И пока они смотрели, маленькое существо забеспокоилось, проснулось, встряхнуло перышки и подняло головку. Они разглядели даже щелочку в клюве, когда птица с недовольным видом зевнула, огляделась и снова спрятала голову в перышках на спине, они увидели, как взъерошившиеся было перышки вернулись на свое место и затихли. Потом порыв холодного ветра схватил их за загривок, мокрый снег, попавший за воротник, больно ужалил и точно разбудил ото сна, и они сразу же осознали, что ноги у них замерзли и устали, что их собственный дом — на утомительном расстоянии отсюда.

Дома внезапно кончились, и сразу же с обеих сторон дороги сквозь темноту пробился к ним дружелюбный запах полей, и они взбодрились, приготовившись к последнему длинному переходу домой. А такой переход, как мы знаем, рано или поздно кончается, и кончается он щелчком замка, растопленным камином и встречей со знакомыми вещами, которые приветствуют нас как давно отсутствовавших путешественников, вернувшихся из-за дальних морей. Они шагали споро и молча, каждый занятый своими собственными мыслями. Мысли Крота в значительной степени вращались вокруг ужина, потому что было темно, и местность была, как ему казалось, незнакомой, и он послушно шел позади своего друга, целиком полагаясь на него.

Дядюшка Рэт шагал, как обычно, немного впереди, подняв плечи и устремив пристальный взгляд на ровную серую дорогу прямо перед собой, так что он и не глядел на бедного Крота и упустил тот момент, когда Крота вдруг настиг неясный призыв и пронзил его, как электрическим током. С людьми дело обстоит иначе, мы давно утратили тонкость наших физических ощущений, и у нас даже и слов таких нет, чтобы обозначить взаимное общение зверя с окружающими его существами и предметами. В нашей речи, например, есть только слово «запах» для обозначения огромного диапазона тончайших сигналов, которые день и ночь нашептывают носу зверя, призывая, предупреждая, побуждая к действию, предостерегая и останавливая. Это был один из таких таинственных волшебных призывов из ниоткуда, который в темноте настиг Крота, пронизал его насквозь каким-то знакомым чувством, хотя пока он не мог отчетливо вспомнить каким. Он остановился как вкопанный, а нос его изо всех сил старался нащупать и ухватить тоненькую ниточку, этот телеграфный проводок, который донес так сильно его взволновавший зов. Мгновение — и он его снова поймал, и на этот раз воспоминания обрушились на него потоком.

Дом! Вот что обозначали эти мягкие прикосновения маленьких невидимых рук. Чьи-то ласковые призывы, как легкое дуновение, влекли, притягивали и манили все в одном и том же направлении. Ну да, он где-то тут, совсем близко от него в эту минуту, его старый дом, который он так торопливо оставил, никогда к нему больше не возвращался с того дня, когда впервые он обнаружил реку! И вот теперь дом высылал своих разведчиков и посыльных, чтобы они его захватили и привели назад. С момента своего исчезновения в то ясное весеннее утро он о нем почти ни разу не вспомнил, погруженный в свою новую жизнь со всеми ее радостями и сюрпризами, новыми и захватывающими приключениями. И вот теперь, когда на него нахлынули воспоминания о былом, собственный его дом вставал в темноте перед его мысленным взором удивительно ясно! Старенький, конечно, и неболь шой, и неважно обставленный, но его, его дом, который он сам для себя построил и куда бывал счастлив вернуться после дневных трудов. И дом тоже, очевидно, бывал с ним счастлив, и теперь тосковал по нему, и хотел, чтобы он вернулся, и сообщал ему об этом, касаясь его носа. Он печалился и легонько упрекал Хозяина, но без горечи и злобы, просто напоминая ему, что он близко и ждет его. Голос был отчетлив, призыв не оставлял сомнений. Крот должен его немедленно послушаться и пойти.

— Рэтти! — позвал он, приходя в веселое возбуждение. — Обожди! Вернись! Ты мне нужен! Скорее!

— Не отставай, Крот, — бодро отозвался дядюшка Рэт, продолжая шагать.

— Ну пожалуйста, постой, Рэтти! — молил бедняжка Крот в сердечной тоске. — Ты не понимаешь, тут мой дом, мой старый дом! Я его унюхал, он тут близко, совсем близко! Я должен к нему пойти, я должен, должен! Ну пойди же сюда, Рэтти, ну постой же!

Дядюшка Рэт был к этому времени уже довольно далеко, настолько далеко, что не расслышал звенящую, молящую нотку в голосе друга. Он даже не мог ясно расслышать, о чем говорил Крот. И к тому же его беспокоила погода, потому что он тоже улавливал в воздухе запах — запах надвигающегося снегопада.

— Крот, мы не должны медлить, честное слово! — крикнул он, оборачиваясь. — Мы вернемся сюда завтра за тем, что ты там нашел. Но нам нельзя останавливаться сейчас, уже поздно, и снег опять вот-вот повалит, и я не очень хорошо знаю дорогу, и надо, чтобы ты тоже принюхался, ну будь умником, иди, иди сюда скорее!

И дядюшка Рэт двинулся дальше, даже не дожидаясь ответа.

А бедный Крот стоял один на дороге, и сердце его разрывалось, и печальный всхлип копился, копился где-то у него в глубине, чтобы вот-вот вырваться наружу. Но преданность другу выдержала даже и такое испытание. Кроту ни на секунду не приходило в голову оставить дядюшку Рэт одного. А тем временем дуновения, исходившие от его старого дома, шептали, молили, заклинали и под конец уже стали настойчиво требовать. Он не мог позволить себе дольше находиться в их заколдованном кругу. Он рванулся вперед, при этом в сердце что-то оборвалось, пригнулся к земле и послушно пошел по следам дядюшки Рэт, а слабые, тонюсенькие запахи, все еще касающиеся его удаляющегося носа, упрекали за новую дружбу и бессердечную забывчивость.

Сделав усилие, он догнал ничего не подозревающего дядюшку Рэт, который тут же начал весело болтать о том, что они будут делать, когда вернутся домой, — и как славно растопят камин в гостиной, и какой ужин он собирался приготовить, — нисколько не замечая молчания и подавленности своего друга. Но наконец, когда они отошли уже довольно далеко и проходили мимо пеньков в небольшой рощице, которые окаймляли дорогу, он остановился и сказал:

— Послушай, Крот, дружище, у тебя смертельно усталый вид, и разговора в тебе уже никакого не осталось, и ноги ты волочишь, точно они у тебя налиты свинцом. Давай минуточку посидим, передохнем. Снег пока еще не начинается, да и большую часть пути мы уже прошли.

С покорностью отчаяния Крот опустился на пенек, стараясь овладеть собой, потому что чувствовал, что вот сейчас, сейчас оно вырвется наружу. Всхлип, с которым он так долго боролся, отказался признать себя побежденным. Наверх и все наверх пробивал он себе путь к воздуху, а ему вдогонку другой всхлип, и еще один, друг за другом, сильные и напористые, пока Крот наконец не сдался и не зарыдал откровенно и беспомощно, потому что он понял: поздно, и то, что едва ли можно назвать найденным, теперь наверняка окончательно потеряно.

Рэт, потрясенный и огорченный таким сильным приступом горя, какое-то время не решался заговорить. Но вот он произнес очень спокойно и сочувственно:

— Что с тобой, дружочек? Что могло произойти? Скажи-ка, в чем дело, и давай подумаем, чем можно помочь.

Кроту было трудно просунуть хоть словечко между частыми всхлипами, которые следовали один за другим, душили его и не давали говорить.

— Я знаю... это... это маленький темный домишко, — прорыдал он отрывисто, — не то что твоя удобная квартира... или прекрасный Тоуд-Холл, или огромный дом Барсука... но он был моим домом... и я его любил... а потом ушел и забросил его... и вдруг я почувствовал его... там, на дороге... я тебя звал, а ты даже и слушать не хотел... и мне вдруг сразу все вспомнилось... и мне нужно было с ним повидаться, о господи, господи, а ты даже не обернулся, Рэтти, и мне пришлось уйти, хотя я все время слышал его запах, и мне казалось, что мое сердце разорвется.

Мы могли бы просто зайти и взглянуть на него, Рэтти, только взглянуть, он же был рядом, а ты не хотел обернуться, Рэтти, не хотел обернуться! О господи, господи!

Воспоминание принесло с собой новый взрыв горя, и всхлипы опять им овладели и не давали говорить.

Дядюшка Рэт глядел прямо перед собой, ничего не отвечая и только ласково похлопывая Крота по плечу. Через некоторое время он мрачно произнес:

— Теперь я все понимаю! Какой же я оказался свиньей! Настоящая свинья! Свинья, и больше ничего!

Он подождал, пока буря рыданий несколько поутихла, всхлипы стали ритмичнее, потом он еще подождал, пока Крот стал чаще шмыгать носом, чем всхлипывать, тогда он встал с пенька и заметил спокойным голосом:

— Ну, теперь уже нам точно надо идти, старина!

И двинулся по дороге назад, по трудному пути, который они уже было преодолели.

— Куда ты (всхлип) идешь (всхлип), Рэтти?

— Мы найдем твой маленький домик, дружище,— ответил он ласково.— Поднимайся, пошли, нам еще придется его поискать, и тут без твоего носа не обойдешься.

— О, вернись, не ходи, пожалуйста, Рэтти! — закричал Крот, вставая и устремляясь следом.— Бесполезно, я тебе говорю. Чересчур поздно, и чересчур темно, и отсюда чересчур далеко, и снег пошел! И... я не собирался тебе всего рассказывать, все получилось ненарочно, случайно! И подумай о реке и твоем ужине!

— Да провались она, река, вместе с ужином! — горячо откликнулся дядюшка Рэт.— Я тебе уже сказал, я отыщу твой домик, даже если мне придется проискать его всю ночь. Так что бодрись, старина, хватай меня под руку, и мы очень скоро туда доберемся.

Все еще шмыгая носом, умоляя и внутренне сопротивляясь, Крот нехотя позволил повлечь себя назад по дороге, но понемногу окончательно покорился непреклонному своему приятелю, который веселыми анекдотами и рассказами пытался поднять его настроение, чтобы обоим дорога показалась короче.

Когда наконец дядюшка Рэт почувствовал, что они приближаются к тому месту на дороге, где Крот его впервые окликнул, он сказал:

— Ладно, хватит болтать. Теперь — за дело. Пусти в ход свой нос и сосредоточься, пожалуйста.

Небольшой кусочек пути они прошли в молчании, как вдруг дядюшка Рэт ощутил рукой, просунутой под руку товарища, легкие удары, словно электрическим током пронизывающие тело Крота. Он тут же освободил руку, отстал на шаг и ждал, весь превратившись во внимание.

Сигналы поступали!

Крот постоял минуточку, весь напрягшись, в то время как его задранный нос, слегка подрагивая, ощупывал воздух.

Потом коротенькая перебежка вперед, потеря следа, проверка, немного назад и потом медленное, уверенное продвижение вперед. Дядюшка Рэт, волнуясь, старался держаться к нему поближе, пока Крот, слегка напоминающий лунатика, пересек сухую канаву, продрался сквозь лаз в живой изгороди и бежал, узнавая дорогу нюхом, через поле, лишенное чьих-либо следов и растительности, слабо освещенное неяркими звездными лучами. И вдруг внезапно, даже не подав знака, он куда-то нырнул, но дядюшка Рэт был начеку и тут же последовал за ним вниз по туннелю, куда привел Крота его неошибающийся нос.

Туннель был узкий, воздуха в нем было мало, в нем стоял сильный запах сырой земли, так что дядюшке Рэт показалось, что прошло довольно много времени, прежде чем этот проход кончился и он смог выпрямиться, расправить плечи и отряхнуться. Крот чиркнул спичкой, и при ее свете дядюшка Рэт разглядел, что они стоят на чисто выметенной и посыпанной песочком площадке, а прямо перед ними — парадный вход в домик Крота, и на верхушке звонка красивыми готическими буквами написано: «Кротовый тупик».

Крот снял с гвоздя фонарь и засветил его. Дядюшка Рэт увидел, что они находятся во дворе перед домом. Садовая скамейка стояла справа от двери, машинка для стрижки газона — слева. Крот был аккуратным зверем и не мог допустить, чтобы у него на дворе другие звери протаптывали неопрятные дорожки, которые всегда кончаются взрыхленным холмиком земли. На стенах висели проволочные корзины, в которых рос папоротник, они сменялись полочками, на которых стояли гипсовые статуэтки. У одной стены дворика был устроен кегельбан, а вдоль него стояли скамьи и маленькие деревянные столики с круглыми подставками, которые намекали на то, что тут угощают пивом.

В центре был маленький прудик с бордюром из ракушек, в котором плавали золотые рыбки. Из середины пруда поднималось занятное сооружение, тоже отделанное ракушками, увенчанное большим шаром из посеребренного стекла, который отражал все вкривь и вкось и выглядел очень приятно.

Личико Крота засияло при виде всех этих дорогих ему предметов, и он поспешно распахнул двери перед своим другом, зажег лампочку в прихожей и оглядел свой старый дом. Он увидел пыль, которая покрывала все толстым слоем, увидел, как печально, пусто выглядит его заброшенное жилье, осознал его маленькие размеры, старенькую обстановку и, снова зарыдав, рухнул на стул в прихожей и зарылся носом в лапы.

— О, Рэтти, — воскликнул он в отчаянии, — и зачем только я это сделал? Зачем я тебя притащил в этот старый нетопленый домишко, да еще в такую ночь, когда ты бы мог уже быть на речном берегу и сушил бы ноги возле пылающего камина, а тебя бы окружали все твои милые вещи!

Дядюшка Рэт не обратил ни малейшего внимания на эти скорбные упреки, которые Крот делал самому себе, он носился взад-вперед, осматривая комнаты и шкафчики, зажигал лампы и свечи и всюду их расставлял.

— Какой прелестный домик! — воскликнул он бодро. — Такой компактный! Так хорошо распланирован! И все есть, и все на своих местах. Мы с тобой прекрасно проведем время. Сначала нам надо растопить камин. Сейчас я этим займусь, я всегда все очень здорово нахожу. Это твоя гостиная? Прелестно! Это ты сам придумал приделать коечки к стене? Великолепно! Сейчас я принесу дрова и уголь, а ты неси тряпку. Крот, она в ящике стола на кухне, давай вытирай пыль. Ну, шевелись же, старина!

Ободренный этими словами, Крот поднялся, стал энергично вытирать пыль, возвращая вещам их прежний лоск. А дядюшка Рэт носился с охапками дров и вскоре развел веселый огонь, который зашумел в трубе.

Рэт позвал Крота к огню обогреться, но Крот снова впал в тоску, рухнул на одну из кушеток в черном отчаянии и зарылся лицом в пыльную тряпку.

— Рэт, — простонал он, — а что же будет с твоим ужином, бедный, замерзший, голодный, уставший зверь? У меня ничего нет, ничего, ни крошечки.

*Он поспешно распахнул двери
перед своим другом.*

— Ну до чего же ты любишь сразу падать духом! — сказал дядюшка Рэт с упреком. — Я только что совершенно отчетливо видел консервный нож в кухне на полке, а всем известно, что это обозначает, что где-то по соседству должна оказаться и консервная банка. Встряхнись, возьми себя в руки и давай займемся розысками продовольствия.

Они взялись за поиски, исследуя каждый буфет и выворачивая содержимое каждого ящика. В конечном счете результат оказался не таким уже печальным, хотя мог бы быть и получше: банка сардин, коробочка с печеньем, немецкие колбаски, упакованные в серебряную бумажку.

— Вот тебе и банкет, — заметил дядюшка Рэт, накрывая на стол. — Я знаю некоторых, которые дорого бы заплатили, чтобы оказаться сегодня за нашим столом.

— И хлеба нет, — печально простонал Крот, — и масла нет...

— И бургундского нет, и паштета из гусиной печенки, — подхватил дядюшка Рэт, смеясь. — Это напоминает мне... Слушай, а куда ведет эта маленькая дверца? Ну конечно, в погреб! Буквально все есть в этом доме! Погоди минуточку!

Он направился к двери и вскоре вернулся, немного подзапылившись, но неся по бутылке пива в каждой лапе и еще под мышками.

— Ни в чем ты себе не отказываешь, Крот, — заметил он. — Это действительно самый милый маленький домик из тех, где мне приходилось бывать. Ты где достал эти гравюрки? Они делают дом таким уютным. Неудивительно, что ты так его любишь, Крот. Расскажи-ка мне поподробнее, как тебе удалось сделать его таким.

И пока дядюшка Рэт расставлял тарелки, ножи, вилки, горчицу, которую он приготовил в яичной подставке, Крот, все еще вздрагивая от недавно пережитых огорчений, начал рассказывать сперва скромно, а потом все более воодушевляясь предметом рассказа, как это было спланировано, и как то было продумано, и как это просто свалилось в руки в виде подарка от тетушки, и как то удалось совершенно случайно разыскать, а то удачно купить, а вот это было куплено в результате больших трудов и строгой экономии, когда пришлось обходиться без того и без другого. Хорошее настроение окончательно вернулось к Кроту, и ему захотелось пойти и приласкать свое имущество, осветить все предметы лампой и объяснить

гостю, в чем достоинство каждой вещи, и рассказать
о них подробно, совершенно забывая об ужине, в котором оба так нуждались. Дядюшка Рэт, который был отчаянно голоден, но старался это скрыть, рассматривал все,
наморщив брови, и серьезно кивал, приговаривая:

— Великолепно!

Или:

— Это замечательно!

В тех случаях, когда ему представлялась возможность
вставить хоть слово.

Наконец ему удалось завлечь Крота и усадить за стол.
Когда он всерьез занялся консервным ножом и сардина-
ми, снаружи, со двора, донеслись какие-то звуки, вроде
бы шарканье маленьких ножек по гравию и смущенные
тоненькие голоса, а потом стали долетать обрывки фраз:

— А теперь все постройтесь в линеечку. Подними
немного фонарь, Томми. Откашляйтесь. Не вздумайте
кашлять после того, как я скомандую «раз, два, три». Где
маленький Билли? Иди, куда ты запропастился, мы тебя
все дожидаемся.

— Что происходит? — спросил дядюшка Рэт, преры-
вая свои труды.

— Я думаю, это, должно быть, полевые мыши, — ответил Крот с некоторой гордостью в голосе. — Они в это
время года ходят по домам и поют песни. У них тут целое общество организовано. И они никогда от меня уже
не уходят, ко мне приходят к последнему, потому что
я всегда их хорошо угощаю. Они напомнили бы мне старые добрые времена.

— А ну-ка, поглядим на них! — воскликнул дядюшка
Рэт, вскакивая и устремляясь к двери.

Они распахнули дверь, и их взорам предстало умили-
тельное зрелище. Во дворе, освещенном слабыми лучами
газового рожка, восемь или десять полевых мышек стояли полукругом, на шейках — красные шерстяные шарфи-
ки, передние лапки глубоко засунуты в карманы, а задние
подпрыгивают, чтобы не замерзнуть. Ясными глазка-
ми-бусинками, робея, они поглядывали друг на друга, хи-
хикая, шмыгая носами и то и дело пуская в ход рукава
своих пальтишек. Когда дверь открылась, самый старший
из них сказал:

— Ну, раз, два, три!

И тоненькие, пронзительные голоса понеслись вверх,
в воздух, исполняя старинную песню, которую сочинили

их праотцы на бурых, скованных морозом полях или где-нибудь в занесенном снегом уголке, сочинили и передали потомкам, чтобы эти песни пелись в декабре месяце на холодных улицах перед освещенными окнами.

Голоса постепенно замолкли, певцы, смущенные, но улыбающиеся, искоса обменялись взглядами, затем последовала тишина. Но только на одну минуту. Потому что сверху и издалека, по туннелю, по которому они только что прошли, до их ушей долетел еле уловимый звон дальних колоколов, вызванивающих веселую и звонкую колокольную мелодию.

— Хорошо спето, ребятки! — сердечно похвалил их дядюшка Рэт. — А теперь давайте все заходите, погрейтесь у камина и съешьте чего-нибудь горяченького.

— Да-да, заходите, полевые мышки, — воскликнул Крот возбужденно. — Подумать только, совсем как в старые добрые времена! Закройте за собой дверь. Пододвигайте скамейку к камину. Теперь вы минуточку подождите, пока мы... О, Рэтти!

Крот сел на скамью, и слезы уже подступили к его глазам.

— Что же мы с тобой делаем! Нам же нечем их накормить!

— Это ты предоставь мне, — сказал очень властный в этот момент дядюшка Рэт. — Эй, послушай-ка ты, с фонариком! Подойди-ка сюда, мне надо с тобой поговорить. Ну-ка, скажи мне, тут какие-нибудь магазины работают в это время?

— Ну, конечно, сэр, — почтительно ответил старший полевой мышонок. — В это время года наши магазины всегда работают в любой час.

— Тогда послушай, — сказал дядюшка Рэт, — быстренько собирайся вместе со своим фонариком и купи...

Тут последовал длинный приглушенный разговор, и Крот расслышал только обрывки, такие, как: «Только свежего, понял?», «Нет, одного фунта достаточно», «Гляди, чтоб от Баггинса, другого мне не надо, нет, нет, только высшего сорта, если там нет, поищи в другом месте», «Да, конечно, только домашний, никаких консервов, ну, давай, постарайся!». Наконец послышался звон монет, переходящих из лап в лапы, мышонок получил большую корзинку, чтобы сложить туда покупки, и умчался вместе со своим фонариком.

Другие полевые мышки уселись на лавке рядком как на насесте, постепенно согреваясь и яростно почесывая высыпавшие от холода пупырышки. Кроту не удалось вовлечь их в непринужденный разговор, и он заставил их одного за другим называть имена бесчисленных братишек, которые были еще слишком малы, чтобы отправиться петь песни, но которые в скором будущем ждали на это родительского разрешения.

Дядюшка Рэт тем временем внимательно изучал этикетку на одной из пивных бутылок.

— Я полагаю, что это старый Бэртон,— заметил он одобрительно.— Разумный Крот! Это как раз то, что нужно! Мы сможем сделать подогретый эль! Давай-ка готовь все остальное, дружище, а я пока повытаскиваю пробки.

В самое короткое время смесь была готова, жестяной кувшинчик засунут в раскаленное сердце камина, и скоро каждый полевой мышонок прихлебывал, и кашлял, и давился (потому что горячий эль не так-то легко проглатывается), вытирая глаза, и смеясь, и вообще забывая, что он когда-либо в жизни замерзал.

— Они и спектакли ставят, эти ребятишки,— объяснял Крот дядюшке Рэт.— Сами их сочиняют и сами после разыгрывают. У них это здорово получается! В прошлом году было отличное представление про то, как полевого мышонка взяли в плен корсары, и заставили грести на галере, и как он убежал, и вернулся домой, а его любимая ушла в монастырь. Ну-ка, вот ты! Я помню, ты участвовал, встань и представь что-нибудь.

Тот мышонок, к кому обращались, встал, смущенно захихикал, оглядел комнату и онемел. Его приятели зааплодировали, Крот уговаривал и подбадривал, а дядюшка Рэт даже обнял его за плечи и встряхнул, но ничто не могло победить его страха перед публикой. Они все трудились над ним, как члены Королевского общества спасения на водах над вытащенным из воды утопленником, когда услышали щелчок замка, и дверь открылась, и вновь появился мышонок с фонариком, сгибаясь под тяжестью корзины.

Разговоры о разыгрывании пьесы тут же прекратились, едва лишь солидное и вполне реальное содержимое корзины было выгружено на стол. Все кинулись что-то делать или что-нибудь подносить, подгоняемые генеральскими командами дядюшки Рэт. В несколько минут ужин был готов, и Кроту на мгновение показалось, что все это с ним происходит во сне. Он уселся во главе стола и увидел, что его еще минуту назад пустынная поверхность была тесно уставлена пикантными закусками, увидел, как проясняются личики его маленьких друзей, без проволочки навалившихся на еду. Крот и сам позволил себе, потому что он умирал с голоду, наброситься на кушанья, которыми, точно по волшебству, всех наделил дядюшка Рэт. Он подумал, что это в конце концов очень счастливое возвращение домой. А потом все ели и говорили о старых добрых временах, и полевые мышки знакомили дядюшку Рэт с последними местными сплетнями и отвечали, как могли, на сотни его вопросов. Дядюшка Рэт почти ничего не говорил, а только следил за тем, чтобы каждый гость получил то, что ему вкусно, и чтобы порция была большая, и чтобы Крот решительно ни о чем не беспокоился и не тревожился.

Ножи и вилки отстучали и замолкли. Мышки стали собираться по домам, изливая на хозяина благодарности и пожелания, а карманы их были набиты гостинцами для младших братьев и сестричек, ожидавших дома. После того как дверь закрылась за последним из них и звяканье фонариков замерло вдали, Крот и дядюшка Рэт снова раздули огонь, пододвинули к нему стулья, приготовили себе еще по одной, последней чашечке горячего эля и сели поговорить о событиях минувшего долгого дня. Наконец дядюшка Рэт, зевнув во весь рот, сказал:

— Крот, дружище, я валюсь с ног. Засыпаю, это просто не то слово. Твоя койка где, вот здесь, у этой стены? Очень хорошо, а я лягу на той. Какой восхитительный у тебя домик, все так удобно!

Он забрался на свою койку, хорошенечко завернулся в одеяло, и дремота окутала его и втянула в себя, как заворачивает и втягивает в себя жатка полосу спелого ячменя.

И Крот тоже был рад улечься, повернувшись к стене, без промедления, и вскоре голова его оказалась на подушке в полном удовлетворении.

Но прежде чем сомкнуть глаза, он позволил им обойти старую комнату, розовую от догорающего огня, отблески которого то играли, то отдыхали на знакомых и дружелюбных предметах, что бессознательно уже давно стали частью его самого, и теперь, по-видимому, улыбаясь, радовались его возвращению, не затаив никаких обид. Он пришел в такое настроение, в которое тактичный дядюшка Рэт спокойно и терпеливо как раз и старался его привести. Он отчетливо видел, какой это простой, обыкновенный, даже узенький домик, но так же отчетливо он сознавал особое значение вот такой надежной пристани в существовании каждого. Он вовсе не хотел отказаться от своей новой жизни с ее изумительными пространствами, повернуться спиной к солнцу и воздуху и ко всему тому, что они ему давали. Нет. Мир там, наверху, был силен, он был слышен ему даже и здесь, и Крот знал, что он туда вернется. Но было хорошо сознавать, что ему и оттуда есть куда возвратиться, и что этот домик — это его домик, и что на все эти предметы, которые так ему рады, он может положиться и рассчитывать, что они всегда приветят его — радостно и душевно.

****

6

Мистер Тоуд

ЭТО случилось ясным утром в самом начале лета. Река вошла в свои привычные берега и вернулась к обычной скорости. Жаркое солнце, казалось, так и выманивало из земли все зеленое — все кустики, и стрелочки, и стебельки — и тянуло к себе, как на веревках. Крот и дядюшка Рэт встали на рассвете, озабоченные делами, связанными с лодками и с началом гребного сезона, красили и лакировали, чинили весла, приводили в порядок подушки, разыскивали лодочные крюки и так далее. Они доедали завтрак в маленькой гостиной и горячо обсуждали планы на предстоящий день, когда раздался сильный стук в дверь.

— Тьфу ты! — сказал дядюшка Рэт, весь перемазавшись яйцом. — Крот, погляди, пожалуйста, кто это там, раз ты уже кончил есть.

Крот пошел отпирать неожиданному посетителю, и дядюшка Рэт услышал его удивленный возглас. Затем Крот распахнул дверь гостиной и торжественно провозгласил:

— Мистер Барсук!

Подумать только! Это же небывалый случай, чтобы Барсук нанес им официальный визит. Он вообще ни к кому не ходил с визитами. Если он кому был нужен, тот его сам выслеживал, когда Барсук, пытаясь остаться незамеченным, проскальзывал вдоль живой изгороди ранним утром или поздним вечером. Или же его надо было ухитриться застать в его собственном доме в середине леса. И было это совсем даже не просто.

Барсук вошел в комнату тяжелой поступью и остановился, глядя на обоих с серьезным выражением лица. Дядюшка Рэт уронил ложку на скатерть и сидел разинув рот.

— Час пробил! — сказал Барсук наконец с большой торжественностью.

— Какой час? — спросил дядюшка Рэт, с тревогой бросая взгляд на каминную полку, где стояли часы.

— Спроси лучше, чей час, — ответил дядюшка Барсук. — Так вот, час нашего друга жабы, который зовется мистер Тоуд. Его час пробил. Я же сказал, что возьмусь за него, как только зима совсем кончится, и я собираюсь взяться за него сегодня!

— Ну конечно! Его час пробил! — в восторге закричал Крот. — Ура! Теперь я вспомнил! Мы научим его быть благоразумной жабой!

— И именно сегодня утром! — продолжал Барсук, берясь за спинку кресла. — Вчера вечером я получил сведения из весьма надежного источника, что еще один новый и исключительно мощный автомобиль прибывает в Тоуд-Холл, чтобы его либо одобрили, либо вернули. Вполне возможно, что в этот самый момент Тоуд облачается в свое идиотское одеяние, которое он обожает и которое превращает его из (относительно, конечно) вполне миловидной жабы в Нечто, что приводит любого порядочного зверя в истерическое состояние. Мы должны взяться за дело, иначе будет поздно. Вы оба немедленно пойдете вместе со мной в Тоуд-Холл, и мы доведем до конца работу по его спасению.

— Ты совершенно прав! — воскликнул дядюшка Рэт, вскакивая. — Мы спасем этого бедного несчастного зверя. Мы его наставим на путь истинный! Он будет самый наставленный из всех когда-либо существовавших на свете жаб.

И они двинулись по дороге выполнять свою миссию милосердия, и Барсук возглавлял их шествие. Звери, когда их несколько, ходят как положено — весьма разумно — по одному в затылок, а не рассеиваются по всей дороге, потому что так не поможешь друг другу в случае опасности или беды.

Они достигли парадной аллеи, ведущей к фасаду Тоуд-Холла, и издали увидели сверкающий новый автомобиль. Он стоял у подъезда, огромный, выкрашенный в красный цвет, который так нравился хозяину. Как только они приблизились к двери, она распахнулась, и мистер Тоуд, облаченный в защитные очки-консервы, кепку, гетры и необыкновенных размеров плащ, важно спустился по ступенькам, натягивая на передние лапы шоферские краги.

— Привет, ребята! — воскликнул он бодро, завидев пришедших. — Вы как раз поспели вовремя, чтобы совершить веселенькую... веселень... кую, ве...

Его сердечные возгласы взметнулись и тут же рухнули при виде твердых и суровых выражений на лицах друзей, не отвечающих на приветствие. Приглашение, которое он собирался произнести, так и осталось непроизнесенным.

Барсук решительно поднялся по ступенькам.

— Ведите его в дом, — жестко сказал он своим товарищам.

А после того как мистер Тоуд, несмотря на энергичные протесты и сопротивление, был водворен в дом, Барсук обратился к шоферу, на чьем попечении был новый автомобиль.

— Прошу прощения, но вы больше не понадобитесь. Мистер Тоуд передумал. Автомобиль ему не подходит. Я прошу вас принять к сведению, что это окончательно. Вы свободны.

Затем он последовал за остальными и захлопнул дверь.

— Ну, так вот,— сказал он, обращаясь к хозяину дома, когда все четверо оказались в прихожей.— Прежде всего сними с себя это одеяние и не смеши людей.

— И не подумаю! — ответил мистер Тоуд с большой отвагой.— Что означает это грубое насилие? Я требую немедленного объяснения!

— В таком случае снимите с него это все,— коротко приказал Барсук.

Чтобы выполнить распоряжение, им пришлось разложить мистера Тоуд на полу, при этом он отчаянно лягался и по-всякому их обзывал. Дядюшка Рэт сел на него верхом, а Крот снимал с него один за другим предметы шоферского наряда, затем его снова поставили на ноги. Хвастливой самоуверенности мистера Тоуд порядком поубавилось после того, как с него были сняты его прекрасные доспехи. Теперь, когда он снова был просто мистер Тоуд, а не Гроза Дорог, он тихонечко подхихикивал, переводил умоляющий взгляд с одного на другого, и казалось, что он отлично понимает, что происходит.

— Ты великолепно знал, что этим должно рано или поздно кончиться, Тоуд,— сурово объяснил ему Барсук.— Ты пропустил мимо ушей все наши предупреждения, ты продолжаешь транжирить деньги, которые тебе оставил отец, ты создаешь нам, зверям, плохую репутацию в окрестностях своей бешеной ездой, авариями и скандалами с полицией. Независимость и все такое прочее — это прекрасно. Но мы, звери, никогда не позволяем своим друзьям вести себя по-дурацки сверх известного предела, а ты до этого предела уже дошел. Ты, конечно, во многих смыслах хороший парень, и я не хочу обходиться с тобой уж слишком жестоко. Я сделаю еще одну попытку заставить тебя образумиться. Ты выйдешь сейчас со мной в курительную комнату, и там ты услышишь кое-что о себе самом. И мы поглядим, когда ты оттуда выйдешь, будешь ли ты тот самый Тоуд, который туда вошел.

Барсук взял его крепко под руку, повел в курительную комнату и закрыл за собою дверь.

— Из этого не будет толку,— сказал дядюшка Рэт презрительно.— Разговорами его не вылечишь. Он на словах пообещает что хочешь.

Они уселись в кресла поудобнее и стали терпеливо ждать. Через закрытую дверь им слышалось жужжание голоса Барсука с подъемами и падениями волн его ораторской речи. Постепенно они заметили, что его проповедь стала прерываться глубокими всхлипываниями, вырывавшимися, видимо, из груди их приятеля, мистера Тоуд, существа мягкосердечного и нежного, которого легко было наставить — в данный конкретный момент — на любой истинный путь.

Через три четверти часа дверь открылась, и в комнату вернулся Барсук. Он вел за лапу обмякшего и ослабевшего хозяина дома.

Кожа на нем обвисла мешками, ноги подкашивались, щеки были изрыты бороздами от слез, в изобилии пролившихся в результате трогательной беседы, которую с ним провел дядюшка Барсук.

— Сядь сюда, Тоуд, — сказал дядюшка Барсук мягко, указывая ему на стул. — Друзья мои, — продолжал он, — я счастлив известить вас, что Тоуд наконец осознал ошибочность своего поведения. Он искренне раскаивается в неправильных поступках, совершенных в прошлом, и он обещал навсегда расстаться с автомобилем. Он дал мне честное слово.

— Это прекрасные новости, — заметил Крот серьезно.

— Да, действительно очень хорошие новости, — вставил дядюшка Рэт с сомнением, — если только... если только...

Говоря это, он очень пристально посмотрел на мистера Тоуд и заметил у того нечто в печальном глазу. Точно этот глаз взял и незаметно подмигнул.

— Теперь осталось сделать еще только одну вещь, — заметил удовлетворенный Барсук. — Тоуд, я хочу, чтобы ты перед лицом находящихся здесь друзей торжественно повторил то, с чем ты полностью только что согласился там, в курительной комнате. Во-первых, что ты сожалеешь о том, что ты натворил, и что ты понимаешь всю глупость своего поведения.

Последовала долгая-долгая пауза. Тоуд в отчаянии переводил взгляд с одного на другого, но звери ждали в мрачном молчании. Наконец он заговорил.

— Нет, — сказал он, слегка надувшись, но твердо. — Я не сожалею. И вовсе это не было никакой глупостью. Это было просто замечательно!

— Что? — закричал пораженный Барсук. — Ты, сума переметная, разве ты только что не сказал там...

— Да, да, т а м, — сказал Тоуд нетерпеливо. — Я мог бы сказать что угодно — там. Ты так красноречив, дорогой Барсук, и так трогательно говоришь, и так убедительно, и формулируешь все так ужасно здорово, ты можешь из меня веревки вить — т а м, и ты это прекрасно знаешь. Но я после обдумал кое-что, мысленно вернулся к разным событиям, и я нахожу, что нисколечко не сожалею и не раскаиваюсь, так что было бы просто совсем не хорошо говорить, будто я сожалею, когда это не так, ведь верно?

— Значит, ты не даешь обещания больше не прикасаться ни к одному автомобилю?

— Ну конечно, нет! — отозвался мистер Тоуд с жаром. — Совсем наоборот, клятвенно вас заверяю, что как только увижу какой-нибудь автомобиль, то я — би-би! — тут же на нем и укачу!

— Не говорил ли я тебе? — обратился дядюшка Рэт к Кроту.

— Ну хорошо, — сказал дядюшка Барсук, поднимаясь. — Раз ты не поддаешься уговорам, попробуем, чего мы сможем достичь силой. Я все время опасался, что этим кончится. Ты часто приглашал нас, всех троих, погостить у тебя, Тоуд, в этом твоем прелестном доме. Так вот, мы принимаем твое приглашение. Когда мы как следует наставим тебя на путь истинный, мы, может, и съедем, но не раньше. Ну-ка, тащите его наверх и заприте в спальне, пока мы тут обо всем договоримся.

— Все для твоей же пользы, Тоуд, дружище, — приговаривал дядюшка Рэт, пока они волокли его наверх, а Тоуд лягался и брыкался, оказывая сопротивление своим верным друзьям. — Подумай, как нам будет всем вместе весело! Помнишь, ведь бывало раньше. Вот только пусть с тебя сойдут... ну, эти странные припадки.

— Мы будем хорошо смотреть за всем в твоем хозяйстве, пока ты поправишься, Тоуд, — сказал Крот. — И мы последим, чтобы твои деньги не транжирились, как это было до сих пор.

— И не будет больше этих печальных историй с полицией, Тоуд, — добавил Рэт, поворачивая ключ в замке и убирая его в карман.

Пока они спускались по лестнице, мистер Тоуд посылал им вслед ругательства через замочную скважину. Трое друзей собрались внизу на совещание.

— Нам предстоит довольно нудное дело, — сказал Барсук, вздыхая. — Никогда не видел его таким решительным. Ну, ничего, справимся. Его нельзя ни на секунду оставлять без присмотра. Мы будем караулить его по очереди, пока этот дурман окончательно не испарится из его организма.

Они составили расписание дежурств. Каждый из них обязывался по очереди спать в спальне у поднадзорного, и поделили они между собой дневные дежурства.

Вначале мистер Тоуд был просто невыносим. Когда на него накатывало, он устанавливал стулья в спальне так, что они несколько напоминали автомобиль, забирался на самый первый из них, наклонялся вперед, вперял взгляд прямо перед собой и гудел и тарахтел, подражая автомобилю. Когда приступ достигал своей вершины, он летел кувырком со стульев, валился на пол навзничь и лежал так некоторое время. Казалось, он был очень доволен. Однако, по мере того как проходило время, эти приступы становились все реже, а друзья вовсю старались направить его внимание на что-нибудь другое. Но интерес к окружающим предметам, казалось, не оживал, и он становился все более подавленным и вялым.

Одним прекрасным утром дядюшка Рэт, чья очередь была заступать на дежурство, поднялся наверх, чтобы сменить Барсука, который весь уже ерзал от желания размять ноги, пройтись по лесу, отдохнуть в своем подземном доме.

— Тоуд еще в постели, — сказал он, когда они вышли переговорить за дверь спальни. — Ничего другого от него не добьешься, только оставьте его в покое, может, ему скоро полегчает, и очень-то о нем не тревожьтесь и так далее. Ты будь начеку, Рэт: когда он тихий и покладистый, послушный, как первый ученик воскресной школы, тогда, значит, он обязательно что-то замышляет. Я уверен, что он собирается что-то отмочить. Я его знаю. Ну, мне пора.

— Как мы себя чувствуем, старина? — спросил дядюшка Рэт бодрым голосом, подходя к постели.

Ему пришлось несколько минут подождать ответа. Наконец слабый голос отозвался:

— Большое спасибо, милый Рэтти! Как мило с твоей стороны, что ты спрашиваешь об этом. Но сперва скажи, как ты сам и как милейший Крот?

— О, мы-то в порядке,— ответил дядюшка Рэт.— Крот,— добавил он неосторожно,— собирается пройтись вместе с Барсуком, они вернутся только к обеду, а мы с тобой проведем приятное утро вдвоем, и я постараюсь, чтобы тебе было весело. Давай, будь умником, скоренько вставай. Ну кто же хандрит в такое приятное утро?

— Милый, добрый Рэтти,— пробормотал мистер Тоуд.— Как плохо ты представляешь себе мое состояние. «Скоренько вставай...» Я не уверен, встану ли я вообще. Однако не тревожься обо мне. Мне всегда так тяжело быть обузой для друзей. Но я скоро перестану вас обременять. Я надеюсь, осталось уже недолго.

— Я тоже надеюсь,— сказал дядюшка Рэт сердечно.— Ты был сущим мучением для всех нас последнее время. И я очень рад слышать, что все это скоро кончится. К тому же погода чудесная, и гребной сезон вот-вот откроется. Это нехорошо с твоей стороны, Тоуд. Не то что нам жаль своих усилий, но мы из-за тебя столького лишаемся!

— Боюсь, как раз вам жаль именно своих усилий,— проговорил Тоуд томным голосом.— Я могу это понять. Это естественно. Вы устали от забот обо мне. Я не должен больше просить вас ни о чем. Я — тяжкое бремя, я понимаю.

— Конечно,— сказал дядюшка Рэт.— Но скажи, в чем твоя просьба, я что хочешь для тебя сделаю, только бы ты стал снова разумным зверем.

— Если бы я мог поверить, Рэтти,— пробормотал Тоуд еще более слабым голосом,— я бы попросил тебя, это уже, наверное, в последний раз, сходить в деревню, и побыстрее, потому что уже и сейчас может оказаться поздно, и привести ко мне доктора. Впрочем, не тревожь себя. Тебе это только беспокойство, может, лучше пусть все идет, как идет.

— Да ты что, зачем тебе доктор? — спросил дядюшка Рэт, подходя поближе и внимательно вглядываясь в него.

Тоуд лежал неподвижно, распластавшись, голос его был слаб, и вообще он был какой-то не такой.

— Ты наверняка заметил в последнее время...— пробормотал Тоуд.— Впрочем, зачем? Замечать — это только себя беспокоить. Завтра, конечно, может быть, ты себе и скажешь: «Ах, если бы я только заметил раньше. Ах, если бы только я что-нибудь предпринял!» Но нет. Это все

Вначале мистер Тоуд был просто невыносим.

только одно беспокойство. Не обращай внимания, забудь, что я сказал.

— Послушай-ка, старина, — сказал дядюшка Рэт, начиная тревожиться. — Конечно, я схожу за доктором, если ты серьезно думаешь, что он тебе нужен. Но с чего бы тебе стало вдруг так плохо? Давай-ка поговорим о чем-нибудь другом.

— Боюсь, дорогой друг, — сказал Тоуд с печальной улыбкой, — что «поговорить» в данном случае вряд ли поможет, да и доктор поможет вряд ли... Но нужно ухватиться хотя бы за соломинку. Да, и по пути к доктору — хотя мне просто невыносимо нагружать тебя лишним поручением, но ты будешь идти мимо — попроси, пожалуйста, нотариуса наведаться ко мне. Это было бы удобно. Бывают моменты, я бы сказал точнее — настает момент, когда приходится сталкиваться с неприятными обязанностями, какой бы ценой они ни доставались измученной душе.

— Нотариуса? Должно быть, ему и в самом деле плохо, — сказал себе перепугавшийся дядюшка Рэт, выбегая из комнаты, но не забывая как следует запереть дверь.

Выйдя из дома, он остановился в раздумье. Двое товарищей были далеко, и ему не с кем было посоветоваться.

«Наверное, лучше сделать все возможное, — подумал он, — и раньше бывало, что Тоуд воображал себя смертельно больным, но я ни разу не слыхал, чтобы он заговаривал о нотариусе. Если с ним на самом деле ничего не происходит, доктор просто скажет ему, что он осел, и подбодрит его, а это уже кое-что. Сделаю ему это одолжение, схожу, это ведь много времени не отнимет».

И Рэт помчался в сторону деревни, для того чтобы выполнить акт милосердия.

Мистер Тоуд легко спрыгнул с кровати, как только услыхал, что ключ повернулся в замке, и наблюдал за другом в окно, с нетерпением ожидая, когда тот скроется из виду. Затем он от души посмеялся, надел самый лучший костюм из тех, что оказались в комнате, набил карманы деньгами, которые достал из ящика туалетного стола; потом связал простыни узлами и, устроив из них импровизированную веревку, закрепил ее за центральную раму старинного, в стиле Тюдор, окна, которое придавало такой элегантный вид его спальне; потом выбрался через это самое окно, легко соскользнул на землю и, взяв курс в направлении, противоположном тому, куда ушел дядюшка Рэт, двинулся в путь, легкомысленно насвистывая веселый мотивчик.

Для дядюшки Рэт настал довольно мрачный час, когда Барсук и Крот наконец вернулись. Бедняге пришлось предстать перед ними со своим прискорбным и неубедительным изложением событий.

Можно легко себе представить едкие, если даже не сказать саркастические, замечания, которые отпускал Барсук, поэтому здесь нет нужды их повторять. Но что было особенно горько дядюшке Рэт, так это то, что даже Крот, который, сколько мог, пытался оправдывать друга, не удержался, чтобы не сказать:

— На этот раз ты оказался слегка тупицей, Рэтти! Ну и мистер Тоуд, я вам доложу!

— Он так это ловко разыграл,— сказал удрученный дядюшка Рэт.

— Он т е б я разыграл,— возразил сердито Барсук.— Ну, разговорами делу не поможешь. В данный момент он исчез, это совершенно ясно. И что хуже всего, он сейчас так возгордится от своего, как ему будет казаться, умного поступка, что может натворить любые глупости. Одно утешение, что мы с вами теперь свободны и не должны тратить свои драгоценные часы на дежурство. Но давайте будем ночевать в Тоуд-Холле еще некоторое время. Тоуд может в любой момент вернуться — на носилках или под конвоем полиции.

Так говорил Барсук, еще не зная, что для них припасено у будущего и как много воды, и при этом довольно мутной, утечет, прежде чем Тоуд с удобством усядется в кресло в своем родовом Тоуд-Холле.

Тем временем Тоуд, веселый и беззаботный, быстро шагал вдоль дороги уже за много миль от дома. Вначале он пробирался тропами, пересек не одно поле и несколько раз менял направление, опасаясь погони. А сейчас, чувствуя себя в безопасности и при том, что солнышко ему широко улыбалось, и вся Природа хором присоединялась к самохвальной песенке, которую внутри него пело его сердце, он шел по дороге, почти что танцуя, совершенно довольный собой.

— Ловко обделано дельце! — заметил он самому себе, похохатывая.— Мозг против грубой силы — и мозг вышел победителем, как и должно быть. Бедный старый Рэтти! Ох! И достанется ему, когда вернется Барсук! Сто́ящий парень Рэтти, с огромными достоинствами, но очень мало интеллекта и абсолютно никакого образования. Мне надо будет как-нибудь им заняться и посмотреть, не удастся ли мне довести его до дела.

Исполненный самодовольных мыслей, подобных этим, он шагал, задрав голову, пока не дошел до маленького городка, где вывеска «Красный Лев», которая раскачивалась над тротуаром посредине главной улицы, напомнила ему, что он в этот день не завтракал, и ему страшно захотелось есть после продолжительной прогулки. Он важно вошел в гостиничное кафе, спросил самый лучший обед, какой только можно было подать без предварительного заказа, и сел за столик.

Когда он успел съесть примерно половину того, что стояло перед ним на столе, приближающийся и слишком знакомый ему звук заставил его вздрогнуть и затрепетать. «Би-би» становилось все ближе и ближе, и было слышно, как автомобиль свернул во двор гостиницы и замер. Мистер Тоуд вынужден был ухватиться за ножку стола, чтобы скрыть нахлынувшие на него чувства. Тут же приехавшая компания вошла в кафе, все голодные, возбужденные, веселые, и разговор только об одном — об удовольствиях, пережитых за утро, и достоинствах «колесницы», которая их сюда доставила.

Мистер Тоуд слушал их, на какое-то время весь обратившись в слух. Наконец его терпение лопнуло. Он выскользнул из помещения, заплатил по счету и, как только вышел за дверь, медленной походкой пошел на гостиничный двор.

— В этом ничего такого нет, — сказал он самому себе, — если я на него просто посмотрю.

Автомобиль стоял посреди двора, за ним совершенно никто не присматривал: и дворник, и конюх, и разные там зеваки — все ушли обедать. Тоуд медленно обошел машину, осматривая, оценивая, погружаясь в глубокие размышления.

— Интересно, — сказал он вдруг самому себе, — интересно, легко ли заводится автомобиль такой марки!

В следующий миг, едва осознавая, как это случилось, он уже схватил стартер и крутил его изо всех сил. Когда он услыхал знакомый звук заведенного мотора, прежняя страсть охватила его и полностью овладела его душой и телом. Как во сне, он вдруг оказался на шоферском месте, как во сне, он дернул рычаг скорости, швырнул машину за угол и — вон из двора через арку. И, как во сне, всякое понимание того, что хорошо и что плохо, всякий страх за возможные последствия на время оставили его совершенно. Он прибавил скорость, и машина в одну минуту проглотила улицу, выпрыгнула на дорогу и понеслась по ней, а мистер Тоуд осознавал только то, что он снова Тоуд, Тоуд в полном блеске, Тоуд-гроза, Тоуд — кошмар дорожного движения, господин всей дороги, которому все должны уступать, иначе они будут обращены в ничто и их поглотит вечная ночь. Он распевал во все горло, а машина вторила ему громким жужжанием. Миля за милей так и проглатывались, а он все мчался, сам не ведая куда, влекомый странным инстинктом движения, проживая свой звездный час, не заботясь о том, чем все это может обернуться для него.

— По-моему, — бодро заметил Председатель суда, — единственная трудность, которая возникает в этом во всех остальных смыслах очень ясном случае, так это, как нам по заслугам выдать неисправимому негодяю и бесстыдному головорезу, который сидит тут перед нами на скамье подсудимых и весь сжимается от страха. Значит, так. Мы признаем его виновным, благодаря несомненным свидетельским показаниям, во-первых, в краже дорогостоящего автомобиля, во-вторых, в том, что он создавал опасные аварийные ситуации на дорогах, и в-третьих, в грубости и сопротивлении местным полицейским властям. Уважаемый Секретарь, не будете ли вы любезны сказать, какое самое суровое наказание мы можем дать ему за каждое из означенных преступлений?

Секретарь почесал нос карандашом.

— Некоторые могли бы посчитать, что кража автомобиля — самое большое из его преступлений. Так оно и есть. Но дерзить полиции тоже недозволительно и тоже заслуживает самого сурового наказания. Предположим, можно дать год за кражу, что достаточно мягко. Скажем, три года за бешеную езду, что, конечно, снисходительно. И пятнадцать лет за дерзость, потому что это была дерзость самого худшего свойства, если судить по тому, что мы слышали тут от свидетелей, если даже вы поверите одной десятой услышанного. Лично я никогда не верю больше одной десятой. Эти числа в сумме дают девятнадцать лет...

— Отлично! — сказал Председатель.

— Но вам стоит округлить срок до двадцати, чтобы быть уверенным, что вы выполнили свой долг.

— Отличное предложение! — произнес Председатель одобрительно.— Заключенный! Возьмите себя в руки, станьте прямо. На этот раз вы осуждены на двадцать лет. И имейте в виду, если вы предстанете перед нами еще раз по какому угодно обвинению, мы не окажем вам никакого снисхождения!

Вслед за этим жестокие стражи закона схватили несчастного мистера Тоуд, заковали его тяжелыми цепями и повлекли из зала суда. Тоуд кричал, молил, протестовал! Они, не слушая, протащили его через рыночную площадь, где собралось чуть ли не все население города, которое всегда столь же решительно настроено против пойманного преступника, сколь снисходительно к тому, который только еще разыскивается. Они швырялись в него глумливыми замечаниями, морковками и принятыми в городе ругательствами. Потом они повели его мимо школы, где невинные личики школьников осветились радостью, которую они всегда извлекают из беды, если в нее попадают взрослые, потом по отозвавшемуся гулким звуком подъемному мосту, под нахмуренной аркой старого мрачного замка, чьи высокие башни возвышались, словно парили в небесах, мимо дежурок, куда набилась сменившаяся с дежурства, скалившаяся на него солдатня, мимо часовых, которые при виде его презрительно кашляли, поскольку это единственное, чем стоящий в карауле часовой имеет право выразить свое презрение и отвращение к преступнику, поднялись по истертым от времени каменным ступеням винтовой лестницы, мимо тяжеловооруженных рыцарей в стальных латах и шлемах, бросавших на них устрашающие взгляды сквозь забрала, мимо придворных, которые держали на поводках огромных догов, и те когтили воздух лапами, пытаясь дотянуться до него, мимо древних стражников, которые, прислонив алебарды к стене, дремали над куском пирога и фляжкой темного эля. А его все вели и вели — мимо камеры пыток, где выворачивают пальцы, мимо дыбы, мимо двери, которая выводила прямо к эшафоту, пока не пришли к входу в самый мрачный каземат, который находился в самой середине крепости. Они, наконец, остановились перед древним стражем, который перебирал пальцами связку здоровенных ключей.

— Гром и молния! — сказал полицейский сержант, снимая шлем и вытирая вспотевший лоб. — Шевелись, деревенщина, и прими от нас под охрану этого дикого зверя, эту жабу, особо опасного преступника непревзойденной хитрости и энергии. Стереги и сохраняй его со всем возможным искусством и намотай на ус и на свою седую бороду: если что-нибудь с ним приключится, то твоя голова в ответе за его голову, чтоб вам обоим было пусто!

Старый тюремщик мрачно кивнул, положив свою увядшую руку на плечо мистера Тоуд. Ржавый ключ заскрипел, повернувшись в замке, огромная дверь защелкнулась за ними, и Тоуд оказался заточенным в самом дальнем каземате, в крепкой крепости, другой такой не найдешь, обыщи хоть вдоль и поперек всю старую добрую Англию.

7

Свирель у порога зари

КРАПИВНИК насвистывал свою незатейливую песенку, спрятавшись в кустах, окаймлявших берег. Было уже десять часов вечера, но небо все еще хранило верность ушедшему дню, оно не хотело с ним расставаться и с самого краешка возле горизонта никак не отпускало дневные лучи. Изматывающий жар летнего послеполудня наконец разжал кулаки, свернулся клубком, укатился, подталкиваемый прохладными пальцами июльской ночи.

Крот лежал, растянувшись на бережке, тяжело дыша от ударов яростного дня, который был безоблачным от рассвета до заката, и ждал, когда его друг вернется.

Он провел несколько часов на реке с приятелями, давая возможность дядюшке Рэт завершить какое-то серьезное, требующее много времени дело с дядюшкой Выдрой. Когда Крот вернулся, дом был пустой, темный, и никаких признаков дядюшки Рэт не было. Он, по-видимому, задерживался у своего старого приятеля. Было еще слишком жарко и душно, чтобы оставаться в помещении. Поэтому Крот растянулся на листьях конского щавеля и стал вспоминать события дня и размышлять, какими они все были примечательными.

Вскоре послышались легкие шаги дядюшки Рэт, который приближался, идя по выжженной солнцем траве.

— О, благословенная прохлада! — сказал он и уселся рядом, задумчиво глядя на реку, молчаливый и погруженный в какие-то свои мысли.

— Ты там поужинал? — спросил его через некоторое время Крот.

— Мне просто пришлось, — сказал дядюшка Рэт. — Они даже слышать не хотели, чтоб я ушел без ужина. Ты ведь знаешь, как они всегда добры. И старались, чтобы мне было хорошо до самой той минуты, пока я не ушел. Но я все время чувствовал себя негодяем, потому что мне было ясно, как им тяжело, хотя они всячески пытались это скрыть. Крот, боюсь, что у них случилось несчастье. Маленького Портли опять нет, а ты знаешь, как отец к нему относится, хоть он и не любит на эту тему распространяться.

— Что, опять? — спросил Крот беззаботно. — Ну и что? Он постоянно удирает и теряется, а потом находится, он такой, он любит приключения. Все в округе его знают и любят, так же как и доброго Выдру. Вот увидишь, кто-нибудь из зверей на него наткнется и приведет его домой целехоньким. Да мы и сами, помнишь, не раз его находили за несколько миль от дома, и он был веселенький и прекрасно себя чувствовал.

— Да. Но на этот раз все гораздо серьезнее, — сказал дядюшка Рэт мрачно. — Его уже несколько дней нет, и его домашние обшарили уже все вдоль и поперек, и даже ни единого следочка не нашли. И каждого зверя опросили на несколько миль вокруг, и никто ничего про него не слыхал. Выдра, видимо, даже больше встревожен, чем хочет показать. Я из него выудил, что маленький Портли еще не научился как следует плавать. Я понимаю, он думает о плотине. Там сильный водосброс, а малышу это место кажется очень привлекательным. Ну, и бывают... ну, капканы там и другое, сам понимаешь. Выдра не такой отец, чтобы паниковать раньше времени, а сейчас он в отчаянии. Когда я уходил, он вышел меня проводить, сказал, что хочет подышать воздухом, размяться, и все такое. Но я понял, что не в этом дело, я выспросил его, все из него вытряс в конце концов. Он сказал, что проведет ночь возле брода. Ну, ты знаешь, то место, где раньше был брод, в давние времена, до того как построили мост.

— Хорошо знаю, — сказал Крот. — Но почему он решил ждать именно там?

— В том месте он начинал учить Портли плавать, — продолжал дядюшка Рэт. — С той гравийной насыпи, где мелко. И в том самом месте он его учил рыбачить, и малышка именно там поймал свою первую рыбку. Выдра говорит, Портли очень полюбил это местечко, и где бы он ни находился (где бы он ни находился сейчас, бедняжка!), вероятнее всего, что пойдет через брод, который он так любит, и, может быть, решит там задержаться и поиграть. Выдра ходит туда каждую ночь и ждет: а вдруг, ну просто — а вдруг.

Оба какое-то время помолчали, думая об одном и том же — о печальном одиноком звере, сгорбившемся возле брода, ждущем целую долгую ночь — а вдруг!

— Ну, что же, — сказал дядюшка Рэт. — Пора нам и на боковую. — Но при этом даже не шелохнулся.

— Рэтти, я просто не могу лечь и заснуть и ничего не предпринять, хотя я и не знаю, что тут можно предпринять. Давай выведем лодку и поедем вверх по течению. Луна покажется примерно через часок, и мы как сможем — поищем, во всяком случае, это лучше, чем завалиться спать и не делать уж совсем ничего.

— Я как раз и сам об этом подумал, — сказал дядюшка Рэт. — Это не такая ночь, чтобы спать. Да и рассвет не так уж далеко, и к тому же мы можем что-нибудь разузнать о нем от тех, кто встает на рассвете.

Они вывели лодку, дядюшка Рэт сел на весла и начал тихо грести. Посредине реки тянулась ясная узкая полоса, которая слабо отражала небо, но там, где тени от кустов или деревьев падали на воду с берега, они казались такими же плотными, как и сам берег, и Кроту надо было внимательно следить за рулем. Было темно и пусто, ночь была полна неясных звуков, чьих-то песен, разговоров, шорохов, говоривших о том, что мелкое ночное население бодрствует, поглощенное своими занятиями, пока рассвет их всех не застигнет и не отправит на отдых, который они вполне заработали. Шум самой воды был ночью тоже слышнее, чем днем, хлюпание и журчание были более отчетливыми и возникали как бы под рукой, и оба они постоянно вздрагивали от неожиданного и почти что членораздельными словами выраженного звука.

Линия горизонта была ясна и тверда, а в одном месте вдруг прорисовалась и вовсе черным на фоне фосфорического сияния, которое все разгоралось и разгоралось. Наконец над краем замершей в ожидании земли поднялась луна, медленно и величественно, и покачнулась над горизонтом, и поплыла, словно отбросив якорный канат, и снова стали видимы поверхности, широко раскинувшиеся луга, спокойные сады и сама река — от берега до берега, все мягко себя обнаружило, все избавилось от таинственности и страха, все осветилось как днем, а вместе с тем вовсе не как днем, а совсем, совсем иначе.

Знакомые, любимые места по берегам вновь их приветствовали, но точно в иных одеяниях, как будто они незаметно исчезли, а затем тихонько вернулись назад, но только в других, чистых одежках, и теперь застенчиво улыбались, ожидая, будут ли они узнаны в новом облачении.

Привязав лодку к стволу старой ивы, друзья сошли на берег в этом тихом серебристом королевстве и терпеливо обыскали заросли кустарника, дуплистые деревья, ручьи, овражки, пересохшие русла весенних протоков. Снова вернувшись на борт и переправившись на противоположный берег, все то же проделали и там, а луна, спокойная и далекая в безоблачном небе, всячески старалась им помочь в их поисках, пока не настал ее час и она нехотя не спустилась к земле, и не оставила их, и таинственность снова не окутала реку и землю.

И тогда все стало медленно изменяться. Горизонт прояснился, поля и деревья стали приобретать четкие очертания, и вид у них был уже немножечко другой, тайна стала от них отступать.

Неожиданно свистнула какая-то птица, и снова все замолкло. И возник легкий ветерок и заставил шелестеть камыши и осоку.

Дядюшка Рэт, который в этот раз правил лодкой, вдруг выпрямился и стал к чему-то жадно прислушиваться. Крот, нежными прикосновениями к воде заставляя лодку медленно двигаться, чтобы можно было хорошенечко оглядеть берега, взглянул на него с любопытством.

— Исчезло! — воскликнул дядюшка Рэт, сгорбившись на сиденье. — Так красиво, странно и необычно! Уж если это должно было так быстро кончиться, лучше бы этого и не слыхать вовсе! Во мне проснулась какая-то тоска, и кажется, ничего бы я больше в жизни не хотел, только слушать и слушать. Нет! Вот оно снова! — воскликнул он опять, настораживаясь.

Некоторое время он молчал как зачарованный.

— Опять исчезает, опять удаляется! О, Крот, какая красота! Веселая, радостная мелодия, прекрасные звуки отдаленной свирели. Я и во сне никогда не слыхал такой музыки! Она зовет! Греби, греби, Крот! Эта музыка для нас, она нас призывает к себе!

Крот, впадая в величайшее изумление, подчинился.

— Я ничего не слышу, — сказал он. — Я слышу только, как ветер играет в камышах, и в осоке, и в ивах.

Рэт ничего не ответил, а может быть, и не услышал, что сказал Крот. Восхищенный, он весь отдался состоянию восторга, который заключил его, маленького, трепещущего, в свои сильные и мощные объятия.

Крот молчал и только непрерывно взмахивал веслами, и вскоре они достигли того места, где с одной стороны от реки отделялась большая заводь. Легким движением головы Рэт, который давно уже бросил заниматься лодкой, указал гребцу держать в сторону заводи. Медленный прилив света в небе все увеличивался и увеличивался, и можно было различить, какого цвета цветы, точно драгоценными камнями окаймлявшие берег.

— Все яснее и ближе! — радостно закричал дядюшка Рэт. — Ну, теперь-то ты должен слышать. А! Наконец-то! Теперь я вижу, что и ты услыхал!

Крот перестал грести и замер, затаив дыхание, потому что и на него, точно волной, пролилась мелодия, и окатила его, и завладела им совершенно. Он увидал слезы на глазах своего друга и наклонил голову, сочувствуя и понимая. Лодка скользила по воде, с берега их задевали розовые цветы вербейника. И тогда отчетливый и властный призыв, который сопровождался опьяняющей мелодией, продиктовал свою волю Кроту, и он снова взялся за весла. А свет становился все ярче, но ни одна птица не пела, хотя они обычно щебечут перед приходом зари, и, кроме небесной этой мелодии, больше не было слышно ни единого звука.

Травы по обеим сторонам заводи в это утро казались какой-то особой, ни с чем не сравнимой зелености и свежести. Никогда розы не казались им такими живыми, кипрей таким буйным, таволга такой сладкой и душистой. Затем бормотание плотины стало заполнять воздух, и они ощутили, что приближаются к развязке своей экспедиции.

Полукружие белой пены, вспыхивающие лучи, блеск, сверкающие перепады зеленой воды — большая плотина перегораживала заводь от берега до берега, смущая всю спокойную поверхность маленькими вертящимися водоворотами и плывущими хлопьями пены, заглушая все другие звуки своим торжественным и умиротворяющим говором.

В самой середине потока, охваченный блистающим объятием плотины, бросил якорь малюсенький островок, окаймленный густой зарослью ивняка, серебристых березок и ольхи. Тихий, застенчивый, но полный таинственного значения, он скрывал то, что таилось там, в середине, скрывал до тех пор, пока настанет час, а когда час настал, то открывался только признанным и избранным.

Медленно, но нисколечко не раздумывая и не сомневаясь, в некотором торжественном ожидании, оба зверя проплыли через встревоженную, взбаламученную воду и причалили к самой кромочке острова, покрытой цветами. Они молча сошли на берег и стали пробираться через цветущие, душистые травы и кустарник, туда, где земля была ровной, пока наконец не добрались до маленькой полянки, зеленой-зеленой, на которой самой Природой был разбит сад. Там росли дикие яблони, и дикие вишни, и терновник.

— Вот это место, о котором рассказывала музыка, — прошептал дядюшка Рэт. — Здесь, здесь мы его встретим, ТОГО, КОТОРЫЙ ИГРАЛ НА СВИРЕЛИ.

И тогда вдруг на Крота напал священный ужас, и он опустил голову, и мускулы его стали точно тряпочные, а ноги вросли в землю. Это не был страх, нет, он был совершенно счастлив и спокоен. А просто, просто он почувствовал, что где-то близко-близко здесь находится ТОТ, КОТОРЫЙ ИГРАЛ НА СВИРЕЛИ. Он оглянулся на своего друга и понял, что и он тоже находится в таком же состоянии. А полные птиц кусты по-прежнему безмолвствовали, а заря все разгоралась.

Может, он и не решился бы поднять голову, но, хотя музыка уже стихла, призыв все так же властно звучал внутри него. Он не мог не посмотреть, даже если бы сама смерть мгновенно справедливо его поразила за то, что он взглянул смертными глазами на сокровенное, что должно оставаться в тайне. Он послушался и поднял голову, и тогда в светлых лучах приближающейся зари, когда даже сама Природа, окрашенная невероятным розовым цветом, примолкла, затаив дыхание, он заглянул в глаза ДРУГА И ПОМОЩНИКА, ТОГО, КОТОРЫЙ ИГРАЛ НА СВИРЕЛИ. Он ясно увидел кудри и крючковатый нос между добрыми глазами, которые смотрели на них ласково, а рот, спрятавшийся в бороде, приоткрылся в полуулыбке, увидел руку, возле широкой груди и другую руку, которая держала свирель, только что отведенную от губ, видел крепкие ноги, прочно опирающиеся на дерн, и угнездившегося между его ступнями, крепко спящего в полном покое, маленького, кругленького, толстенького детеныша Выдры. Все это он увидел своими глазами, совершенно отчетливо на фоне рассветного неба! Он все это увидел своими глазами и остался жив, а оставшись в живых, очень этому удивился.

— Рэт,— нашел он в себе силы прошептать,— ты боишься?

— Боюсь? — пробормотал он, и глаза его сияли несказанной любовью.— Боюсь? Его? Да нет же, нет! И все-таки... Все-таки мне страшно, Крот!

И оба зверя склонились к земле в порыве благодарности.

Неожиданный и величественный, поднялся над горизонтом солнечный диск и взглянул на них. Его первые лучи, прострелившие насквозь заливной луг, плеснули светом в глаза и ослепили их. А когда они снова открыли глаза, видение исчезло, и воздух наполнился птичьими гимнами, славящими зарю.

И когда оба друга глядели пустым взглядом, погружаясь в печаль оттого, что они видели и тут же утратили, капризный легкий ветерок, танцуя, поднялся с поверхности воды, растрепал осины, тряхнул покрытые росой розы, легко и ласково дунул им в лицо, и с его легким прикосновением наступило забвение, потому что ДРУГ И ПОМОЩНИК каждому, перед кем он предстал и кому помог, напоследок посылает еще один чудесный дар: способность забыть. Чтобы воспоминание о необычном не укоренилось и не разрасталось в душе, чтобы оно не затмевало радостей дальнейшей жизни для тех, кого он выручил из беды и кому помог, чтобы каждый оставался счастливым и беззаботным, как прежде.

Крот протер глаза и вытаращился на дядюшку Рэт, который в недоумении оглядывался вокруг.

— Ты что-то сказал, Рэт? — спросил он.

— Я только заметил, что это то самое место. Тут только мы его и сможем найти. Погляди! А вот и малыш!

И с радостным возгласом он бросился к дремлющему Портли. А Крот еще минуточку постоял неподвижно, погруженный в свои мысли. Как тот, кого вдруг разбудили от хорошего сна, старается удержать его, и не может ничего вспомнить, и не может вызвать в памяти ничего, кроме чувства красоты. Да, красоты. Пока и она, в свою очередь, не поблекнет, пока сам проснувшийся не поймет окончательно, что он проснулся и должен начать осознавать грубую действительность. Наконец Крот, поняв, что он не может удержать воспоминания, тряхнул головой и пошел вслед за дядюшкой Рэт.

Портли проснулся, издав радостный писк, и стал весь извиваться оттого, что он видит близких друзей своего отца, которые так часто, бывало, играли с ним. Но вдруг мордочка его сделалась озабоченной, и он начал бегать кругами, принюхиваясь и повизгивая жалобно. Как дитя, которое уснуло счастливым на руках у няни, и вдруг пробудилось в одиночестве и в незнакомом месте, и бегает по комнатам, ничего не узнавая, и отчаяние все больше и больше овладевает его сердечком. Так и Портли все что-то искал и искал по всему острову и, не найдя, сел и заплакал.

Крот кинулся утешать маленького зверушку, а дядюшка Рэт пристально и с изумлением глядел на большие следы, отпечатавшиеся на траве.

Он всё это увидел
своими глазами...

— Какой-то... большой зверь... был тут,— бормотал он в задумчивости и никак не мог выбраться из этой задумчивости.

— Пошли, Рэт,— окликнул его Крот.— Подумай о бедном дядюшке Выдре, который ждет там у брода! Портли быстренько утешили, пообещав прокатить его по реке на лодке. Оба зверя препроводили малыша в лодку, надежно усадили между собой на дно и двинулись по заводи к основному руслу. Солнце уже совсем взошло и согревало их, и птицы распевали во всю мочь, и цветы улыбались и кивали с обоих берегов, хотя они были не такими яркими, как, помнилось, они где-то недавно видели, сами не зная где. Добравшись до середины реки, они развернули лодку по течению вверх, туда, где, как они знали, их друг нес свою одинокую вахту.

Когда они уже приближались к знакомому броду, Крот подвел лодку к берегу, они подняли маленького Портли и высадили на берег, поставив его ножками на тропинку, наказали, каким путем ему идти, дали ему прощального шлепка и выгребли обратно на середину реки. Они видели, как маленький зверек шел по тропинке довольный и важный. Они наблюдали за ним, пока не увидали, как его мордочка вдруг поднялась и походка вперевалочку перешла в легкий бег, сопровождаемый радостным визгом и вилянием. Взглянув вверх по реке, они увидели, как дядюшка Выдра вздрогнул и поднялся с отмели, где, сгорбившись, ждал с упорным терпением, и услышали его радостный, удивленный взлай, когда он кинулся от ивовых зарослей к тропинке. Тогда Крот ударом весла развернул лодку и предоставил течению нести их куда ему будет угодно, потому что их трудные поиски счастливо завершились.

— Я чувствую себя как-то странно утомленным, Рэт,— сказал Крот, облокачиваясь о весла, в то время как лодка сама скользила по течению.— Ты скажешь, потому, что мы всю ночь не спали. Но ведь мы часто не спим по ночам летом, и ничего. Нет, дело не в этом. У меня такое чувство, точно мы испытали нечто удивительное и даже страшное, а вместе с тем ничего не случилось.

— Или что-то удивительное, и прекрасное, и красивое,— проборомотал дядюшка Рэт, откидываясь назад и закрывая глаза.— И я тоже, Крот, смертельно устал, как и ты, просто смертельно устал. Хорошо, что нам нужно плыть вниз по течению, оно доставит нас домой. Хорошо чувствовать, что солнышко снова прогревает прямо до костей, правда? И слушать, как ветер шелестит в камышах!

— Это как музыка, музыка в отдалении,— сонно кивнул Крот.

— И я так же думаю,— пробормотал дядюшка Рэт медленно и вяло.— Танцевальная музыка, которая звучит не переставая, но у нее есть слова, она переходит в слова, а потом опять — обратно, я иногда их даже различаю, а потом она снова — танцевальная музыка, а потом — только мягкий шепот камышей.

— Ты слышишь лучше меня,— печально заметил Крот.— Я совсем не слышу никаких слов.

— Погоди, я попробую их тебе пересказать,— пообещал дядюшка Рэт ласково.— Вот мелодия опять превращается в слова, тихие, но понятные: «Чтобы светлая чистая радость твоя — Не могла твоей мукою стать.— Что увидит твой глаз в помогающий час,— Про то ты забудешь опять!» Теперь камыши подхватывают: «Забудешь опять — забудешь опять»,— они вздыхают, и слова переходят в шелест и шепот. А вот опять голоса возвращаются: «Прихожу, чтоб не мучился ты,— Я пружину капкана сломать.— Как силок твой я рву, видишь ты наяву,— Но про то ты забудешь опять!» Крот, греби поближе к камышам! Очень трудно понимать, и с каждой минутой слова звучат все тише: «Я целитель, я помощь, я друг,— Вам не надо заблудших искать.— Отыщу, исцелю, обсушу, накормлю,— Но прошу вас: забудьте опять!» Ближе, Крот, ближе! Нет, бесполезно, песня превратилась в шелест камыша.

— А что же эти слова означают? — спросил Крот, недоумевая.

— Этого я не знаю,— сказал дядюшка Рэт просто.— Я тебе их передал, как они достигли моего слуха. Ах! Вот они снова звучат, на этот раз ясно, отчетливо...

— Повтори их, пожалуйста,— попросил Крот, терпеливо прождав несколько минут и уже задремывая на жарком солнышке.

Но ответа не последовало. Он оглянулся и понял причину молчания. Со счастливой улыбкой на лице и точно к чему-то прислушиваясь, утомленный дядюшка Рэт крепко стал на корме.

8

Приключения мистера Тоуд

КОГДА мистер Тоуд оказался в сырой и зловонной темнице, он понял, что весь мрак средневековой крепости лежит между ним и внешним миром, где сияет солнышко. Там пролегают великолепные мостовые, где он еще так недавно бывал счастлив и развлекался как хотел, словно приобрел в безраздельную собственность все дороги Англии! Он бросился на пол ничком, зарыдал и предался самому черному отчаянию.

«Все, всему конец, — говорил он, — во всяком случае, конец процветанию мистера Тоуд, а это, в сущности, одно и то же, известного мистера Тоуд, прекрасного мистера Тоуд, богатого и гостеприимного мистера Тоуд, веселого, беззаботного и жизнерадостного! И как я могу надеяться снова оказаться на свободе, когда это вполне справедливо, что меня посадили в тюрьму (говорил он), потому что я угнал прекрасную машину таким наглым образом да еще так самоуверенно дерзил стольким толстым, краснолицым полицейским! (Тут рыдания стали его душить). Дурак я, дурак, теперь придется мне томиться в этой крепости. За это время те, кто гордился знакомством со мной, окончательно забудут даже самое имя мистера Тоуд! О мудрый старина Барсук! О мудрый и дельный дядюшка Рэт! О благоразумный Крот! Какими основательными суждениями, каким великолепным пониманием людей и обстоятельств вы обладаете! Бедный, покинутый Тоуд!»

В жалобах, подобных этим, проводил он дни и ночи в течение нескольких недель, отказываясь от завтрака, обеда и ужина и даже от легких закусок, хотя старый и мрачный тюремщик, зная, что в кармане мистера Тоуд водятся денежки, неоднократно намекал ему, что кое-что для утешения и ободрения можно организовать с воли за соответствующую мзду.

У тюремщика была дочка, приятная девчонка, к тому же добросердечная, которая помогала отцу в нетрудных делах во время его дежурств. Особенно она любила животных. У нее была канарейка, чья клетка днем висела на гвозде, вбитом в массивную стену главной башни в крепости. На это очень досадовали заключенные, канарейка мешала вздремнуть после обеда. Кроме того, дочка тюремщика держала еще несколько пестреньких мышек и беспокойную, вертящуюся в колесе белку. Этой доброй девушке было от души жаль несчастного мистера Тоуд, и она однажды сказала отцу:

— Отец! Мне невыносимо видеть, как страдает и худеет этот несчастный зверь. Позволь мне им заняться. Ты же знаешь, как я люблю животных! Я его заставлю есть у меня из рук и вообще поставлю его на ноги.

Отец разрешил дочери делать все, что она хочет, потому что мистер Тоуд успел ему надоесть со всей его тоской, и капризами, и подлым характером. Она занялась подготовкой милосердного дела. И в тот же день постучалась в дверь погреба, где томился Тоуд.

— Ну, Тоуд, давай-ка взбодрись,— обратилась к нему девушка.— Садись к столу, вытри глаза и будь благоразумным зверем. И давай пообедай. Я сама приготовила. Все теплое, только что с плиты.

Это было жаркóе с овощами, положенное между двух тарелок, и его аромат наполнил тесное подземелье. Все проникающий запах капусты добрался до носа, когда мистер Тоуд в тоске лежал ничком на полу, и стал внушать ему мысль, что, может быть, жизнь не такая уж пустая и безнадежная вещь, как он себе вообразил. Но он продолжал подвывать и брыкаться ногами, не позволяя себя утешить. Сообразительная девушка на время удалилась, и, так как большая часть запаха горячей тушеной капусты осталась в помещении, мистер Тоуд между приступами рыданий потянул носом и немножечко призадумался, и постепенно к нему стали являться новые и вдохновляющие мысли: о рыцарстве, о поэзии, и о том, что ему еще предстоит совершить, и о просторных лугах, и о коровах, которые на них пасутся, и как их поглаживает ветер и солнышко, и об огородах, и о цветочных бордюрах на клумбах, и о теплом львином зеве, облепленном пчелами, и о приятном звоне тарелок, когда в Тоуд-Холле накрывают на стол, и о том, какой приятный звук издают ножки стульев, когда каждый из гостей пододвигается к столу, чтобы заняться важным делом. Воздух в тесном его погребе вдруг приобрел розоватый оттенок, и мистер Тоуд стал думать о своих друзьях, что они, наверное, что-нибудь предпримут, об адвокатах, которые, должно быть, с удовольствием возьмутся его защищать, и какой он осел, что до сих пор ни одного из них не пригласил, и под конец он подумал о собственном уме и скрытых возможностях, и о том, на что он способен, если заставит свой великий ум как следует работать, и, таким образом, курс лечения почти что был завершен.

Когда через пару часов девушка пришла снова, она несла на подносе чашку душистого чая, от которого шел пар, и тарелочку с горкой горячих, намазанных маслом тостов, толстых, с коричневой корочкой с обеих сторон, и масло стекало по ноздреватому хлебу золотыми каплями, как мед вытекает из сот. Запах намасленных тостов ну просто говорил с мистером Тоуд о совершенно конкретных вещах: о теплых кухнях, о завтраке ясным морозным утром, об уютном кресле возле горящего камина зимним вечером, когда уже все прогулки завершены и ноги в тапочках покоятся на каминной решетке, о сытом мурлыканье кота и тихом чириканье засыпающей канарейки. И мистер Тоуд в очередной раз возродился к жизни. Отер глаза, хлебнул чайку, зачавкал теплыми тостами и вскоре разговорился. Он стал рассказывать о себе самом и о доме, в котором он живет, и о своих деяниях, и о том, какая он значительная фигура и какого его друзья о нем высокого мнения. Дочка тюремщика заметила, что разговор на эту тему приносит ему пользу не меньшую, чем намасленные тосты с чаем, что и было на самом деле, поэтому она всячески поощряла его и просила продолжать.

— Расскажи мне о Тоуд-Холле, — сказала она, — это звучит так привлекательно.

— О, Тоуд-Холл — это очень подходящая резиденция для джентльмена, там есть абсолютно все необходимое, это уникальное имение, оно частично восходит к четырнадцатому веку, но снабжено всеми современными удобствами. Современный санузел. Пять минут ходьбы от церкви, почты и площадок для игры в гольф. Подходящее для...

— Да будет тебе, — засмеялась девушка, — я же не собираюсь его у тебя покупать. Расскажи мне про него что-нибудь интересное. Но сначала я схожу еще за одной порцией чая.

Она упорхнула и тут же появилась с полным подносом. Тоуд с жадностью набросился на тосты, при этом его настроение окончательно поднялось до обычного уровня. Не переставая жевать, он рассказал ей о лодочном сарае и о пруде, где водятся караси, и про обнесенный высоким забором огород, и про свинарник, и про конюшни, и про голубятню, и про курятник, и про маслобойню, и прачечную, и про буфеты с посудой, и гладильные приспособления (это ей понравилось больше всего), и про банкетный зал, и как там бывало весело, когда другие звери собирались у него за столом, и как он бывал в ударе — пел песни, рассказывал разные истории и вообще был душой общества. Потом она расспросила о его друзьях и проявила большой интерес ко всему, что он о них рассказывал, и как они живут, и как проводят время. Конечно, она не сказала ему, что звери для нее — просто домашние любимцы, у нее хватило такта понять, что Тоуд на это страшно обидится. Когда вечером она пожелала ему спокойной ночи, взбив перед тем солому, на которой он спал, Тоуд был уже в значительной степени прежним — уверенным и самовлюбленным зверем. Он спел песенку-другую из тех, что любил певать во время своих застолий, зарылся в солому и отлично отдохнул за ночь, причем ему снились приятные сны. С того дня печальное заточение мистера Тоуд скрашивалось множеством милых бесед, так как дочке тюремщика было очень жаль бедного узника. Ей казалось сущим безобразием то, что несчастный маленький зверек томился в тюрьме. Ей казалось, что он осужден за совсем небольшую провинность. А тщеславный Тоуд, как водится, вообразил, что она проявляет к нему вполне определенный интерес, и очень сожалел, что она не такого высокого, как он, происхождения, потому что она была очень хорошенькой девушкой и к тому же восхищалась им выше меры.

Однажды девушка пришла к нему какая-то задумчивая, отвечала невпопад. Ему показалось, что она не обращает достаточного внимания на его остроумные фразы и искрометные замечания.

— Тоуд, — сказала она наконец, — я прошу тебя, послушай внимательно. У меня есть тетка. Она работает прачкой.

— Ну, ничего, не огорчайся, — сказал он изысканно-любезно. — Забудь про это. У меня есть несколько теток, которые заслуживают того, чтобы быть прачками.

— Помолчи минуточку, — сказала девушка. — Ты слишком много говоришь, это твоя главная беда. Я стараюсь что-нибудь придумать, а от твоих разговоров у меня начинает болеть голова. Как я уже сказала, у меня есть тетка, и эта тетка — прачка. И она обстирывает всех заключенных в этой крепости. Мы стараемся, как ты понимаешь, чтобы тут все члены семьи могли зарабатывать. Она забирает грязное белье в понедельник утром и приносит выстиранное в пятницу вечером. Сегодня четверг. Вот что мне пришло в голову. Ты — богатый, так ты мне, по крайней мере, говоришь, а она — бедная. Несколько фунтов для тебя не составят никакой разницы, а для нее они имели бы огромное значение. Ну, если с ней как следует поговорить, вы бы могли договориться. Она бы тебе дала свое платье и чепец, ну и так далее, и ты бы выбрался из крепости под видом прачки. Вы с ней во многом похожи, в особенности фигурой.

— Нисколько не похожи, — сказал Тоуд раздраженно. — У меня очень изящная фигура для такого, как я.

— У нее — тоже, — ответила девушка. — Для такой, как она. Ну, делай как знаешь, ты жуткий, самовлюбленный, неблагодарный зверь. Мне просто тебя жаль, и я стараюсь тебе помочь!

— Да, да, конечно, огромное тебе спасибо! — сказал мистер Тоуд торопливо. — Но послушай, как же ты хочешь, чтобы мистер Тоуд из Тоуд-Холла бродил по окрестностям в обличье прачки?

— Ну, тогда сиди здесь в своем собственном обличье! — ответила она с жаром. — Я думаю, тебе хочется умчаться отсюда в карете, запряженной четверкой рысаков?

Честный мистер Тоуд всегда был готов признать свою неправоту.

— Ты хорошая, добрая, умная девочка, — сказал он. — А я и на самом деле самовлюбленная и глупая жаба. Познакомь меня с твоей достойной тетушкой, прошу тебя, и я полагаю, что мы с этой милой леди сумеем договориться на условиях, приемлемых для обеих сторон.

На следующий день девушка провела к нему свою тетушку, у которой в руках было завернутое в полотенце и заколотое булавкой выстиранное за неделю белье. Старая дама была уже подготовлена к беседе заранее, а блеск некоторого количества золотых монет, которые мистер Тоуд предусмотрительно разложил на столе на самом видном месте, практически завершил дело и оставил очень мало простора для обсуждений. В обмен за наличные Тоуд получил платье из ситчика в цветочках, передник, шаль и поношенный чепец.

Единственное условие, которое старая леди поставила, желая избежать подозрений, — чтобы ее хорошенько связали, швырнули на пол и засунули в угол. Этим не очень убедительным ухищрением и при помощи выразительного рассказа, который она сочинит, она надеялась сохранить свое место постоянной тюремной прачки, несмотря на то, что все, конечно, будет выглядеть довольно подозрительно. Тоуд был в восторге от этого предложения. Оно придавало блеск его бегству, и его репутация неисправимого и опасного существа снова подтвердится. Он с готовностью помог дочке тюремщика придать тетушке такой вид, будто она явилась жертвой непреодолимых обстоятельств.

— Ну, теперь твоя очередь, Тоуд, — сказала девушка. — Снимай-ка пиджак и жилет, ты сам по себе достаточно толстый.

Трясясь от смеха, она застегнула на нем крючки ситцевого платья, накинула на него шаль и завязала ленточки поношенного чепчика у него под подбородком.

— Ну, ты просто вылитая тетушка, — рассмеялась она, — и, я уверена, ты никогда в жизни не выглядел таким респектабельным. До свидания, Тоуд, счастливо тебе! Иди вниз тем же путем, каким тебя сюда привели, и, если эти мужланы-стражники будут отпускать в твой адрес нелепые шуточки, ты лучше просто отшутись и помни — ты вдова, совершенно одинокая, которая вынуждена дорожить своим честным именем.

С бьющимся сердцем и настолько твердой поступью, насколько это ему удалось, мистер Тоуд двинулся в свое рискованное и опасное путешествие. Вскоре он с радостью обнаружил, что все идет как по маслу, хотя его немного унижало, что ни пол, ни одежда, которые облегчали ему путь, ему лично не принадлежали.

Приземистая фигура прачки в знакомом платье из набивного ситца сама по себе была пропуском, отпиравшим любую запертую дверь, дававшим возможность миновать мрачные тюремные коридоры, и даже, когда он один раз засомневался, не зная, куда было бы правильнее свернуть, ему помог стражник, стоявший на часах у ближайших ворот, который спешил выпить свою чашечку горячего чая и поэтому прикрикнул на «прачку», чтобы она проходила быстрее, а не заставляла бы его торчать тут целую ночь. Самой главной опасностью для мистера Тоуд были всякие шуточки и заигрывания, на которые он должен был быстро и язвительно отвечать. Мистер Тоуд был зверем с развитым чувством собственного достоинства, и ему трудно было отшучиваться, когда на него сыпались остроты, как ему казалось, лишенные всякого юмора и изящества. Он, однако, старался не выходить из себя и, хоть и с большим трудом, приспосабливал свои реплики к уровню умственного развития остряков, но при этом всячески старался остаться в рамках приличия.

Ему показалось, что несколько часов прошло, пока он пересек последний внутренний двор, сумел отвертеться от настойчивых приглашений из последней дежурки, уклониться от протянутых рук последнего стражника, который, притворяясь очарованным, пытался обнять прачку на прощанье. Но наконец он услыхал, как замок в калитке, вделанной в огромные наружные ворота крепости, защелкнулся за ним, ощутил прикосновение вольного воздуха к покрытому испариной лбу и понял, что он свободен!

У него закружилась голова от того, как легко совершил он этот подвиг, и он быстро зашагал туда, где мерцали огоньки ближайшего города. Он не имел ни малейшего представления, что ему теперь делать, и знал только одно, что ему нужно срочно убраться из тех мест, где леди, которую он вынужден был изображать, была такой известной и популярной фигурой.

Когда он, размышляя, вышагивал по дороге, его внимание привлекли красные и зеленые огни чуть поодаль от него и слегка в стороне от города, а слуха коснулось пыхтение паровозов и лязг товарных платформ на стрелках.

«Ага! — подумал он. — Вот это повезло так повезло. В данную минуту железнодорожный вокзал — это для меня самое нужное место на свете. И главное, мне не придется идти через город и делать вид, будто я прачка. Правда, мои находчивые ответы в стиле прачки послужили мне и помогли выбраться из тюрьмы, но они нисколечко не служат самоуважению».

Таким образом, он направился к вокзалу, изучил расписание и выяснил, что поезд, который шел примерно в том направлении, какое ему было нужно, должен отправиться через полчаса.

— И снова повезло! — заметил мистер Тоуд.

Его настроение еще улучшилось, и он направился в кассу покупать билет.

Он назвал город, который был расположен ближе всего к той деревне, где Тоуд-Холл был главной достопримечательностью, и машинально стал шарить в том месте, где находится жилетный карман, а в нем — деньги на билет. Но в дело вмешалось ситцевое платье, которое все еще было на нем и о котором он начисто забыл. Точно в дурном сне, он пытался победить эту жуткую незнакомую материю, которая, как ему казалось, ловит и держит его руки, и смеется, и издевается над ним, а другие пассажиры, выстроившись за ним в очередь, ожидали с нетерпением, давая советы более или менее полезные и отпуская замечания более или менее сердитые. Наконец — он сам не понял, каким образом — он все-таки победил этот ситец, достиг того места, где от начала веков располагаются жилетные карманы, и не обнаружил там не только денег, но и решительно никакого кармана, где эти деньги могли бы помещаться!

С ужасом он вспомнил, что и пиджак, и жилет он оставил в покинутой темнице, а вместе с ними и записную книжку, бумажник, ключи, часы, спички, пенальчик с карандашами — все то, что придает смысл жизни и отличает зверя со множеством карманов от тех, которые имеют всего один карман или не имеют их вовсе, и прыгают, и бегают вокруг совершенно неэкипированные.

Приходя в отчаяние, он сделал безнадежную попытку спасти положение и сказал в своей прежней манере, которая была смесью манер богатого помещика и кембриджского профессора:

— Послушайте! Я забыл захватить кошелек. Дайте мне билет, и я пришлю вам деньги завтра. Имя мое хорошо известно в этих местах.

Кассир поглядел на него и на его поношенный чепчик и рассмеялся.

— Думаю, тебя и вправду хорошо знают в этих местах, если ты частенько пользуешься этой выдумкой. Отойдите от окна, госпожа, не мешайте другим пассажирам.

Какой-то старый джентльмен, который уже давно сверлил его пальцем в спину, оттолкнул его от кассы и, что хуже всего, назвал его «милейшая», что рассердило мистера Тоуд больше всего из случившегося с ним в этот вечер.

Впадая в полнейшее отчаяние, ничего не видя перед собой, побрел он вдоль платформы, у которой стоял поезд, и слезы струились по обеим сторонам его носа. Он думал, как это жестоко, быть так близко от безопасного места, от собственного дома и встретить препятствие в виде нескольких жалких шиллингов и вздорного формалиста-кассира. Очень скоро его побег обнаружится, и будет выслана погоня, и его поймают, и закуют в цепи, и потащат снова в темницу, и посадят на хлеб и воду, и удвоят охрану, и удвоят срок! А какие язвительные замечания будет отпускать девушка! Но что же делать? Он не очень-то скор на ногу, а фигура его, к сожалению, легко узнается в этих местах. Может, втиснуться под лавку в вагоне? Он видывал, как школьники пользовались этим методом, когда деньги, данные на проезд заботливыми родителями, бывали истрачены на иные, более важные дела. Размышляя, он не заметил, как очутился возле паровоза, который смазывал, вытирал и всячески ласкал любящий машинист — здоровенный дядька с масленкой в одной руке и с ветошью в другой.

— Эй, матушка,— сказал машинист,— что случилось? Вид у тебя что-то не очень веселый, а?

— О, сэр! — сказал мистер Тоуд, снова заливаясь слезами.— Я несчастная убогая прачка, и я потеряла деньги, и теперь мне нечем заплатить за билет, а мне просто необходимо попасть домой, и что теперь делать, я не представляю себе. О боже мой, боже мой!

— Да, действительно плохо дело,— сказал машинист задумчиво.— Потеряла деньги, и домой тебе не попасть, и детишки у тебя, наверно, есть, правда?

— Страшное количество, — всхлипнул мистер Тоуд. — И они все останутся голодными, и начнут баловаться со спичками, и поопрокидывают керосиновые лампы, бедные, невинные крошки! И передерутся, и невообразимо что еще натворят. О боже мой, боже мой!

— Послушай, я тебе скажу, что мы с тобой сделаем, — стал утешать его добрый машинист. — Ты говоришь, ты прачка по профессии. Ну и хорошо, пусть так и будет. А я, как видишь, машинист, и тут уж ничего не скажешь, работа эта страшно грязная. Рубашек уходит — сила, супружница моя замучилась их стирать, если ты выстираешь мне несколько рубашек, когда доберешься до дому, я тебя довезу на паровозе. Это, конечно, запрещено администрацией, но в этих отдаленных местах мы не так уж строго придерживаемся правил.

Отчаяние мистера Тоуд мгновенно перешло в восторг, и он живо вскарабкался в кабину паровоза. Конечно, он в жизни не выстирал ни одной рубашки и не смог бы этого сделать, даже если бы и взялся, впрочем, он и не собирался этого делать. Он подумал: «Когда я доберусь в Тоуд-Холл, то у меня снова будут деньги и карманы, куда их класть. Тогда я пошлю машинисту столько денег, сколько хватит заплатить за стирку целой горы рубашек, а это будет то же самое или даже еще лучше».

Дежурный махнул зеленым флажком, машинист ответил ему веселым свистом, и поезд отошел от перрона. По мере того как увеличивалась скорость и по обе стороны полотна проносились мимо поля, и деревья, и живые изгороди, и коровы, и лошади, Тоуд чувствовал, как с каждой минутой к нему приближаются и Тоуд-Холл, и добрые друзья, и деньги, которые будут звенеть у него в кармане, и вкусная еда, и похвалы, и восторги, которые последуют в ответ на рассказы о его приключениях и невероятной находчивости и сообразительности, он начал подпрыгивать, и кричать, и петь куплеты из каких-то песенок, что привело в страшное изумление машиниста, который в жизни и встречал иногда прачек, но таких — никогда.

Они уже покрыли много миль, и мистер Тоуд уже обдумывал, что он прикажет подать себе на ужин, когда он заметил, что машинист с озадаченным видом высовывается из кабинки и усиленно прислушивается. Потом он увидал, как тот вылез на тендер и пристально глядит назад. Возвратившись, машинист сказал:

— Очень странно. Мы — последний поезд сегодня, который должен идти в этом направлении, но я могу поклясться, что я слышу, как еще один поезд мчится следом.

Тоуд мгновенно прекратил свои дурацкие ужимки. Он помрачнел, и тупая боль, образовавшись где-то в спине, спустилась в ноги, и он вынужден был присесть и попытаться не думать о том, что может вскоре последовать.

К этому времени полная луна взошла и светила ярко, и машинист, став поудобнее на уголь, мог видеть, оглядываясь назад, на довольно большое расстояние.

Через некоторое время он воскликнул:

— Теперь я отчетливо вижу. По нашим рельсам за нами вслед идет паровоз на очень большой скорости! Похоже, что он гонится за нами!

Несчастный Тоуд, скукожившись на угольной пыли, изо всех сил пытался придумать какой-нибудь выход.

— Они нас нагоняют! — воскликнул машинист. — На паровозе толпятся какие-то чудны́е люди. Мужчины в костюмах старинных стражников размахивают алебардами, полицейские в шлемах машут дубинками, и какие-то люди, плохо одетые и в капюшонах, несомненно штатские детективы, это видно даже на расстоянии, они грозят револьверами и потрясают тростями. Все чем-нибудь машут и все в голос кричат: «Стой, стой, стой!»

Тогда Тоуд упал на колени прямо среди угля и молитвенно поднял лапы:

— Спаси меня, только спаси меня, милый добрый мистер Машинист, и я признаюсь тебе во всем. Я вовсе не простая прачка, как тебе с виду показалось! И меня вовсе не ждут никакие дети, невинные крошки. Я — жаба, хорошо известный мистер Тоуд, хозяин Тоуд-Холла. Мне удалось бежать благодаря моему уму и отваге из отвратительной темницы, куда меня швырнули враги, и если эти типы с паровоза меня поймают, то это означает — цепи, хлеб и вода, и соломенная подстилка, и нескончаемая печаль для несчастного, ни в чем не повинного мистера Тоуд!

Машинист посмотрел на него очень пристально и спросил:

— Скажи-ка мне честно, за что тебя посадили в тюрьму?

— Да так, чепуха, — сказал мистер Тоуд, сильно краснея. — Я просто одолжил автомобиль у хозяев, которым

— Они нас нагоняют! — воскликнул машинист.

он в то время не был нужен, потому что они завтракали. Я вовсе не собирался его воровать, но эти официальные лица, особенно в магистратах, они делают такие скоропалительные выводы, не понимая, что может же кто-то поступить опрометчиво, если он человек темпераментный!

Машинист поглядел на него неодобрительно и сказал:

— Боюсь, что ты и вправду очень нехорошая жаба и тебя надо бы выдать полиции. Да ты, как видно, попал в большую беду, и поэтому я тебя не предам. Во-первых, я терпеть не могу автомобили. А во-вторых, я терпеть не могу, когда полицейские командуют мной на моем рабочем месте. И потом, если я вижу слезы на глазах животного, это всегда смягчает мое сердце. Так что не вешай нос, Тоуд! Я постараюсь, и, может, мы их еще победим!

Они набили топку углем, отчаянно работая лопатами, топка загудела, поезд подпрыгивал на стыках и качался, но все-таки преследователи постепенно догоняли их. Машинист отер вспотевший лоб ветошкой и вздохнул.

— Боюсь, ничего не получится, Тоуд,— сказал он.— Понимаешь, они налегке, без состава, и ихний паровоз лучше. Нам с тобой осталось только одно, и это наш единственный шанс, поэтому слушай внимательно, что я стану говорить. Через некоторое время мы будем проезжать туннель. По ту сторону туннеля полотно идет через густой лес. Когда мы въедем в туннель, я прибавлю скорости сколько возможно, а те наверняка притормозят, потому что будут бояться столкновения. Как только мы выскочим наружу, я нажму на все тормоза, а ты соскочишь до того, как они успеют выбраться из туннеля. Затем я опять помчусь на полной скорости, и пусть они за мной гонятся, если хотят, и сколько хотят, и докуда хотят. Будь готов прыгнуть, как только я подам знак.

Они снова набили топку углем, и поезд помчался, рыча и стуча, пока они не выскочили на свежий воздух по другую сторону туннеля и под лунным светом увидали лес по обеим сторонам полотна — густой и надежный. Машинист выпустил пар и нажал на тормоза, поезд замедлил ход почти что до скорости пешехода. Тоуд, который спустился на последнюю ступеньку, как только машинист скомандовал: «Прыгай!» — прыгнул, скатился с невысокой насыпи, пробрался в лес и спрятался в чаще.

Выглянув из укрытия, он увидел, как его поезд снова набрал скорость и скрылся из глаз. В этот момент из туннеля вырвался преследующий его паровоз, пыхтя и свистя, а его разношерстная команда продолжала неистово размахивать оружием и кричать:

— Стой! Стой! Стой!

Когда они промчались, Тоуд от души посмеялся — в первый раз после того, как он был брошен в тюрьму.

Но он быстро перестал смеяться, когда немного поразмыслил и вспомнил, что уже очень поздно, и темно, и холодно, а он находится в незнакомом лесу без денег и надежд на ужин и все еще далеко от дома и друзей. Мертвая тишина, наступившая после рычания и рокота паровоза, оглушила его. Он не смел выйти из-под защиты деревьев и поэтому двинулся в глубь леса, считая, что ему следует как можно дальше оказаться от железной дороги.

После долгих недель, проведенных в четырех стенах, он не узнавал леса. Лес казался ему чужим, враждебным и способным на всякие каверзы. Козодои, чья ночная песня была похожа на механическую дробь, представлялись ему стражниками, которые рыщут по лесу и вот-вот нападут на него. Бесшумно пролетела сова, задев его плечо своим крылом, и он задрожал, уверенный, что это чья-то рука, но сова унеслась так же неслышно, взмахнув крыльями и смеясь «хо-хо-хо», обнаружив этим, как подумалось мистеру Тоуд, дурной вкус.

Один раз ему навстречу попалась лиса, которая остановилась, саркастически оглядела его с ног до головы и сказала:

— Привет, прачка! Опять не хватает наволочки и одного носка. Смотри, чтобы это было в последний раз!

И удалилась, важно задрав хвост и посмеиваясь.

Тоуд поискал на земле камень, чтобы швырнуть ей вслед, не нашел и совсем расстроился. Наконец, продрогший, голодный и измученный, он отыскал дуплистое дерево, приготовил себе, как сумел, постель из веток и прошлогодних листьев и крепко заснул до утра.

✳✳✳

9

Путниками становятся все

ДЯДЮШКА Рэт ощущал какое-то беспокойство, сам не понимая отчего. По всем признакам лето с его великолепием и пышностью было все еще в самом разгаре. И хотя на возделанных полях зелень кое-где начала отступать перед золотом, хотя рябины стали уже краснеть, а на лесные опушки кто-то ухитрился в разных местах брызнуть рыжим и бурым — и свет, и тепло, и цвет — всего этого было вдоволь, признаков уходящего лета еще не было заметно. Но постоянно звучавший птичий хор в садах и кустарнике поутих, и лишь время от времени возникала спокойная песенка нескольких неутомимых артистов. Снова заявила свои права малиновка, и в воздухе витало ощущение перемен и расставаний.

Кукушка-то, конечно, давно умолкла, но и многие другие пернатые приятели, которые месяцами составляли часть пейзажа и его незатейливое общество, тоже уже отсутствовали, и птичьи ряды продолжали день за днем неуклонно редеть. Рэт, наблюдательный и никогда не пропускающий ни одного птичьего движения, видел, как с каждым днем все чаще и чаще взмахи крыльев устремляются в южном направлении. И даже ночами, когда он был уже в постели, ему казалось, что он мог различить в темноте над головой хлопанье нетерпеливых крыльев, послушно возникающее в ответ на вечный, непрекращающийся осенний зов. Ведь и у Природы в ее Большой Гостинице, как в любом курортном отеле, тоже есть свое сезонное и несезонное время. Когда сезон проходит, постояльцы упаковывают вещи, расплачиваются и уезжают, закрываются комнаты, сворачиваются коврики, обслуживающий персонал, нанятый на сезон, получает расчет. И на тех, кто остается в гостинице на зимнее время до следующего сезона, тоже невольно влияют все эти отъезды и прощания, горячие обсуждения планов путешествий, маршрутов и новых квартир, которые предстоит занять или построить, это постоянное уменьшение количества друзей. Тем, кто остается, делается тоскливо, неуютно, у них портится характер, и они начинают ворчать. Ну к чему эта жажда перемен? Ну почему бы не остаться и не радоваться жизни, подобно нам? Вы ведь не знаете этого отеля в зимний сезон и как нам тут бывает весело — тем, кто остается и видит его весь год подряд. Все это очень верно, отвечают им те, кто собрался в дорогу, мы вам даже завидуем, и может быть, когда-нибудь... но сейчас мы не можем, нас ждут, время уже подошло! Кивнув и улыбнувшись, они отбывают, а мы остаемся, тоскуя по ним, затаив на них обиду. Дядюшка Рэт никогда не скучал в одиночестве и всегда умел найти себе дело, и кто бы куда бы ни собрался, он всегда оставался корнями своими привязанным к родному месту, но все же и он не мог не замечать, что происходит вокруг, и где-то глубоко внутри, в костях, что ли, он чувствовал, что все происходящее влияет и на него.

Трудно было всерьез заняться чем-либо на фоне всех этих сборов и отъездов. Оставив берег реки, где густо рос тростник, возвышаясь над водой, которая становилась все мельче и медлительнее, он побрел в сторону полей, пересек пару пастбищ, которые выглядели теперь пыльными и выжженными, и углубился в великое королевство пшеницы, желтой, волнующейся, говорящей, наполненной спокойным движением и короткими шепотками. Здесь он любил бродить, пробираясь через лес крепких, негнущихся стеблей, которые держали над его головой их собственное золотое небо, небо, которое все время танцевало, поблескивало, тихонечко разговаривало, или эти стебли низко наклонялись под пролетающим ветром, а затем снова распрямлялись, тряхнув головой и рассмеявшись. Тут у него тоже было множество маленьких друзей, целое общество, ведущее трудовую жизнь, но у кого всегда находилась свободная минуточка, чтобы поболтать с гостем. Но в этот день полевые мыши, хотя все они были вполне вежливы, казалось, были чем-то очень заняты. Многие копали, роя туннели, другие, собравшись небольшими группками, обсуждали планировку новых квартир, которые должны быть уютными и небольшими и располагаться недалеко от главного склада. Некоторые вытаскивали пыльные сундуки и дорожные корзины, а иные, перегнувшись и уйдя по локоть в корзины, уже паковали свое имущество. Кругом лежали узлы с пшеницей, овсом, ячменем, семенами вяза и орехами, готовые к отправке.

— Сюда, Рэтти, старина! — закричали они, как только его увидели.— Иди к нам, помоги, не стой без дела!

— Что это тут за игры вы затеяли? — спросил он строго.— Вы прекрасно знаете, что пока еще рано думать о зимних квартирах, и время еще не скоро наступит.

— Да, мы знаем, знаем, — отозвались полевые мыши, смутившись.— Но лучше все-таки не прозевать сроки. Нам обязательно надо вывезти мебель, багаж и все запасы, пока эти кошмарные машины не начали стучать и тарахтеть в полях. И потом, ты знаешь, в наше время хорошие квартиры так быстро расхватывают, и, если прозеваешь, будешь жить бог знает где, и потом придется все чинить, пока туда въедешь. Мы рано собираемся, мы это знаем, но мы ведь только еще начали.

— Гори оно, это ваше начало, — сказал Рэт.— Такой прекрасный день! Пошли покатаемся на лодке, или прогуляемся вдоль живых изгородей, или устроим в лесу пикник, или что-нибудь еще.

— Спасибо, спасибо, но только не сегодня, — торопливо ответил старший из полевых мышей.— Может, как-нибудь в другой день, когда у нас будет побольше времени.

Дядюшка Рэт, презрительно хмыкнув, резко повернулся, споткнулся о чью-то шляпную картонку, упал и произнес при этом несколько недостойных его слов.

— Если бы некоторые были бы внимательнее, — сказала одна мышь, — и глядели бы под ноги, они бы не ушибались и... не забывались бы до такой степени! Обрати внимание на саквояж, Рэт. А лучше сядь и посиди. Через часик-другой мы, пожалуй, освободимся.

— Вы не освободитесь до Нового года, это ясно, — ответил дядюшка Рэт раздраженно и поспешил с пшеничного поля.

Несколько подавленный, он вернулся назад, к реке, к своей верной, неизменной старой реке, которая никогда не паковала вещи, не суетилась, не перебиралась на зимнюю квартиру. Он разглядел ласточку, которая сидела в ивняке у берега. К ней вскоре присоединилась другая, а потом и третья. Все три птички, беспокойно и нетерпеливо ерзая на ивовой ветке, тихими голосами тоже принялись беседовать о перелете.

— Что, уже? — спросил дядюшка Рэт, перемещаясь к ним поближе. — Куда вы так спешите? По-моему, это просто смешно!

— Мы еще пока не улетаем, если ты это имеешь в виду, — ответила первая ласточка. — Мы пока только заняты планами и приготовлениями. Мы обсуждаем, каким путем нам лететь и где мы остановимся передохнуть и так далее. В этом — половина удовольствия.

— Удовольствия? — сказал дядюшка Рэт. — Вот этого-то я и не могу понять. Если вам необходимо оставить это приятное местечко, и друзей, которые будут без вас скучать, и уютные домики, в которых вы совсем недавно поселились, что ж, когда ваш час пробьет, я уверен, вы смело отправитесь в путь и выдержите все трудности и неудобства, и перемены в жизни, и новизну, и даже сумеете притвориться, что вы не так уже несчастны. Но хотеть еще об этом г о в о р и т ь или даже думать об этом до тех пор, пока не придет необходимость...

— Ты этого просто не понимаешь, — сказала вторая ласточка. — Сначала начинается какое-то движение внутри нас, где-то глубоко, такое сладкое беспокойство, потом появляются воспоминания, одно за другим, как возвращающиеся из полета голуби. Они влетают в наши ночные сны, потом они начинают кружить рядом с нами днем. И тогда нам начинает очень хотеться поговорить друг с другом, сравнить наши впечатления, удостовериться, что все, что было, это было на самом деле. Постепенно знакомые запахи и звуки, названия давно забытых мест возвращаются в нашу память и манят нас к себе.

— А вы не могли бы перезимовать здесь, ну хотя б в этом году? — предложил дядюшка Рэт задумчиво. — Мы все постараемся, чтобы вам было хорошо. Если бы вы знали, как мы тут славно проводим время, пока вы находитесь где-то далеко.

— Я однажды попробовала перезимовать, — сказала третья ласточка. — Я так полюбила эти места, что, когда настало время, я отстала от других и подождала, пока о н и улетят без меня. Несколько недель все было хорошо. А потом! О! Какие утомительные длинные ночи! Знобкие дни без солнца! Холодный и сырой воздух и хоть бы одна мошка — сколько ни летай! Нет, этого нельзя было вынести! Я упала духом и однажды холодной, ветреной ночью расправила крылья и полетела, спасаясь от ледяного восточного ветра. Был страшный снегопад, когда я пыталась пробиться между вершинами высоченных гор. Я едва не лишилась жизни. И никогда я не забуду благословенное чувство, которое дало мне солнышко, согревшее мне спину, когда я спешила к озерам, лежавшим внизу, голубым, сияющим. А какая вкусная оказалась первая же пойманная мною мошка! Прошлое показалось мне кошмарным сном, а будущее сплошным праздником, и я продвигалась все дальше и дальше на юг, неделя за неделей, не утруждая себя, отдыхая столько, сколько мне хотелось по пути, но постоянно прислушиваясь к тому зову, который звучал во мне. Нет! Все это послужит мне предупреждением, никогда в жизни не решусь я больше ослушаться.

— О, да, зов юга, зов юга!.. — защебетали две другие ласточки мечтательно. — Песни, влага, сверкающий воздух! А ты помнишь...

И, забыв о дядюшке Рэт, они соскользнули в страстные воспоминания, а он слушал зачарованный, и что-то зажглось в его сердце.

Он понял, что и в нем — вот она — зазвучала до сих пор дремавшая струна, о существовании которой он и не подозревал. Простая болтовня этих собирающихся на юг птичек, их немудрящие рассказы разбудили такое новое и сильное чувство, что ему неодолимо захотелось ощутить хотя бы одно прикосновение южного солнца, почувствовать дуновение южного ветра, вдохнуть подлинно южные ароматы. Зажмурившись на один миг, он позволил себе помечтать в полной отрешенности, а когда снова открыл глаза, река показалась ему серой и холодной, зеленые поля пожухшими. Потом его верное сердце пристыдило более слабую часть его души и обвинило ее в предательстве.

— Зачем тогда вы вообще возвращаетесь сюда? — ревниво призвал он к ответу ласточек. — Что вас вообще привлекает в этом маленьком, бедном, бесцветном краю?

— Ты что же думаешь, — спросила первая ласточка, — тот, другой, зов не нас, что ли, призывает, когда наступает время? Это зов буйной луговой травы, покрытых росой садов, нагретых солнышком прудов, над которыми вьются всякие мошки, пасущегося на лугах скота, зов сенокоса и деревенских домов, пристроенных к прекрасным, удобным стрехам.

— Ты один, что ли, на свете тоскуешь и жаждешь снова услышать, как запоет кукушка? — спросила вторая.

— Когда настанет время, — сказала третья, — мы снова затоскуем по родине, по водяным лилиям, спокойно качающимся на маленькой английской реке. Но сегодня все это кажется нам побледневшим, истончившимся, далеким-далеким. Сейчас наша кровь танцует под другую музыку.

И они снова стали щебетать друг с другом, теперь о фиолетовых морях, золотистом песке и стенах, по которым бегают ящерицы.

Дядюшка Рэт ушел от них со смущенной душой, забрался по склону на холм, который полого поднимался от северного берега реки, улегся там и долго смотрел в сторону большого кольца горных вершин, отгораживающих от него весь остальной мир. Эти горы были до сих пор его горизонтом, его Лунными Горами, его пределом, за которым лежало только то, о чем он не хотел знать, и то, что ему было неинтересно увидеть. Но сегодня ему, глядящему в сторону юга с какой-то рождающейся в душе жаждой нового, ясное небо над длинной низкой горной цепью казалось пульсирующим каким-то обещанием, сегодня все невиданное казалось самым важным, все непознанное — необходимым. И по эту сторону холмов теперь все казалось пустым, а по ту сторону простиралась живописная панорама, которую он так ясно видел внутренним взором. О, какие залитые солнцем морские берега, где сверкали белые виллы на фоне оливковых рощ! Какие тихие гавани, сплошь забитые роскошными судами, направляющимися к розовым островам за винами и специями, островам, низкие берега которых омываются тихими водами!

Он встал и направился было к реке, потом передумал и выбрал пыльную тропинку между двумя живыми изгородями. Там, если он приляжет в прохладных густых зарослях, он может помечтать о хорошо вымощенных дорогах и о том удивительном мире, к которому они ведут, еще — обо всех путниках, которые по ним, может быть, прошли, и о богатствах, и удаче, и приключениях, которые они отправились искать или которые свалились на них случайно — там, за холмами, за холмами...

Его слуха коснулся звук шагов, и фигура, шагающая с несколько утомленным видом, предстала перед ним. Он видел, что это крыса, и довольно-таки пропылившаяся. Путник поравнялся с ним, приветствовал его изысканным жестом, в котором сквозило что-то иностранное, потом, минуточку поколебавшись, свернул с дороги и сел рядом с дядюшкой Рэт в прохладную траву. Он выглядел усталым, и дядюшка Рэт не стал его расспрашивать, давая ему перевести дух, понимая, о чем тот думал, и зная, что звери ценят умение вместе помолчать, когда расслабляются утомленные мускулы, а мозг отсчитывает время.

Путник был худощав, с остренькими чертами лица и слегка сутулился. Лапы его были тонкие и длинные, возле глаз морщины, а в маленьких, красивой формы ушах были вдеты серьги. На нем был трикотажный бледно-голубой пиджак, брюки, залатанные и в пятнах, тоже когда-то были голубыми, а багаж, который он нес с собой, был увязан в голубой платок. Когда незнакомец немного отдохнул, он принюхался к воздуху и огляделся.

— Пахнет клевером это теплое дуновение ветерка,— заметил он.— А то, что слышится,— это коровы. Они жуют и, проглотив жвачку, фыркают и вздыхают. А там, я слышу, работают жнецы, а вон там поднимаются к небу дымки из труб на фоне лесной опушки. Тут, наверное, где-то близко протекает река, потому что я слышу, как кричат шотландские куропатки, а ты, судя по твоему виду,— пресноводный моряк. Все притихло, вроде бы заснуло, но жизнь идет. Хороший образ жизни ты ведешь, приятель. Я даже уверен, что лучший на земле. Если только у тебя хватает на него терпения.

— Да. Это лучший образ жизни, единственный, который стоит вести,— отозвался дядюшка Рэт сонно, без своей обычной, глубоко прочувствованной убежденности.

— Я сказал не совсем то,— осторожно заметил незнакомец.— Но несомненно, что лучший. Я попробовал, и я знаю. И вот потому, что я попробовал — в течение шести месяцев — и убедился, что такая жизнь самая лучшая, ты и видишь меня со сбитыми ногами и голодного, топающего от нее прочь, топающего на юг по велению давнего зова назад, к моей старой жизни, которая не хочет меня отпускать, потому что она — моя.

«Еще один из этих же»,— подумал дядюшка Рэт.

— А откуда ты здесь появился? — спросил он.

Ему не нужно было спрашивать, куда он направляется, ответ был ему заранее известен.

— Со славной маленькой фермы, вон оттуда,— кивнул незнакомец на север.— Бог с ней совсем! У меня там было все, что только я мог пожелать, все, что я мог ожидать от жизни. Даже более того... И все-таки вот я здесь. И рад, что я здесь, несмотря ни на что — рад! Я уже много миль оставил позади себя, я уже на много миль приблизился к заветной цели.

Его заблестевшие глаза впились в горизонт, и он, казалось, прислушивался к какому-то звуку, который долетел к нему оттуда, с покинутой фермы, донося до ушей веселую музыку пастбища и хозяйственного двора.

— Но ты не один из нас, — заметил дядюшка Рэт. — Ты и не фермер. Мне думается даже, что ты иностранец.

— Верно, — ответил незнакомец. — Я — морская крыса, вот я кто, и порт, откуда я родом, называется Константинополь, хотя там я тоже, можно сказать, что-то вроде чужеземца. Ты, наверно, слыхал о Константинополе, друг? Прекрасный город, прославленный и древний. И возможно также, что ты слыхал про Сигурда, короля норвежского, и как он направился туда с шестьюдесятью кораблями, и как он и его люди проскакали по улицам города, украшенным коврами и парчой в его честь, и как император и императрица пировали с ним на его корабле? Когда Сигурд собрался домой, многие его люди остались и вступили в императорскую лейб-гвардию, и мой предок, родившийся в Норвегии, тоже остался на корабле, который Сигурд подарил императору. Мы всегда были мореплавателями, так что ничего удивительного, что мой родной город для меня ничуть не более родной, чем все замечательные порты между Константинополем и Лондоном. Я их все знаю, и они знают меня. Высади меня в любом из них на набережную, и я почувствую, что прибыл домой.

— Ты, наверно, совершаешь дальние рейсы? — осведомился дядюшка Рэт с возрастающим интересом. — Долгие месяцы не видишь земли, и провизия бывает на исходе, и кончаются запасы пресной воды, а ты общаешься с могучим океаном и все такое в этом роде?

— Ни в коем случае. Ничего такого не происходит, — ответил Мореход откровенно. — Такая жизнь, как ты описываешь, совершенно меня не устраивает. Я работаю в порту и редко покидаю берег. Веселое времяпрепровождение на берегу привлекает меня больше любого путешествия. О, эти морские порты на юге! Их ароматы, их очарование! О, плывущие по воде огни!

— Ну, может, так оно и лучше, — заметил дядюшка Рэт с некоторым разочарованием. — Ну тогда расскажи мне о своей приморской жизни, если у тебя есть настроение, поведай, какой урожай может собрать предприимчивый зверь, чтобы согреть свою старость блистательными воспоминаниями возле каминного огня. Потому что, знаешь, моя жизнь кажется мне сегодня ограниченной и замкнутой.

— Последнее мое путешествие,— начал свой рассказ Мореход,— которое привело меня в конце концов в вашу страну, связано было с большими надеждами относительно покупки фермы. Оно может послужить как бы конспектом всей моей пестрой жизни. Все началось с семейных неприятностей. Был поднят домашний штормовой сигнал, и я решил отплыть на маленьком торговом суденышке, которое отправлялось из Константинополя по древнему морю, где каждая волна хранит память о бессмертных исторических событиях, в направлении Греции и Леванта. Стояли золотые дни и ночи, напоенные ароматами. Мы приставали в разных портах и тут же отчаливали. Везде — старые друзья. Мы спали в каком-нибудь храме или возле заброшенного водоема во время дневной жары, а потом, после заката, пиры и песни под крупными звездами, усеивающими черный бархат небес! Оттуда мы поплыли в Адриатику и приставали почти в каждом порту. Берега были залиты янтарным, розовым и голубым, аквамариновым цветом, мы стояли на рейде в больших, глубоко вдающихся в материк бухтах, мы бродили по древним благородным городам, пока наконец однажды утром, после того как за спиной у нас поднялось в небо царственное солнце, мы не отправились в Венецию по золотой солнечной дороге. О, Венеция, прекрасный город, где крысе есть где разгуляться! Или, устав бродить, можно сесть на берегу Большого канала ночью и пировать с друзьями, когда воздух полон музыки, а небо полно звезд, когда огоньки вспыхивают и мерцают на черном полированном носу каждой покачивающейся на воде гондолы, которые чалятся в такой тесноте, что можно обойти все каналы, шагая только по гондолам. Ты любишь устрицы? Ладно, ладно, об этом после.

Он немного помолчал, и дядюшка Рэт тоже сидел молча, захваченный его рассказами, скользил по воображаемым каналам и слышал воображаемую песню, которая носилась между призрачными серыми стенами, отполированными волнами.

— Наконец мы снова отправились в южном направлении,— продолжал рассказ Мореход,— заходя во все итальянские порты, пока не достигли Палермо, и там я надолго сошел на берег. Я никогда долго не плаваю на одном и том же корабле, так становишься ограниченным и предубежденным. Кроме того, я уже давным-давно жарко мечтал о Сицилии. Я всех там знаю, и их образ жизни мне очень подходит. Я провел много чудесных недель на этом острове, остановившись у своих друзей. Когда мне слегка все поднадоело, я сел на корабль, который направлялся на Сардинию и Корсику. И я был рад, что я снова дышу свежим морским бризом и чувствую брызги на лице.

— А разве там не жарко и не душно, в этом, как вы его зовете, трюме, что ли? — спросил дядюшка Рэт.

Мореход поглядел на него и еле заметно подмигнул:

— Я старый морской волк. Капитанская каюта меня вполне устраивает.

— Все равно, это довольно трудная жизнь,— пробормотал дядюшка Рэт, погруженный в свои мысли.

— Для команды — конечно,— ответил Мореход опять с некоторой тенью усмешки.

— Отплывая из Корсики,— продолжал он,— я воспользовался кораблем, который возил вина на большую землю. Однажды вечером мы прибыли в Алассио, легли в дрейф. Повытаскивали из трюма на палубу бочки с вином и перекидали их, связанные друг с другом длинным канатом, за борт. Затем матросы сели в шлюпки и с веселыми песнями стали грести к берегу, а за ними потянулась целая вереница связанных бочек. На прибрежных дюнах уже ждали лошади, которые потащили бочки с грохотом, звяканьем и скрежетом по крутой улочке маленького городка. Когда последняя бочка была доставлена покупателям, мы пошли отдохнуть и перекусить и засиделись допоздна. А следующим утром я отправился в оливковые рощи — для разнообразия и для отдыха. Потому что к тому времени мне надоели острова, и путешествия, и морские порты тоже, так что я некоторое время жил праздно, наблюдая, как трудятся крестьяне, или просто ложился поваляться на высоком холме, а голубое Средиземное море было там, далеко внизу. И наконец мало-помалу, частично морем, а когда и пешком, я прибыл в Марсель. А там — встречи с корабельными друзьями, и огромные океанские пароходы, и опять пиры и веселье. А ты говоришь — устрицы! Да я иногда вижу во сне марсельских устриц и просыпаюсь весь в слезах.

— Говоря об устрицах,— заметил вежливый дядюшка Рэт,— ты вроде бы упомянул, что голоден. Надо было мне сообразить это раньше. Ты, конечно, сделаешь остановку и пообедаешь со мной? Моя нора здесь близко, и я рад угостить тебя тем, что там найдется.

— Что же, я бы сказал, что это добрый и братский поступок,— сказал мореплаватель.— Я действительно очень голоден с тех самых пор, как я тут сижу, и когда я неосмотрительно упоминал в разговоре устриц, то я просто чуть не умер от голода. А ты не мог бы вынести что-нибудь поесть? Я не очень-то люблю забираться под палубу, если только в этом нет крайней необходимости, и, пока мы закусываем, я мог бы тебе еще порассказать о моих путешествиях и о приятной жизни, которую я веду, ну по крайней мере она приятна для меня, а судя по тому, как ты внимательно меня слушаешь, она прельщает и тебя. Если мы будем сидеть в помещении, то сто против одного, что я тут же засну.

— Прекрасное предложение! — согласился дядюшка Рэт и поспешил домой.

Там он вытащил корзинку для пикников и сложил туда немного еды; памятуя о происхождении и вкусах гостя, он не забыл упаковать в корзинку длинный французский батон, колбаску, такую душистую, что чеснок в ней прямо распевал песни, сыр, который плакал огромными слезами, и завернутую в солому длинношеюю бутылку, в которую упрятано разлитое и убранное на склады солнышко с южных склонов. Нагрузившись всем этим, он на большой скорости вернулся назад. Он покраснел от удовольствия, когда Мореход высоко отозвался о его вкусе и здравом смысле, пока они вместе доставали содержимое из корзинки и выкладывали на травку возле дороги.

Мореход, как только слегка утолил голод, продолжал рассказ о своем последнем путешествии, проведя своего простодушного слушателя от порта к порту в Испании, высадил его на берег в Лиссабоне, Опорто и Бордо, представил его приятным портовым городам Корнуоллу и Девону, пока, наконец, не оказался на спокойной набережной канала, где он в конце концов сошел на берег, измотанный штормами и непогодой, и где впервые получил намеки и вести совсем другой весны и, загоревшись, отправился пешком в глубь страны, страстно желая попробовать иную жизнь на спокойной ферме, как можно дальше от изнуряющего плеска какого угодно моря. Завороженный и трепещущий от возбуждения дядюшка Рэт следовал за Искателем Приключений лига за лигой по штормящим заливам, по забитым кораблями рейдам, по несущимся волнам приливов, поднимался по извилистым рекам, умеющим скрыть за поворотом полные деятельной суеты города, и оставил его на скучной ферме, о которой он теперь просто ничего не желал слышать.

К этому времени трапеза их закончилась. Мореход насытился, обрел силы и окрепшим голосом, с огоньком

— Верно, — ответил незнакомец. — Я — морская крыса,
вот я кто, и порт, откуда я родом,
называется Константинополь.

в глазах, который он, вероятно, подцепил у какого-нибудь дальнего морского маяка, наклонившись к дядюшке Рэт, вновь обратился к своим рассказам, полностью захватившим бедного слушателя. Дядюшка Рэт поглядел ему прямо в глаза, которые были расчерченного пеной серо-зеленого, изменчивого цвета северных морей, а в лапах рассказчик держал стакан с вином, в котором вспыхивал горячий рубин, казавшийся самым сердцем южного края, которое бьется для тех, в ком находится достаточно мужества, чтобы отозваться на его удары.

Эти два огня, переменчиво-зеленый и неизменно красный, заворожили дядюшку Рэт, покорили его совершенно, и он слушал, слушал, зачарованный и изнемогший. Спокойный мир, находящийся за пределами этих огней, отступил куда-то далеко и перестал существовать. А рассказы все лились и лились... да и был ли это только рассказ? Временами он, казалось, превращался в песню, хоровую матросскую песню, которую поют, поднимая тяжелый якорь со скатывающимися с него каплями, а иногда казалось, что гудит парусина под терзающим ее норд-остом, а временами речь Морехода переходила в звуки прстяжной старинной баллады, которую напевает рыболов, выбирая сети на ранней зорьке, и силуэт его виднеется на фоне абрикосово-желтого неба, а то вдруг становилась аккордами гитары или мандолины, доносящимися с проезжающей гондолы или каика. А не превращалась ли она временами в крики ветра, сначала жалобные, потом пронзительно-сердитые, по мере того как ветер крепчал? Потом эти крики переходили в резкий свист, а затем звучали тихо и мелодично, как струйка воздуха, коснувшаяся паруса. Завороженному слушателю казалось, что он ясно слышит все эти звуки, а с ними вместе и жалобы морских чаек, мягкие удары разбивающихся о берег волн, недовольное ворчание прибрежной гальки.

А потом все эти звуки снова становились звуками речи, и с бьющимся сердцем он как бы принимал участие в приключениях, да не в одном, а в дюжине различных морских портов, в драках, побегах, новых битвах, дружестве, доблестных поступках, или как будто бы вместе с другими разыскивал сокровища, ловил рыбу в тихих лагунах, или дремал дни напролет на теплом белом песке. Он услыхал о рыболовстве на большой морской глубине, и о серебристой добыче, которую приносят морские сети в целую милю длиной, о неожиданных кораблекрушениях, о том, как бьют склянки в лунную ночь, или о том, как нос огромного лайнера вдруг вырисовывается из тумана прямо у тебя над головой, о веселых возвращениях домой, когда ты огибаешь на корабле знакомый мыс и вдруг видишь, как портовые огни показывают тебе, что путь свободен, а на набережных ты угадываешь силуэты встречающих, слышишь радостные приветствия, плюханье по воде стального троса, а затем — путь вдоль по крутой улочке к уютному мерцанию окошек с красными занавесочками.

Наконец в его сне наяву ему показалось, что Искатель Приключений встал, но продолжает говорить, все еще крепко держа его своими морского цвета глазами.

— А теперь, — говорил он, — мне снова пора в путь, мне придется пройти в юго-западном направлении много долгих и пыльных дней, пока я не доберусь до маленького, неприметного приморского города. Он расположен вдоль крутого берега по одну сторону гавани. Там из темных дверных проемов видны пролеты сбегающих вниз каменных лестниц, над которыми нависают розовые кустики цветущей валерианы. Эти лестницы приводят к синей сверкающей воде. Маленькие лодочки, привязанные к крюкам и кольцам в каменной стене, весело окрашены, как те, куда я залезал бесчисленное количество раз в моем далеком детстве. Во время прилива лососи совершают свои невиданные прыжки, косяки макрели проплывают, поблескивая и играя вдоль набережных и вдоль затопляемой приливом береговой полосы, а мимо окон скользят огромные суда, днем и ночью, к своим причалам или, наоборот, в сторону открытого моря.

Туда рано или поздно заходят суда всех мореходных наций, и там, в час, назначенный судьбой, тот корабль, который я выбрал, тоже бросит свой якорь. Я не буду спешить, я буду тянуть и выжидать, пока наконец тот самый не будет ждать меня, верпующийся на середине течения, тяжело груженный, с бушпритом, указывающим прочь от гавани. Я проскользну на борт, добравшись на шлюпке или по перлиню, и в одно прекрасное утро я проснусь и услышу песни и топот матросов, звяканье кабестана, веселый звон поднимающейся якорной цепи. Мы поднимаем парус, и белые домики на берегу будут медленно плыть мимо нас до тех пор, пока судно не выйдет из гавани, и путешествие начнется! Пока корабль будет огибать мыс, он весь покроется белой парусиной, а потом, когда выйдет на простор, послышится хлопанье парусов, и судно повернется по ветру, указывающему на юг.

И ты, ты тоже, пойдем со мной, брат мой. Дни проходят и никогда не возвращаются, а юг ждет тебя. Поспешим навстречу Приключениям, послушайся зова сейчас, пока он не умолк. Всего-то и нужно, что захлопнуть за собой дверь, радостно сделать первый шаг, и вот ты уже вышел из старой жизни и вошел в новую! А потом когда-нибудь, очень не скоро, пожалуйста, кати домой, если тебе захочется, когда твоя чаша будет выпита и игра сыграна, садись себе возле своей тихой речки и сиди в обществе прекрасных воспоминаний. Ты легко догонишь меня на дороге, потому что ты молодой, а я уже старею и иду потихонечку. Я не буду спешить и буду оглядываться, и я уверен, что увижу тебя, и ты будешь идти веселый и беззаботный, а на лице у тебя будет написано: юг, юг, юг!..

Голос Морехода постепенно замер в отдалении. Так быстро смолкает и нависает тишиной валторна маленького насекомого, и дядюшка Рэт вскоре мог различить только темное пятно на белом полотне дороги.

Машинально он поднялся и стал укладывать все в корзинку тщательно и без спешки. Так же машинально он вернулся домой, собрал кое-что необходимое и некоторые мелочи, которыми особенно дорожил, и положил это все в дорожную сумку. Он действовал медленно, но обдуманно, передвигаясь по комнате, как лунатик во сне. Он забросил сумку за плечи, тщательно выбрал для дороги подходящий посошок и без спешки, но и без каких-либо колебаний переступил через порог и в дверях столкнулся с Кротом.

— Постой, куда это ты собрался, Рэтти? — спросил тот с огромным удивлением, хватая его за руку.

— На юг, как они все, — ровно, как во сне, пробормотал Рэт, даже не взглянув на Крота. — К морю, потом на корабль и — к берегам, которые меня призывают!

И он решительно двинулся дальше, все еще не спеша, но упорно стремясь к цели. Однако Крот, который после этих слов всерьез встревожился, преградил ему путь и, заглянув ему в глаза, увидел, что они остекленели и сделались какими-то перечеркнутыми и мерцающе-серыми, это были чьи-то чужие глаза, а вовсе не глаза его друга!

Крот сгреб его в охапку, втолкнул обратно в дом, грохнулся с ним вместе на пол, но не отпустил.

Рэт отчаянно боролся с ним несколько минут, потом силы внезапно его оставили и он, закрыв глаза, затих.

Крот помог ему встать и усадил его на стул, на который тот уселся, ссутулившись и время от времени истерически всхлипывая без слез. Крот крепко затворил дверь, швырнул сумку в ящик и запер его. Он тихонечко сел рядом со своим другом в ожидании, когда пройдет этот страшный припадок. Постепенно дядюшка Рэт стал задремывать, только иногда, рывком поднимая голову и бормоча какие-то странные, чужие, не понятные непросвещенному Кроту слова. После этого он забылся глубоким сном.

С неспокойной душой Крот оставил его на какое-то время и занялся хозяйственными делами.

Уже стемнело, когда, вернувшись в гостиную, он нашел дядюшку Рэт там же, где он его и оставил, бодрствующего, но безразличного, подавленного и молчаливого. Он искоса бросил взгляд на его глаза и с удовлетворением отметил, что они вновь ясные, темные и карие. Потом он сел с ним рядом, чтобы подбодрить его и помочь ему рассказать, что же с ним такое случилось.

Бедный Рэт мало-помалу выложил все, как сумел, но что могли передать холодные слова, когда все, что было с ним, было от начала до конца обольстительным наваждением! Какими средствами изобразишь очарование сотен рассказов Морехода? Теперь это очарование испарилось и блеск померк, и ему было трудно объяснить самому себе смысл того, что несколько часов назад казалось неизбежным и единственно возможным. Неудивительно, что ему так и не удалось внятно объяснить Кроту, что он пережил за этот день.

А тому одно было ясно: приступ прошел, оставив его друга хоть и в здравом уме, но потрясенного и подавленного. Он как будто потерял интерес ко всему, что составляло его каждодневную жизнь, был равнодушен к тем приятным планам на будущее, которые можно было уже строить, потому что время года менялось.

Осторожно, будто бы невзначай, Крот завел разговор о сборе урожая, он говорил о полных тележках, и о том, как тяжело их тащить волам, и о том, как все выше и выше поднимаются скирды, и о том, как по ночам полная луна встает над чисто выбритыми лугами, на которых, словно точечки, располагаются копны сена. Он говорил о том, как вокруг в садах краснеют яблоки, а в лесу темнеют орехи, и о варенье и других запасах и напитках. Так постепенно в разговоре он достиг зимы и ее радостей, и уютного жилья в теплом доме, а дальше он уже совсем размяк и впал в лирику.

Постепенно Рэт отошел, сел рядом с ним, заговорил. Глаза перестали быть тусклыми, заблестели, безучастность отступила от него.

Через какое-то время тактичный Крот выскользнул из комнаты и вернулся с карандашом и несколькими листочками бумаги, которые он поместил на столе, рядом с правым локтем своего друга.

— Ты очень давно не писал стихов,— заметил он.— Ты мог бы сегодня вечером попробовать вместо того, чтобы... хм... погружаться в раздумья по разным там поводам. Мне кажется, ты почувствуешь себя много лучше, если ты что-нибудь набросаешь, даже если это будут просто отдельные рифмы.

Рэт слабой лапой оттолкнул от себя листочки, но деликатный Крот придумал предлог, чтобы выйти из комнаты, и, когда он через некоторое время заглянул в дверь, он нашел своего друга, погруженного в стихи и глухого ко всему на свете. Рэт то черкал что-то на бумаге, то посасывал кончик карандаша. Правду сказать, посасывание занимало больше времени, чем черкание. Но Крот был счастлив тем, что выздоровление несомненно началось.

10

Дальнейшие приключения мистера Тоуд

ПАРАДНЫЙ вход в дупло глядел на восток, так что Тоуд был разбужен в очень ранний час, во-первых, оттого, что на него падал яркий солнечный свет, а во-вторых, потому, что пальцы ног его совсем закоченели. Ему приснилось, что он спит дома, в своей постели, в уютной комнатке с окном в стиле Тюдор, а на улице зима, и ночь очень холодная, и его одеяло и плед вскочили и сердито объявили, что они больше не в состоянии выносить такой холод, и что они идут вниз, на кухню, чтобы наконец согреться у плиты. А он пошел вслед за ними босиком вниз, вниз, вниз по нескончаемой ледяной лестнице, ругаясь с ними и умоляя проявить благоразумие.

Может быть, холод разбудил бы его и еще раньше, но он так измучился, пока спал в темнице на каменных плитах, что почти забыл, как это бывает, когда тебя дружески обнимает теплое шерстяное одеяло, натянутое до самого подбородка.

Присев на сухих листьях, он сначала протер глаза, после потер свои несчастные озябшие пальцы и в первый момент не мог понять, где он находится, не видя знакомых каменных стен и малюсенького зарешеченного окошка. Потом сердце его подскочило, потому что он вспомнил все — освобождение, побег, погоню, — вспомнил самое главное, самое прекрасное на свете — что он свободен!

Свободен! Само это слово, сама мысль стоили пятидесяти одеял! Он тут же согрелся с головы до пяток, когда подумал о том замечательном мире, который его окружает. Он решил, что все с нетерпением ждут случая ему услужить, готовы во всем ему подыгрывать, только и мечтают, чтобы помочь ему или составить ему компанию, как это всегда и бывало в прежние времена, до того, как на него обрушилось несчастье. Он отряхнулся и за неимением расчески вычесал сухие листья из головы пальцами. Завершив таким образом свой утренний туалет, он двинулся в путь, озаряемый лучами утреннего солнышка, еще прохладного, но надежного, голодный, но полный надежд. Все вчерашние страхи и тревоги рассеивались понемногу от того, что он хорошо выспался, и от того, что солнышко светило так ласково и так дружелюбно.

Мир принадлежал ему одному в это раннее летнее утро. В лесу, покрытом прохладной росой, царила тишина и не было ни души. Зеленые поля, которые начинались за лесом, тоже были пусты и принадлежали ему одному, он мог с ними делать что захочет. Даже дорога, когда он наконец до нее дошел, была пустынна и казалась бродячей собакой, которая льнет к нему и хочет, чтоб он ее приласкал.

Тоуд же, наоборот, старался найти хоть что-нибудь говорящее, для того чтобы спросить, в каком направлении ему двигаться. Когда у тебя совесть чиста, очень хорошо брести, куда тебя ведет дорога. Когда ты знаешь, что у тебя в кармане полно денег и никто вокруг не рыщет, чтобы изловить тебя и снова потащить в тюрьму. Но бедный Тоуд был готов лягать эту дорогу и молотить по ней пятками за ее бессильное молчание — ведь каждая минута значила для него очень много! Чтобы составить компанию скромной деревенской дороге, к ней вдруг присоединился застенчивый братец в виде неширокого канала, который взял ее за руку и доверчиво засеменил рядышком, но с тем же языком за зубами и нежеланием общаться с посторонними.

— Пропади они пропадом! — сказал Тоуд самому себе. — Но ведь должны же они идти откуда-то и приходить куда-то. И это несомненно, Тоуд, мой мальчик.

И он терпеливо зашагал вдоль канала.

Канал сделал поворот, и за поворотом в поле зрения оказалась лошадь, которая медленно тащилась, наклоняя голову к земле, словно была в глубокой задумчивости. Бечева, тянущаяся от веревочных постромок, привязанных к упряжи, то туго натягивалась, то, как только лошадь делала шаг, окуналась в воду. С дальнего конца бечевы падали на землю жемчужные капельки. Тоуд дал лошади пройти и остановился в ожидании того, что посылает ему судьба. Из-за ближайшего поворота канала с приятным журчанием воды выплыла небольшая, ярко покрашенная баржа, которую за бечеву и тянула лошадь. Единственный, кто оказался на барже, была могучая упитанная тетка в льняном чепце, защищающем голову от солнца, толстая мускулистая рука ее лежала на руле.

— Прелестное утро, мэм, — сказала она, поравнявшись с мистером Тоуд.

— Я бы сказала, мэм, — вежливо откликнулся он и пошел рядом с баржей, — я бы сказала, действительно, это прелестное утро для тех, кто не находится в страшной беде, как я. Возьмите, например, мою старшую дочь. Она вызвала меня срочным письмом, чтобы я немедленно выезжала к ней, и вот я несусь, не зная, что там происходит или вот-вот произойдет, но, конечно, опасаясь самого худшего, что вы, конечно, поймете, мэм, если вы мать. И я бросила все свои дела, а я, к вашему сведению, держу прачечную, и я бросила младших детей на произвол судьбы, а это такие бесенята, каких свет не видывал, и вот я потеряла по дороге все свои деньги, да еще и заблудилась, и что там происходит с моей старшей замужней дочерью, я даже боюсь и подумать, мэм!

— А где ваша замужняя дочь находится, мэм? — спросила женщина с баржи.

— Она живет недалеко от реки, мэм, — ответил Тоуд. — Поблизости от прекрасного дома, который называется Тоуд-Холл, а это где-то должно быть здесь, поблизости. Может быть, вы слыхали?

— Тоуд-Холл? А как же! Я как раз туда и плыву. Этот канал впадает в реку немножко выше по течению, а оттуда нетрудно и пешком дойти. Поехали со мной на барже, я вас подвезу.

Она причалила к берегу, и Тоуд, рассыпаясь в благодарностях, поднялся на баржу и уселся, вполне довольный жизнью.

— Опять повезло, — сказал он самому себе. — Я всегда беру верх над обстоятельствами!

— Так, значит, ваше дело — стирка, мэм? — вежливо обратилась к нему женщина, в то время как баржа скользила вдоль канала. — Очень хорошее дело, доложу я вам.

— Лучше и не бывает, — беззаботно поддержал ее Тоуд. — Все благородные господа обращаются только ко мне, не хотят признавать никого другого, даже если им приплатить. Я очень хорошо знаю эту работу и сама за всем присматриваю. Стирка, глажка, крахмаление, обработка рубашек джентльменов для вечерних приемов — все это делается под моим личным наблюдением!

— Но вы, конечно, не сами все это делаете, мэм? — спросила женщина с уважением.

— О, я нанимаю девушек, двадцать девушек или около того все время за работой. Но вы же знаете, что такое девушки в наше время, мэм? Паршивые, дерзкие девчонки, вот как я это называю.

— И я тоже, и я тоже, — с жаром поддержала его женщина. — Но я думаю, вы своих умеете привести в порядок, этих ветрогонок! А вы сами очень любите стирку?

— Обожаю, — отозвался мистер Тоуд. — Люблю до безумия. Самые счастливые минуты, когда у меня обе руки по локоть в корыте. Мне это ничего не составляет. Я никогда и не устаю. Только удовольствие, уверяю вас, мэм.

— Какое счастье, что я вас встретила! — заметила женщина задумчиво. — Нам обоим неслыханно повезло.

— А? Что вы имеете в виду? — спросил мистер Тоуд, забеспокоившись.

— Возьмите, к примеру, меня, — продолжала женщина с баржи. — Я тоже люблю стирку, как и вы. Но мне от начала до конца хочешь не хочешь все приходится делать самой. А мой муж — это же такой человек! Ему только бы увильнуть от работы и спихнуть баржу на меня, так что мне своими делами заняться просто минуточки не остается. По правде-то, он должен был сейчас здесь находиться, а вовсе не я, он должен был управлять баржей и присматривать за лошадью. Ну хорошо еще, что у лошади хватает ума, она сама за собой присмотрит. И вот вместо всего этого посвистел собаке и решил попытаться подстрелить на обед кролика. Сказал, догонит меня у следующего шлюза. Может быть, и догонит, да что-то не очень верится, уж коли он вырвался, да еще с этой собакой, которая, правду сказать, еще хуже его самого. Так как же мне, скажите на милость, успеть со стиркой?

— Да бросьте вы про стирку, — сказал Тоуд, которому тема разговора перестала нравиться. — Вы лучше подумайте о кролике. Молоденьком, жирненьком кролике. Лук-то у вас есть?

— Я не могу думать ни о чем другом, кроме стирки, — сказала женщина, — и я удивляюсь, как вам в голову лезут кролики, когда у вас такие радужные перспективы. Там, в кабине, вы найдете кучу белья. Выберите парочку вещичек из самых необходимых, я не решусь произнести каких, но вы сразу увидите. Если, пока мы едем, вы разок-другой проведете их в корыте, то это будет для вас удовольствие, как вы говорите, и большая подмога мне. Там, в кабине, и корыто есть наготове, и мыло, и чайник греется на плите, а рядом с плитой стоит ведерко, чтобы черпать воду из канала. Мне будет приятно знать, что вы получаете удовольствие, вместо того чтобы скучать тут со мной и раздирать рот зевотой.

— Давайте лучше я буду править, пустите-ка меня к рулю, — сказал Тоуд, здорово струсив. — И тогда вы можете все выстирать по-своему. А то еще я испорчу ваше белье, выстираю, да не смогу угодить. Я-то все больше стираю мужское белье. Это моя узкая специальность.

— Доверить вам руль? — ответила женщина, смеясь. — Надо сперва научиться управлять баржей как следует. Кроме того, это работа скучная, а я хочу, чтобы вам было хорошо. Нет, вы уж лучше займитесь любимым делом, а я останусь за рулем, я к этому привычная. Пожалуйста, не лишайте меня возможности доставить вам удовольствие.

Тоуд почувствовал, что его загнали в угол. Он поглядел направо и налево, думая, как бы ему удрать, но до берега ему было не допрыгнуть, поэтому он покорился судьбе.

«В конце концов, — подумал он с тоской, — всякий дурак может стирать».

Он притащил корыто, мыло и прочее необходимое из кабины, выбрал наудачу несколько вещей, попытался вспомнить, что он время от времени видел в окошко, когда ему доводилось проходить мимо дома, где жила прачка, и принялся за работу.

Прошло длинных полчаса, и каждая наступающая минута приносила мистеру Тоуд все большее и большее раздражение. Что бы он ни делал с этими вещами, их это не удовлетворяло. Он пробовал их убедить сделаться почище, он пробовал их щипать, он пробовал их колотить, но они нахально улыбались, выглядывая из корыта, и, казалось, были в восторге, оттого что сохраняли свою первоначальную грязь. Раз или два он нервно оглянулся через плечо на женщину, но она глядела прямо перед собой, занятая рулем. Его спина начала болеть, и он с отчаянием заметил, что лапы у него стали совсем морщинистыми. А надо сказать, что мистер Тоуд очень гордился своими лапами. Он пробормотал слова, которые не должны бы произносить ни прачки, ни жабы, и в пятнадцатый раз упустил мыло.

Взрыв хохота заставил его вскочить и оглянуться. Женщина сидела откинувшись и безудержно хохотала, пока слезы не потекли у нее по щекам.

— Я все время наблюдала за тобой, — сказала она, переводя дух. — Я так и думала, что ты барахло, когда ты тут начала хвастаться. Ничего себе прачка! Спорим, ты и крохотного лоскутка в жизни не выстирала!

Мистер Тоуд, который и так закипал, тут уж вскипел окончательно и потерял над собой всякий контроль.

— Ты мерзкая, низкая, жирная баба! — закричал он. — Не смей так со мной разговаривать, потому что я лучше тебя! Прачка! Как бы не так! Так знай же, что я мистер Тоуд, прославленный, уважаемый, выдающийся Тоуд! Пусть надо мной сейчас слегка сгустились тучи, но я не потерплю, чтобы надо мной смеялись какие-то тетки с баржи!

Женщина подвинулась к нему и пристально пригляделась.

— Конечно! — закричала она. — Отвратительная скользкая жаба! На моей прекрасной чистой барже! А это уже то, чего не потерплю я!

На минутку она рассталась с рулем. Огромная мускулистая рука протянулась к нему и схватила его за переднюю лапу, а другая за заднюю. После этого мир вдруг перевернулся вверх ногами, показалось, что баржа легко заскользила по нему, в ушах засвистел ветер, и мистер Тоуд понял, что он летит, к тому же еще и быстро вращаясь в воздухе. Вода оказалась холоднее, чем ему хотелось бы, хотя ее температуры не хватило, чтобы остудить его гордыню или погасить огонь его негодования.

Отплевываясь, он вынырнул на поверхность, а когда отер ряску со своих глаз, первое, что он увидал, была женщина на барже, которая смотрела на него с кормы и смеялась, и он, кашляя и глотая воду, поклялся с ней поквитаться.

Он с трудом поплыл к берегу, хотя ситцевое платье всячески старалось воспрепятствовать его усилиям, и, когда он наконец коснулся земли, он понял, как нелегко ему будет взобраться по крутому склону без посторонней помощи. Он должен был постоять и передохнуть минуточку или две, чтобы успокоить дыхание, а затем, перекинув края мокрой юбки через локоть, бешеный от возмущения и жаждущий мести, он помчался догонять баржу с такой скоростью, с какой только несли ноги.

Женщина на барже все еще смеялась, когда он поравнялся с ней.

— Постирай саму себя, прачка! — кричала она. — Погладь свою морду утюгом и завейся, тогда ты сойдешь за вполне приличную жабу!

Но мистер Тоуд не терял времени на ответы. Он хотел серьезной мести, а не дешевой победы в словесном поединке, хотя парочка слов вертелась у него на языке. Впереди он увидал, что ему было нужно. Прибавив скорость, он догнал лошадь, отвязал и отбросил от постромок бечеву, за которую та тянула баржу, легко вспрыгнул ей на спину и пустил галопом, наяривая пятками по бокам. Он свернул в сторону, покидая идущую вдоль канала дорожку для буксировки судов, и погнал свою кобылу по изрытой колеями деревенской дороге. А женщина на барже, бешено жестикулируя, кричала:

— Стой! Стой! Стой!

— Я эту песенку уже слыхал,— сказал мистер Тоуд, смеясь и продолжая понукать кобылу.

Лошадь, привыкшая медленно тянуть баржу, не была способна к продолжительным усилиям, и скоро галоп перешел в рысь, а рысь в медленный шаг, но Тоуд довольствовался и этим, сознавая, что он движется, а баржа стоит. К этому времени он успокоился и овладел собой, потому что, как ему казалось, он совершил умный поступок. Поэтому ему было приятно медленно ехать по солнышку, пользуясь, где только удавалось, переулочками и боковыми дорожками и стараясь забыть, сколько времени прошло с тех пор, как он ел что-нибудь существенное, и вскорости канал остался далеко позади.

Они уже отмахали несколько миль, и мистера Тоуд стало клонить в сон на жарком солнце, когда лошадь остановилась, опустила голову и стала щипать траву. Проснувшись, мистер Тоуд с трудом удержался у нее на спине. Он огляделся и понял, что находится на широком выгоне, на котором, сколько хватало глаз, пятнами там и сям виднелись кусты ежевики. А совсем близко от него стояла крытая цыганская повозка, грязная и выцветшая, а рядом с ней на перевернутом ведре сидел человек, который сосредоточенно курил, вперив взгляд куда-то вдаль, в необозримый мир. Рядом с человеком горел костер из хвороста, а над костром висел железный котелок, из которого доносилось бульканье и шипение и поднимался намекающий кое на что парок. А еще оттуда доносились запахи — теплые и разнообразные, которые сплетались друг с другом, свивались, клубились и соединились в конце концов в один сладостный запах, показавшийся мистеру Тоуд самой душой Природы. Мистер Тоуд теперь понял, что раньше он никогда не бывал по-настоящему голоден. То, что он ощущал с утра, было так, легким приступом малодушия. И вот оно явилось наконец, настоящее! Тут уж не могло быть никакой ошибки. И надо было что-то быстренько делать, иначе случится беда с кем-то или с чем-то. Он пристально оглядел цыгана, туманно соображая, что же будет легче: подраться с ним или каким-нибудь хитрым образом обмануть. Он принюхивался, и принюхивался, и глядел на цыгана, а цыган сидел, и курил, и смотрел на него.

Наконец цыган вынул трубку изо рта и заметил как бы невзначай:

— Хочешь, что ли, эту свою кобылу продать?

Тоуд был совершенно сбит с толку. Он не знал, что цыгане очень любят торговать лошадьми и никогда не упускают такого случая, и еще он не учел, что цыганская повозка всегда в движении, а для этого обязательно нужна лошадь.

Он не имел намерения обратить лошадь в деньги, но предложение цыгана облегчало ему путь к двум столь необходимым ему вещам — наличным деньгам и солидному завтраку.

— Что? — сказал он. — Чтобы я продал эту красивую молодую лошадь?! Нет, нет, это совершенно отпадает. А кто будет развозить белье по клиентам в субботние дни? И потом, она слишком ко мне привязана, а я-то просто души в ней не чаю.

— Попробуй полюбить ослика, — сказал цыган. — Некоторые любят.

— Руби дерево по себе, — сказал мистер Тоуд. — Разве ты не видишь, что эта лошадь не для того, чтобы таскать повозку. Эта лошадь хороших кровей... частично. Не там, где ты на нее смотришь. С другой стороны, где тебе не видно. Это призовая лошадь. Она брала призы в свое время, давненько, правда, но все равно это видно и сейчас, стоит только на нее поглядеть, если ты хоть что-нибудь понимаешь в лошадях. Нет, о продаже сейчас нет никакой речи. А любопытства ради, сколько ты собирался мне за нее предложить?

Цыган внимательно оглядел лошадь, потом он с равным вниманием оглядел мистера Тоуд и потом снова — лошадь.

— По шиллингу за копыто! — сказал он коротко и отвернулся, продолжая курить и вглядываться в широкий мир, пока тот не подернется синевой.

— Шиллинг за копыто?! — воскликнул Тоуд. — Погоди немного, я должен сообразить, сколько это получается всего.

А женщина на барже, бешено жестикулируя, кричала:
— Стой! Стой! Стой!

Он слез с лошади, отпустил ее попастись, усевшись рядом с цыганом, стал складывать на пальцах. Наконец он сказал:

— По шиллингу за копыто? Но это выходит ровно четыре шиллинга, и толечко! О, нет! Я и подумать не могу получить четыре шиллинга за мою красивую молодую лошадь.

— Ладно,— сказал цыган,— я тебе скажу, что я сделаю. Я дам тебе пять шиллингов, а это будет ровно на три шиллинга и пять пенсов больше, чем это животное стоит. И это мое окончательное слово.

Мистер Тоуд посидел и серьезно подумал. Он был голоден и без гроша и неизвестно, на каком расстоянии от дома, а враги все еще, может быть, гонятся за ним. Тому, кто находится в подобном положении, пять шиллингов могут показаться изрядной суммой. С другой стороны, это вроде бы уж очень низкая цена за лошадь. Но опять же, лошадь ему самому досталась даром, таким образом, что бы он ни получил, оборачивалось чистой прибылью. Наконец он проговорил решительным тоном:

— Послушай, я тебе скажу, как мы поступим, и это уже мое окончательное слово. Ты мне даешь шесть шиллингов и шесть пенсов из рук в руки наличными. А к тому еще ты дашь мне столько еды, сколько я смогу съесть за один присест, разумеется, из этого вот твоего железного котелка, который испускает такие аппетитные и возбуждающие ароматы. За это я тебе отдаю мою молодую, полную сил лошадь с ее прекрасными постромками и всем остальным в придачу. Если тебя это не устраивает, так и скажи, и я тут же уеду. Я знаю одного человека, который годами упрашивает меня продать ему мою лошадь.

Цыган долго ворчал, что если он еще заключит парочку таких сделок, то он обязательно разорится. Но под конец он вытащил грязный парусиновый кошель из кармана своих широченных штанов и отсчитал шесть шиллингов и шесть пенсов на лапу мистера Тоуд. Потом он на минутку скрылся в своей повозке и вернулся, неся большую железную тарелку, ложку, вилку и нож. Он снял котел с огня, наклонил его, и горячий, душистый, жирный поток выплеснулся оттуда на тарелку. Это была, несомненно, самая лучшая еда в мире, потому что была приготовлена из куропаток, и фазанов, и цыплят, и зайцев, и кроликов, и цесарок, и еще кое из чего, вроде картошки и лука. Тоуд поставил тарелку себе на колени и чуть не плача ел, и ел, и ел, и просил добавки, и цыган, не скупясь, добавлял. Мистеру Тоуд казалось, что он в жизни не едал такого вкусного завтрака.

Когда на борт было загружено такое количество пищи, какое только можно выдержать, Тоуд попрощался с цыганом, нежно обнялся с лошадью и снова двинулся в путь в самом лучезарном настроении, потому что цыган, который хорошо знал все окрестности, показал ему, в каком направлении идти. Это уже был другой Тоуд, очень сильно отличавшийся от того, каким он был час назад. Солнце ярко светило, платье уже почти высохло, в кармане у него были денежки, и, что самое главное, он основательно поел вкусной еды, горячей и питательной, и теперь он снова чувствовал себя большим и сильным, беззаботным и уверенным.

Он весело шагал, вспоминая свои приключения и побег, все те положения, когда дело складывалось вроде бы хуже некуда, но из которых он всегда находил выход. И вот его снова начали распирать гордость и зазнайство.

— Хо-хо! — говорил он самому себе, весело маршируя и задирая подбородок к небу.— Какая я умная жаба! Ясное дело, что по уму ни один зверь со мной сравниться не может! Мои враги заточили меня в тюрьму, окружили караулом, день и ночь стерегли меня их тюремщики. А я спокойненько прохожу мимо них, только благодаря своим способностям, помноженным на отвагу. Они гоняются за мной на паровозах с полисменами и револьверами, а я только прищелкиваю пальцами и исчезаю у них под носом и смеюсь над ними издалека. Меня безжалостно швыряет в канал женщина, толстая телом и злобная душой. Ну и что из этого? Я доплываю до берега и назло ей завладеваю ее лошадью. Я скачу на лошади триумфатором, и я получаю за нее полный карман денег и отличный завтрак! Хо-хо! Я — Тоуд Великолепный! Я — прославленный, удачливый мистер Тоуд!

Он так раздулся от самодовольства, что, пока шагал, сочинил песню, прославляющую его самого, и распевал ее во все горло. Это скорее всего самая самодовольная песня, какую когда-либо сочинил какой-нибудь зверь:

> Историй о разных героях
> В учебниках невпроворот.
> Но кто их сравнит с тем, чья слава звенит,
> С отважнейшим мистером Тоуд!

> В Оксфорде — прорва ученых,
> Грамотный это народ.
> Но кто их сравнит с тем, кто так знаменит,
> С ученейшим мистером Тоуд!

Все звери по паре уселись в ковчег,
Он нес их вперед и вперед.
Кто крикнул: «Гляди, земля впереди!»—
Догадливый мистер Тоуд!

Вся армия нынче идет на парад,
За взводами движется взвод.
Кому отдают солдаты салют?
Конечно же, мистеру Тоуд!

Сидела с утра королева в саду
И шила из байки капот.
Воскликнула: «Ах! Кто там весь в орденах?»
Ответили ей: «Мистер Тоуд!»

И было еще много чего в этом же роде, но уж такое бахвальство, что приводить здесь не стоит. Эти куплеты еще самые скромные! Он пел, пока шел, и он шел, пока пел, и гордость его принимала угрожающие размеры, но вскоре ей предстояло получить чувствительный удар.

Пройдя несколько проулочков между живыми изгородями, Тоуд добрался до большака. Он вышел на него, оглядел во всю длину и вдруг увидел вдали крапинку, которая быстро превратилась в пятнышко, потом в маленький шарик, а потом во что-то очень знакомое, и звук, обозначающий предупреждение, слишком хорошо ему известный, донесся до его очарованного слуха.

— Вот это да! — воскликнул он, приходя в возбуждение.— Снова начинается настоящая жизнь! Вот он — широкий мир, о котором я так долго тосковал! Я их сейчас остановлю, моих братьев по колесу, я расскажу им сказочку, которая до сих пор так отлично срабатывала, и они меня, конечно, согласятся подвезти, а потом я еще чего-нибудь наболтаю, и, возможно, если повезет, дело кончится тем, что я подъеду к Тоуд-Холлу на автомобиле! Вот тебе будет длинный нос, дорогой Барсук!

Он уверенно ступил на дорогу, чтобы проголосовать. Автомобиль приближался, сбрасывая скорость возле перекрестка. Вдруг мистер Тоуд страшно побледнел, душа ушла в пятки, коленки затряслись и подогнулись, он сложился пополам и рухнул на землю, ощущая боль и тошноту. И было от чего бедняге упасть в обморок: приближающийся автомобиль был тот самый, который он угнал со двора гостиницы «Красный Лев» в тот трагический день, с которого начались все его несчастья. А люди были теми же самыми людьми, которых он видел тогда в гостиничном кафе. Он лежал на дороге, несчастный, кучей старых тряпок, и только бормотал:

— Ну, все, все, все, конец. Наручники и полицейские снова. Тюрьма снова. Хлеб и вода снова. О, какой же я дурак! И зачем мне понадобилось расхаживать с важным видом по белу свету, самодовольно распевая песни и голосуя среди бела дня на большой дороге, вместо того чтобы спрятаться, дождаться, пока стемнеет, и спокойненько проскользнуть домой обходными дорожками. О, несчастный Тоуд! О, невезучий зверь!

Ужасный автомобиль медленно приближался, пока не остановился совсем рядом с ним. Два джентльмена вышли из машины и подошли к дрожащему мистеру Тоуд, который являл собой одно сплошное отчаяние. Один из них сказал:

— Ах, боже мой, как жаль! Бедная старая женщина, похоже, что прачка, потеряла сознание. Может, у нее солнечный удар, а может быть, бедняжка ничего еще сегодня не ела. Давайте поднимем ее, и отнесем в машину, и отвезем в ближайшую деревню, где у нее, наверное, есть друзья.

Они осторожно подняли мистера Тоуд, и отнесли в машину, и подложили мягкие подушки, а потом двинулись дальше.

Когда Тоуд услыхал, как ласково они с ним разговаривают, он понял, что его не узнали. Он почувствовал себя смелее и осторожненько приоткрыл сначала один глаз, а потом и другой.

— Взгляните, — сказал один из джентльменов, — ей уже лучше. Свежий воздух пошел ей на пользу. Как вы себя чувствуете, мэм?

— Сердечно благодарю, сэр, — сказал Тоуд слабым голоском, — мне теперь гораздо лучше!

— Вот и славно! — сказал джентльмен. — Полежите спокойно и, кроме того, не пытайтесь говорить.

— Я не буду, — сказал Тоуд. — Я только подумала, нельзя ли мне сесть впереди, рядом с шофером. Там бы меня обдало ветерком, и я бы скоро совсем пришла в себя.

— Какая благоразумная женщина! — сказал джентльмен. — Ну конечно, можно.

Он заботливо помог мистеру Тоуд пересесть на переднее сиденье возле шофера, и машина еще раз тронулась с места.

Тоуд к этому времени уже почти совсем оправился. Он выпрямился, поглядел вокруг и постарался заглушить в себе прежний трепет перед автомобилем; неодолимое желание сесть за руль, которое поднималось в нем, начало полностью им овладевать.

— Это судьба, — сказал он, — позвольте мне попробовать повести машину хоть немножечко. Я очень внимательно за вами наблюдала, и мне кажется, это так занятно и так легко! И мне бы очень хотелось рассказать своим друзьям, что однажды я управляла автомобилем!

Шофер рассмеялся в ответ на это предложение так оглушительно, что один из джентльменов спросил, в чем дело. Когда он услыхал, то, к восторгу мистера Тоуд, он сказал:

— Браво, мэм! Мне нравится крепость вашего духа! Пусть она попробует, а ты присмотри за ней. Ничего не случится.

Мистер Тоуд торопливо вскарабкался на место, которое освободил шофер, взялся за руль, с притворным вниманием выслушал инструкции и тронул машину с места сперва медленно и осторожно, потому что дал себе слово быть благоразумным.

Джентльмены на заднем сиденье захлопали в ладоши, и Тоуд услышал, как один другому сказал:

— Как у нее здорово получается! Подумать только, какая-то прачка и ведет машину впервые в жизни!

Тоуд поехал быстрее, потом еще быстрее и еще быстрее.

Он услышал, как один из джентльменов предупредил его:

— Будь поосторожнее, прачка!

Но это его только раздразнило, так как он уже начал терять голову.

Шофер сделал попытку вмешаться, но Тоуд притиснул его к сиденью локтем и изо всех сил нажал на газ. То, как воздух кидался ему в лицо, как гудел мотор, как подскакивал на ухабах автомобиль, опьянило его слабую голову.

— Прачка, как бы не так! — выкрикивал он безрассудно. — Хо-хо! Я — Тоуд, угонщик автомобилей, убегающий из ваших тюрем, Тоуд, который всегда исчезает! Сидите смирно, и я вам покажу, что значит настоящая езда, потому что вас везет знаменитый, умелый, совершенно бесстрашный мистер Тоуд!

С криком ужаса вся компания поднялась с мест и набросилась на него.

— Хватайте его! — кричали они. — Хватайте жабу, этого скверного зверя, который пытался украсть нашу машину. Свяжите его, наденьте на него цепи, тащите его в ближайший полицейский участок! Долой неисправимого и опасного мистера Тоуд!

Увы! Прежде чем на него набрасываться, им надо было проявить благоразумие и сначала каким-то образом заставить его остановиться. Вывернув в сторону руль, Тоуд налетел на низкую изгородь, шедшую вдоль дороги. Мощный рывок, сумасшедший удар — и все четыре колеса ухнули в утиный пруд, отчаянно взбаламутив воду.

Тоуд обнаружил, что он летит по воздуху вверх и вверх, иногда кружась в небе, как ласточка. Ему это даже понравилось, он стал было думать, что будет так лететь, пока у него не вырастут крылья, и он, возможно, превратится в жабоптицу, как вдруг он приземлился, шлепнувшись спиною на густую и мягкую луговую траву. Немного приподнявшись, он увидал, что автомобиль торчит в пруду и почти совсем утонул в нем, а джентльмены и шофер, не в силах сладить с полами своих длинных пальто, барахтаются в воде.

Он быстренько поднялся и побежал изо всех сил, продираясь сквозь живые изгороди, перепрыгивая через кюветы, проносясь по полям, пока совсем не выбился из сил и не задохнулся, и лишь тогда перешел на шаг. Когда Тоуд чуть-чуть отдышался и мог спокойно подумать, он начал хихикать, а хихиканье вскоре перешло в смех, и он смеялся до тех пор, пока не ослабел и не был вынужден присесть возле живой изгороди.

— Хо-хо! — закричал он, приходя в экстаз от восторга перед самим собой. — Опять Тоуд! Тоуд, как всегда, берет верх! Кто заставил их взять меня в машину? Кто сумел пересесть на переднее место ради свежего воздуха? Кто убедил их дать мне повести машину? Кто засунул их всех в утиный пруд? Кто удрал от них, пролетев целым и невредимым по воздуху, оставив этих узколобых, разозленных, трусливых экскурсантов в грязи посреди пруда, где им как раз место? Кто? Тоуд, конечно! Умный Тоуд, великий Тоуд, замечательный Тоуд!

И он опять разразился песней и распевал ее во все горло:

Автомобиль гудел «би-би»
И несся все вперед.
Кто в пять минут загнал его в пруд?
Хитроумный мистер Тоуд!

О какой я умный! Какой умный, какой умный, какой невозможно ум...

Какой-то неясный звук на некотором расстоянии от него заставил его обернуться и поглядеть. О ужас! О тоска! О отчаяние!

Примерно за два поля он увидал шофера в его кожаных гетрах и двух могучих деревенских полицейских, бегущих к нему изо всех сил.

Бедняга Тоуд вскочил, душа его снова оказалась в пятках, а пятки эти снова забарабанили по земле.

— О боже мой! — задыхался он и пыхтел на бегу. — Какой же я осел! Самовлюбленный, безответственный осел! Опять набрался важности! Опять орал свои песни! Опять сидел на месте и бахвалился! О боже мой, боже мой, боже мой!

Он оглянулся и с отчаянием увидал, что преследователи его настигают. Он бежал изо всех сил, но все время оглядывался и видел, что те трое все приближаются и приближаются. Он не щадил себя, но ведь он был маленьким и толстым зверем, и лапы у него были короткие. Теперь он слышал их шаги совсем близко позади себя. Он уже перестал глядеть, куда он бежит, он несся вслепую, не глядя, не соображая, только иногда, оглянувшись, видел, как на лицах его преследователей изображалось торжество, как вдруг земля ушла у него из-под ног, он схватился за воздух и — плюх — с головой оказался в глубокой воде, быстрой воде, воде, которая повлекла его куда-то с такой силой, что он не имел возможности сопротивляться, и тут он понял, что в своем слепом отчаянии он угодил прямо в реку!

Он вынырнул на поверхность и попытался ухватиться за камыши и осоку, которые росли вдоль реки под самым берегом, но течение было таким сильным, что оно вырывало их у него из лап.

— О боже мой! — восклицал бедный Тоуд. — Никогда в жизни я больше не буду угонять автомобили! Никогда в жизни я не буду петь зазнайские песни!

Тут он ушел под воду, вынырнул снова, у него перехватило дух, и он стал захлебываться. Вскоре он заметил, что течение несет его к большой темной норе, вырытой в береговом обрыве, как раз у него над головой, и, когда вода влекла его мимо входа в эту нору, он вытянулся изо всех сил, ухватился за край и удержался. Потом понемногу, с большим трудом, он стал подтягиваться, пока не смог закрепиться локтями. В таком положении он передохнул.

И пока он пыхтел, и вздыхал, и пристально глядел в темноту, какая-то маленькая яркая штучка блеснула из глубины, подмигнула и стала приближаться к нему. По мере того как она приближалась, она стала обрастать лицом, и лицо это показалось ему знакомым.

Коричневое, маленькое, с усами.

Серьезное, круглое, с аккуратными ушками и шелковистой шерсткой.

Это был дядюшка Рэт.

11

«Как летний ливень— слез поток»

ДЯДЮШКА Рэт высунул аккуратную коричневую лапку, крепко схватил мистера Тоуд за шиворот, рванул его кверху и подтащил к норе. Отяжелевший, пропитанный водой, Тоуд медленно, но верно достиг края норы и через мгновение живой и здоровый стоял в прихожей, весь измазанный тиной и облепленный водорослями, как, впрочем, и следовало ожидать, но вполне довольный и в наилучшем расположении духа, как бывало в прежние времена. Раз уж он попал в дом своего друга, то необходимость маскироваться, хитрить и изворачиваться отпала, и он мог сбросить с себя маскарадный костюм, который не пристал джентльмену его положения и к тому же доставил столько хлопот.

— О, Рэтти! — воскликнул он. — Чего я только не пережил с тех пор, как виделся с тобой в последний раз, ты не можешь себе представить! Такие переживания, такие испытания, и как я все это благородно перенес! Какие исчезновения, какие переодевания, то прячусь, то ускользаю... и заметь — все продумано, все спланировано и выполнено с блеском! Был в тюрьме — выбрался оттуда, само собой разумеется! Швырнули меня в канал — доплыл до берега! Угнал лошадь — задорого продал! Всех обвел вокруг пальца, всех заставил поплясать под мою дудочку! Я умнейший Тоуд, в этом нет ни малейших сомнений! Какой, как ты думаешь, я совершил подвиг под конец? Потерпи, я тебе все расскажу...

— Тоуд, — сказал Рэт серьезно и твердо, — сейчас же отправляйся наверх, сними с себя эту старую ситцевую тряпку, которая, похоже, когда-то была платьем какой-нибудь прачки, как следует вымойся, надень что-нибудь мое и прими вид джентльмена, если сумеешь. Должен тебе сказать, что более замурзанного, затрепанного, срамного вида я ни у кого не видал ни разу в жизни. Кончай бахвалиться и препираться со мной и отправляйся! Чуть позже мы поговорим. У меня много накопилось.

Тоуд хотел огрызнуться. Хватит, им уже хорошо покомандовали в тюрьме, а тут, по-видимому, все начинается сначала. И кто начинает? Рэт — Водяная Крыса! Но он нечаянно увидал свое отражение в зеркале за стоячей вешалкой, в потрепанном чепце, печально сползшем на левый глаз, раздумал отругиваться и послушно отправился в ванную комнату. Он как следует вымылся, почистился, пригладил волосы щеткой, переоделся и долго стоял перед зеркалом, с удовольствием рассматривая самого себя, и думал, что за дураки те, кто хоть на мгновение мог принять его за прачку. К тому времени, когда он спустился, обед был уже на столе, что очень его обрадовало. И времени много прошло, и побегать ему немало довелось с тех пор, как цыган накормил его замечательным завтраком. Пока они ели, мистер Тоуд рассказал дядюшке Рэт все свои приключения, подробно останавливаясь на том, какой ум он проявил, и какое присутствие духа в острых ситуациях, и хитроумие в узких местах, все хотел представить дело так, будто он пережил веселые и разнообразные приключения. Но чем больше он распространялся, тем серьезнее и молчаливее становился дядюшка Рэт.

Когда Тоуд, наконец, выговорился, в комнате на некоторое время воцарилось молчание, потом Рэт сказал:

— Послушай-ка, Тоуди, я не хочу обижать тебя, ты и так много пережил. Но, говоря серьезно, неужели ты не понимаешь, каким ты выставил себя дураком? Как ты сам признаешься, на тебя надевали наручники, заточали в тюрьму, морили голодом, травили, как зайца, пугали до потери сознания, оскорбляли, глумились и, наконец, к твоему позору, швырнули в воду. И кто же? Какая-то баба! Что в этом забавного? Чего веселого? И все из-за того, что тебе приспичило угнать чужую машину. Ты сам прекрасно знаешь, что от машин тебе были одни беды и неприятности с того самого момента, когда ты впервые увидел автомобиль. Если ты разбиваешься через пять минут после того, как ты сел за руль — а так оно чаще всего и бывает,— то зачем же тогда чужую-то машину воровать? Пожалуйста, можешь делаться инвалидом, если тебе это нравится, пожалуйста, можешь обанкротиться для разнообразия, если уж ты так решил, но в каторжники-то зачем попадать? Когда же ты наконец проявишь благоразумие, и подумаешь о своих друзьях, и позволишь им гордиться тобой? Ты думаешь, мне приятно, например, слышать, как звери говорят мне вслед, что я вожусь с уголовниками?

У мистера Тоуд была одна черта, которая всех с ним примиряла,— у него было беззлобное сердце. Он не сердился, когда ему читали нравоучения те, кого он считал своими настоящими друзьями. И даже когда они сильно на него нападали, он мог понять и другую сторону. Пока дядюшка Рэт так серьезно с ним говорил, он про себя все время бормотал: «Нет, это как раз очень даже весело», и издавал все время неясные звуки, вроде «р-р-раз!», и «би-би», и еще какие-то, которые напоминали приглушенное хрюканье или шипение, какое обычно получается, когда открывают бутылку с содовой. Но все же когда Рэт замолчал, он издал глубокий вздох и сказал тихим и покорным голосом:

— Ты прав, Рэтти! Ты всегда очень разумно говоришь. Я вел себя, как самовлюбленный старый осел, мне это совершенно ясно, но теперь я буду совсем хорошим и не буду делать больше никаких глупостей. А что до автомобилей, я как-то поостыл к ним, после того как нырнул в эту твою речку. Знаешь, когда я висел, уцепившись за край норы, пытаясь отдышаться, меня осенила действительно блестящая идея — насчет моторных лодок... ну ладно, ладно, не принимай все так близко к сердцу, это же только так, просто мысли вслух, и давай больше не будем об этом. Попьем кофейку, покурим, поболтаем, а потом я спокойненько пройдусь до Тоуд-Холла, переоденусь в свое и все там налажу, чтобы все было, как и бывало раньше. Хватит с меня приключений. Я буду вести размеренную, приличную жизнь, займусь хозяйством, приведу в порядок сад, буду сажать цветочки. У меня всегда будет готов обед для друзей, заглянувших ко мне на часок. Я опять заведу пони с тележкой, чтоб можно было прокатиться по окрестностям, как было в старые добрые времена, до того, как на меня это напало и я натворил глупостей.

— Спокойненько пройдешься до Тоуд-Холла? — возбужденно воскликнул дядюшка Рэт. — О чем ты говоришь? Ты хочешь сказать, что ты ничего не слыхал?

— Что не слыхал? — спросил мистер Тоуд, бледнея. — Говори, Рэтти! Скорей! Не щади меня. О чем я не слыхал?

— Ты хочешь сказать, — кричал Рэт, стуча маленькими кулачками по столу, — что ты ничего не слышал о ласках и горностаях?

— Что? Эти, из Дремучего Леса? — воскликнул мистер Тоуд, начиная дрожать. — Ни слова не слышал! А что они сделали?

— И как они захватили Тоуд-Холл? — продолжал дядюшка Рэт.

Тоуд положил локти на стол, подбородок — на лапы, две крупные слезы накопились у него в глазах, перелились через край и упали на стол — кап! кап!

— Продолжай, Рэтти, — пробормотал он. — Рассказывай все. Я уже с собой справился. Я снова Тоуд. Я перенесу.

— Когда ты попал... ну, когда с тобой случилось это несчастье, — начал Рэт медленно, подбирая выражения, — ну, словом, когда ты исчез на время из общества, благодаря этому, ну... недоразумению с автомобилем, ты понимаешь...

Тоуд только кивнул.

— Об этом тут, естественно, много говорили,— продолжал дядюшка Рэт,— не только тут, на берегу, но даже и в Дремучем Лесу. Мнения всех зверей разделились, как это обычно бывает. Те, кто с берега, все были за тебя. Они говорили, что с тобой обошлись несправедливо и что в наше время в этой стране не добьешься правосудия. А те, из Дремучего Леса, говорили всякие горькие слова, мол, так тебе и надо и, мол, со всем этим пора кончать. И они страшно обнаглели и все ходили везде и говорили, что с тобой на этот раз покончено навсегда. Что ты, мол, никогда, никогда не вернешься.

Тоуд еще раз молча покивал головой.

— Ну, ты знаешь, что это за звери? — продолжал дядюшка Рэт.— Но Крот и Барсук вмешались, они не уставали им объяснять, что ты скоро вернешься. Они точно не знали, как ты вырвешься, но были уверены, это рано или поздно произойдет.

Тоуд сел на своем месте поровнее и стал ухмыляться.

— Они приводили разные исторические примеры, когда мужество и умение внушить доверие, какими ты обладаешь, вместе с набитым кошельком одолевали законы. Они, на всякий случай, забрали свои вещи и переехали в Тоуд-Холл, и ночевали там, и проветривали комнаты, и все держали наготове к твоему возвращению. Они, конечно, не могли догадаться, что произойдет, но кое-какие подозрения относительно жителей Дремучего Леса у них были. Теперь я приближаюсь к самому печальному и трагическому моменту своего рассказа. Однажды темной ночью, должен сказать, что это была очень темная ночь и ветреная до невозможности, и к тому же дождь лил как из ведра, ласки, собравшись целым отрядом, вооруженные до зубов, подползли к парадному входу Тоуд-Холла. Одновременно целая банда хорьков, пройдя огородами, овладела хозяйственным двором и конторой, а небольшой отряд головорезов-горностаев занял оранжерею и бильярдную и пооткрыл все окна, выходящие на лужайку. Крот и Барсук сидели у камина в курительной комнате, рассказывая друг другу разные случаи из жизни, решительно ничего не подозревая, потому что в такую ночь ни один зверь не выходит из дому. Эти кровожадные злодеи ворвались в комнату и окружили их. Друзья сражались из последних сил, да толку-то что? Они были безоружны, кроме того, их застали врасплох, и к тому же что могут сделать двое против сотни? Их жестоко избили палками, этих двух преданных товарищей, и выгнали из дому на холод, сырость и в темноту, награждая неслыханными оскорблениями.

Тут бесчувственный мистер Тоуд не удержался, чтобы не подхихикнуть, но сразу же взял себя в руки и постарался принять очень серьезный вид.

— И с тех пор эти из Дремучего Леса поселились в Тоуд-Холле,— продолжал дядюшка Рэт,— и ведут себя просто безобразно! Валяются в постели до обеда, завтрак у них в любое время, и такой, говорят, учинили разгром, что страшно смотреть. Они съедают твои запасы, выпивают все, что у тебя есть в погребе, да еще и потешаются над тобой, рассказывая про... там, магистраты, тюрьмы и полицию. Они сочиняют про тебя отвратительные грубые песенки, в которых остроумия ни на грош. И они говорят всем твоим слугам, что поселились в усадьбе навсегда.

— Да? — закричал мистер Тоуд, вскакивая и хватаясь за палку.— Я моментально займусь ими!

— Бесполезно, Тоуд! — прокричал ему вдогонку дядюшка Рэт.— Иди и сядь спокойно, ты только беду себе наживешь.

Но Тоуд уже исчез, и удержать его не было никакой возможности. Он быстро шел по дороге, перекинув палку через плечо, пыхтя и бормоча себе под нос что-то сердитое, пока не дошел до парадных ворот. Тут из-за забора неожиданно выскочил большой рыжий хорек и наставил на него ружье.

— Стой! Кто идет? — крикнул он резким голосом.

— Чушь и чепуха,— отозвался Тоуд сердито.— Кто тебе позволил так со мной разговаривать! Выходи оттуда сейчас же, не то я...

Хорек больше не произнес ни слова, он вскинул ружье к плечу. Тоуд благоразумно бросился на землю, пригнулся, и — вжжик! — пуля просвистела у него над головой.

Потрясенный Тоуд поднялся на ноги и галопом помчался по дороге. Пока он бежал, он слышал отвратительный хохот хорька, который подхватили еще какие-то мерзкие тоненькие голосочки.

Он вернулся к дядюшке Рэт совершенно опрокинутый.

— А что я тебе говорил? — отозвался Рэт.— Бесполезно. У них выставлены сторожевые посты, и они все вооружены. Я тебе говорю: подожди пока.

И все же Тоуд не был склонен так уж сразу сдаваться. Он отвязал лодку и поплыл на веслах вверх по реке, где, как ему было известно, сад Тоуд-Холла спускается к самой воде.

Приблизившись к тому месту, откуда был виден его старый милый дом, он, перестав грести и облокотившись о весла, осторожно оглядел все вокруг. На первый взгляд было тихо, спокойно и безлюдно. Он мог спокойно обозревать фасад Тоуд-Холла, залитый лучами заходящего солнца, голубей, усаживающихся парочками на коньке крыши, сад весь в цвету, бухту перед лодочным сараем, маленький деревянный мостик, который перекинулся через бухту; все было спокойно, необитаемо и, казалось, ждало его возвращения.

«Попробуем сперва проникнуть в лодочный сарай»,— подумал Тоуд.

Он тихонечко поплыл к бухте и уже проплывал под мостом, как — бух! Огромный камень угодил прямо в лодку и пробил дно. Лодка тут же наполнилась водой и затонула, а мистер Тоуд оказался прямо в воде на глубоком месте. Подняв голову, он увидел у перил моста двух горностаев, которые перегнулись через перила и наблюдают за ним в полном восторге.

— Камешек следующий раз полетит в твою голову, Тоуди! — крикнули они ему.

Негодующий мистер Тоуд поплыл к берегу, а горностаи, поддерживая друг друга, чтобы не свалиться в воду, так и покатывались со смеху, с ними чуть не случилось двойной истерики, то есть по истерике на каждого, разумеется.

Тоуд должен был проделать весь долгий обратный путь пешком. Он рассказал дядюшке Рэт о неудаче, которая его вновь постигла.

— Ну, а я тебе что говорил? — сказал дядюшка Рэт сердито.— Сядь и сообрази, что ты сделал. Потопил мою лодку, которую я так люблю! Попросту загубил мой прекрасный костюм, который я дал тебе поносить. Ну право же, Тоуд, свет не видал такого невозможного существа. Я удивляюсь, как это ты еще ухитряешься сохранять каких-то друзей.

Тоуд сразу согласился, что вел себя неправильно, признал свою глупость, раскаялся в своих ошибках и принес самые горячие извинения за потопленную лодку и испорченный костюм. И закруглил свою речь выражением искренней покорности, которая всегда обезоруживала его друзей и обеспечивала ему прощение.

— Рэтти! Я теперь понимаю, какой был своевольный и своенравный! С этого времени, поверь мне, я буду тихий и послушный и ничего не сделаю без твоего совета и одобрения!

— Ну, если так,— сказал отходчивый дядюшка Рэт, смягчившись,— тогда мой совет тебе: поскольку уже поздно, садись и ужинай. Ужин сейчас появится на столе. И пожалуйста, прояви побольше терпения. Я убежден, что мы с тобой ничего не можем предпринять, пока не повидаемся с Кротом и Барсуком, и не услышим от них последние новости, и все вместе хорошенечко не обсудим наши нелегкие дела.

— А-а, да, конечно! Крот и Барсук, разумеется. А где они сейчас? Я было о них совсем позабыл,— заметил Тоуд легкомысленно.

— И ты еще спрашиваешь! — сказал дядюшка Рэт с упреком.— Пока ты носился по всей стране в дорогих автомобилях, и скакал на кровных скакунах, и устраивал пикники с цыганами, эти два бедных преданных зверя торчали на улице в любую погоду, проводя суровые дни и ночи, патрулируя вдоль границ Тоуд-Холла, не спуская глаз с ласок и горностаев, соображая, обдумывая, планируя, как отбить назад твою собственность. Ты не заслужил иметь таких верных, таких преданных друзей, честное слово, Тоуд! Когда-нибудь, когда будет уже поздно, ты пожалеешь, что не ценил их!

— Я неблагодарное животное, я знаю,— заплакал Тоуд.— Давай я пойду и поищу их этой холодной и темной ночью, и разделю с ними все трудности, и постараюсь доказать... Постой! Кажется, я слышу звон тарелок и подноса. Ура! Ужин на столе! Давай, Рэтти!

Тут дядюшка Рэт вспомнил, что бедняга Тоуд долгое время находился на тюремном коште и поэтому не стоило на него сердиться. Он и сам последовал за ним к столу и, как хороший хозяин, просил его вознаградить себя за все прошлые лишения.

Они только успели покончить с едой и снова перейти в кресла, как раздался сильный стук в дверь. Тоуд перепугался, а дядюшка Рэт, таинственно кивнув, направился прямо к двери, отпер ее, и в комнату вошел дядюшка Барсук.

У него был вид джентльмена, который несколько ночей провел вне дома, будучи лишен маленьких удобств.

*«Доброе утро, джентльмены! —
поклонился я им. —
Нет ли у вас на сегодня стирки?*

Ботинки были в грязи, и выглядел он растрепанным и взъерошенным. Правда, он и прежде не очень-то заботился о своей наружности. Барсук взглянул на мистера Тоуд серьезно, протянул лапу и сказал:

— Добро пожаловать домой, Тоуд! Увы! Что я говорю? Домой, как бы не так! Это печальное возвращение, Тоуд. Бедный мой Тоуд!

Затем он повернулся к нему спиной, пододвинул стул к столу и отрезал себе большой кусок холодного пирога со свининой.

Тоуд не на шутку встревожился от такого серьезного и зловещего приветствия. Но дядюшка Рэт шепнул ему:

— Ничего, не обращай внимания и пока помолчи. Он всегда такой подавленный и падает духом, когда ему надо подкрепиться. Через полчасика он будет совсем другим.

Они принялись молча ждать. Через некоторое время снова раздался стук, на этот раз не такой громкий. Дядюшка Рэт, снова кивнув, ввел в комнату Крота, немытого и обтрепанного, с соломинками, застрявшими в шерстке.

— Ура! А вот и Тоуд! — закричал он, сияя.

И он начал отплясывать вокруг него.

— Мы даже и не надеялись, что ты появишься так скоро, ах ты умный, талантливый, сообразительный Тоуд!

Дядюшка Рэт толкнул его под локоть, но было уже поздно: Тоуд уже пыхтел и весь раздувался от гордости.

— Умный? Вовсе нет! Послушать моих друзей, так я круглый дурак! Я всего-навсего выбрался из самой страшной тюрьмы во всей Англии! Только и всего! И завладел поездом и на нем удрал, только и всего! Я осел, вот кто я есть! Я расскажу тебе о своих приключениях, и ты сам рассудишь, Крот!

— Хорошо, хорошо, — сказал Крот, пододвигаясь к столу. — Ты рассказывай, а я пока поем, ладно? С утра во рту ни кусочка! О боже мой, боже мой!

Он подсел к столу и наложил себе на тарелку холодного мяса и маринованных огурчиков.

Тоуд потоптался на каминном коврике, потом засунул лапу в карман и вытащил оттуда горсть серебряных монет.

— Погляди! — воскликнул он, показывая деньги. — Не так уж плохо за несколько минут работы, а? И как, ты думаешь, я их добыл? Угнал лошадь! Вот как!

— Ну? — заинтересовался Крот.

— Тоуд, пожалуйста, помолчи минуточку, — сказал дядюшка Рэт. — А ты, Крот, не подначивай. Или ты его не знаешь? Лучше поскорее расскажи, в каком положении находятся дела и что лучше всего предпринять, раз Тоуд наконец вернулся.

— Дела хуже некуда, — сказал Крот сердито. — А что предпринять, ни малейшего понятия не имею. Барсук и я ходили, ходили вокруг Тоуд-Холла день и ночь. Все одно и то же. Везде — стража, наставленные в упор дула, швыряются камнями. А стоит нам приблизиться, так насмехаются, просто невыносимо. Нет ничего хуже насмешек!

— Да, дело плохо, — сказал дядюшка Рэт задумчиво. — Но я думаю, что кое-что я все-таки сообразил. Тоуд должен...

— Нет, не должен! — воскликнул Крот с набитым ртом. — Ничего подобного. Ему надо совсем другое...

— Ничего такого я не стану делать, — перебил их обоих Тоуд. — Хватит командовать! Речь идет в конце концов о моем доме, и я точно знаю, что надо делать. Я...

Они заговорили все разом и во весь голос, от них просто можно было оглохнуть, но в это время высокий, суховатый голос сказал:

— Немедленно замолчите! Все!

И мгновенно настала тишина.

Это сказал дядюшка Барсук, который кончил есть пирог, повернулся к ним и сурово на них поглядел. Когда он увидел, что сумел привлечь их внимание и они, по-видимому, ждут, что он скажет, он опять повернулся к столу и отрезал себе сыру. И так велико было уважение к этому достойному зверю, что никто не проронил ни слова, пока он не закончил трапезу и не смахнул крошки с колен. Тоуд ерзал на стуле, а дядюшка Рэт старался его угомонить.

Потом дядюшка Барсук подошел к камину и, глубоко задумавшись, долго смотрел на огонь. Наконец, он заговорил.

— Тоуд, — сказал он, — ты беспокойный, скверный зверек! Тебе не стыдно? Как ты думаешь, что бы сказал мой покойный друг, твой отец, если бы оказался сейчас здесь и узнал обо всем, что ты вытворяешь?

Тоуд, который прилег на диван, перевернулся ничком, сотрясаемый слезами раскаяния.

— Ладно, перестань, — сказал Барсук, смягчаясь. — Брось. Перестань плакать. Что было, то прошло.

Постарайся начать жизнь сначала. Но то, что Крот говорит, правильно. Горностаи стерегут всюду. А это лучшие стражники в мире. Нечего думать атаковать их в лоб. Нам с ними не справиться.

— Тогда, значит, все кончено,— всхлипнул Тоуд, орошая слезами диванные подушки.— Пойду завербуюсь в солдаты и никогда, никогда больше не увижу мой родной Тоуд-Холл!

— Брось хныкать и немедленно взбодрись, Тоуд! — сказал Барсук.— Есть другие способы отвоевать его, кроме прямого штурма. Я еще не сказал свое последнее слово. Сейчас я сообщу вам великую тайну.

Тоуд медленно поднялся и вытер слезы. Он обожал тайны, потому что в жизни не мог сохранить ни одной. Его всегда волновало чувство неправедного восторга, когда он сообщал другому тайну после того, как торжественно обещал не выдавать ее никому.

— Существует подземный ход,— сказал Барсук внушительно,— который ведет от берега реки, совсем поблизости отсюда, к самому центру Тоуд-Холла.

— О, какой вздор, Барсук! — сказал Тоуд довольно беззаботно.— Ты наслушался того, чего они тут плетут в пивнушках. Да я знаю каждый дюйм Тоуд-Холла, изнутри и снаружи. Там ничего такого нет, уверяю тебя.

— Мой юный друг,— сказал дядюшка Барсук очень строго,— твой отец, который был зверем очень достойным, много достойнее иных моих знакомых, и который был моим близким другом, делился со мной такими вещами, которыми ему и в голову бы не пришло поделиться с тобой. Он открыл этот подземный ход; он его, разумеется, сам не делал, ход был прокопан сотни лет назад, задолго до того, как он там поселился. Но он его вычистил и привел в порядок, потому что думал, что когда-нибудь этот ход вдруг да и пригодится в случае какой-нибудь беды или опасности. И он мне его показал. Он сказал: «Сыну моему о нем ни в коем случае не говори. Он хороший парень, но немного легкомысленный, и характер у него неустойчивый, да и язык за зубами он держать не умеет. Если с ним случится серьезная беда и ход этот сможет ему пригодиться, тогда сообщи ему об этом тайном проходе, но ни в коем случае не раньше».

Все сидевшие в комнате внимательно посмотрели на мистера Тоуд, желая видеть, как он это все воспримет. Тоуд сначала было надулся, но быстро отошел, потому что был все-таки хорошим парнем.

— Ладно, ладно,— сказал он.— Может, я и в самом деле немножечко болтун. Я ведь очень известное лицо, друзья навещают меня, и мы острим, веселимся, рассказываем анекдоты, и язык у меня начинает маленечко вилять. Я прирожденный собеседник. Мне частенько говорили, что мне надо бы завести салон, что бы это там ни значило. Ну, бог с ним! Продолжай, Барсук. Но чем этот самый твой подземный ход нам поможет?

— Я кое-что выяснил в последнее время,— продолжал Барсук.— Я попросил Выдру нарядиться трубочистом и пойти, увесившись щетками, к черному крыльцу Тоуд-Холла справиться, нет ли у них работы. Завтра вечером там состоится роскошный банкет. Чей-то день рождения. Главного Ласки, кажется. И все ласки соберутся в парадной столовой и будут там пировать, ничего не подозревая, без сабель, и ружей, и палок — словом, безо всякого оружия!

— Но стража будет выставлена, как всегда,— заметил дядюшка Рэт.

— Точно,— отозвался Барсук.— К этому я и веду. Ласки целиком положатся на такую прекрасную стражу, как горностаи. И вот тут-то нам и поможет подземный ход. Этот туннель ведет прямехонько в буфетную, расположенную рядом с парадной столовой.

— Ага! Вот почему там скрипит доска! — сказал Тоуд.— Теперь я понимаю.

— Мы тихонечко проберемся в буфетную! — воскликнул Крот.

— С пистолетами, и саблями, и палками! — закричал дядюшка Рэт.

— И набросимся на них,— сказал Барсук.

— И поколотим их, и поколотим их, и поколотим их! — вопил Тоуд в экстазе, носясь кругами по комнате и перепрыгивая через стулья.

— Очень хорошо,— подвел итог дядюшка Барсук в своей обычной суховатой манере.— Итак, все решено, нечего вам спорить и устраивать перепалки. Становится поздно, отправляйтесь спать. Все необходимые приготовления мы сделаем завтра утром.

Тоуд, конечно, тоже послушно отправился спать, как и все остальные, он понимал, что сейчас спорить ни к чему, хотя он был слишком взволнован и спать совсем не хотел. Он прожил длинный утомительный день, набитый всякими событиями, к тому же простыни и одеяла были такими успокаивающими, такими дружелюбными после крошечного клочка простой соломы, брошенного на каменный пол холодного каземата, что он, несмотря ни на что, вскоре спокойно захрапел. Конечно, ему много чего приснилось: и дорога, которая тут же удирала, как только он ступал на нее, и канал, который бегал за ним и в конце концов настиг, и баржа, которая заплыла прямо в парадную столовую со стиркой, скопившейся за неделю, как раз когда у него был званый обед. А еще ему снилось, что он один идет по подземному ходу, а тот крутится, и вертится, и колышется, и становится на попа. Но под конец он увидел, будто он вернулся в Тоуд-Холл с победой и совершенно невредимый, и все друзья собрались к нему и все серьезнейшим образом его уверяли, что он на самом деле очень умный мистер Тоуд.

Он проспал все следующее утро и, когда спустился вниз, увидел, что остальные звери уже давным-давно позавтракали. Крот куда-то ускользнул, никому не сказав, куда и зачем идет. Барсук сидел в кресле и читал газету, нисколько не заботясь о том, что должно произойти вечером.

А дядюшка Рэт, наоборот, с деловым видом носился по комнате, таская под мышками разного рода оружие, раскладывая его на четыре кучи на полу и приговаривая на бегу:

— Вот — сабля — для — дядюшки Рэт, вот — сабля — для — Крота, вот — сабля — для — мистера Тоуд, вот — сабля — для — Барсука! Вот — пистолет — для — дядюшки Рэт, вот — пистолет — для — Крота, вот — пистолет — для — мистера Тоуд, вот — пистолет — для — Барсука! — И так далее, в том же самом ритме, а четыре одинаковые кучи росли и росли на полу.

— Все это очень хорошо, — сказал через некоторое время Барсук, глядя поверх газеты на зверька, мечущегося по комнате. — Ты, конечно, прав. Но ты подумай сам: как только мы проскользнем мимо этих отвратительных горностаев с их отвратительными ружьями, уверяю тебя, нам не понадобятся никакие сабли и пистолеты. Да мы вчетвером одними только палками очистим помещение от всей этой банды за пять минут. Я бы и один справился, только не хочу вас всех лишать удовольствия.

— А все-таки на всякий случай не помешает, — сказал дядюшка Рэт задумчиво, полируя дуло пистолета рукавом и заглядывая в него, прищурив один глаз.

Мистер Тоуд, покончив с завтраком, схватил толстенную палку и, размахивая ею изо всех сил, колошматил воображаемых врагов.

— Я укажу им, как воровать мой дом, — вопил он, — я укажу им, я укажу!

— Не говорят «укажу», Тоуд. Надо сказать: «Я им покажу», ты говоришь неправильно.

— Что ты к нему придираешься? — сказал Барсук сварливо. — Правильно — неправильно. Я сам так говорю. А если я так говорю, то все могут так говорить.

— Не сердись, — сказал дядюшка Рэт. — Мне только кажется, что правильнее сказать: «Я им покажу», а не «укажу».

— Но мы им не собираемся ничего «показывать», мы им именно укажем, укажем, укажем! Потому что мы им укажем на дверь, чтобы они убирались вон! Вот именно это мы и сделаем!

— Да пожалуйста, как хотите, так и говорите, — сказал Рэт.

Он и сам уже запутался. Он отошел в угол, и было слышно, как он бормочет «укажем, покажем, укажем, покажем», пока дядюшка Барсук довольно резко не велел ему замолчать.

Через некоторое время в комнату ввалился Крот, и видно было, что он собою чрезвычайно доволен.

— О, как я здорово развлекся! — начал он с ходу. — О, как я поддразнил горностаев!

— Надеюсь, ты был достаточно осторожен, Крот? — спросил дядюшка Рэт с тревогой.

— Ну разумеется, — с уверенностью сказал Крот. — Меня осенило, когда я поутру пошел на кухню последить, чтобы завтрак для мистера Тоуд не остыл. Там я увидал, что старая прачкина одежда, в которой он вчера явился, так и висит возле камина на полотенечной вешалке. Я надел платье, чепчик, конечно, тоже нацепил, шаль накинул и отправился в Тоуд-Холл храбрец храбрецом. Стража, конечно, была, как всегда, начеку, с ружьями и со своими «Стой, кто идет?» и прочей чепухой.

«Доброе утро, джентльмены! — поклонился я им. — Нет ли у вас на сегодня стирки? Я бы постирала».

Они поглядели на меня так высокомерно, так надменно и говорят:

«Убирайся отсюда, прачка! Когда мы на часах, мы не занимаемся стиркой».

«А в другое время?» — спрашиваю я с издевочкой. — Хо-хо-хо! Купил я их, а, Тоуд?

— Глупый ты и нахальный зверь! — презрительно заявил мистер Тоуд.

Дело в том, что он смертельно позавидовал Кроту. Это было как раз то самое, что он сам мог бы проделать, прийди это ему в голову первому и не проспи он так непоправимо.

— Кое-кто из горностаев сделался пунцовым, — продолжал Крот, — а сержант, начальник караула, и говорит мне:

«Быстро беги отсюда, женщина, не отвлекай часовых, они на посту».

«Бежать? — говорю я. — Не я отсюда побегу, а кто-то другой, и довольно скоро»...

— О, Крот, милый, как же ты мог? — сказал в отчаянии Рэт.

Барсук отложил газету в сторону.

— Я увидал, как уши у них навострились и они стали переглядываться, — продолжал Крот. — И я услыхал, как сержант сказал:

«Не обращайте на нее внимания, она сама не знает, что говорит».

«Это я-то не знаю? — сказал я. — Тогда позвольте сказать вам следующее: да будет вам известно, что моя дочь стирает белье мистера Барсука. Вот и судите, знаю я или не знаю, о чем говорю. А скоро и вы узнаете. Сотня кровожадных барсуков, вооружившись винтовками, собираются напасть на Тоуд-Холл как раз сегодня вечером, подобравшись к нему через конский выгон. Шесть лодок, до отказа набитых крысами, вооруженных пистолетами и абордажными саблями, прибудут по реке, и крысы высадятся на садовом причале, а отряд отборных жаб, который называется «Победа или смерть», атакует фруктовый сад, сметая все на пути и призывая к возмездию. Не так-то много стирки от вас останется к тому времени, когда они с вами разделаются. Вы бы лучше убирались подобру-поздорову, пока еще есть возможность!»

С этими словами я убежал, и после того, как я скрылся у них из виду, я ползком вернулся, по дну кювета прополз и притаился там, глядя на них сквозь ветки живой изгороди. Они все очень разволновались, стали все разом бегать туда-сюда, натыкаясь друг на друга, и все отдавали команды одновременно и никого не слушали, а сержант, отправляя все новые и новые отряды охраны в отдаленные части усадьбы, потом посылал других, чтобы они привели их обратно, и я слышал, как они говорили друг другу:

«Это очень похоже на ласок. Они себе будут пировать в парадной гостиной, произносить тосты, петь песни и всячески развлекаться, а мы должны стоять на часах в темноте и холоде, чтобы в конце концов нас изрубили на кусочки кровожадные барсуки»...

— О, глупый ты осел, Крот! — закричал Тоуд. — Ты же все испортил!

— Крот, — сказал дядюшка Барсук своим суховатым, спокойным голосом, — клянусь, что у тебя в мизинце больше здравого смысла, чем у некоторых во всем их жирном теле. Ты все сделал отлично, право, ты растешь в моих глазах. Хороший Крот! Умный Крот!

Мистер Тоуд просто взбесился от зависти, тем более что он, хоть убей, не понимал, чего уж такого умного совершил Крот. Но, к счастью для него, раньше чем он успел наговорить лишнего и сделаться объектом иронии Барсука, колокольчик позвал их к столу.

Им была подана простая, но питательная еда: бекон с бобами и макаронный пудинг. Когда они со всем этим справились, Барсук разместился в кресле и сказал:

— Ну, наша задача на сегодняшний вечер совершенно ясна. И вполне возможно, что она окажется нам по силам, но до вечера еще далеко, так что я собираюсь подремать.

Он накрыл лицо носовым платком и вскоре захрапел.

Трудолюбивый и заботливый дядюшка Рэт тут же возобновил свою деятельность и начал опять бегать между четырьмя грудами оружия на полу, бормоча:

— Вот — ремень — для — дядюшки Рэт, вот — ремень — для — Крота, вот — ремень — для — мистера Тоуд, вот — ремень — для — Барсука.

И так далее, и так далее, поднося все новое и новое боевое снаряжение, которому, казалось, не будет конца. А Крот взял мистера Тоуд под ручку, вывел его на свежий воздух, толкнул в плетеное кресло и заставил рассказать все свои приключения с самого начала до самого конца, чем тот и занялся с большой охотою. Крот был очень хорошим слушателем, и Тоуд, которого некому было останавливать или отпускать не вполне дружелюбные замечания, пустился во все тяжкие. Многое из того, что он рассказывал, принадлежало, скорее, тому, что-могло-бы-произойти-если-бы-я-только-додумался-бы-вовремя-а-не-де-

сять-минут-спустя. Это всегда самые цветистые приключения, и почему бы нам, скажите пожалуйста, не считать их
своими, наряду с теми не вполне симпатичными событиями, которые иногда происходят на самом деле?

✳✳

12

Возвращение Одиссея

Когда стало смеркаться, дядюшка Рэт, с видом взволнованным и таинственным, призвал всех в гостиную, поставил каждого возле предназначенной ему кучки с во-
оружением и стал снаряжать каждого для предстоящей
экспедиции. Он относился к этому очень серьезно и все
делал чрезвычайно тщательно, так что сборы заняли довольно много времени. Во-первых, каждый из зверей был
опоясан ремнем, потом за ремень сбоку был засунут меч,
а с другого боку — сабля, для равновесия. Дальше — пара
пистолетов и полицейская дубинка. Были также выданы
каждому несколько пар наручников, пластырь, фляжка
и коробочка с сэндвичами. Барсук, добродушно посмеиваясь, сказал:

— Ну, ладно, Рэтти, тебя это вдохновляет, а мне не
принесет вреда. Но я собираюсь сделать то, что я должен
сделать, одной только вот этой, погляди, палкой.

Дядюшка Рэт возразил:

— Перестань, Барсук, прошу тебя. Ты прекрасно понимаешь, как мне бы не хотелось, чтобы ты потом упрекал меня, что я хоть что-то позабыл.

Когда все было готово, Барсук взял затемненный фонарь в одну лапу, в другую — свою палку и сказал:

— Ну, ребята, следуйте за мной! Первый — Крот, потому что я им очень доволен, потом Рэт, потом Тоуд. И послушай, Тоуд! Не болтай так много, как ты обычно болтаешь, иначе я отошлю тебя назад, и, уверяю тебя, что тут я буду непреклонным, как сама судьба.

Тоуд так жаждал принять участие в происходящем, что без единого звука принял отведенное ему последнее место, и звери двинулись в путь.

Дядюшка Барсук вел их некоторое время берегом реки, потом неожиданно свернул и скрылся в отверстии, прорытом в берегу прямо над самой водой. Крот и дядюшка Рэт молча последовали за ним и благополучно прошли через отверстие, потому что видели, как это проделал сам Барсук. Но Тоуд, конечно, ухитрился поскользнуться и свалиться в воду с громким плеском и пронзительным визгом. Друзья выволокли его из воды, торопливо отжали, вытерли, успокоили и поставили на ноги. Но Барсук серьезно рассердился и сказал, что теперь уж это будет точно в последний раз, если Тоуд снова начнет валять дурака.

Наконец все они проникли в потайной подземный ход, и экспедиция, наконец, действительно началась.

Было холодно, и темно, и сыро, и низко, и узко. Бедный Тоуд начал дрожать, частично от страха перед ожидаемыми событиями, частично оттого, что насквозь промок. Фонарик был далеко впереди, и он невольно отставал, оказываясь в темноте. Потом он услышал, как дядюшка Рэт зовет его строгим голосом:

— Иди же скорее, Тоуд!

Его охватил ужас от мысли, что он может отстать и остаться один, и он пошел настолько скорее, что налетел и сбил с ног дядюшку Рэт и Крота, а они оба налетели на Барсука, и на какое-то мгновение все смешалось. Барсук подумал, что кто-то нападает на них сзади, и, поскольку с палкой или саблей было не развернуться, выхватил пистолет и чуть не всадил пулю в лоб мистеру Тоуд.

Когда он разобрался, что́ на самом деле произошло, то очень рассердился и сказал:

— Ну, все! Уж на этот раз надоедный Тоуд отправится обратно!

Но Тоуд расхныкался, и те двое обещали, что они берут на себя ответственность за его поведение, и, в конце концов, Барсук примирился, и процессия двинулась дальше, только на этот раз шествие замыкал Рэт, который вел мистера Тоуд перед собой, временами сжимая его плечо своей крепкой лапой.

Так они нащупывали путь и потихонечку продвигались вперед, навострив уши и держа лапы на рукоятках пистолетов, пока, наконец, Барсук не сказал:

— Ну, мы должны быть уже почти что под Тоуд-Холлом.

Потом вдруг они услыхали, как могло показаться, в отдалении, но на самом деле, по-видимому, почти над их головами, неясные звуки множества приглушенных голосов, какие-то возгласы, приветствия, топанье и стук кулачков по столу. На мистера Тоуд снова напал страх, а Барсук только заметил:

— Это происходит у них, у ласок!

Подземный ход начал подниматься, некоторое время они прошли ощупью, шум сделался вполне отчетливым и раздавался уже прямо над головой. Они различили крики «...р-ра!.. рра!.. рра!», топот маленьких ножек и позвякивание стаканов.

— Ого как веселятся! — сказал Барсук. — Пошли!

Они кинулись вверх по подземному ходу и шли по нему, пока он не кончился потайной дверью в буфетную.

В парадной столовой стоял такой потрясающий гомон, что не было почти никакой опасности, что их услышат. Барсук сказал:

— Ну, ребята, теперь все вместе!

И все четверо надавили плечом на дверь и откинули ее. Помогая друг другу, они вылезли наружу и оказались в буфетной, где только одна тонкая дверка отделяла их от пирующего врага.

Как только они выбрались из подземного хода, шум сделался просто оглушительным. Наконец, когда крики «Ура» и топот постепенно стихли, послышался голос:

— Итак, я постараюсь больше не задерживать ваше внимание *(бурные аплодисменты)*, но, прежде чем я сяду на свое место *(крики «Ура!»)*, я хотел бы сказать слово о нашем добром хозяине, мистере Тоуд. Мы все знаем, кто такой мистер Тоуд *(громкий смех)*... Хороший Тоуд, скромный Тоуд, честный Тоуд *(крики восторга)*...

— Только дайте мне до него добраться! — проскрежетал зубами Тоуд.

— Погоди,— еле удержал его Барсук.— Всем приготовиться!

— Позвольте мне спеть для вас песенку,— продолжал голос,— которую я сочинил в честь нашего хозяина *(продолжительные аплодисменты)...* Затем Главный Ласка — а это был он — начал петь высоким, писклявым голоском:

> Шел на прогулку мистер Тоуд,
> По улице шагая...

Барсук весь подобрался, крепко схватил палку обеими лапами, оглянулся на своих товарищей и вскричал:

— Час настал! Все — за мной!

И распахнул дверь.

О боже мой!

Какой крик, и писк, и визг наполнил комнату!

Ласки в ужасе ныряли под столы и скакали в окна как сумасшедшие! В каминную трубу кинулись хорьки и все там безнадежно застряли! Это был поистине грозный момент, когда четверо разгневанных героев появились в столовой,— там переворачивались столы и стулья, наземь летели тарелки и стаканы.

Могучий Барсук ощетинил усы, а дубинка его так и свистела в воздухе. Крот, черный и мрачный, размахивал палкой, издавая боевой клич:

— Я — Крот! Я — Крот!

Дядюшка Рэт, решительный, не оставляющий врагу никакой надежды, так и звенел своим оружием всех времен и всех видов, прикрепленным к его поясу. А Тоуд, тот просто неистовствовал от волнения и уязвленной гордости. Он раздулся вдвое против своей обычной величины, подскакивая в воздухе и гикая, он заставлял кровь застывать в жилах врага.

— «Шел на прогулку мистер Тоуд!» — вопил он.— Я покажу им прогулку, они у меня прогуляются.— И он бросился прямо к Главному Ласке.

Их было всего-то-навсего четверо, но охваченным паникой ласкам казалось, что вся столовая полна чудовищ — серых, черных и рыжих, гикающих и раздающих удары дубинками грандиозных размеров; и они бежали с визгом ужаса и отчаяния, кидаясь в разные стороны — кто в окна, кто в печную трубу, только бы поскорее, только бы подальше удрать от этих ужасных дубинок.

И вскоре дело было сделано. Взад и вперед вдоль всей парадной столовой расхаживали четверо друзей, опуская палки на всякую голову, которая вздумает высунуться. Через пять минут комната была очищена.

Через окна с выбитыми стеклами до них доносились затихающие вдали крики неприятелей, улепетывающих через луг. Распростершись на полу, лежало около дюжины врагов, и Крот в срочном порядке надевал на них наручники. Барсук, переводя дух после трудов праведных, стоял, облокотившись о дубинку и вытирая пот с мужественного лба.

— Крот, — сказал он, — ты лучший из парней. Сбегай-ка наружу, пригляди за этой горностаевой охраной, узнай, чего они там делают. Я думаю, благодаря твоим стараниям они-то уж не доставят нам сегодня много хлопот.

Крот тут же исчез, прямо через окно, а Барсук попросил двоих оставшихся перевернуть стол и поставить его на ножки, он велел подобрать ножи, вилки, уцелевшие тарелки и стаканы из груды осколков на полу и поискать, не найдется ли чего, что могло бы им послужить ужином.

— Меня нужно покормить, — сказал он без обиняков, в своей обычной простой манере. — А ну-ка взбодрись и пошевеливайся, Тоуд. Мы отвоевали твой дом, а ты нам даже бутербродика не предложишь.

Вполне довольный собой, Тоуд был, однако, уязвлен тем, что Барсук превознес Крота, и притом ни слова не сказал в одобрение мистера Тоуд и не отметил, какой он мировой парень, и как отлично он сражался, и то, как он набросился на Главного Ласку, как перекинул его через стол одним ударом своей дубинки.

Но он ничего не возразил Барсуку, а принялся вместе с дядюшкой Рэт рыскать в поисках пищи, и вскоре они нашли джем из гуайявы в стеклянной вазочке, и холодного цыпленка, и язык, почти совсем не тронутый, разве только самую малость, некоторое количество бисквита со сливками и много салата из раков. А в буфетной они наткнулись на целую корзину французских булочек и обнаружили сколько угодно сыру, масла и сельдерея. Они уже собрались садиться за стол, когда в окошке показался Крот, похохатывая и волоча в охапке дюжину ружей.

— Все! — сказал он. — Как я могу понять, горностаи, которые и так уж были заведены и нервничали, услыхав крики и вопли внутри дома, побросали ружья и приготовились бежать. Правда, некоторые какое-то время держались. Но когда ласки кинулись наутек, горностаи решили, что их предали. Они схватились с ласками, а те пытались от них отделаться, чтобы скорее убежать. Так они боро-

*Их было всего-то-навсего четверо,
но охваченным паникой ласкам казалось,
что вся столовая полна чудовищ...*

лись и катались по траве, пока многие не скатились прямо в речку! Они все так или иначе исчезли, никого там нет, а я собрал и принес их ружья. Так что все хорошо.

— Отличный и достойный зверь! — сказал Барсук, жуя цыпленка и бисквит одновременно.— И еще об одном одолжении я хочу тебя попросить, Крот, прежде чем ты сядешь с нами рядом поужинать. Я бы не стал тебя затруднять, но я знаю, что на тебя можно положиться. Мне бы хотелось, чтобы я мог это сказать о каждом из тех, с кем я знаком. Рэт мог бы этим заняться, но ведь он поэт. Я прошу тебя, отведи этих мо́лодцев, лежащих на полу, наверх и заставь их вычистить и прибрать спальни. Проследи, чтобы они и из-под кроватей хорошенечко вымели, и сменили постельное белье, и отогнули краешек одеяла, как это полагается делать. И проследи, чтобы они принесли по кувшину теплой воды, и свежие полотенца, и нераспечатанный кусок мыла в каждую спальню. А потом можешь выдать им по трепке на брата, если тебе этого захочется, и прогони их через черный ход. Я надеюсь, что мы больше никогда их не увидим. А потом возвращайся и поешь вареного языка. Он, право же, первоклассный. Я очень доволен тобою, Крот!

Покладистый Крот поднял с пола палку, выстроил пленников в линейку, скомандовал: «Шагом марш!» — и повел свою команду на второй этаж. Через некоторое время он вернулся назад и, улыбаясь, сообщил, что каждому приготовлена спальня, чистенькая, как новая.

— Я не стал задавать им трепку, хватит уж им на сегодня. Ласки тоже со мной согласились и просили меня не утруждать себя. Они очень раскаивались и просили прощения за все, что они наделали. Они сказали, что во всем виноват Главный Ласка и горностаи. И что они очень хотели бы услужить нам в возмещение ущерба, и что нам стоит только намекнуть, и они тут же прибегут. Я им дал по французской булке каждому и выпустил через черный ход. Они побежали прочь изо всех сил!

Сказав это, Крот придвинул стул к столу и набросился на холодный язык. А Тоуд, поскольку он был джентльменом, преодолел свою зависть к нему и сказал по-доброму:

— Спасибо тебе, милый Крот, за все твои усилия и прости за беспокойства, которые выпали сегодня на твою долю. И особенно тебе спасибо за ум и находчивость, которые ты проявил сегодня утром.

Барсук очень обрадовался этому и воскликнул:

— Слушайте! Слушайте! Говорит наш доблестный Тоуд!

Так, разговаривая, они завершили ужин, радостные и довольные, и вскоре пошли отдохнуть на постелях с чистыми простынями в родовом доме мистера Тоуд, отвоеванном у врагов благодаря беспримерному мужеству и доблести, совершенной стратегии и правильному обращению с палками.

Следующим утром Тоуд, который, как всегда, проспал, спустился к завтраку в позорно поздний час и обнаружил на столе некоторое количество яичных скорлупок, кусочки остывших, похожих на резину тостов, кофейник, на три четверти пустой, и, право, больше почти ничего. Это плохо подействовало на его настроение, тем более что это был, как ни крути, его дом.

Через окно комнаты для завтраков он видел Крота и дядюшку Рэт, сидевших на свежем воздухе на лужайке в плетеных креслицах. Они, по-видимому, рассказывали друг другу забавные истории, потому что оба покатывались с хохоту, дрыгая в воздухе своими коротенькими ножками.

Барсук, который сидел в кресле, углубившись в утреннюю газету, только поднял глаза и молча кивнул, когда Тоуд вошел в комнату. Но Тоуд держал себя в руках, поэтому он сообразил себе завтрак, какой сумел, только подумав про себя, что он с ними еще посчитается. Когда он доедал, Барсук оторвался от газеты и коротко заметил:

— Сожалею, Тоуд, но должен заметить, что у тебя на утро много дел. Мы должны немедленно устроить банкет, чтобы отпраздновать победу. Я думаю, от тебя этого ждут. Я хочу сказать, что так принято.

— О, конечно,— с готовностью согласился мистер Тоуд,— я готов на все, чтобы доставить тебе удовольствие. Только зачем понадобился банкет с раннего утра, я ума не приложу. Но ты же знаешь, милый мой Барсук, я живу не для себя, а только для того, чтобы угадывать желания моих друзей и пытаться их исполнить.

— Не притворяйся глупее, чем ты есть на самом деле!— сердито отозвался Барсук.— Не хмыкай и не фыркай в кофе. Что за дурные манеры! Банкет должен, разумеется, состояться вечером, но приглашения надо написать и разослать немедленно, и писать их придется тебе. Садись к столу, тут лежит целая пачка почтовой бумаги, на которой синим и золотым напечатано «Тоуд-Холл», садись и напиши приглашения всем друзьям, и если ты будешь заниматься этим прилежно, то мы их разошлем еще до обеда. А пока ты трудишься, я тебе тоже помогу и взвалю на себя некоторые заботы — я закажу банкет.

— Как?! — воскликнул мистер Тоуд в отчаянии. — Мне торчать дома и писать эти паршивые письма в такую прекрасную погоду, когда мне хочется обойти всю мою усадьбу, и все привести в порядок, и покрасоваться, и порадоваться! Конечно, я не буду... Впрочем... Да, конечно, дорогой Барсук! Чего стоят мои желания и удобства по сравнению с желаниями других! Ты хочешь, чтобы я написал приглашения, я их напишу. Иди, Барсук, заказывай банкет, выбери, что ты сам захочешь. А после там, на воздухе, присоединяйся к беседе наших друзей, забывших обо мне и моих трудах и заботах. Я приношу это прекрасное утро в жертву долгу и дружбе!

Барсук поглядел на него с большим подозрением, но открытое и искреннее выражение лица мистера Тоуд не давало повода подозревать какие-либо недостойные мотивы в такой резкой перемене. Барсук оставил комнату и направился в сторону кухни. Как только дверь за ним закрылась, мистер Тоуд поспешил к письменному столу. Пока он разговаривал с Барсуком, его осенила роскошная идея. Хорошо, он напишет эти приглашения. Но он уж постарается, чтобы в них было сказано о его ведущей роли в битве и как он одним махом уложил Главного Ласку, и он намекнет на свои приключения и на то, какие победы ему удалось одержать. И еще на вкладыше он напишет что-то вроде программы, которая примерно так складывалась у него в голове.

РЕЧЬ . . . . МИСТЕР **ТОУД.**
ОБРАЩЕНИЕ . . МИСТЕР **ТОУД.**

КРАТКОЕ СОДЕРЖАНИЕ: *Наша тюремная система. — Водные пути старой Англии. — Торговля лошадьми и как следует ею заниматься. — Собственность. Права и обязанности. — Возвращение к земле. — Типичный английский землевладелец.*

ПЕСНЯ . . . . . *поет* МИСТЕР **ТОУД.**

Песня сочинена им самим.

ДРУГИЕ СОЧИНЕНИЯ *будут*

исполнены в течение вечера.

Автор и композитор . . . . . МИСТЕР **ТОУД.**

Идея чрезвычайно ему понравилась, и он усердно трудился. К полудню все письма были написаны. В это время ему доложили, что маленькая и довольно ободранная ласка робко справляется, не могла бы и она чем-нибудь быть полезной джентльменам. Тоуд величественно выплыл из комнаты и увидал, что это один из вчерашних пленников выражает свое уважение и готовность быть полезным. Тоуд потрепал ее по голове, сунул ему в лапу всю пачку с приглашениями и велел бежать и скоренько разнести их по адресам, а потом, если хочет, прийти обратно, где, может быть, ее будет ожидать шиллинг. Несчастная ласка казалась действительно очень благодарной и с рвением поспешила выполнять возложенное на нее поручение.

Когда приятели, проведя все утро на реке, свежие и оживленные, вернулись домой к обеду, Крот, который чувствовал легкие уколы совести, выжидательно поглядел на мистера Тоуд, думая, что он дуется на него. Но оказалось, что вовсе наоборот — тот был весел и так доволен собой, что Крот начал что-то подозревать, а дядюшка Рэт и дядюшка Барсук обменялись многозначительными взглядами.

Как только они вместе пообедали, Тоуд глубоко засунул лапы в карманы своих брюк и бросил невзначай:

— Побудьте без меня, друзья мои! Требуйте все, чего захотите! — и важно направился к двери, ведущей в сад, чтобы обдумать там свои речи на предстоящем вечере, но дядюшка Рэт схватил его за локоть.

Тоуд примерно догадывался, в чем было дело, и попытался вырваться. Но когда Барсук схватил его за второй локоть, он начал ясно понимать, что происходит.

Оба зверя, зажав его с двух сторон, препроводили беднягу в маленькую курительную комнату, которая выходит прямо в прихожую, заперли дверь и усадили на стул. Потом они оба встали прямо перед ним, а тот глядел на них с подозрением и злостью.

— Послушай внимательно, Тоуд, — сказал дядюшка Рэт. — Мы должны поговорить о банкете, и я очень сожалею, что этот разговор возникает. Но мы хотим, чтобы ты ясно понял раз и навсегда, что не будет никаких речей и песен. Постарайся осознать, что на этот раз мы не просим тебя, а обязываем.

Тоуд понял, что он в ловушке. Они все наперед разгадали, они видят его насквозь. Его мечта разбилась вдребезги.

— А можно я спою всего лишь одну маленькую песенку? — попросил он жалобно.

— Ни одной, — ответил дядюшка Рэт твердо, хотя сердце у него защемило, когда он увидел, как у бедняги дрожит нижняя губа. — Ни к чему это, Тоуди. Ты и сам знаешь, что все твои песни — это сплошное зазнайство, бахвальство и тщеславие. А все твои речи — это сплошное самовосхваление и... и... и страшные преувеличения... и...

— И спесь, — добавил Барсук, который любил называть вещи своими именами.

— Все для твоей же пользы, Тоуди, — продолжал Рэт. — Ты ведь сам понимаешь, что рано или поздно тебе п р и д е т с я начать новую жизнь, и сейчас для этого самое подходящее время. Что-то вроде поворотного момента в твоей жизни. И пожалуйста, не думай, что тебе труднее все это выслушать, чем мне произнести.

Тоуд молчал, погруженный в свои мысли. Наконец он поднял голову, и по его лицу можно было сказать, что он пережил глубокое потрясение.

— Вы победили, друзья, — сказал он срывающимся голосом. — Не о многом я вас просил — просто покрасоваться ещё один вечерок, ловить ухом аплодисменты, которые всегда, как мне казалось, пробуждают во мне мои лучшие качества. Однако я знаю, что правы — вы, а неправ — я. С этого времени я буду совершенно другим. Друзья мои, вам никогда больше не придется за меня краснеть. Я даю вам слово. Но боже мой, боже мой, как мне трудно его давать!

И, прижав платок к глазам, он, шатаясь, вышел из комнаты.

— Барсук, — сказал дядюшка Рэт, — я чувствую себя негодяем. Интересно, а ты?

— Понимаю, понимаю, — сказал дядюшка Барсук мрачно. — Но это надо было сделать. Ему еще жить и жить здесь, и надо, чтобы его уважали. Ты что, хочешь, чтобы он был всеобщим посмешищем, чтобы его дразнили и над ним глумились всякие горностаи и ласки?

— Нет, конечно, — ответил дядюшка Рэт. — И, кстати, о ласках. Какое счастье, что нам удалось перехватить ласку, когда она только что отправилась разносить эти его приглашения. Как только ты мне рассказал про утреннее, у меня закралось подозрение, поэтому я взял и поглядел на эти приглашения. Пришлось конфисковать все. Они просто позорные. Бедный добрый Крот сидит сейчас в синей спальне и заполняет обыкновенные пригласительные билеты.

* * *

Время банкета приближалось. Мистер Тоуд все еще сидел в своей спальне, погруженный в задумчивость и меланхолию. Положив голову на лапы, он долго и глубоко размышлял. Постепенно лицо его прояснилось, и он начал улыбаться — медленные и растянутые улыбки сменяли одна другую. Потом он начал хихикать смущенно и самодовольно. Потом он запер дверь, задернул шторы, составил все имевшиеся стулья полукругом, встал перед ними в позу, заметно раздувшись и увеличившись в размерах. Потом он поклонился, два раза кашлянул и запел громким голосом перед потрясенной аудиторией, которую он так ясно видел в своем воображении:

ПОСЛЕДНЯЯ ПЕСНЯ МИСТЕРА ТОУД!

Мистер Тоуд — вернулся — домой!
Были крики в столовой и паника в зале,
Были визги в конюшне и вопли на причале,
Когда Тоуд — вернулся — домой!

Когда Тоуд — вернулся — домой!
И стекла летели, и двери ломались,
Горностаи сбежали, и ласки умчались,
Когда Тоуд — вернулся — домой!

Трам-та-там — барабаны стучат!
И трубы трубят и поют,
И солдаты берут «под салют»,
И пушки палят, и машины гудят,
Герой — возвратился — назад!
Все кричите — урра!
Пусть никто не молчит, пусть громко кричит
Имя «Тоуд», что так славно и гордо звучит,
Будем праздновать мы до утра!

Он пел все это очень громко, с большим пылом и, когда допел до конца, начал все сначала. После этого он издал глубокий вздох. Долгий, долгий, долгий вздох.

Потом он обмакнул головную щетку в кувшин с водой, причесался на прямой пробор, прилизал волосы, отпер дверь и спокойно спустился вниз, чтобы приветствовать гостей, которые к этому времени должны уже были начать собираться в гостиной.

Все звери закричали «Ура!», когда он вошел, и столпились вокруг него, поздравляя его и восхваляя его ум

и боевые качества, но мистер Тоуд только легонько улыбался и бормотал: «Да нет, что вы!» или иногда для
разнообразия: «Совсем напротив!»

Дядюшка Выдра, который, когда он вошел, оратор-
ствовал, стоя на каминном коврике в кругу восхищенных
слушателей, и рассказывал, как бы он поступил, если бы
присутствовал при битве, кинулся к нему с распростерты-
ми объятиями и хотел сделать с ним по комнате круг по-
чета. Но Тоуд легонько отстранился, заметив:

— Нет, Барсук был мозговым центром, Крот и Рэт
приняли на себя основной удар, а я просто был рядовым.

Звери были явно ошеломлены таким неожиданным
оборотом дела, и Тоуд почувствовал, переходя от группы
к группе гостей, что он был предметом острого инте-
реса.

Барсук заказал роскошный и обильный ужин, и банкет
необыкновенно удался. Было много разговоров, и смеха,
и остроумия. Тоуд, конечно, сидел во главе стола, говоря
приятные вещи гостям направо и налево. В промежутках
он бросал взгляды на своих друзей и видел, как дядюшка
Рэт и дяадюшка Барсук глядят друг на друга с открытым
от удивления ртом. И это доставляло ему огромное удов-
летворение.

Некоторые из гостей, которые были помоложе и по-
легкомысленнее, стали спустя какое-то время перешепты-
ваться, что, мол, раньше тут бывало веселее, кое-кто стучал кулаком по столу, кричал:

— Тоуд! Спич! Тоуд! Произнеси речь! Песню!

Но Тоуд только легонько качал головой, поднимал лапу, мягко протестуя, и настойчиво угощал гостей деликат-
тесами, беседуя с каждым, задавал вопросы об их детиш-
ках, которые еще не доросли до банкетов, и, в конце
концов, у всех создалось впечатление, что банкет прошел
по всем правилам.

Он был теперь и на самом деле совсем другой, мистер
Тоуд!

* * *

После этого события все четверо друзей продолжали
жить своей жизнью, так грубо нарушенной «гражданской
войной». Они жили в полном веселье и радости, и никакие нашествия их в дальнейшем не тревожили.

Мистер Тоуд, посоветовавшись с друзьями, выбрал золотую цепочку и медальон, отделанный жемчугом, и отправил дочке тюремщика с письмом, которое даже дядюшка Барсук нашел скромным, благородным и изящным. Машинист тоже получил благодарность и компенсацию за все его старания и доставленные ему неприятности. Под сильным нажимом Барсука даже тетка с баржи была разыскана и ей была вручена стоимость ее лошади. Хотя Тоуд страшно этому сопротивлялся, заявив, что он был просто посланцем судьбы, призванным наказывать жирных теток с мускулистыми руками, которые не умеют узнавать настоящего джентльмена с первого взгляда.

Домашняя экспертиза признала сделку с цыганом приблизительно справедливой.

Время от времени в долгие летние вечера друзья совершали прогулки по Дремучему Лесу, который после усмирения и укрощения был для них теперь не страшен. И было приятно видеть, как почтительно с ними здоровались его обитатели, и как матери — ласки — выводили своих малышей на порог норы и говорили, показывая:

— Смотри, детка, вон идет великий мистер Тоуд! А это доблестный мистер Рэт, могучий воин, который идет рядом с ним. А вон тот — знаменитый мистер Крот, о котором папа тебе столько рассказывал.

Когда детишки капризничали и не слушались, то им говорили, что, если они не успокоятся, страшный серый Барсук придет, посадит их в мешок и утащит. Это была низкая клевета на Барсука, который по-прежнему, хоть и сторонился общества, от души любил маленьких детишек. Но эти угрозы всегда действовали безотказно.

РЕДЬЯРД КИПЛИНГ
МАУГЛИ

МАУГЛИ

ОТЕЦ ВОЛК
МАТЬ ВОЛЧИЦА
АКЕЛА

МАУГЛИ

СЕРЫЕ
БРАТЬЯ

КАА

БАЛУ

БАГИРА

ШЕР-ХАН

ДИКИЕ
СОБАКИ

БАНДАР-
ЛОГИ

ХАТХИ

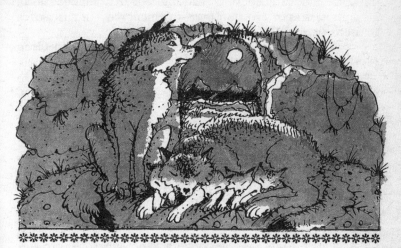

Братья Маугли

Бы́ло семь часов знойного вечера в Сионийских горах, когда Отец Волк проснулся после дневного отдыха, почесался, зевнул и расправил онемевшие лапы одну за другой, прогоняя сон. Мать Волчица дремала, положив свою крупную серую морду на четверых волчат, а те ворочались и повизгивали, и луна светила в устье пещеры, где жила вся семья.

— Уф! — сказал Отец Волк. — Пора опять на охоту.

Он собирался спуститься скачками с горы, как вдруг низенькая тень с косматым хвостом легла на порог и прохныкала:

— Желаю тебе удачи, о Глава Волков! Удачи и крепких, белых зубов твоим благородным детям. Пусть они никогда не забывают, что на свете есть голодные!

Это был шакал, Лизоблюд Табаки, — а волки Индии презирают Табаки за то, что он рыщет повсюду, сеет раздоры, разносит сплетни и не брезгает тряпками и обрывками кожи, роясь в деревенских мусорных кучах. И все-таки они боятся Табаки, потому что он чаще других зверей в джунглях болеет бешенством и тогда мечется по лесу и кусает всех, кто только попадется ему навстречу. Даже тигр бежит и прячется, когда бесится маленький

Табаки, ибо ничего хуже бешенства не может приключиться с диким зверем. У нас оно зовется водобоязнью, а звери называют его «дивани» — бешенство — и спасаются от него бегством.

— Что ж, войди и посмотри сам,— сухо сказал Отец Волк.— Только еды здесь нет.

— Для волка нет,— сказал Табаки,— но для такого ничтожества, как я, и голая кость — целый пир. Нам, шакалам, не к лицу привередничать.

Он прокрался в глубину пещеры, нашел оленью кость с остатками мяса и, довольный, уселся, с треском разгрызая эту кость.

— Благодарю за угощенье,— сказал он, облизываясь.— Как красивы благородные дети! Какие у них большие глаза! А ведь они еще так малы! Правда, правда, мне бы следовало помнить, что царские дети с самых первых дней уже взрослые.

А ведь Табаки знал не хуже всякого другого, что нет ничего опаснее, чем хвалить детей в глаза, и с удовольствием наблюдал, как смутились Мать и Отец Волки.

Табаки сидел молча, радуясь тому, что накликал на других беду, потом сказал злобно:

— Шер-Хан, Большой Тигр, переменил место охоты. Он будет весь этот месяц охотиться здесь, в горах. Так он сам сказал.

Шер-Хан был тигр, который жил в двадцати милях от пещеры, у реки Вайнганги.

— Не имеет права! — сердито начал Отец Волк.— По Закону Джунглей он не может менять место охоты, никого не предупредив. Он распугает всю дичь на десять миль кругом, а мне... мне теперь надо охотиться за двоих.

— Мать недаром прозвала его Лангри (Хромой),— спокойно сказала Мать Волчица.— Он с самого рождения хромает на одну ногу. Вот почему он охотится только за домашней скотиной. Жители селений по берегам Вайнганги злы на него, а теперь он явился сюда, и у нас начнется то же: люди будут рыскать за ним по лесу, поймать его не сумеют, а нам и нашим детям придется бежать куда глаза глядят, когда подожгут траву. Право, нам есть за что благодарить Шер-Хана!

— Не передать ли ему вашу благодарность? — спросил Табаки.

— Вон отсюда! — огрызнулся Отец Волк. — Вон! Ступай охотиться со своим господином! Довольно ты намутил сегодня.

— Я уйду, — спокойно ответил Табаки. — Вы и сами скоро услышите голос Шер-Хана внизу, в зарослях. Напрасно я трудился передавать вам эту новость.

Отец Волк насторожил уши: внизу, в долине, сбегавшей к маленькой речке, послышался сухой, злобный, отрывистый, заунывный рев тигра, который ничего не поймал и нисколько не стыдится того, что всем джунглям это известно.

— Дурак! — сказал Отец Волк. — Начинать таким шумом ночную работу! Неужели он думает, что наши олени похожи на жирных буйволов с Вайнганги?

— Ш-ш! Он охотится нынче не за буйволом и не за оленем, — сказала Мать Волчица. — Он охотится за человеком.

Рев перешел в глухое ворчание, которое раздавалось как будто со всех сторон разом. Это был тот рев, который пугает лесорубов и цыган, ночующих под открытым небом, а иногда заставляет их бежать прямо в лапы тигра.

— За человеком! — сказал Отец Волк, оскалив белые зубы. — Разве мало жуков и лягушек в прудах, что ему понадобилось есть человечину, да еще на нашей земле?

Закон Джунглей, веления которого всегда на чем-нибудь основаны, позволяет зверям охотиться на человека только тогда, когда они учат своих детенышей убивать. Но и тогда зверю нельзя убивать человека в тех местах, где охотится его стая или племя. Вслед за убийством человека появляются рано или поздно белые люди на слонах, с ружьями и сотни смуглых людей с гонгами, ракетами и факелами. И тогда приходится худо всем жителям джунглей. А звери говорят, что человек — самое слабое и беззащитное из всех живых существ и трогать его недостойно охотника. Они говорят также — и это правда, — что людоеды со временем паршивеют и у них выпадают зубы.

Ворчание стало слышнее и закончилось громовым «А-а-а!» тигра, готового к прыжку.

Потом раздался вой, непохожий на тигриный, — вой Шер-Хана.

— Он промахнулся, — сказала Мать Волчица. — Почему?

Отец Волк отбежал на несколько шагов от пещеры и услышал раздраженное рычание Шер-Хана, ворочавшегося в кустах.

— Этот дурак обжег себе лапы. Хватило же ума прыгать в костер дровосека! — фыркнув, сказал Отец Волк. — И Табаки с ним.

— Кто-то взбирается на гору, — сказала Мать Волчица, шевельнув одним ухом. — Приготовься.

Кусты в чаще слегка зашуршали, и Отец Волк присел на задние лапы, готовясь к прыжку. И тут если бы вы наблюдали за ним, то увидели бы самое удивительное на свете — как волк остановился на середине прыжка. Он бросился вперед, еще не видя, на что бросается, а потом круто остановился. Вышло так, что он подпрыгнул кверху на четыре или пять футов и сел на том же месте, где оторвался от земли.

— Человек! — огрызнулся он. — Человечий детеныш! Смотри!

Прямо перед ним, держась за низко растущую ветку, стоял голенький смуглый ребенок, едва научившийся ходить, — мягкий, весь в ямочках, крохотный живой комочек. Такой крохотный ребенок еще ни разу не заглядывал в волчье логово ночной порой. Он посмотрел в глаза Отцу Волку и засмеялся.

— Это и есть человечий детеныш? — спросила Мать Волчица. — Я их никогда не видала. Принеси его сюда.

Волк, привыкший носить своих волчат, может, если нужно, взять в зубы яйцо, не раздавив его, и хотя зубы Отца Волка стиснули спинку ребенка, на коже не осталось даже царапины, после того как он положил его между волчатами.

— Какой маленький! Совсем голый, а какой смелый! — ласково сказала Мать Волчица. (Ребенок проталкивался среди волчат поближе к теплому боку.) — Ой! Он сосет вместе с другими! Так вот он какой, человечий детеныш! Ну когда же волчица могла похвастаться, что среди ее волчат есть человечий детеныш!

— Я слыхал, что это бывало и раньше, но только не в нашей Стае и не в мое время, — сказал Отец Волк. — Он совсем безволосый, и я мог бы убить его одним шлепком. Погляди, он смотрит и не боится.

Лунный свет померк в устье пещеры: большая квадратная голова и плечи Шер-Хана загородили вход. Табаки визжал позади него:

— Господин, господин, он вошел сюда!

— Шер-Хан делает нам большую честь,— сказал Отец Волк, но глаза его злобно сверкнули.— Что нужно Шер-Хану?

— Мою добычу! Человечий детеныш вошел сюда,— сказал Шер-Хан.— Его родители убежали. Отдайте его мне.

Шер-Хан прыгнул в костер дровосека, как и говорил Отец Волк, обжег себе лапы и теперь бесился. Однако Отец Волк отлично знал, что вход в пещеру слишком узок для тигра. Даже там, где Шер-Хан стоял сейчас, он не мог пошевельнуть ни плечом, ни лапой. Ему было тесно, как человеку, который вздумал бы драться в бочке.

— Волки — свободный народ,— сказал Отец Волк.— Они слушаются только Вожака Стаи, а не всякого полосатого людоеда. Человечий детеныш наш. Захотим, так убьем его и сами.

— «Захотим, захотим»! Какое мне дело? Клянусь буйволом, которого я убил, долго мне еще стоять, уткнувшись носом в ваше собачье логово, и ждать того, что мне полагается по праву? Это говорю я, Шер-Хан!

Рев тигра наполнил пещеру громовыми раскатами. Мать Волчица, стряхнув с себя волчат, прыгнула вперед, и ее глаза, похожие во мраке на две зеленые луны, встретились с горящими глазами Шер-Хана.

— А отвечаю я, Ракша (Демон): человечий детеныш мой, Лангри, и останется у меня! Его никто не убьет. Он будет жить и охотиться вместе со Стаей и бегать вместе со Стаей! Берегись, охотник за голыми детенышами, рыбоед, убийца лягушек,— придет время, он поохотится за тобой! А теперь убирайся вон, или, клянусь оленем, которого я убила (я не ем падали), ты отправишься на тот свет хромым на все четыре лапы, паленое чудище джунглей! Вон отсюда!

Отец Волк смотрел на нее в изумлении. Он успел забыть то время, когда отвоевывал Мать Волчицу в открытом бою с пятью волками, то время, когда она бегала вместе со Стаей и недаром носила прозвище «Демон». Шер-Хан не побоялся бы Отца Волка, но с Матерью Вол-

Лунный свет померк в устье пещеры:
большая квадратная голова и плечи Шер-хана
загородили вход.

чицей он не решался схватиться: он знал, что перевес на ее стороне и что она будет драться не на жизнь, а на смерть. Ворча, он попятился назад и, почувствовав себя на свободе, заревел:

— На своем дворе всякая собака лает! Посмотрим, что скажет Стая насчет приемыша из людского племени! Детеныш мой, и рано или поздно я его съем, о вы, длиннохвостые воры!

Мать Волчица, тяжело дыша, бросилась на землю около своих волчат, и Отец Волк сказал ей сурово:

— На этот раз Шер-Хан говорит правду: детеныша надо показать Стае. Ты все-таки хочешь оставить его себе, Мать?

— Оставить себе? — тяжело водя боками, сказала Волчица.— Он пришел к нам совсем голый, ночью, один, и все же он не боялся! Смотри, он уже оттолкнул одного из моих волчат! Этот хромой мясник убил бы его и убежал на Вайнгангу, а люди в отместку разорили бы наше логово. Оставить его? Да, я его оставлю. Лежи смирно, лягушонок! О Маугли — ибо Лягушонком Маугли я назову тебя,— придет время, когда ты станешь охотиться за Шер-Ханом, как он охотился за тобой.

— Но что скажет наша Стая? — спросил Отец Волк.

Закон Джунглей говорит очень ясно, что каждый волк, обзаведясь семьей, может покинуть свою Стаю. Но как только его волчата подрастут и станут на ноги, он должен привести их на Совет Стаи, который собирается обычно раз в месяц, во время полнолуния, и показать всем другим волкам. После этого волчата могут бегать где им вздумается, и пока они не убили своего первого оленя, нет оправдания тому из взрослых волков, который убьет волчонка. Наказание за это — смерть, если только поймают убийцу. Подумай с минуту, и ты сам поймешь, что так и должно быть.

Отец Волк подождал, пока его волчата подросли и начали понемногу бегать, и в одну из тех ночей, когда собиралась Стая, повел волчат, Маугли и Мать Волчицу на Скалу Совета. Это была вершина холма, усеянная большими валунами, за которыми могла укрыться целая сотня волков. Акела, большой серый волк-одиночка, избранный вожаком всей Стаи за силу и ловкость, лежал на скале, растянувшись во весь рост. Под скалой сидело сорок с лишним волков всех возрастов и мастей — от седых, как барсуки, ветеранов, расправлявшихся в одиночку с буйволом, до молодых черных трехлеток, которые воображали, что им это тоже под силу. Волк-одиночка уже около года был их вожаком. В юности он два раза попадал в волчий капкан, однажды люди его избили и бросили, решив, что он издох, так что нравы и обычаи людей были ему знакомы. На Скале Совета почти никто не разговаривал. Волчата кувыркались посередине площадки, кругом сидели их отцы и матери. Время от времени один из взрослых волков поднимался неторопливо, подходил к какому-нибудь волчонку, пристально смотрел на него и возвращался на свое место, бесшумно ступая. Иногда мать выталкивала своего волчонка в полосу лунного света, боясь, что его не заметят. Акела взывал со своей скалы:

— Закон вам известен, Закон вам известен! Смотрите же, о волки!

И заботливые матери подхватывали:

— Смотрите же, смотрите хорошенько, о волки!

Наконец — и Мать Волчица вся ощетинилась, когда подошла их очередь, — Отец Волк вытолкнул на середину круга Лягушонка Маугли. Усевшись на землю, Маугли засмеялся и стал играть камешками, блестевшими в лунном свете.

Акела ни разу не поднял головы, лежавшей на передних лапах, только время от времени все так же повторял:

— Смотрите, о волки!

Глухой рев донесся из-за скалы — голос Шер-Хана:

— Детеныш мой! Отдайте его мне! Зачем Свободному Народу человечий детеныш?

Но Акела даже ухом не повел. Он сказал только:

— Смотрите, о волки! Зачем Свободному Народу слушать чужих? Смотрите хорошенько!

Волки глухо зарычали хором, и один из молодых четырехлеток в ответ Акеле повторил вопрос Шер-Хана:

— Зачем Свободному Народу человечий детеныш?

А Закон Джунглей говорит, что, если поднимется спор о том, можно ли принять детеныша в Стаю, в его пользу должны высказаться по крайней мере два волка из Стаи, но не отец и не мать.

— Кто за этого детеныша? — спросил Акела. — Кто из Свободного Народа хочет говорить?

Ответа не было, и Мать Волчица приготовилась к бою, который, как она знала, будет для нее последним, если дело дойдет до драки.

Тут поднялся на задние лапы и заворчал единственный зверь другой породы, которого допускают на Совет Стаи, — Балу, ленивый бурый медведь, который обучает волчат Закону Джунглей, старик Балу, который может бродить где ему вздумается, потому что он ест одни только орехи, мед и коренья.

— Человечий детеныш? Ну что же, — сказал он, — я за детеныша. Он никому не принесет вреда. Я не мастер говорить, но говорю правду. Пусть его бегает со Стаей. Давайте примем детеныша вместе с другими. Я сам буду учить его.

— Нам нужен еще кто-нибудь, — сказал Акела. — Балу сказал свое слово, а ведь он учитель наших волчат. Кто еще будет говорить, кроме Балу?

Черная тень легла посреди круга. Это была Багира, черная пантера, черная вся сплошь, как чернила, но с отметинами, которые, как у всех пантер, видны на свету, точно легкий узор на муаре. Все в джунглях знали Багиру, и никто не захотел бы становиться ей поперек дороги, ибо она была хитра, как Табаки, отважна, как дикий буйвол, и бесстрашна, как раненый слон. Зато голос у нее был сладок, как дикий мед, капающий с дерева, а шкура мягче пуха.

— О Акела, и ты, Свободный Народ, — промурлыкала она, — в вашем собрании у меня нет никаких прав, но Закон Джунглей говорит, что если начинается спор из-за нового детеныша, жизнь этого детеныша можно выкупить. И в Законе не говорится, кому можно, а кому нельзя платить этот выкуп. Правда ли это?

— Так! Так! — закричали молодые волки, которые всегда голодны. — Слушайте Багиру! За детеныша можно взять выкуп. Таков Закон.

— Я знаю, что не имею права говорить здесь, и прошу у вас позволения.

— Так говори же! — закричало двадцать голосов разом.

— Стыдно убивать безволосого детеныша. Кроме того, он станет отличной забавой для вас, когда подрастет. Балу замолвил за него слово. А я к слову Балу прибавлю буйвола, жирного, только что убитого буйвола, всего в полумиле отсюда, если вы примете человечьего детеныша в Стаю, как полагается по Закону. Разве это так трудно?

Тут поднялся шум, и десятки голосов закричали разом:

— Что за беда? Он умрет во время зимних дождей. Его сожжет солнце. Что может нам сделать голый лягушонок? Пусть бегает со Стаей. А где буйвол, Багира? Давайте примем детеныша!

Маугли по-прежнему играл камешками и не видел, как волки один за другим подходили и осматривали его. Наконец все они ушли с холма за убитым буйволом, и остались только Акела, Багира, Балу и семья Лягушонка Маугли. Шер-Хан все еще ревел в темноте — он очень рассердился, что Маугли не отдали ему.

— Да, да, реви громче! — сказала Багира себе в усы.— Придет время, когда этот голышонок заставит тебя реветь на другой лад, или я ничего не смыслю в людях.

— Хорошо мы сделали! — сказал Акела.— Люди и их детеныши очень умны. Когда-нибудь он станет нам помощником.

— Да, помощником в трудное время, ибо никто не может быть вожаком Стаи вечно,— сказала Багира.

Акела ничего не ответил. Он думал о той поре, которая настает для каждого вожака Стаи, когда сила уходит от него мало-помалу. Волки убивают его, когда он совсем ослабеет, а на его место становится новый вожак, чтобы со временем тоже быть убитым.

— Возьми детеныша,— сказал он Отцу Волку,— и воспитай его, как подобает воспитывать сыновей Свободного Народа.

Так Лягушонок Маугли был принят в Сионийскую Стаю — за буйвола и доброе слово Балу.

Теперь вам придется пропустить целых десять или одиннадцать лет и разве только догадываться о том, какую удивительную жизнь вел Маугли среди волков, потому что если о ней написать подробно, вышло бы много-много книг. Он рос вместе с волчатами, хотя они, конечно, стали взрослыми волками гораздо раньше, чем он вышел из младенческих лет, и Отец Волк учил его своему ремеслу и объяснял все, что происходит в джунглях. И потому каждый шорох в траве, каждое дуновение теплого ночного ветерка, каждый крик совы над головой, каждое движение летучей мыши, на лету зацепившейся коготками за ветку дерева, каждый всплеск маленькой рыбки в пруду очень много значили для Маугли. Когда он ничему не учился, он дремал, сидя на солнце, ел и опять засыпал. Когда ему бывало жарко и хотелось освежиться, он плавал в лесных озерах; а когда ему хотелось меду (от Балу он узнал, что мед и орехи так же вкусны, как и сырое мясо), он лез за ним на дерево — Багира показала ему, как это делается. Багира растягивалась на суку и звала:

— Иди сюда, Маленький Брат!

Сначала Маугли цеплялся за сучья, как зверек ленивец, а потом научился прыгать с ветки на ветку почти так же смело, как серая обезьяна. На Скале Совета, когда собиралась Стая, у него тоже было свое место. Там он заметил, что ни один волк не может выдержать его пристальный взгляд и опускает глаза перед ним, и тогда, забавы ради, он стал пристально смотреть на волков. Случалось, он вытаскивал своим друзьям занозы из лап — волки очень страдают от колючек и репьев, которые впиваются в их шкуру. По ночам он спускался с холмов на возделанные поля и с любопытством следил за людьми в хижинах, но не чувствовал к ним доверия. Багира показала ему квадратный ящик со спускной дверцей, так искусно спрятанный в чаще, что Маугли сам едва не попал в него, и сказала, что это ловушка. Больше всего он любил уходить с Багирой в темную, жаркую глубину леса, засыпать там на весь день, а ночью глядеть, как охотится Багира. Она убивала направо и налево, когда бывала голодна. Так же поступал и Маугли. Но когда мальчик подрос и стал все понимать, Багира сказала ему, чтобы он не смел трогать домашнюю скотину, потому что за него заплатили выкуп Стае, убив буйвола.

— Все джунгли твои,— говорила Багира.— Ты можешь охотиться за любой дичью, какая тебе по силам, но ради того буйвола, который выкупил тебя, ты не должен трогать никакую скотину, ни молодую, ни старую. Таков Закон Джунглей.

И Маугли повиновался беспрекословно.

Он рос и рос — сильным, каким и должен расти мальчик, который мимоходом учится всему, что нужно знать, даже не думая, что учится, и заботится только о том, чтобы добыть себе еду.

Мать Волчица сказала ему однажды, что Шер-Хану нельзя доверять и что когда-нибудь ему придется убить Шер-Хана. Волчонок ни на минуту не забыл бы про этот совет, а Маугли забыл, потому что был всего-навсего мальчик, хоть и назвал бы себя волком, если б умел говорить на человеческом языке.

В джунглях Шер-Хан постоянно становился ему поперек дороги, потому что Акела все дряхлел и слабел, а хромой тигр за это время успел свести дружбу с молодыми волками Сионийской Стаи. Они ходили за ним по пятам, дожидаясь объедков, чего Акела не допустил бы, если бы по-старому пользовался властью. А Шер-Хан льстил волчатам: он удивлялся, как это такие смелые молодые охотники позволяют командовать собой издыхающему волку и человеческому детенышу. «Я слыхал, — говаривал Шер-Хан, — будто на Совете вы не смеете посмотреть ему в глаза». И молодые волки злобно рычали и ощетинивались.

Багире, которая все видела и все слышала, было известно кое-что на этот счет, и несколько раз она прямо говорила Маугли, что Шер-Хан убьет его когда-нибудь. Но Маугли только смеялся и отвечал:

— У меня есть Стая, и у меня есть ты. Да и Балу, как он ни ленив, может ради меня хватить кого-нибудь лапой. Чего же мне бояться?

Был очень жаркий день, когда новая мысль пришла в голову Багире, — должно быть, она услышала что-нибудь. Может быть, ей говорил об этом дикобраз Сахи, но как-то раз, когда они забрались вместе с Маугли глубоко в чащу леса и мальчик улегся, положив голову на красивую черную спину пантеры, она сказала ему:

— Маленький Брат, сколько раз я говорила тебе, что Шер-Хан твой враг?

— Столько раз, сколько орехов на этой пальме, — ответил Маугли, который, само собой разумеется, не умел считать. — Ну, и что из этого? Мне хочется спать, Багира, а Шер-Хан — это всего-навсего длинный хвост да громкий голос, вроде павлина Мора.

— Сейчас не время спать!.. Балу это знает, знаю я, знает вся Стая, знает даже глупый-глупый олень. И Табаки тебе это говорил тоже.

— Хо-хо! — сказал Маугли. — Табаки приходил ко мне недавно с какими-то дерзостями, говорил, что я безволосый щенок, не умею даже выкапывать земляные орехи, но я его поймал за хвост и стукнул разика два о пальму, чтобы он вел себя повежливее.

— Ты сделал глупость: Табаки хоть и смутьян, но знает много такого, что прямо тебя касается. Открой глаза, Маленький Брат. Шер-Хан не смеет убить тебя в джунглях, но не забывай, что Акела очень стар. Скоро настанет день, когда он не сможет убить буйвола и тогда уже не будет вожаком. Те волки, что видели тебя на Скале Совета, тоже состарились, а молодым хромой тигр внушил, что человечьему детенышу не место в Волчьей Стае. Пройдет немного времени, и ты станешь человеком.

— А что такое человек? Разве ему нельзя бегать со своими братьями? — спросил Маугли. — Я родился в джунглях, я слушался Закона Джунглей, и нет ни одного волка в Стае, у которого я не вытащил бы занозы. Все они — мои братья!

Багира вытянулась во весь рост и закрыла глаза.

— Маленький Братец, — сказала она, — пощупай у меня под челюстью.

Маугли протянул свою сильную смуглую руку и на шелковистой шее Багиры, там, где под блестящей шерстью перекатываются громадные мускулы, нащупал маленькую лысинку.

— Никто в джунглях не знает, что я, Багира, ношу эту отметину — след ошейника. Однако я родилась среди людей, Маленький Брат, среди людей умерла моя мать — в зверинце королевского дворца в Удайпуре. Потому я и заплатила за тебя выкуп на Совете, когда ты был еще маленьким голым детенышем. Да, я тоже родилась среди людей. Смолоду я не видела джунглей. Меня кормили за решеткой, из железной миски, но вот однажды ночью я почувствовала, что я — Багира, пантера, а не игрушка человека. Одним ударом лапы я сломала этот глупый замок и убежала. И оттого, что мне известны людские повадки, в джунглях меня боятся больше, чем Шер-Хана. Разве это не правда?

— Да, — сказал Маугли, — все джунгли боятся Багиры, все, кроме Маугли.

— О, ты — человечий детеныш, — сказала черная пантера очень нежно. — И как я вернулась в свои джунгли, так и ты должен в конце концов вернуться к людям, к своим братьям, если только тебя не убьют на Совете.

— Но зачем кому-то убивать меня? — спросил Маугли.

— Взгляни на меня, — сказала Багира.

И Маугли пристально посмотрел ей в глаза.

Большая пантера не выдержала и отвернулась.

— Вот зачем, — сказала она, и листья зашуршали под ее лапой. — Даже я не могу смотреть тебе в глаза, а ведь я родилась среди людей и люблю тебя, Маленький Брат. Другие тебя ненавидят за то, что не могут выдержать твой взгляд, за то, что ты умен, за то, что ты вытаскиваешь им занозы из лап, за то, что ты человек.

— Я ничего этого не знал, — угрюмо промолвил Маугли и нахмурил густые черные брови.

— Что говорит Закон Джунглей? Сначала ударь, потом подавай голос. По одной твоей беспечности они узнают в тебе человека. Будь же благоразумен. Сердце говорит мне, что, если Акела промахнется на следующей охоте — а ему с каждым разом становится все труднее и труднее убивать, — волки перестанут слушать его и тебя. Они соберут на Скале Совета Народ Джунглей, и тогда... тогда... Я знаю, что делать! — крикнула Багира, вскакивая. — Ступай скорее вниз, в долину, в хижины людей, и достань у них Красный Цветок. У тебя будет тогда союзник сильнее меня, и Балу, и тех волков Стаи, которые любят тебя. Достань Красный Цветок!

Красным Цветком Багира называла огонь, потому что ни один зверь в джунглях не назовет огонь его настоящим именем. Все звери смертельно боятся огня и придумывают сотни имен, лишь бы не называть его прямо.

— Красный Цветок? — сказал Маугли. — Он растет перед хижинами в сумерки. Я его достану.

— Вот это говорит человечий детеныш! — с гордостью сказала Багира. — Не забудь, что этот цветок растет в маленьких горшках. Добудь же его поскорее и держи при себе, пока он не понадобится.

— Хорошо! — сказал Маугли. — Я иду. Но уверена ли ты, о моя Багира, — он обвил рукой ее великолепную шею и заглянул глубоко в большие глаза, — уверена ли ты, что все это проделки Шер-Хана?

— Да, клянусь сломанным замком, который освободил меня, Маленький Брат!

— Тогда клянусь буйволом, выкупившим меня, я заплачу за это Шер-Хану сполна, а может быть, и с лихвой, — сказал Маугли и умчался прочь.

«Вот человек! В этом виден человек, — сказала самой себе Багира, укладываясь снова. — О Шер-Хан, не в добрый час вздумалось тебе поохотиться за Лягушонком десять лет назад!»

А Маугли был уже далеко-далеко в лесу. Он бежал со всех ног, и сердце в нем горело. Добежав до пещеры, когда уже ложился вечерний туман, он остановился перевести дыхание и посмотрел вниз, в долину. Волчат не было дома, но Мать Волчица по дыханию своего Лягушонка поняла, что он чем-то взволнован.

— Что случилось, сынок? — спросила она.

— Шер-Хан разносит сплетни, как летучая мышь, — отозвался он. — Я охочусь нынче на вспаханных полях.

И он бросился вниз, через кусты, к реке на дне долины, но сразу остановился, услышав вой охотящейся Стаи. Он услышал и стон загнанного оленя, и фырканье, когда олень повернулся для защиты. Потом раздалось злобное, ожесточенное тявканье молодых волков:

— Акела! Акела! Пускай волк-одиночка покажет свою силу! Дорогу Вожаку Стаи! Прыгай, Акела!

Должно быть, волк-одиночка прыгнул и промахнулся, потому что Маугли услышал щелканье его зубов и короткий визг, когда олень сшиб Акелу с ног передним копытом.

Маугли не стал больше дожидаться, а бросился бегом вперед. Скоро начались засеянные поля, где жили люди, и вой позади него слышался все слабей и слабей, глуше и глуше.

— Багира говорила правду, — прошептал он, задыхаясь, и свернулся клубком на куче травы под окном хижины. — Завтра решительный день и для меня и для Акелы.

Потом, прижавшись лицом к окну, он стал смотреть на огонь в очаге. Он видел, как жена пахаря вставала ночью и подкладывала в огонь какие-то черные куски, а когда настало утро и над землей пополз холодный белый туман, он увидел, как ребенок взял оплетенный горшок, выложенный изнутри глиной, наполнил его углями и, накрыв одеялом, пошел кормить скотину в хлеву.

— Только и всего? — сказал Маугли. — Если даже детеныш это умеет, то бояться нечего.

И он повернул за угол, навстречу мальчику, выхватил горшок у него из рук и скрылся в тумане, а мальчик заплакал от испуга.

— Люди очень похожи на меня, — сказал Маугли, раздувая угли, как это делала женщина. — Если его не кормить, он умрет. — И Маугли набросал веток и сухой коры на красные угли.

На половине дороги в гору он встретил Багиру. Утренняя роса блестела на ее шкуре, как лунные камни.

— Акела промахнулся,— сказала ему пантера.— Они убили бы его вчера ночью, но им нужен еще и ты. Они искали тебя на холме.

— Я был на вспаханных полях. Я готов. Смотри.— Маугли поднял над головой горшок с углями.

— Хорошо! Вот что: я видела, как люди суют туда сухую ветку, и на ее конце расцветает Красный Цветок. Ты не боишься?

— Нет! Чего мне бояться? Теперь я припоминаю, если только это не сон: когда я еще не был волком, я часто лежал возле Красного Цветка, и мне было хорошо и тепло.

Весь этот день Маугли провел в пещере; он стерег горшок с огнем и совал в него сухие ветки, пробуя, что получится. Он нашел такую ветку, которой остался доволен, и вечером, когда Табаки подошел к пещере и очень грубо сказал, что Маугли требуют на Скалу Совета, он засмеялся и смеялся так долго, что Табаки убежал. Тогда Маугли отправился на Совет, все еще смеясь.

Акела, волк-одиночка, лежал возле своей скалы в знак того, что место Вожака Стаи свободно, а Шер-Хан со своей прихвостней разгуливал взад и вперед, явно польщенный. Багира лежала рядом с Маугли, а Маугли держал между колен горшок с углями. Когда все собрались, Шер-Хан начал говорить, на что он никогда бы не отважился, будь Акела в расцвете сил.

— Он не имеет права! — шепнула Багира.— Так и скажи. Он собачий сын, он испугается.

Маугли вскочил на ноги.

— Свободный Народ! — крикнул он.— Разве Шер-Хан Вожак Стаи? Разве тигр может быть нашим вожаком?

— Ведь место вожака еще не занято, а меня просили говорить...— начал Шер-Хан.

— Кто тебя просил? — сказал Маугли.— Неужели мы все шакалы, чтобы пресмыкаться перед этим мясником? Стая сама выберет вожака, это чужих не касается.

Раздались крики:

— Молчи, человечий детеныш!

— Нет, пускай говорит! Он соблюдал наш Закон!

И наконец старики прорычали:

— Пускай говорит Мертвый Волк!

Когда Вожак Стаи упустил свою добычу, его называют Мертвым Волком до самой смерти, которой не приходится долго ждать.

Акела нехотя поднял седую голову:

— Свободный Народ и вы, шакалы Шер-Хана! Двенадцать лет я водил вас на охоту и с охоты, и за это время ни один из вас не попал в капкан и не был искалечен. А теперь я промахнулся. Вы знаете, как это было подстроено. Вы знаете, что мне подвели свежего оленя, для того чтобы моя слабость стала явной. Это было ловко сделано. Вы вправе убить меня здесь, на Скале Советов. И потому я спрашиваю: кто из вас подойдет и прикончит волка-одиночку? По Закону Джунглей я имею право требовать, чтобы вы подходили по одному.

Наступило долгое молчание. Ни один волк не смел вступить в смертный бой с Акелой. Потом Шер-Хан прорычал:

— На что нам этот беззубый глупец? Он и так умрет! А вот человечий детеныш зажился на свете. Свободный Народ, он с самого начала был моей добычей. Отдайте его мне. Мне противно видеть, что все вы словно помешались на нем. Он десять лет мутил джунгли. Отдайте его мне, или я всегда буду охотиться здесь, а вам не оставлю даже голой кости. Он человек и дитя человека, и я всем сердцем ненавижу его!

Тогда больше половины Стаи завыло:

— Человек! Человек! На что нам человек? Пускай уходит к своим!

— И поднимет против нас всех людей по деревням! — крикнул Шер-Хан. — Нет, отдайте его мне! Он человек, и никто из нас не смеет смотреть ему в глаза.

Акела снова поднял голову и сказал:

— Он ел вместе с нами. Он спал вместе с нами. Он загонял для нас дичь. Он ни разу не нарушил Закона Джунглей.

— Мало того: когда его принимали в Стаю, в уплату за него я отдала буйвола. Буйвол стоит немного, но честь Багиры, быть может, стоит того, чтобы за нее драться, — промурлыкала Багира самым мягким голосом.

— Буйвол, отданный десять лет назад! — огрызнулась Стая. — Какое нам дело до костей, которым уже десять лет?

— Или до того, чтобы держать свое слово? — сказала Багира, оскалив белые зубы. — Недаром вы зоветесь Свободным Народом!

— Ни один человечий детеныш не может жить с Народом Джунглей! — провыл Шер-Хан. — Отдайте его мне!

— Он наш брат по всему, кроме крови, — продолжал Акела, — а вы хотите убить его здесь! Поистине я зажился на свете! Одни из вас нападают на домашний скот, а другие, наученные Шер-Ханом, как я слышал, бродят темной ночью по деревням и воруют детей с порогов хижин. Поэтому я знаю, что вы трусы, и к трусам обращаюсь теперь. Я скоро умру, и жизнь моя не имеет цены, не то я отдал бы ее за жизнь человечьего детеныша. Но ради чести Стаи, о которой вы успели забыть без вожака, я обещаю вам, что не укушу вас ни разу, когда придет мое время умереть, если только вы дадите человечьему детенышу спокойно уйти к своим. Я умру без боя. Это спасет для Стаи не меньше чем три жизни, больше я ничего не могу сделать, но, если хотите, избавлю вас от позора — убить брата, за которым нет вины, брата, принятого в Стаю по Закону Джунглей.

— Он человек!.. человек!.. человек! — завыла Стая.

И больше половины Стаи перебежало к Шер-Хану, который начал постукивать о землю хвостом.

— Теперь все в твоих руках, — сказала Багира Маугли. — Мы теперь можем только драться.

Маугли выпрямился во весь рост, с горшком в руках. Потом расправил плечи и зевнул прямо в лицо Совету, но в душе он был вне себя от злобы и горя, ибо волки, по своей волчьей повадке, никогда не говорили Маугли, что ненавидят его.

— Слушайте, вы! — крикнул он. — Весь этот собачий лай ни к чему. Вы столько раз говорили мне сегодня, что я человек (а с вами я на всю жизнь остался бы волком), что я и сам почувствовал правду ваших слов. Я стану звать вас не братьями, а собаками, как и следует человеку. Не вам говорить, чего вы хотите и чего не хотите, — это мое дело! А чтобы вам лучше было видно, я, человек, принес сюда Красный Цветок, которого вы, собаки, боитесь.

Он швырнул на землю горшок, горящие угли подожгли сухой мох, и он вспыхнул ярким пламенем. Весь Совет отпрянул назад перед языком пламени. Маугли сунул в огонь сухой сук, так что мелкие ветки вспыхнули и затрещали, потом завертел им над головой, разгоняя ощетинившихся от страха волков.

— Ты господин, — сказала Багира шепотом. — Спаси Акелу от смерти. Он всегда был тебе другом.

Акела, угрюмый старый волк, никогда в жизни не просивший пощады, теперь бросил умоляющий взгляд на Маугли, а тот стоял в свете горящей ветви, весь голый, с разметавшимися по плечам длинными черными волосами, и тени метались и прыгали вокруг него.

— Так! — сказал Маугли, медленно озираясь кругом. — Вижу, что вы собаки. Я ухожу от вас к своему народу — если это мой народ. Джунгли теперь закрыты для меня, я должен забыть ваш язык и вашу дружбу, но я буду милосерднее вас. Я был вашим братом во всем, кроме крови, и потому обещаю вам, что, когда стану человеком среди людей, я не предам вас людям, как вы предали меня. — Он толкнул костер ногой, и вверх полетели искры. — Между нами, волками одной Стаи, не будет войны. Однако нужно заплатить долг, прежде чем уйти.

Маугли подошел ближе к тому месту, где сидел Шер-Хан, бессмысленно моргая на огонь, и схватил его за кисточку на подбородке. Багира пошла за ним на всякий случай.

— Встань, собака! — крикнул Маугли. — Встань, когда говорит человек, не то я подпалю тебе шкуру!

Шер-Хан прижал уши к голове и закрыл глаза, потому что пылающий сук был очень близко.

— Этот скотоубийца говорил, что убьет меня на Совете, потому что не успел убить меня в детстве... Вот так и вот так мы бьем собаку, когда становимся людьми. Шевельни только усом, Хромой, и я забью тебе в глотку Красный Цветок.

Он бил Шер-Хана по голове пылающей веткой, и тигр скулил и стонал в смертном страхе.

— Фу! Теперь ступай прочь, паленая кошка! Но помни: когда я в следующий раз приду на Скалу Совета, я приду со шкурой Шер-Хана на голове... Теперь вот что. Акела волен жить, как ему угодно. Вы его не убьете, потому что я этого не хочу. Не думаю также, что вы долго еще будете сидеть здесь, высунув язык, словно важные особы, а не собаки, которых я гоню прочь, вот так! Вон, вон!

Конец сука бешено пылал, Маугли раздавал удары направо и налево по кругу, а волки разбегались с воем, унося на своей шкуре горящие искры. Под конец на скале остались только Акела, Багира и, быть может, десяток волков, перешедших на сторону Маугли. И тут что-то начало жечь Маугли изнутри, как никогда в жизни не жгло. Дыхание у него перехватило, он зарыдал, и слезы потекли по его щекам.

— Что это такое? Что это? — говорил он. — Я не хочу уходить из джунглей, и я не знаю, что со мной делается. Я умираю, Багира?

— Нет, Маленький Брат, это только слезы, какие бывают у людей, — ответила Багира. — Теперь я знаю, что ты человек и уже не детеныш больше. Отныне джунгли закрыты для тебя... Пусть текут, Маугли. Это только слезы.

И Маугли сидел и плакал так, словно сердце его разрывалось, потому что он плакал первый раз в жизни.

— Теперь, — сказал он, — я уйду к людям. Но прежде я должен проститься с моей матерью.

И он пошел к пещере, где Мать Волчица жила с Отцом Волком, и плакал, уткнувшись в ее шкуру, а четверо волчат жалобно выли.

— Вы не забудете меня? — спросил Маугли.

— Никогда, пока можем идти по следу! — сказали волчата. — Приходи к подножию холма, когда станешь человеком, и мы будем говорить с тобой или придем в поля и станем играть с тобой по ночам.

— Приходи поскорей! — сказал Отец Волк. — О Мудрый Лягушонок, приходи поскорее, потому что мы с твоей матерью уже стары.

— Приходи скорей, мой голый сынок, — сказала Мать Волчица, — ибо знай, дитя человека, я люблю тебя больше, чем собственных волчат.

— Приду непременно, — сказал Маугли. — Приду для того, чтобы положить шкуру Шер-Хана на Скалу Совета. Не забывайте меня! Скажите всем в джунглях, чтобы не забывали меня!

Начинал брезжить рассвет, когда Маугли спустился один с холма в долину, навстречу тем таинственным существам, которые зовутся людьми.

Охота Каа

ВСЕ, о чем здесь рассказано, произошло задолго до того, как Маугли был изгнан из Сионийской Стаи и отомстил за себя тигру Шер-Хану. Это случилось в то время, когда медведь Балу обучал его Закону Джунглей. Большой и важный бурый медведь радовался способностям ученика, потому что волчата обычно выучивают из Закона Джунглей только то, что нужно их Стае и племени, и бегают от учителя, затвердив охотничий стих: «Ноги ступают без шума, глаза видят в темноте, уши слышат, как шевелится ветер в своей берлоге, зубы остры и белы — вот приметы наших братьев, кроме шакала Табаки и гиены, которых мы ненавидим». Но Маугли, как детенышу человека, нужно было знать гораздо больше.

Иногда черная пантера Багира, гуляя по джунглям, заходила посмотреть, какие успехи делает ее любимец. Мурлыкая, укладывалась она на отдых под деревом и слушала, как Маугли отвечает медведю свой урок. Мальчик лазил по деревьям так же хорошо, как плавал, а плавал так же хорошо, как бегал, и Балу, учитель Закона, обучал его всем законам лесов и вод: как отличить гнилой сук от крепкого; как вежливо заговорить с дикими пчелами, если повстречаешь рой на дереве; что сказать нетопырю Мангу, если потревожишь его сон в полдень среди ветвей; и как успокоить водяных змей, прежде чем окунуться в заводь. Народ джунглей не любит, чтобы его тревожили, и всякий готов броситься на незваного гостя. Маугли выучил и Охотничий Клич Чужака, который нужно повторять много раз, пока на него не ответят, если охотишься в чужих местах. Этот клич в переводе значит: «Позвольте мне поохотиться здесь, потому что я голоден», и на него отвечают: «Охоться ради пропитания, но не ради забавы».

Из этого видно, сколько Маугли приходилось заучивать наизусть, и он очень уставал повторять по сотне раз одно и то же. Но Балу правильно сказал однажды Багире, после того как Маугли, получив шлепок, рассердился и убежал:

— Детеныш человека есть детеныш человека, и ему надо знать все Законы Джунглей.

— Но подумай, какой он маленький, — возразила Багира, которая избаловала бы Маугли, если бы дать ей волю. — Разве может такая маленькая головка вместить все твои речи?

— А разве в джунглях довольно быть маленьким, чтобы тебя не убили? Нет! Потому я и учу его всем законам, потому и бью его, совсем легонько, когда он забывает урок.

— «Легонько»! Что ты понимаешь в этом, Железная Лапа? — проворчала Багира. — Сегодня у него все лицо в синяках от твоего «легонько»! Уф!

— Лучше ему быть в синяках с ног до головы, чем погибнуть из-за своего невежества, — очень серьезно отвечал ей Балу. — Я теперь учу его Заветным Словам Джунглей, которые будут ему защитой против птиц и змей и против всех, кто бегает на четырех лапах, кроме его родной Стаи. Если он запомнит эти слова, он может просить защиты у всех в джунглях. Разве это не стоит колотушек?

— Хорошо, только смотри не убей детеныша. Он не лесной пень, чтобы ты точил о него свои тупые когти. А какие же это Заветные Слова? Я лучше помогу сама, чем стану просить помощи, но все же мне хотелось бы знать. — И Багира, вытянув лапу, залюбовалась своими когтями, синими, как сталь, и острыми, как резцы.

— Я позову Маугли, и он скажет тебе... если захочет. Поди сюда, Маленький Брат!

— Голова у меня гудит, как пчелиное дупло, — послышался недовольный детский голос над их головами, и Маугли, соскользнув с дерева, прибавил сердито и негодующе: — Я пришел ради Багиры, а не ради тебя, жирный старый Балу!

— А мне это все равно, — ответил Балу, хотя был очень огорчен и обижен. — Так скажи Багире Заветные Слова Джунглей, которым я учил тебя сегодня.

— Заветные слова какого народа? — спросил Маугли, очень довольный, что может похвастаться. — В джунглях много наречий. Я знаю их все.

— Кое-что ты знаешь, но очень немного. Полюбуйся, о Багира, вот их благодарность учителю. Ни один самый захудалый волчонок ни разу не пришел поблагодарить старика Балу за науку. Ну, так скажи Слово Охотничьего Народа, ты, великий ученый.

— «Мы с вами одной крови, вы и я», — сказал Маугли, произнося по-медвежьи те слова, которые обычно говорит весь Охотничий Народ.

— Хорошо! Теперь Слово Птиц.

Маугли повторил те же слова, свистнув, как коршун.

— Теперь Слово Змеиного Народа, — сказала Багира.

В ответ послышалось не передаваемое никакими словами шипение, и Маугли забрыкал ногами и захлопал в ладоши, потом вскочил на спину Багиры и сел боком, барабаня пятками по блестящей черной шкуре и строя медведю самые страшные рожи.

— Вот-вот! Это стоит каких-то синяков, — ласково сказал бурый медведь. — Когда-нибудь ты вспомнишь меня.

И, повернувшись к Багире, он рассказал ей, как просил дикого слона Хатхи, который все на свете знает, сказать ему Заветные Слова Змеиного Народа, как Хатхи водил Маугли к пруду узнавать Змеиные Слова от водяной змеи, потому что сам Балу не мог их выговорить, и теперь Маугли не грозит никакая опасность в джунглях: ни змея, ни птица, ни зверь не станут вредить ему.

— И, значит, ему некого бояться! — Балу вытянулся во весь рост, с гордостью похлопывая себя по толстому мохнатому животу.

— Кроме своего племени, — шепнула Багира, а потом громко сказала Маугли: — Пожалей мои ребра, Маленький Брат! Что это за прыжки то вниз, то вверх?

Маугли, добиваясь, чтобы его выслушали, давно уже теребил Багиру за мягкую шерсть на плече и толкал ее пятками. Оба прислушались и разобрали, что он кричит во весь голос:

— Теперь у меня будет свое собственное племя, и я буду целый день водить его по деревьям!

— Что это за новая глупость, маленький выдумщик? — спросила Багира.

— Да, и бросать ветками и грязью в старого Балу, — продолжал Маугли. — Они мне это обещали... Ай!

— Вуу! — Большая лапа Балу смахнула Маугли со спины пантеры, и, лежа между передними лапами медведя, Маугли понял, что тот сердится. — Маугли, — сказал Балу, — ты разговаривал с Бандар-Логами, Обезьяньим Народом?

Маугли взглянул на Багиру — не сердится ли и она тоже — и увидел, что глаза пантеры стали жестки, как два изумруда.

— Ты водишься с Обезьяньим Народом — с серыми обезьянами, с народом, не знающим Закона, с народом, который ест все без разбора. Как тебе не стыдно!

— Балу ударил меня по голове, — сказал Маугли (он все еще лежал на спине), — и я убежал, а серые обезьяны спустились с дерева и пожалели меня. А другим было все равно. — Он слегка всхлипнул.

— Жалость Обезьяньего Народа! — фыркнул Балу. — Спокойствие горного потока! Прохлада летнего зноя! А что было потом, детеныш человека?

— А потом... потом они дали мне орехов и всякой вкусной еды, а потом взяли меня на руки и унесли на вершины деревьев и говорили, что я им кровный брат, только что бесхвостый, и когда-нибудь стану их вожаком.

— У них не бывает вожака, — сказала Багира. — Они лгут. И всегда лгали.

— Они были очень ласковы со мной и просили приходить еще. Почему вы меня никогда не водили к Обезьяньему Народу? Они ходят на двух ногах, как и я. Они не дерутся жесткими лапами. Они играют целый день... Пусти меня, скверный Балу, пусти меня! Я опять пойду играть с ними.

— Слушай, детеныш! — сказал медведь, и голос его прогремел, как гром в жаркую ночь. — Я научил тебя Закону Джунглей — общему для всех народов джунглей, кроме Обезьяньего Народа, который живет на деревьях. У них нет Закона. У них нет своего языка, одни только краденые слова, которые они перенимают у других, когда подслушивают, и подсматривают, и подстерегают, сидя на деревьях. Их обычаи — не наши обычаи. Они живут без вожака. Они ни о чем не помнят. Они болтают и хвастают, будто они великий народ и задумали великие дела в джунглях, но вот упадет орех, и они уже смеются и все позабыли. Никто в джунглях не водится с ними. Мы не пьем там, где пьют обезьяны, не ходим туда, куда ходят обезьяны, не охотимся там, где они охотятся, не умираем там, где они умирают. Разве ты слышал от меня хотя бы слово о Бандар-Логах?

— Нет,— ответил Маугли шепотом, потому что лес притих, после того как Балу кончил свою речь.

— Народ Джунглей не хочет их знать и никогда про них не говорит. Их очень много, они злые, грязные, бесстыдные и хотят только того, чтобы Народ Джунглей обратил на них внимание. Но мы не замечаем их, даже когда они бросают орехи и сыплют грязь нам на голову.

Не успел он договорить, как целый дождь орехов и сучьев посыпался на них с деревьев; послышался кашель, визг и сердитые скачки высоко над ними, среди тонких ветвей.

— С Обезьяньим Народом запрещено водиться,— сказал Балу,— запрещено Законом. Не забывай этого!

— Да, запрещено,— сказала Багира.— Но я все-таки думаю, что Балу должен был предупредить тебя.

— Я?.. Я? Как могло мне прийти в голову, что он станет водиться с такой дрянью? Обезьяний Народ! Тьфу!

Снова орехи дождем посыпались им на голову, и медведь с пантерой убежали, захватив с собой Маугли. Балу говорил про обезьян сущую правду. Они жили на вершинах деревьев, а так как звери редко смотрят вверх, то обезьянам и Народу Джунглей не приходилось встречаться. Но если обезьянам попадался в руки больной волк, или раненый тигр, или медведь, они мучили слабых и забавы ради бросали в зверей палками и орехами, надеясь, что их заметят. Они поднимали вой, выкрикивая бессмысленные песни, звали Народ Джунглей к себе на деревья драться, заводили из-за пустяков ссоры между собой и бросали мертвых обезьян где попало, напоказ всему Народу Джунглей. Они постоянно собирались завести и своего вожака и свои законы и обычаи, но так и не завели, потому что память у них была короткая, не дальше вчерашнего дня. В конце концов они помирились на том, что придумали поговорку: «Все джунгли будут думать завтра так, как обезьяны думают сегодня», и очень этим утешались. Никто из зверей не мог до них добраться, и никто не обращал на них внимания — вот почему они так обрадовались, когда Маугли стал играть с ними, а Балу на него рассердился.

Никакой другой цели у них не было — у обезьян никогда не бывает цели,— но одна из них придумала, как ей показалось, забавную штуку и объявила всем другим, что Маугли может быть полезен всему их племени, потому что умеет сплетать ветви для защиты от ветра, и если его поймать, то он научит этому и обезьян. Разумеется, Маугли, как сын лесоруба, многое знал, сам не помня откуда, и умел строить шалаши из хвороста, сам не зная, как это у него получается. А Обезьяний Народ, подглядывая за ним с деревьев, решил, что это занятная игра. На этот раз, говорили обезьяны, у них и вправду будет вожак и они станут самым мудрым народом в джунглях, таким мудрым, что все их заметят и позавидуют им. И потому они тихонько крались за Балу и Багирой, пока не наступило время полуденного отдыха и Маугли, которому было очень стыдно, не улегся спать между пантерой и медведем, решив, что больше не станет водиться с Обезьяньим Народом.

И тут сквозь сон он почувствовал чьи-то руки на своих плечах и ногах — жесткие, сильные маленькие руки,— потом хлестанье веток по лицу, а потом он в изумлении увидел сквозь качающиеся вершины землю внизу и Балу, который глухо ревел, будя джунгли, а Багира прыжками поднималась вверх по стволу дерева, оскалив сплошные белые зубы. Обезьяны торжествующе взвыли и перескочили вверх на тонкие ветки, куда Багира побоялась лезть за ними.

— Она нас заметила! Багира нас заметила! Все джунгли восхищаются нашей ловкостью и нашим умом! — кричали обезьяны.

Потом они пустились бегом, а бег обезьян по верхушкам деревьев — это нечто такое, чего нельзя описать. У них есть там свои дороги и перекрестки, свои подъемы и спуски, пролегающие в пятидесяти, семидесяти, а то и в ста футах над землей, и по этим дорогам они путешествуют даже ночью, если надо. Две самые сильные обезьяны подхватили Маугли под мышки и понеслись вместе с ним по вершинам деревьев скачками в двадцать футов длиной. Без него они могли бы двигаться вдвое скорее, но мальчик своей тяжестью задерживал их. Как ни кружилась у Маугли голова, он все же наслаждался бешеной скачкой, хотя мелькавшая далеко внизу земля пугала его и сердце замирало от каждого страшного рывка и толчка при перелете над провалом с одного дерева на другое. Двое стражей взлетали вместе с ним на вершину дерева так высоко, что тонкие ветви трещали и гнулись под ними, а потом с кашлем и уханьем бросались в воздух, вперед и вниз, и повисали на соседнем дереве, цепляясь за нижние сучья руками и ногами. Иногда Маугли видел перед собой целое море зеленых джунглей, как человек на мачте видит перед собой океанский простор, потом ветви и листья снова начинали хлестать его по лицу, и он со своими двумя стражами спускался почти к самой земле. Так, скачками и прыжками, с треском и уханьем, все обезьянье племя мчалось по древесным дорогам вместе со своим пленником Маугли.

Первое время он боялся, что его уронят, потом обозлился, но понял, что бороться нельзя, потом начал думать. Прежде всего нужно было послать о себе весточку Багире и Балу. Обезьяны двигались с такой быстротой, что его друзья не могли их догнать и сильно отставали. Вниз нечего было смотреть — ему видна была только верхняя сторона сучьев, — поэтому он стал смотреть вверх и увидел высоко в синеве коршуна Чиля, который парил над джунглями, описывая круги, в ожидании чьей-нибудь смерти. Чиль видел, что обезьяны что-то несут, и спустился ниже разведать, не годится ли их ноша для еды. Он свистнул от изумления, когда увидел, что обезьяны волокут по верхушкам деревьев Маугли, и услышал от него Заветное Слово Коршуна: «Мы с тобой одной крови, ты и я!» Волнующиеся вершины закрыли от него мальчика, но Чиль успел вовремя скользнуть к ближнему дереву, и перед ним опять вынырнуло маленькое смуглое лицо.

— Замечай мой путь! — крикнул Маугли. — Дай знать Балу из Сионийской Стаи и Багире со Скалы Совета!

— От кого, Брат? — Чиль еще ни разу до сих пор не видел Маугли, хотя, разумеется, слышал о нем.

— От Лягушонка Маугли. Меня зовут Человечий Детеныш! Замечай мой пу-уть!

Последние слова он выкрикнул, бросаясь в воздух, но Чиль кивнул ему и поднялся так высоко, что казался не больше пылинки, и, паря в вышине, следил своими зоркими глазами за качавшимися верхушками деревьев, по которым вихрем неслась стража Маугли.

— Им не уйти далеко, — сказал он посмеиваясь. — Обезьяны никогда не доделывают того, что задумали. Всегда они хватаются за что-нибудь новое, эти Бандар-Логи. На этот раз, если я не слеп, они наживут себе беду: ведь Балу не птенчик, да и Багира, сколько мне известно, умеет убивать не одних коз.

И, паря в воздухе, он покачивался на крыльях, подобрав под себя ноги, и ждал.

А в это время Балу и Багира были вне себя от ярости и горя. Багира взобралась на дерево так высоко, как не забиралась никогда, но тонкие ветки ломались под ее тяжестью, и она соскользнула вниз, набрав полные когти коры.

— Почему ты не предостерег Маугли? — заворчала она на бедного Балу, который припустился неуклюжей рысью в надежде догнать обезьян.— Что пользы бить детеныша до полусмерти, если ты не предостерег его?

— Скорей! О, скорей! Мы... мы еще догоним их, быть может! — задыхался Балу.

— Таким шагом? От него не устала бы и раненая корова. Учитель Закона, истязатель малышей, если ты будешь так переваливаться с боку на бок, то лопнешь, не пройдя и мили. Сядь спокойно и подумай! Нужно что-то решить. Сейчас не время для погони. Они могут бросить Маугли, если мы подойдем слишком близко.

— Арала! Вуу! Они, может, уже бросили мальчика, если им надоело его нести! Разве можно верить Бандар-Логам! Летучую мышь мне на голову! Кормите меня одними гнилыми костями! Спустите меня в дупло к диким пчелам, чтобы меня закусали до смерти, и похороните меня вместе с гиеной! Я самый несчастный из зверей! Ара-лала! Ва-у-у! О Маугли, Маугли, зачем я не остерег тебя против Обезьяньего Народа, зачем я бил тебя по голове? Я, может, выбил сегодняшний урок из его головы, и мальчик теперь один в джунглях и забыл Заветные Слова!

Балу обхватил голову лапами и со стоном закачался взад и вперед.

— Не так давно он сказал мне правильно все слова,— сердито заметила Багира.— Балу, ты ничего не помнишь и не уважаешь себя. Что подумали бы джунгли, если бы я, черная пантера, каталась и выла, свернувшись клубком, как дикобраз Сахи?

— Какое мне дело до того, что подумают джунгли! Мальчик, может быть, уже умер!

— Если только они не бросят его с дерева забавы ради и не убьют от скуки, я не боюсь за детеныша. Он умен и всему обучен, а главное, у него такие глаза, которых боятся все джунгли. Но все же (и это очень худо) он во власти Бандар-Логов, а они не боятся никого в джунглях, потому что живут высоко на деревьях.— Багира задумчиво облизала переднюю лапу.

— И глуп же я! О толстый бурый глупец, пожиратель кореньев! — простонал Балу, вдруг выпрямляясь и отряхиваясь.— Правду говорит дикий слон Хатхи: «У каждого свой страх», а они, Бандар-Логи, боятся Каа, горного удава. Он умеет лазить по деревьям не хуже обезьян. По ночам он крадет у них детенышей. От одного звука его имени дрожат их гадкие хвосты. Идем к нему!

— Чем может Каа помочь нам? Он не нашего племени, потому что безногий, и глаза у него презлые,— сказала Багира.

— Он очень стар и очень хитер. Кроме того, он всегда голоден,— с надеждой сказал Балу.— Пообещаем ему много коз.

— Он спит целый месяц, после того как наестся. Может быть, спит и теперь, а если не спит, то, может, и не захочет принять от нас коз в подарок.

Багира плохо знала Каа и потому относилась к нему подозрительно.

— Тогда мы с тобой вместе могли бы уговорить его, старая охотница.

Тут Балу потерся о Багиру выцветшим бурым плечом, и они вдвоем отправились на поиски горного удава Каа.

Удав лежал, растянувшись во всю длину на выступе скалы, нагретом солнцем, любуясь своей красивой новой кожей: последние десять дней он провел в уединении, меняя кожу, и теперь был во всем своем великолепии. Его большая тупоносая голова металась по земле, тридцатифутовое тело свивалось в причудливые узлы и фигуры, язык облизывал губы, предвкушая будущий обед.

— Он еще ничего не ел,— сказал Балу со вздохом облегчения, как только увидел красивый пестрый узор на его спине, коричневый с желтым.— Осторожно, Багира! Он плохо видит, после того как переменит кожу, и бросается сразу.

У Каа не было ядовитых зубов — он даже презирал ядовитых змей за их трусость,— вся его сила заключалась в хватке, и если он обвивал кого-нибудь своими огромными кольцами, то это был конец.

— Доброй охоты! — крикнул Балу, садясь на задние лапы.

Как все змеи его породы, Каа был глуховат и не сразу расслышал окрик. Он свернулся кольцом и нагнул голову, на всякий случай приготовившись броситься.

— Доброй охоты всем нам! — ответил он.— Ого, Балу! Что ты здесь делаешь? Доброй охоты, Багира. Одному из нас не мешало бы пообедать. Нет ли поблизости вспугнутой дичи? Лани или хотя бы козленка? У меня внутри пусто, как в пересохшем колодце.

— Мы сейчас охотимся,— небрежно сказал Балу, зная, что Каа нельзя торопить, он слишком грузен.

— А можно мне пойти с вами? — спросил Каа.— Одним ударом больше или меньше, для вас это ничего не значит, Багира и Балу, а я... мне приходится целыми днями стеречь на лесных тропинках или полночи лазить по деревьям, ожидая, не попадется ли молодая обезьяна. Пс-с-шоу! Лес нынче уже не тот, что был в моей молодости. Одно гнилье да сухие сучья!

— Может быть, это оттого, что ты стал слишком тяжел? — сказал Балу.

— Да, я довольно-таки велик... довольно велик,— ответил Каа не без гордости.— Но все-таки молодые деревья никуда не годятся. Прошлый раз на охоте я чуть-чуть не упал — чуть-чуть не упал! — нашумел, соскользнув с дерева, оттого что плохо зацепился хвостом. Этот шум разбудил Бандар-Логов, и они бранили меня самыми скверными словами.

— Безногий желтый земляной червяк! — шепнула Багира себе в усы, словно припоминая.

— Сссс! Разве они так меня называют? — спросил Каа.

— Что-то в этом роде они кричали нам прошлый раз. Но мы ведь никогда не обращаем на них внимания. Чего только они не говорят! Будто бы у тебя выпали все зубы и будто бы ты никогда не нападаешь на дичь крупнее козленка, потому будто бы (такие бесстыдные врали эти обезьяны!), что боишься козлиных рогов,— вкрадчиво продолжала Багира.

Змея, особенно хитрый старый удав вроде Каа, никогда не покажет, что она сердится, но Балу и Багира заметили, как вздуваются и перекатываются крупные мускулы под челюстью Каа.

— Бандар-Логи переменили место охоты,— сказал он спокойно.— Я грелся сегодня на солнце и слышал, как они вопили в вершинах деревьев.

— Мы... мы гонимся сейчас за Бандар-Логами,— сказал Балу и поперхнулся, потому что впервые на его памяти обитателю джунглей приходилось признаваться в том, что ему есть дело до обезьян.

— И конечно, не какой-нибудь пустяк ведет двух таких охотников — вожаков у себя в джунглях — по следам Бандар-Логов,— учтиво ответил Каа, хотя его распирало от любопытства.

— Право,— начал Балу,— я всего-навсего старый и подчас неразумный учитель Закона у Сионийских Волчат, а Багира...

— ...есть Багира,— сказала черная пантера и закрыла пасть, лязгнув зубами: она не признавала смирения.— Вот в чем беда, Каа: эти воры орехов и истребители пальмовых листьев украли у нас человечьего детеныша, о котором ты, может быть, слыхал.

— Я слышал что-то от Сахи (иглы придают ему нахальство) про детеныша, которого приняли в Волчью Стаю, но не поверил. Сахи слушает одним ухом, а потом перевирает все, что слышал.

— Нет, это правда. Такого детеныша еще не бывало на свете,— сказал Балу.— Самый лучший, самый умный и самый смелый человечий детеныш, мой ученик, который прославит имя Балу на все джунгли, от края и до края. А кроме того, я... мы... любим его, Каа!

— Тс! Тс! — отвечал Каа, ворочая головой направо и налево.— Я тоже знавал, что такое любовь. Я мог бы рассказать вам не одну историю...

— Это лучше потом, как-нибудь в ясную ночь, когда мы все будем сыты и сможем оценить рассказ по достоинству,— живо ответила Багира.— Наш детеныш теперь в руках у Бандар-Логов, а мы знаем, что из всего Народа Джунглей они боятся одного Каа.

— Они боятся одного меня! И недаром,— сказал Каа.— Болтуньи, глупые и хвастливые, хвастливые, глупые болтуньи — вот каковы эти обезьяны! Однако вашему детенышу нечего ждать от них добра. Они рвут орехи, а когда надоест, бросают их вниз. Целый день они носятся с веткой, будто обойтись без нее не могут, а потом ломают ее пополам. Вашему детенышу не позавидуешь. Кроме того, они называли меня... желтой рыбой, кажется?

— Червяком, червяком. Земляным червяком, — сказала Багира, — и еще разными кличками. Мне стыдно даже повторять.

— Надо их проучить, чтобы не забывались, когда говорят о своем господине! Ааа-ссп! Чтобы помнили получше! Так куда же они побежали с детенышем?

— Одни только джунгли знают. На запад, я думаю, — сказал Балу. — А ведь мы полагали, что тебе это известно, Каа.

— Мне? Откуда же? Я хватаю их, когда они попадаются мне на дороге, но не охочусь ни за обезьянами, ни за лягушками, ни за зеленой тиной в пруду. Хссс!

— Вверх, вверх! Вверх, вверх! Хилло! Илло! Илло, посмотри вверх, Балу из Сионийской Стаи!

Балу взглянул вверх, чтобы узнать, откуда слышится голос, и увидел коршуна Чиля, который плавно спускался вниз, и солнце светило на приподнятые края его крыльев. Чилю давно пора было спать, но он все еще кружил над джунглями, разыскивая медведя, и все не мог рассмотреть его сквозь густую листву.

— Что случилось? — спросил его Балу.

— Я видел Маугли у Бандар-Логов. Он просил передать это тебе. Я проследил за ними. Они понесли его за реку, в обезьяний город — в Холодные Берлоги. Быть может, они останутся там на ночь, быть может — на десять ночей, а быть может — на час. Я велел летучим мышам последить за ними ночью. Вот что мне было поручено. Доброй охоты всем вам внизу!

— Полного зоба и крепкого сна тебе, Чиль! — крикнула Багира. — Я не забуду тебя, когда выйду на добычу, и отложу целую голову тебе одному, о лучший из коршунов!

— Пустяки! Пустяки! Мальчик сказал Заветное Слово. Нельзя было не помочь ему! — И Чиль, сделав круг над лесом, полетел на ночлег.

— Он не забыл, что нужно сказать! — радовался Балу. — Подумать только: такой маленький, а вспомнил Заветное Слово Птиц, да еще когда обезьяны тащили его по деревьям!

— Оно было крепко вколочено в него, это слово! — сказала Багира. — Я тоже горжусь детенышем, но теперь нам надо спешить к Холодным Берлогам.

Все в джунглях знали, где находится это место, но редко кто бывал там, ибо Холодными Берлогами называли старый, заброшенный город, затерявшийся и похороненный в чаще леса; а звери не станут селиться там, где прежде жили люди. Разве дикий кабан поселится в таком месте, но не охотничье племя. И обезьяны бывали там не чаще, чем во всяком другом месте. Ни один уважающий себя зверь не подходил близко к городу, разве только во время засухи, когда в полуразрушенных водоемах и бассейнах оставалась еще вода.

— Туда полночи пути полным ходом,— сказала Багира.

И Балу сразу приуныл.

— Я буду спешить изо всех сил,— сказал он с тревогой.

— Мы не можем тебя ждать. Следуй за нами, Балу. Нам надо спешить — мне и Каа.

— Хоть ты и на четырех лапах, а я от тебя не отстану,— коротко сказал Каа.

Балу порывался бежать за ними, но должен был сперва сесть и перевести дух, так что они оставили медведя догонять их, и Багира помчалась вперед быстрыми скачками. Каа молчал, но как ни спешила Багира, огромный удав не отставал от нее. Когда они добрались до горной речки, Багира оказалась впереди, потому что перепрыгнула поток, а Каа переплыл его, держа голову и шею над водой. Но на родной земле удав опять нагнал Багиру.

— Клянусь сломанным замком, освободившим меня, ты неплохой ходок! — сказала Багира, когда спустились сумерки.

— Я проголодался,— ответил Каа.— Кроме того, они называли меня пятнистой лягушкой.

— Червяком, земляным червяком, да еще желтым!

— Все равно. Давай двигаться дальше.— И Каа словно лился по земле, зорким глазом отыскивая самую краткую дорогу и двигаясь по ней.

Обезьяний Народ в Холодных Берлогах вовсе не думал о друзьях Маугли. Они притащили мальчика в заброшенный город и теперь были очень довольны собой. Маугли никогда еще не видел индийского города, и хотя этот город лежал весь в развалинах, он показался мальчику великолепным и полным чудес. Один владетельный князь построил его давным-давно на невысоком холме. Еще видны были остатки мощенных камнем дорог, ведущих к разрушенным воротам, где последние обломки гнилого дерева еще висели на изъеденных ржавчиной петлях. Деревья вросли корнями в стены и высились над ними; зубцы на стенах рухнули и рассыпались в прах; ползучие растения выбились из бойниц и раскинулись по стенам башен висячими косматыми плетями.

Большой дворец без крыши стоял на вершине холма. Мрамор его фонтанов и дворов был весь покрыт трещинами и бурыми пятнами лишайников, сами плиты двора, где прежде стояли княжеские слоны, были приподняты и раздвинуты травами и молодыми деревьями. За дворцом были видны ряд за рядом дома без кровель и весь город, похожий на пустые соты, заполненные только тьмой; бесформенная каменная колода, которая была прежде идолом, валялась теперь на площади, где перекрещивались четыре дороги; только ямы и выбоины остались на углах улиц, где когда-то стояли колодцы, да обветшалые купола храмов, по бокам которых проросли дикие смоковницы. Обезьяны называли это место своим городом и делали вид, будто презирают Народ Джунглей за то, что он живет в лесу. И все-таки они не знали, для чего построены все эти здания и как ими пользоваться. Они усаживались в кружок на помосте в княжеской зале совета, искали друг у дружки блох и играли в людей: вбегали в дома и опять выбегали из них, натаскивали куски штукатурки и всякого старья в угол и забывали, куда они все это спрятали; дрались и кричали, нападая друг на друга, потом разбегались играть по террасам княжеского сада, трясли там апельсиновые деревья и кусты роз для того только, чтобы посмотреть, как посыплются лепестки и плоды. Они обегали все переходы и темные коридоры во дворце и сотни небольших темных покоев, но не могли запомнить, что они уже видели, а чего еще не видели, и шатались везде поодиночке, попарно или кучками, хвастаясь друг перед другом, что ведут себя совсем как люди. Они пили из водоемов и мутили в них воду, потом дрались из-за воды, потом собирались толпой и бегали по всему городу, крича:

— Нет в джунглях народа более мудрого, доброго, ловкого, сильного и кроткого, чем Бандар-Логи!

Потом все начиналось снова, до тех пор пока им не надоедал город, и тогда они убегали на вершины деревьев, все еще не теряя надежды, что когда-нибудь Народ Джунглей заметит их.

Маугли, воспитанный в Законе Джунглей, не понимал такой жизни, и она не нравилась ему. Обезьяны притащили его в Холодные Берлоги уже к вечеру, и, вместо того чтобы лечь спать, как сделал бы сам Маугли после долгого пути, они схватились за руки и начали плясать и распевать свои глупые песни. Одна из обезьян произнесла речь перед своими друзьями и сказала им, что захват Маугли в плен отмечает начало перемены в истории Бандар-Логов, потому что теперь Маугли покажет им, как надо сплетать ветви и тростники для защиты от холода и дождя.

Маугли набрал лиан и начал их сплетать, а обезьяны попробовали подражать ему, но через несколько минут им это наскучило, и они стали дергать своих друзей за хвосты и, кашляя, скакать на четвереньках.

— Мне хочется есть, — сказал Маугли. — Я чужой в этих местах — принесите мне поесть или позвольте здесь поохотиться.

Двадцать или тридцать обезьян бросились за орехами и дикими плодами для Маугли, но по дороге они подрались, а возвращаться с тем, что у них осталось, не стоило труда. Маугли обиделся и рассердился, не говоря уже о том, что был голоден, и долго блуждал по пустынным улицам, время от времени испуская Охотничий Клич Чужака, но никто ему не ответил, и Маугли понял, что он попал в очень дурное место.

«Правда все то, что Балу говорил о Бандар-Логах, — подумал он про себя. — У них нет ни Закона, ни Охотничьего Клича, ни вожаков — ничего, кроме глупых слов и цепких воровских лап. Так что если меня тут убьют или я умру голодной смертью, то буду сам виноват. Однако надо что-нибудь придумать и вернуться в мои родные джунгли. Балу, конечно, побьет меня, но это лучше, чем ловить дурацкие розовые лепестки вместе с Бандар-Логами».

Как только он подошел к городской стене, обезьяны сейчас же оттащили его обратно, говоря, что он сам не понимает, как ему повезло, и стали щипать его, чтобы он почувствовал к ним благодарность. Он стиснул зубы и промолчал, но все-таки пошел с громко вопившими обезьянами на террасу, где были водоемы из красного песчаника, наполовину полные дождевой воды. Там посередине террасы стояла разрушенная беседка из белого мрамора, построенная для княжеских жен, которых давно уже не было на свете. Купол беседки провалился и засыпал подземный ход из дворца, по которому женщины приходили сюда, но стены из мрамора ажурной работы остались целы. Чудесную резьбу молочной белизны, легкую, как кружево, украшали агаты, сердолики, яшма и лазурит, а когда над холмом взошла луна, ее лучи проникли сквозь резьбу, и густые тени легли на землю узором черного бархата. Обиженный, сонный и голодный Маугли все же не мог не смеяться, когда обезьяны начинали в двадцать голосов твердить ему, как они мудры, сильны и добры и как он неразумен, что хочет с ними расстаться.

— Мы велики! Мы свободны! Мы достойны восхищения! Достойны восхищения, как ни один народ в джунглях! Мы все так говорим — значит, это правда! — кричали они.— Сейчас мы тебе расскажем про себя, какие мы замечательные, раз ты нас слушаешь и можешь передать наши слова Народу Джунглей, чтобы в будущем он обращал на нас внимание.

Маугли с ними не спорил, и сотни обезьян собрались на террасе послушать, как их говоруны будут петь хвалы Бандар-Логам, и, когда болтуньи-обезьяны останавливались, чтобы перевести дух, остальные подхватывали хором:

— Это правда, мы все так говорим!

Маугли кивал головой, моргал глазами и поддакивал, когда его спрашивали о чем-нибудь, и голова у него кружилась от шума.

«Шакал Табаки, должно быть, перекусал их всех,— думал он про себя,— и они теперь взбесились. Это у них бешенство, «дивани». Неужели они никогда не спят? Вот сейчас это облако закроет луну. Если оно большое, я бы успел убежать в темноте. Но я устал».

За этим самым облаком следили два верных друга в полузасыпанном рву под городской стеной. Багира и Каа, зная, как опасны обезьяны, когда их много, выжидали, чтобы не рисковать понапрасну. Обезьяны ни за что не станут драться, если их меньше сотни против одного, а в джунглях мало кому нравится такой перевес.

— Я поползу к западной стене,— шепнул Каа,— и быстро скачусь по склону вниз, там мне будет легче. Они, конечно, не бросятся мне на спину всем скопом, но все же...

— Я знаю,— сказала Багира.— Если бы Балу был здесь! Но все-таки мы сделаем что можем. Когда это облако закроет луну, я выйду на террасу. Они там о чем-то совещаются между собой.

— Доброй охоты,— мрачно сказал Каа и скользнул к западной стене.

Она оказалась разрушенной меньше других, и большой удав замешкался, пробираясь между камнями. Облако закрыло луну, и как раз в то время, когда Маугли раздумывал, что будет дальше, он услышал легкие шаги Багиры на террасе. Черная пантера взбежала по склону почти без шума и, не тратя времени на то, чтобы кусаться, раздавала удары направо и налево обезьянам, сидевшим вокруг Маугли в пятьдесят — шестьдесят рядов. Раздался общий вопль испуга и ярости, и, в то время как Багира шагала по катящимся и барахтающимся телам, одна обезьяна крикнула:

— Она тут одна! Убьем ее! Убьем!

Клубок дерущихся обезьян, кусаясь, царапаясь, дергая и терзая Багиру, сомкнулся над ней, а пять или шесть обезьян крепко ухватили Маугли, подтащили его к стене беседки и впихнули в пролом купола. Мальчик, воспитанный людьми, был бы весь в синяках, потому что падать ему пришлось с высоты добрых пятнадцати футов, но Маугли упал так, как Балу учил его падать, и сразу стал на ноги.

— Посиди тут,— кричали обезьяны,— пока мы не убьем твоих приятелей! А после мы поиграем с тобой, если Ядовитый Народ оставит тебя в живых!

— Мы с вами одной крови, я и вы! — быстро шепнул Маугли Змеиное Слово.

Он услышал шорох и шипение вокруг в кучах щебня и для верности еще раз повторил Змеиное Слово.

— Сссслышим! Уберите клобуки! — произнесли тихие голоса (все развалины в Индии рано или поздно становятся обиталищем змей, и ветхая беседка кишела кобрами).— Стой смирно, Маленький Брат, иначе ты раздавишь нас!

Маугли стоял спокойно, глядя в отверстия ажурной резьбы и прислушиваясь к шуму драки вокруг черной пантеры, к воплям, бормотанию и шлепкам и к густому, хриплому кашлю Багиры, которая рвалась и металась взад и вперед, задыхаясь под кучей навалившихся на нее обезьян.

Впервые со дня своего рождения Багира дралась не на жизнь, а на смерть.

«Балу должен быть близко: Багира не пришла бы одна»,— подумал Маугли и крикнул громко:

— К водоему, Багира! Скатись к водоему! Скатись и нырни! Бросайся в воду!

Багира его услышала, и этот крик, сказавший ей, что Маугли жив, придал ей силы. Она дралась отчаянно, шаг за шагом прокладывая себе дорогу к водоему. И вот у подножия разрушенной стены, ближе к джунглям, раздался, как гром, боевой клич Балу. Как ни спешил старый медведь, он не мог поспеть раньше.

— Багира,— кричал он,— я здесь! Я лезу вверх! Я спешу! Камни скользят у меня из-под ног! Дайте только до вас добраться, о вы, подлые Бандар-Логи!

Медведь, пыхтя, взобрался на террасу и исчез под волной обезьян, но тут же, присев на корточки, расставил передние лапы и загреб ими столько обезьян, сколько мог удержать. Потом посыпались равномерные удары — хлоп-хлоп-хлоп! — с чмоканьем, словно гребное колесо било по воде. Шум падения и всплеск сказали Маугли, что Багира пробилась к водоему, куда обезьяны не могли полезть за ней. Пантера лежала в воде, выставив только голову, и жадно ловила ртом воздух, а обезьяны, стоя в три ряда на красных ступенях, приплясывали от злобы на месте, готовые наброситься на нее со всех сторон разом, если она выйдет из воды на помощь Балу.

Вот тогда-то Багира подняла мокрый подбородок и в отчаянии крикнула, зовя на помощь Змеиный Народ:

— Мы с вами одной крови, я и вы!

Она думала, что Каа струсил в последнюю минуту. Даже Балу на краю террасы, едва дыша под навалившимися на него обезьянами, не мог не засмеяться, услышав, что черная пантера просит помощи.

Каа только что перевалился через западную стену и с такой силой рухнул на землю, что большой камень свалился в ров. Он не намерен был отступать и раза два свернулся и развернулся, проверяя, насколько каждый фут его длинного тела готов к бою. Тем временем Балу продолжал бой, и обезьяны вопили над водоемом вокруг Багиры, и нетопырь Манг, летая взад и вперед, разносил по джунглям вести о великой битве, так что затрубил даже дикий слон Хатхи. Далеко в лесу проснулись отдельные стайки обезьян и помчались по верхушкам деревьев к Холодным Берлогам на помощь своим родичам, и шум битвы разбудил дневных птиц на много миль вокруг. Тогда Каа двинулся быстро, напрямик, горя жаждой убийства. Вся сила удава — в тяжком ударе головой, удвоенном силой и тяжестью всего тела. Если вы можете себе представить копье, или таран, или молот весом почти в полтонны, направляемый спокойным, хладнокровным умом, обитающим в его ручке, вы можете себе представить, каким был Каа в бою. Удав длиной в четыре или пять футов может сбить с ног человека, если ударит его головой в грудь, а в Каа было целых тридцать футов, как вам известно. Первый удар, направленный прямо в гущу обезьян, окружавших Балу, был нанесен молча, с закрытым ртом, а второго удара не понадобилось. Обезьяны бросились врассыпную с криком:

— Каа! Это Каа! Бегите! Бегите!

Не одно поколение обезьян воспитывалось в страхе и вело себя примерно, наслушавшись от старших рассказов про Каа, ночного вора, который умел проскользнуть среди ветвей так же бесшумно, как растет мох, и утащить самую сильную обезьяну; про старого Каа, который умел прикидываться сухим суком или гнилым пнем, так что самые мудрые ничего не подозревали до тех пор, пока этот сук не хватал их. Обезьяны боялись Каа больше всего на свете, ибо ни одна из них не знала пределов его силы, ни одна не смела взглянуть ему в глаза и ни одна не вышла живой из его объятий. И потому, дрожа от страха, они бросились на стены и на крыши домов, а Балу глубоко вздохнул от облегчения. Шерсть у него была гораздо гуще, чем у Багиры, но и он сильно пострадал в бою. И тут Каа, впервые раскрыв пасть, прошипел одно долгое, свистящее слово, и обезьяны, далеко в лесу спешившие на помощь к Холодным Берлогам, замерли на месте, дрожа так сильно, что ветви под их тяжестью согнулись и затрещали. Обезьяны на стенах и крышах домов перестали кричать, в городе стало тихо, и Маугли услышал, как Багира отряхивает мокрые бока, выйдя из водоема. Потом снова поднялся шум. Обезьяны полезли выше на стены, уцепились за шеи больших каменных идолов и визжали, прыгая по зубчатым стенам, а Маугли, приплясывая на месте, приложился глазом к ажурной резьбе и начал ухать по-совиному, выражая этим презрение и насмешку.

— Достанем детеныша из западни, я больше не могу! — тяжело дыша, сказала Багира. — Возьмем детеныша и бежим. Как бы они опять не напали!

Обезьяны бросились врассыпную с криком:
— Каа! Это Каа!
Бегите! Бегите!

— Они не двинутся, пока я не прикажу им. Сстойте на мессссте! — прошипел Каа, и кругом опять стало тихо. — Я не мог прийти раньше, Сестра, но мне показалось, что я ссслышу твой зов, — сказал он Багире.

— Я... я, может быть, и звала тебя в разгаре боя, — ответила Багира. — Балу, ты ранен?

— Не знаю, как это они не разорвали меня на сотню маленьких медведей, — сказал Балу, степенно отряхивая одну лапу за другой. — Ооу! Мне больно! Каа, мы тебе обязаны жизнью, мы с Багирой...

— Это пустяки. А где же человечек?

— Здесь, в западне! Я не могу выбраться! — крикнул Маугли.

Над его головой закруглялся купол, провалившийся в самой середине.

— Возьмите его отсюда! Он танцует, как павлин Мор! Он передавит ногами наших детей! — сказали кобры снизу.

— Ха! — засмеялся Каа. — У него везде друзья, у этого человечка. Отойди подальше, человечек, а вы спрячьтесь, о Ядовитый Народ! Сейчас я пробью стену.

Каа хорошенько осмотрелся и нашел почерневшую трещину в мраморной резьбе, там, где стена была сильнее всего разрушена, раза два-три слегка оттолкнулся головой, примериваясь, потом приподнялся на шесть футов над землей и ударил изо всей силы десять раз подряд. Мраморное кружево треснуло и рассыпалось облаком пыли и мусора, и Маугли выскочил в пробоину и бросился на землю между Багирой и Балу, обняв обоих за шею.

— Ты не ранен? — спросил Балу, ласково обнимая Маугли.

— Меня обидели, я голоден и весь в синяках. Но как жестоко они вас потрепали, братья мои! Вы все в крови!

— Не одни мы, — сказала Багира, облизываясь и глядя на трупы обезьян на террасе и вокруг водоема.

— Это пустяки, все пустяки, если ты жив и здоров, о моя гордость, лучший из лягушат! — прохныкал Балу.

— Об этом мы поговорим после, — сказала Багира сухо, что вовсе не понравилось Маугли. — Однако здесь Каа, которому мы с Балу обязаны победой, а ты — жизнью. Поблагодари его, как полагается по нашим обычаям, Маугли.

Маугли обернулся и увидел, что над ним раскачивается голова большого удава.

— Так это и есть человечек? — сказал Каа. — Кожа у него очень гладкая, и он похож на Бандар-Логов. Смотри, человечек, чтоб я не принял тебя за обезьяну как-нибудь в сумерках, после того как я сменю свою кожу.

— Мы с тобой одной крови, ты и я, — отвечал Маугли. — Сегодня ты возвратил мне жизнь. Моя добыча будет твоей добычей, когда ты проголодаешься, о Каа!

— Спасибо, Маленький Брат, — сказал Каа, хотя глаза его смеялись. — А что может убить такой храбрый охотник? Я прошу позволения следовать за ним, когда он выйдет на ловлю.

— Сам я не убиваю, я еще мал, но я загоняю коз для тех, кому они нужны. Когда захочешь есть, приходи ко мне и увидишь, правда это или нет. У меня ловкие руки, — он вытянул их вперед, — и если ты попадешь в западню, я смогу уплатить долг и тебе, и Багире, и Балу. Доброй охоты вам всем, учителя мои!

— Хорошо сказано! — проворчал Балу, ибо Маугли благодарил как полагается.

Удав положил на минуту свою голову на плечо Маугли.

— Храброе сердце и учтивая речь, — сказал он. — С ними ты далеко пойдешь в джунглях. А теперь уходи отсюда скорей вместе с твоими друзьями. Ступай спать, потому что скоро зайдет луна, а тебе не годится видеть то, что будет.

Луна садилась за холмами, и ряды дрожащих обезьян, которые жались по стенам и башням, походили на рваную, колеблющуюся бахрому. Балу сошел к водоему напиться, а Багира начала вылизывать свой мех. И тут Каа выполз на середину террасы, сомкнул пасть, звучно щелкнув челюстями, и все обезьяны устремили глаза на него.

— Луна заходит, — сказал он. — Довольно ли света, хорошо ли вам видно?

По стенам пронесся стон, словно вздох ветра в вершинах деревьев:

— Мы видим, о Каа!

— Хорошо! Начнем же пляску Каа — Пляску Голода. Сидите смирно и смотрите!

Он дважды или трижды свернулся в большое двойное и тройное кольцо, покачивая головой справа налево. Потом начал выделывать петли и восьмерки и мягкие, расплывчатые треугольники, переходящие в квадраты и пятиугольники, не останавливаясь, не спеша и не прекращая ни на минуту негромкого гудения. Становилось все темнее и темнее, и напоследок уже не видно было, как извивается и свивается Каа, слышно было только, как шуршит его чешуя.

Балу и Багира словно обратились в камень, ощетинившись и глухо ворча, а Маугли смотрел и дивился.

— Бандар-Логи, — наконец послышался голос Каа, — можете вы шевельнуть рукой или ногой без моего приказа? Говорите.

— Без твоего слова мы не можем шевельнуть ни рукой, ни ногой, о Каа!

— Хорошо! Подойдите на один шаг ближе ко мне!

Ряды обезьян беспомощно качнулись вперед, и Балу с Багирой невольно сделали шаг вперед вместе с ними.

— Ближе! — прошипел Каа.

И обезьяны шагнули еще раз.

Маугли положил руки на плечи Багиры и Балу, чтобы увести их прочь, и оба зверя вздрогнули, словно проснувшись.

— Не снимай руки с моего плеча, — шепнула Багира, — не снимай, иначе я пойду... пойду к Каа. А-ах!

— Это всего только старый Каа выделывает круги в пыли, — сказал Маугли. — Идем отсюда.

И все трое выскользнули в пролом стены и ушли в джунгли.

— Уу-ф! — вздохнул Балу, снова очутившись среди неподвижных деревьев. — Никогда больше не стану просить помощи у Каа! — И он весь содрогнулся с головы до ног.

— Каа знает больше нас, — вся дрожа, сказала Багира. — Еще немного, и я бы отправилась прямо к нему в пасть.

— Многие отправятся туда же, прежде чем луна взойдет еще раз, — ответил Балу. — Он хорошо поохотится — на свой лад.

— Но что же все это значит? — спросил Маугли, который не знал ничего о притягательной силе змеи. — Я видел только большую змею, которая выписывала зачем-то круги по земле, пока не стемнело. И нос у Каа был весь разбит. Ха-ха!

— Маугли,— сердито сказала Багира,— нос он разбил ради тебя, так же как мои уши, бока и лапы, плечи и шея Балу искусаны ради тебя. И Балу и Багире трудно будет охотиться в течение многих дней.

— Это пустяки,— сказал Балу.— Зато детеныш опять с нами!

— Правда, но он нам дорого обошелся: ради него мы были изранены, пожертвовали временем, удачной охотой, собственной шкурой — у меня выщипана вся спина — и даже нашей честью. Ибо, не забывай этого, мне, черной пантере, пришлось просить помощи у Каа, и мы с Балу потеряли разум, как малые птенцы, увидев Пляску Голода. А все оттого, что ты играл с Бандар-Логами!

— Правда, все это правда,— сказал Маугли опечалившись.— Я плохой детеныш, и в животе у меня горько.

— Мф! Что говорит Закон Джунглей, Балу?

Балу вовсе не желал новой беды для Маугли, но с Законом не шутят, и потому он проворчал:

— Горе не мешает наказанию. Только не забудь, Багира, что он еще мал!

— Не забуду! Но он натворил беды, и теперь надо его побить. Маугли, что ты на это скажешь?

— Ничего! Я виноват. А вы оба ранены. Это только справедливо.

Багира дала ему с десяток шлепков, легких, на взгляд пантеры (они даже не разбудили бы ее собственного детеныша), но для семилетнего мальчика это были суровые побои, от которых всякий рад был бы избавиться. Когда все кончилось, Маугли чихнул и без единого слова поднялся на ноги.

— А теперь,— сказала Багира,— прыгай ко мне на спину, Маленький Брат, и мы отправимся домой.

Одна из прелестей Закона Джунглей состоит в том, что с наказанием кончаются все счеты. После него не бывает никаких придирок.

Маугли опустил голову на спину Багиры и заснул так крепко, что даже не проснулся, когда его положили на землю в родной берлоге.

«Тигр, тигр!»

ПОСЛЕ драки на Скале Совета Маугли ушел из волчьего логова и спустился вниз, к пашням, где жили люди, но не остался там — джунгли были слишком близко, а он знал, что на Совете нажил себе не одного лютого врага. И потому он побежал дальше, держась дороги по дну долины, и отмахал около двадцати миль ровной рысью, пока не добрался до мест, которых еще не знал. Тут начиналась широкая равнина, усеянная скалами и изрезанная оврагами. На одном краю равнины стояла маленькая деревушка, с другого края густые джунгли дугой подступали к самому выгону и сразу обрывались, словно срезанные мотыгой. По всей равнине паслись коровы и буйволы, и мальчики, сторожившие стадо, завидев Маугли, убежали с криком, а бездомные желтые псы, которых много возле каждой индийской деревни, подняли лай. Маугли пошел дальше, потому что был голоден, и, дойдя до деревенской околицы, увидел, что большой терновый куст, которым в сумерки загораживают ворота, отодвинут в сторону.

— Гм! — сказал Маугли (он не в первый раз натыкался на такие заграждения во время своих ночных вылазок за едой). — Значит, люди и здесь боятся Народа Джунглей!

Он сел у ворот и, как только за ворота вышел человек, вскочил на ноги, раскрыл рот и показал на него пальцем в знак того, что хочет есть. Человек посмотрел на него, побежал обратно по единственной деревенской улице и позвал жреца — высокого и толстого человека, одетого во все белое, с красным и желтым знаком на лбу. Жрец подошел к воротам, а за ним прибежало не меньше сотни жителей деревушки: они глазели, болтали, кричали и показывали на Маугли пальцами.

«Какие они невежи, эти люди! — сказал про себя Маугли. — Только серые обезьяны так себя ведут». И, отбросив назад свои длинные волосы, он хмуро посмотрел на толпу.

— Чего же тут бояться? — сказал жрец. — Видите знаки у него на руках и на ногах? Это волчьи укусы. Он волчий приемыш и прибежал к нам из джунглей.

Играя с Маугли, волчата нередко кусали его сильнее, чем хотели, и руки и ноги мальчика были сплошь покрыты белыми рубцами. Но Маугли никогда в жизни не назвал бы эти рубцы укусами: он хорошо знал, какие бывают настоящие укусы.

— Ой! Ой! — сказали в один голос две-три женщины. — Весь искусан волками, бедняжка! Красивый мальчик. Глаза у него как огоньки. Право, Мессуа, он очень похож на твоего сына, которого унес тигр.

— Дайте мне взглянуть, — сказала женщина с тяжелыми медными браслетами на запястьях и щиколотках и, прикрыв глаза ладонью, посмотрела на Маугли. — Да, очень похож! Он худее, зато лицом он точь-в-точь мой сын.

Жрец был человек ловкий и знал, что муж Мессуи — один из первых деревенских богачей. И потому он возвел глаза к небу и произнес торжественно:

— Что джунгли взяли, то джунгли отдали. Возьми мальчика к себе в дом, сестра моя, и не забывай оказывать почет жрецу, которому открыто все будущее человека.

«Клянусь буйволом, выкупившим меня, — подумал Маугли, — все это очень похоже на то, как меня осматривала Стая! Что ж, если я человек, то и буду человеком».

Толпа расступилась, и женщина сделала Маугли знак, чтобы он шел за ней в хижину, где стояла красная лакированная кровать. А еще там было много вещей: большой глиняный сосуд для зерна, покрытый забавным выпуклым узором, с полдюжины медных котелков для стряпни, божок в маленькой нише и на стене — настоящее зеркало, какое можно купить на деревенской ярмарке за восемь центов.

Она дала Маугли вволю молока и кусочек хлеба, потом положила руку ему на голову и заглянула в глаза; ей все-таки думалось, что, может быть, это и в самом деле ее родной сын вернулся из джунглей, куда его унес тигр. И она позвала:

— Натху! О Натху!

Маугли ничем не показал, что это имя ему знакомо.

— Разве ты забыл тот день, когда я подарила тебе новые башмаки? — Она дотронулась до его ступни, твердой почти как рог. — Нет, — сказала она с грустью, — эти ноги никогда не знали башмаков. Но ты очень похож на моего Натху и будешь моим сыном.

Маугли стало не по себе, оттого что он до сих пор никогда еще не бывал под крышей. Но, взглянув на соломенную кровлю, он увидел, что сможет ее разобрать, если захочет выбраться на волю, и что окно не запирается.

«Что толку быть человеком, если не понимаешь человечьей речи? — сказал он себе. — Здесь я так же глуп и нем, как человек у нас в джунглях. Надо научиться их языку».

Недаром, живя с волками, он выучился подражать боевому кличу оленей в джунглях и хрюканью диких свиней. Как только Мессуа произносила какое-нибудь слово, Маугли очень похоже повторял его за ней и еще до темноты заучил названия многих предметов в хижине.

Пришло время спать, но Маугли ни за что не хотел ложиться в хижине, похожей на ловушку для пантеры, и, когда заперли дверь, он выскочил в окно.

— Оставь его, — сказал муж Мессуи. — Не забывай, что он никогда еще не спал на кровати. Если он вправду послан нам вместо сына, он никуда не убежит.

И Маугли растянулся среди высокой чистой травы на краю поля. Но не успел он закрыть глаза, как чей-то мягкий серый нос толкнул его в шею.

— Фу! — сказал Серый Брат (это был старший из детенышей Матери Волчицы). — Стоило ради этого бежать за тобой двадцать миль! От тебя пахнет дымом и хлевом — совсем как от человека. Проснись, Маленький Брат, я принес тебе новости.

— Все ли здоровы в джунглях? — спросил Маугли, обнимая его.

— Все, кроме волков, которые обожглись Красным Цветком. Теперь слушай, Шер-Хан ушел охотиться в дальние леса, пока не заживет его шкура, — он весь в ожогах. Он поклялся, что побросает твои кости в реку, когда вернется.

— Ну, это мы еще посмотрим. Я тоже кое в чем поклялся. Однако новости всегда приятно слышать. Я устал сегодня, очень устал от всего нового, Серый Брат, но ты мне всегда рассказывай, что знаешь нового.

— Ты не забудешь, что ты волк? Люди не заставят тебя забыть нас? — тревожно спросил Серый Брат.

— Никогда! Я никогда не забуду, что люблю тебя и всех в нашей пещере. Но не забуду и того, что меня прогнали из Стаи...

— ...и что тебя могут прогнать из другой стаи, Маленький Брат. Люди есть люди, и речь их похожа на речь лягушек в пруду. Когда я приду сюда снова, я буду ждать тебя в бамбуках на краю выгона.

В течение трех месяцев после этой ночи Маугли почти не выходил за деревенские ворота, так он был занят, изучая повадки и обычаи людей. Прежде всего ему пришлось надеть повязку вокруг бедер, что очень его стесняло, потом выучиться считать деньги, непонятно зачем, потом пахать землю, в чем он не видел пользы. Деревенские дети постоянно дразнили его. К счастью, Закон Джунглей научил Маугли сдерживаться, ибо в джунглях от этого зависят жизнь и пропитание. Но когда дети дразнили его за то, что он не хотел играть с ними или пускать змея, или за то, что он не так выговаривал какое-нибудь слово, одна только мысль, что недостойно охотника убивать маленьких, беззащитных детенышей, не позволяла ему схватить и разорвать их пополам.

Маугли сам не знал своей силы. В джунглях он чувствовал себя гораздо слабее зверей, а в деревне люди говорили, что он силен, как бык. Он не понимал, что такое страх, и когда деревенский жрец сказал ему, что бог в храме разгневается на Маугли, если он будет красть у жреца сладкие плоды манго, Маугли схватил статую божка, притащил ее к жрецу в дом и попросил сделать так, чтобы бог разгневался и Маугли можно было бы подраться с ним. Соблазн был большой, но жрец замял дело, а мужу Мессуи пришлось заплатить немало серебра, чтобы успокоить бога.

Кроме того, Маугли не имел никакого понятия о тех различиях между людьми, которые создает каста. Когда осел гончара свалился в яму, Маугли вытащил его за хвост и помог уложить горшки для отправки на рынок в Канхивару. Это было уже из рук вон плохо, потому что гончар принадлежал к низшей касте, а про осла и говорить нечего. Когда жрец стал бранить Маугли, тот пригрозил посадить и его на осла, и жрец сказал мужу Мессуи, что самое лучшее — поскорее приставить Маугли к какому-нибудь делу. После этого деревенский староста велел Маугли отправиться завтра утром на пастбище стеречь буйволов. Больше всех был доволен этим Маугли. В тот же вечер, считая себя уже на службе у деревни, он присоединился к кружку, который собирался каждый вечер на каменной площадке под большой смоковницей. Это был деревенский клуб, куда сходились курить и староста, и цирюльник, и сторож, знавшие наперечет все деревенские сплетни, и старик Балдео, деревенский охотник, у которого имелся английский мушкет. Обезьяны сидели и болтали на верхних ветвях смоковницы, а в норе под площадкой жила кобра, которой каждый вечер ставили блюдечко молока, потому что она считалась священной. Старики рассаживались вокруг дерева, болтали до поздней ночи и курили табак из больших кальянов. Они рассказывали удивительные истории о людях, богах и привидениях, а Балдео рассказывал еще более удивительные истории о повадках зверей в джунглях, так что у мальчиков, сидевших вне круга, дух захватывало. Больше всего рассказов было про зверей, потому что джунгли подходили вплотную к деревне. Олени и дикие свиньи подкапывали посевы, и время от времени в сумерках тигр уносил человека на глазах у всех, чуть ли не от самых деревенских ворот.

Маугли, который, разумеется, хорошо знал то, о чем здесь рассказывали, закрывал лицо руками, чтобы никто не видел, как он смеется. Балдео, положив мушкет на колени, переходил от одной удивительной истории к другой, а у Маугли тряслись плечи от смеха.

Балдео толковал о том, что тигр, который унес сына Мессуи, был оборотень и что в него вселилась душа злого старого ростовщика, который умер несколько лет назад...

— И это верно, я знаю, — говорил он, — потому что Пуран Дас всегда хромал. Ему зашибли ногу во время бунта, когда сожгли все его счетные книги, а тот тигр, о котором я говорю, тоже хромает: его лапы оставляют неровные следы.

— Верно, верно, так оно и есть! — подтвердили седые бороды, дружно кивая головами.

— Неужели все ваши россказни такая старая труха? — сказал Маугли. — Этот тигр хромает потому, что родился хромым, как всем известно. Болтать, будто душа ростовщика живет в звере, который всегда был трусливее шакала, могут только малые дети.

Балдео на минуту онемел от изумления, а староста вытаращил глаза.

— Ого! Это ведь мальчишка из джунглей! — сказал Балдео. — Если уж ты так умен, тогда лучше отнеси шкуру этого тигра в Канхивару — правительство назначило сто рупий за его голову. А еще лучше помолчи, когда говорят старшие.

Маугли встал, собираясь уходить.

— Весь вечер я лежал тут и слушал, — отозвался он, оглянувшись через плечо, — и за все это время, кроме одного или двух раз, Балдео не сказал ни слова правды о джунглях, а ведь они у него за порогом. Как же я могу поверить сказкам о богах, привидениях и злых духах, которых он будто бы видел?

— Этому мальчику давно пора к стаду, — сказал староста.

А Балдео пыхтел и фыркал, возмущаясь дерзостью Маугли.

Во многих индийских деревнях мальчики с раннего утра выгоняют коров и буйволов на пастбище, а вечером пригоняют их обратно, и те самые буйволы, которые затоптали бы белого человека насмерть, позволяют колотить и гонять себя детям, которые едва достают им до морды. Пока мальчики держатся возле буйволов, им не грозит никакая опасность — даже тигр не посмеет напасть на целое стадо. Но если они отойдут собирать цветы или ловить ящериц, их может унести тигр.

Ранним утром Маугли проехал по деревенской улице, сидя на спине Рамы, самого большого буйвола в стаде. Сине-серые буйволы с длинными, загнутыми назад рогами и диковатым взглядом один за другим выбирались из хлевов и шли за вожаком Рамой, и Маугли дал понять остальным мальчикам, что хозяин здесь он. Он колотил буйволов длинной отполированной бамбуковой палкой и сказал одному из мальчиков, по имени Камия, что проедет дальше с буйволами, а мальчики пусть пасут коров без него и ни в коем случае не отходят от стада.

Индийское пастбище — это сплошные камни, кусты, пучки жесткой травы и неглубокие овраги, по которым разбредается и прячется стадо. Буйволы обычно держатся вблизи болот, где много ила, и целыми часами лежат и греются в горячей от солнца грязи. Маугли пригнал стадо на тот край равнины, где Вайнганга выходит из джунглей, соскочил с шеи Рамы, подбежал к бамбуковой рощице и нашел там Серого Брата.

— Ага, — сказал Серый Брат, — я уже много дней жду тебя здесь. Для чего тебе эта возня со стадом?

— Так мне приказано, — сказал Маугли. — Пока что я деревенский пастух. А где Шер-Хан?

— Он вернулся в эти места и долго подстерегал тебя здесь. Теперь он опять ушел, потому что дичи мало. Он хочет убить тебя.

— Отлично! — сказал Маугли. — Пока его здесь нет, ты или кто-нибудь из четверых братьев должен сидеть на этой скале, чтобы я тебя видел, когда выхожу из деревни. Когда он вернется, ждите меня в овраге посреди равнины, под деревом дхак. Незачем лезть в самую пасть Шер-Хану.

После этого Маугли выбрал тенистое место и уснул, а буйволы паслись вокруг него. Пасти скот в Индии — занятие для лентяев. Коровы передвигаются с места на место и жуют, потом ложатся, потом опять двигаются дальше и даже не мычат. Они только фыркают, а буйволы очень редко говорят что-нибудь. Они входят в илистые заводи один за другим и забираются в грязь по самую морду, так что видны только нос да синие, словно фарфоровые, глаза, и лежат там, как колоды. Нагретые солнцем скалы словно струятся от зноя, и пастушата слышат, как коршун (всегда только один) незримо посвистывает у них над головой, и знают, что, если кто-нибудь из них умрет или издохнет корова, этот коршун слетит вниз, и соседний коршун за много миль отсюда увидит, как тот спустился, и тоже полетит за ним, а потом еще один и еще, так что едва успеет кто-нибудь умереть, как двадцать голодных коршунов являются неизвестно откуда. Мальчики дремлют, просыпаются и снова засыпают, плетут маленькие корзиночки из сухой травы и сажают в них кузнечиков; а то поймают двух богомолов и заставляют их драться; а то нижут бусы из красных и черных лесных орехов или смотрят, как ящерица греется на солнце или как змея возле лужи охотится за лягушкой. Потом они поют долгие, протяжные песни со странными переливами в конце, и день кажется им длиннее, чем вся жизнь другим людям. А иногда вылепят дворец или храм из глины с фигурками людей, лошадей и буйволов, вложат тростинки людям в руки, будто бы это владетельные князья, а остальные фигурки — их войско, или будто бы это боги, а остальные им молятся. Потом наступает вечер, дети сзывают стадо, и буйволы один за другим поднимаются из густой грязи с шумом пушечного выстрела, и все стадо тянется вереницей через серую равнину обратно, к мерцающим огонькам деревни.

День за днем водил Маугли буйволов к илистым заводям, день за днем видел Серого Брата на равнине (и потому знал, что Шер-Хан еще не вернулся), день за днем он лежал в траве, прислушиваясь к звукам вокруг него, и думал о прежней жизни в джунглях. Если бы Шер-Хан оступился своей хромой лапой где-нибудь в зарослях на берегу Вайнганги, Маугли услышал бы его в эти долгие тихие утра.

Настал наконец день, когда Маугли не увидел Серого Брата на условленном месте, и, засмеявшись, он погнал буйволов к оврагу под деревом дхак, сплошь покрытым золотисто-красными цветами. Там сидел Серый Брат, и каждый волосок на его спине поднялся дыбом.

— Он прятался целый месяц, чтобы сбить тебя со следа. Вчера ночью он перешел горы вместе с Табаки и теперь идет по горячим следам за тобой, — сказал волк, тяжело дыша.

Маугли нахмурился:

— Я не боюсь Шер-Хана, но Табаки очень хитер.

— Не бойся, — сказал Серый Брат, слегка облизнув губы. — Я повстречал Табаки на рассвете. Теперь он рассказывает все свои хитрости коршунам. Но, прежде чем я сломал ему хребет, он все рассказал мне. Шер-Хан намерен ждать тебя сегодня вечером у деревенских ворот, только тебя, и никого другого. А теперь он залег в большом пересохшем овраге у реки.

— Ел он сегодня или охотится на пустой желудок? — спросил Маугли, потому что от ответа зависела его жизнь или смерть.

— Он зарезал свинью на рассвете, а теперь еще и напился вволю. Не забудь, что Шер-Хан не может пробыть и одного дня без еды даже ради мести.

— О глупец, глупец! Щенок из щенков! Наелся да еще и напился и думает, что я стану ждать, пока он выспится! Так где же он залег? Если бы нас было хоть десятеро, мы сбили бы с него спесь. Эти буйволы не захотят нападать, если не почуют тигра, а я не умею говорить на их языке. Нельзя ли нам пойти по его следу, чтобы буйволы его почуяли?

— Он проплыл далеко вниз по Вайнганге, чтобы след потерялся,— ответил Серый Брат.

— Это Табаки его надоумил, я знаю. Сам он никогда не догадался бы.— Маугли стоял, положив палец в рот, и раздумывал.— Большой овраг у Вайнганги — он выходит на равнину почти за полмили отсюда. Я могу повести стадо кругом, через джунгли, к верху оврага, а потом спуститься вниз, но тогда он уйдет от нас по дну оврага. Надо загородить тот конец. Серый Брат, можешь ты разделить стадо пополам?

— Не знаю, может быть, и не сумею, но я привел тебе умного помощника.

Серый Брат отбежал в сторону и соскочил в яму. Оттуда поднялась большая серая голова, хорошо знакомая Маугли, и знойный воздух наполнился самым тоскливым воем, какой только можно услышать в джунглях,— то был охотничий клич волка в полуденное время.

— Акела! Акела! — крикнул Маугли, хлопая в ладоши.— Я так и знал, что ты меня не забудешь! Нам предстоит большая работа. Раздели стадо надвое, Акела. Собери коров с телятами, а быков и рабочих буйволов — отдельно.

Оба волка, делая петли, забегали в стаде среди буйволов и коров, которые фыркали и закидывали вверх головы, и разделили его на две группы. В одной стояли коровы, окружив телят кольцом, и, злобно глядя, рыли копытами землю, готовые броситься на волка и растоптать его насмерть, если только он остановится. В другой группе фыркали и рыли землю быки и молодые бычки, которые казались страшнее, но были далеко не так опасны, потому что не защищали своих телят. Люди и вшестером не сумели бы разделить стадо так ловко.

— Что прикажешь еще? — спросил Акела, задыхаясь.— Они хотят опять сойтись вместе.

Маугли вскочил на спину Рамы.

— Отгони быков подальше налево, Акела. Серый Брат, когда мы уйдем, не давай коровам разбегаться и загоняй их в устье оврага.

— Далеко ли? — спросил Серый Брат, тяжело дыша и щелкая зубами.

— До того места, где склоны всего круче, чтобы Шер-Хан не мог выскочить! — крикнул Маугли.— Задержи их там, пока мы не подойдем.

Быки рванулись вперед, услышав голос Акелы, а Серый Брат вышел и стал перед коровами. Те бросились на него, и он побежал перед самым стадом к устью оврага, а в это время Акела отогнал быков далеко влево.

— Хорошо сделано! Еще раз — и они дружно двинутся вперед. Осторожней теперь, осторожней, Акела! Стоит только щелкнуть зубами, и они бросятся на тебя! Ого! Бешеная работа, хуже, чем гонять черных оленей! Думал ли ты, что эти твари могут так быстро двигаться? — спросил Маугли.

— Я... я охотился и на них в свое время, — задыхаясь от пыли, отозвался Акела. — Повернуть их в джунгли?

— Да, поверни. Поверни их скорее! Рама бесится от злости. О, если б я только мог сказать ему, что́ мне от него нужно!

Быки повернули, на этот раз направо, и с шумом бросились в чащу. Мальчики-пастухи, сторожившие стадо полумилей дальше, со всех ног бросились в деревню, крича, что буйволы взбесились и убежали.

План Маугли был довольно прост. Он хотел сделать большой круг по холмам и дойти до верха оврага, а потом согнать быков вниз, чтобы Шер-Хан попал между быками и коровами. Он знал, что, наевшись и напившись вволю, Шер-Хан не сможет драться и не вскарабкается по склонам оврага. Теперь Маугли успокаивал буйволов голосом, а Акела бежал позади, подвывая изредка, чтобы подогнать отстающих. Пришлось сделать большой-большой круг, потому что они не хотели подходить слишком близко к оврагу, чтобы не вспугнуть Шер-Хана. Наконец Маугли повернул стадо на поросший травой обрыв, круто спускавшийся к оврагу. С обрыва из-за вершин деревьев была видна равнина внизу, но Маугли смотрел только на склоны оврага и с немалым удовольствием видел, что они очень круты, почти отвесны, и что плющ и лианы, которые их заплели, не удержат тигра, если он захочет выбраться наверх.

— Дай им вздохнуть, Акела, — сказал он, поднимая руку. — Они еще не почуяли тигра. Дай им вздохнуть. Надо же сказать Шер-Хану, кто идет. Мы поймали его в западню.

Он приложил руки ко рту и крикнул в овраг — это было все равно что кричать в туннель, — и эхо покатилось от скалы к скале.

Очень не скоро в ответ послышалось протяжное сонное ворчание сытого тигра, который только что проснулся.

— Кто зовет? — рявкнул Шер-Хан, и великолепный павлин с резким криком выпорхнул из оврага.

— Я, Маугли! Пора тебе явиться на Скалу Совета, коровий вор! Вниз! Гони их вниз, Акела! Вниз, Рама, вниз!

На миг стадо замерло на краю обрыва, но Акела провыл во весь голос охотничий клич, и буйволы один за другим нырнули в овраг, как пароходы ныряют через пороги. Песок и камни полетели фонтаном во все стороны.

Раз двинувшись, стадо уже не могло остановиться, и не успело оно спуститься на дно оврага, как Рама замычал, почуяв Шер-Хана.

— Ага! — сказал Маугли, сидевший на его спине. — Теперь ты понял!

И поток черных рогов, морд, покрытых пеной, и выпученных глаз покатился по оврагу точно так, как катятся валуны в половодье: буйволов послабее оттеснили к бокам оврага, где они с трудом продирались сквозь лианы. Буйволы поняли, что им предстоит: напасть всем стадом и со всех сил, чего не выдержит ни один тигр. Шер-Хан, заслышав топот копыт, вскочил и неуклюже затрусил вниз по оврагу, озираясь по сторонам в поисках выхода. Но откосы поднимались почти отвесно, и он бежал дальше и дальше, отяжелев от еды и питья, готовый на все, лишь бы не драться. Стадо уже расплескивало лужу, по которой он только что прошел, и мычало так, что стон стоял в узком проходе. Маугли услышал ответное мычание в конце оврага и увидел, как повернул Шер-Хан (тигр понимал, что лучше встретиться с быками, чем с коровами и телятами). Потом Рама оступился, споткнулся и прошел по чему-то мягкому и, подгоняемый остальными быками, на всем ходу врезался в другую половину стада. Буйволов послабее это столкновение просто сбило с ног. И оба стада вынеслись на равнину, бодаясь, фыркая и топоча копытами.

Маугли выждал сколько надо и соскользнул со спины Рамы, колотя направо и налево своей палкой.

— Живо, Акела, разводи стадо! Разгоняй их, не то они начнут бодать друг друга! Отгони их подальше, Акела. Эй, Рама! Эй, эй, эй, дети мои! Тихонько теперь, тихонько! Все уже кончено.

И поток черных рогов, морд,
покрытых пеной, и выпученных глаз
покатился по оврагу...

Акела и Серый Брат бегали взад и вперед, кусая буйволов за ноги, и, хотя стадо опять направилось было в овраг, Маугли сумел повернуть Раму, а остальные буйволы побрели за ним к болотам.

Шер-Хана не нужно было больше топтать. Он был мертв, и коршуны уже слетались к нему.

— Братья, вот это была собачья смерть! — сказал Маугли, нащупывая нож, который всегда носил в ножнах на шее, с тех пор как стал жить с людьми. — Но он все равно был трус и не стал бы драться. Да! Его шкура будет очень хороша на Скале Совета. Надо скорей приниматься за работу.

Мальчику, выросшему среди людей, никогда не пришло бы в голову одному свежевать десятифутового тигра, но Маугли лучше всякого другого знал, как прилажена шкура животного и как ее надо снимать. Однако работа была трудная, и Маугли старался целый час, отдирая и полосуя шкуру ножом, а волки смотрели, высунув язык, или подходили и тянули шкуру, когда он приказывал им.

Вдруг чья-то рука легла на плечо Маугли, и, подняв глаза, мальчик увидел Балдео с английским мушкетом. Пастухи рассказали в деревне о том, что буйволы взбесились и убежали, и Балдео вышел сердитый, заранее приготовившись наказать Маугли за то, что он плохо смотрел за стадом. Волки скрылись из виду, как только заметили человека.

— Что это еще за глупости? — сердито спросил Балдео. — Да разве тебе ободрать тигра! Где буйволы его убили? К тому же это хромой тигр, и за его голову назначено сто рупий. Ну-ну, мы не взыщем с тебя за то, что ты упустил стадо, и, может быть, я дам тебе одну рупию, после того как отвезу шкуру в Канхивару.

Он нащупал за поясом кремень и огниво и нагнулся, чтобы опалить Шер-Хану усы. Почти все охотники в Индии подпаливают тигру усы, чтобы его призрак не тревожил их.

— Гм! — сказал Маугли вполголоса, снимая кожу с передней лапы. — Так ты отвезешь шкуру в Канхивару, получишь награду и, может быть, дашь мне одну рупию? А я так думаю, что шкура понадобится мне самому. Эй, старик, убирайся с огнем подальше!

— Как ты смеешь так разговаривать с первым охотником деревни? Твое счастье и глупость буйволов помогли тебе заполучить такую добычу. Тигр только что наелся, иначе он был бы сейчас в двадцати милях отсюда. Ты даже ободрать его не сумеешь как следует, нищий мальчишка, да еще смеешь говорить мне, Балдео, чтобы я не подпаливал тигру усов! Нет, Маугли, я не дам тебе из награды ни одного медяка, зато поколочу тебя как следует. Отойди от туши!

— Клянусь буйволом, который выкупил меня, — сказал Маугли, снимая шкуру с лопатки, — неужели я потрачу весь полдень на болтовню с этой старой обезьяной? Сюда, Акела, этот человек надоел мне!

Балдео, который все еще стоял, нагнувшись над головой Шер-Хана, вдруг растянулся на траве, а когда пришел в себя, то увидел, что над ним стоит серый волк, а Маугли по-прежнему снимает шкуру, как будто он один во всей Индии.

— Да-а, — сказал Маугли сквозь зубы, — ты прав, Балдео: ты не дашь мне ни одного медяка из награды. Я давно воюю с этим хромым тигром, очень давно, и верх теперь мой!

Надо отдать Балдео справедливость — будь он лет на десять помоложе, он бы не побоялся схватиться с Акелой, повстречав его в лесу, но волк, повинующийся слову мальчика, у которого есть личные счеты с тигром-людоедом, — не простой зверь. Тут колдовство, самые опасные чары, думал Балдео и уже не надеялся, что амулет на шее защитит его. Он лежал едва дыша и ждал, что Маугли вот-вот превратится в тигра.

— Махараджа! Владыка! — произнес он наконец хриплым шепотом.

— Да? — ответил Маугли, не поворачивая головы и слегка посмеиваясь.

— Я уже старик. Откуда я знал, что ты не простой пастушонок? Можно ли мне встать и уйти отсюда или твой слуга разорвет меня в клочки?

— Ступай, да будет мир с тобой. Только в другой раз не мешайся в мои дела. Пусти его, Акела!

Балдео заковылял в деревню, спеша и поминутно оглядываясь через плечо, не превратится ли Маугли во что-нибудь страшное. Добравшись до деревни, он рассказал такую историю о напущенных на него чарах, волшебстве и колдовстве, что жрец не на шутку испугался.

Маугли работал не отдыхая, однако надвигались уже сумерки, когда он вместе с волками снял с туши большую пеструю шкуру.

— Теперь надо спрятать шкуру и гнать буйволов домой. Помоги мне собрать их, Акела!

Стадо собрали в сумеречной мгле, и, когда оно приближалось к деревне, Маугли увидел огни и услышал, как в храме звонят в колокола и трубят в раковины. Казалось, полдеревни собралось к воротам встречать Маугли.

«Это потому, что я убил Шер-Хана», — подумал он. Но целый дождь камней просвистел мимо него, и люди закричали:

— Колдун! Оборотень! Волчий выкормыш! Ступай прочь! Да поживее, не то жрец опять превратит тебя в волка! Стреляй, Балдео, стреляй!

Старый английский мушкет громко хлопнул, и в ответ замычал от боли раненый буйвол.

— Опять колдовство! — закричали люди. — Он умеет отводить пули. Балдео, ведь это твой буйвол!

— Это еще что такое? — спросил растерянно Маугли, когда камни полетели гуще.

— А ведь они похожи на Стаю, эти твои братья, — сказал Акела, спокойно усаживаясь на земле. — Если пули что-нибудь значат, они как будто собираются прогнать тебя.

— Волк! Волчий выкормыш! Ступай прочь! — кричал жрец, размахивая веткой священного растения тулси.

— Опять? Прошлый раз меня гнали за то, что я человек. На этот раз за то, что я волк. Пойдем, Акела!

Женщина — это была Мессуа — перебежала через дорогу к стаду и крикнула:

— О сын мой, сын мой! Они говорят, что ты колдун и можешь, когда захочешь, превращаться в волка! Я им не верю, но все-таки уходи, а то они убьют тебя. Балдео говорит, что ты чародей, но я знаю, что ты отомстил за смерть моего Натху.

— Вернись, Мессуа! — кричала толпа. — Вернись, не то мы побьем тебя камнями!

Маугли засмеялся коротким, злым смехом — камень ударил его по губам.

— Беги назад, Мессуа. Это глупая сказка из тех, какие рассказывают под большим деревом в сумерках. Я все-таки отомстил за твоего сына. Прощай и беги скорее, потому что я сейчас пошлю на них стадо, а оно движется быстрее, чем камни. Я не колдун, Мессуа. Прощай!.. Ну, еще раз, Акела! — крикнул он. — Гони стадо в ворота!

Буйволы и сами рвались в деревню. Они не нуждались в том, чтобы их подгонял вой Акелы, и вихрем влетели в ворота, расшвыряв толпу направо и налево.

— Считайте! — презрительно крикнул Маугли. — Может быть, я украл у вас буйвола? Считайте, потому что больше я не стану пасти для вас стадо. Прощайте, люди, и скажите спасибо Мессуе, что я не позвал своих волков и не стал гонять вас взад и вперед по деревенской улице.

Он повернулся и пошел прочь вместе с волком-одиночкой и, глядя вверх на звезды, чувствовал себя счастливым.

— Больше я уж не стану спать в ловушках, Акела. Давай возьмем шкуру Шер-Хана и пойдем отсюда. Нет, деревню мы не тронем, потому что Мессуа была добра ко мне.

Когда луна взошла над равниной, залив ее словно молоком, напуганные крестьяне увидели, как Маугли с двумя волками позади и с узлом на голове бежал к лесу волчьей рысью, пожирающей милю за милей, как огонь. Тогда они зазвонили в колокола и затрубили в раковины пуще прежнего. Мессуа плакала. Балдео все больше привирал, рассказывая о своих приключениях в джунглях, и кончил тем, что рассказал, будто Акела стоял на задних лапах и разговаривал, как человек.

Луна уже садилась, когда Маугли и оба волка подошли к холму, где была Скала Совета, и остановились перед логовом Матери Волчицы.

— Они прогнали меня из человечьей стаи, мать! — крикнул ей Маугли. — Но я сдержал свое слово и вернулся со шкурой Шер-Хана.

Мать Волчица не спеша вышла из пещеры со своими волчатами, и глаза ее загорелись, когда она увидела шкуру.

— В тот день, когда он втиснул голову и плечи в наше логово, охотясь за тобой, Лягушонок, я сказала ему, что из охотника он станет добычей. Ты сделал как надо.

— Хорошо сделал, Маленький Брат, — послышался чей-то низкий голос в зарослях. — Мы скучали в джунглях без тебя. — Багира подбежала и потерлась о босые ноги Маугли.

Они вместе поднялись на Скалу Совета, и на том плоском камне, где сиживал прежде Акела, Маугли растянул тигровую шкуру, прикрепив ее четырьмя бамбуковыми колышками. Акела улегся на шкуру и по-старому стал сзывать волков на Совет: «Смотрите, смотрите, о волки!» — совсем как в ту ночь, когда Маугли впервые привели сюда.

С тех пор как сместили Акелу, Стая оставалась без вожака и волки охотились или дрались как кому вздумается. Однако волки по привычке пришли на зов. Одни из них охромели, попавшись в капкан, другие едва ковыляли, раненные дробью, третьи запаршивели, питаясь всякой дрянью, многих недосчитывались совсем. Но все, кто остался в живых, пришли на Скалу Совета и увидели полосатую шкуру Шер-Хана на скале и громадные когти, болтающиеся на концах пустых лап.

— Смотрите хорошенько, о волки! Разве я не сдержал слово? — сказал Маугли.

И волки пролаяли: «Да!», а один, самый захудалый, провыл:

— Будь снова нашим вожаком, о Акела! Будь нашим вожаком, о детеныш! Нам опротивело беззаконие, и мы хотим снова стать Свободным Народом!

— Нет, — промурлыкала Багира, — этого нельзя. Если вы будете сыты, вы можете опять взбеситься. Недаром вы зоветесь Свободным Народом. Вы дрались за Свободу, и она ваша. Ешьте ее, о волки!

— Человечья стая и волчья стая прогнали меня, — сказал Маугли. — Теперь я буду охотиться в джунглях один.

— И мы станем охотиться вместе с тобой, — сказали четверо волчат.

И Маугли ушел и с этого дня стал охотиться в джунглях вместе с четырьмя волчатами.

Но он не всегда оставался один: спустя много лет он стал взрослым и женился.

Но это уже рассказ для больших!

❃❃❃❃❃❃❃❃❃❃❃❃❃❃❃❃❃❃❃❃❃❃❃❃❃❃❃❃❃

Как страх пришел в джунгли

ЗАКОН Джунглей, который много старше всех других законов на земле, предвидел почти все случайности, какие могут выпасть на долю Народа Джунглей, и теперь в этом Законе есть все, что могли дать время и обычай. Если вы читали другие рассказы про Маугли, то помните, что он провел бо́льшую часть своей жизни в Сионийской Волчьей Стае, обучаясь Закону у бурого медведя Балу. Это Балу сказал мальчику, когда тому наскучило выполнять его приказания, что Закон подобен цепкой лиане: он хватает всякого, и никому от него не уйти.

— Когда ты проживешь с мое, Маленький Брат, то увидишь, что все джунгли повинуются одному Закону. И это будет не очень приятно видеть,— сказал Балу.

Его слова вошли в одно ухо Маугли и вышли в другое: мальчик, у которого вся жизнь уходит на еду и сон, не станет особенно тревожиться, пока беда не подойдет к нему вплотную. Но настал год, когда слова Балу подтвердились, и Маугли увидел, что все джунгли повинуются одному Закону.

Это началось после того, как зимних дождей не выпало почти совсем и дикобраз Сахи, повстречав Маугли в бамбуковых зарослях, рассказал ему, что дикий ямс подсыхает. А всем известно, что Сахи привередлив до смешного и ест только самое вкусное и самое спелое. Маугли засмеялся и сказал:

— А мне какое дело?

— Сейчас почти никакого,— сухо и неприветливо ответил Сахи, гремя иглами,— а там будет видно. Можно ли еще нырять в глубоком омуте под Пчелиной Скалой, Маленький Брат?

— Нет. Глупая вода вся ушла куда-то, а я не хочу разбить себе голову,— сказал Маугли, который был уверен, что знает не меньше пяти дикобразов, вместе взятых.

— Тебе же хуже: в маленькую трещину могло бы войти сколько-нибудь ума.

Сахи быстро увернулся, чтобы Маугли не дернул его за щетинки на носу. Когда Маугли передал Балу слова Сахи, медведь на минуту задумался и проворчал:

— Будь я один, я переменил бы место охоты, прежде чем другие об этом догадаются. Но только охота среди чужих всегда кончается дракой — как бы они не повредили детенышу. Подождем, посмотрим, как будет цвести махуа.

Этой весной дерево махуа, плоды которого очень любил Балу, так и не зацвело. Сливочного цвета восковые лепестки были сожжены зноем, прежде чем успели развернуться, и лишь несколько дурно пахнущих бутонов упало на землю, когда медведь стал на задние лапы и потряс дерево. Потом шаг за шагом безмерный зной пробрался в самое сердце джунглей, и они пожелтели, побурели и наконец почернели. Зеленая поросль по склонам оврагов выгорела, помертвела и свернулась кусками черной проволоки; потаенные озера высохли до дна, покрылись коркой, и даже самые легкие следы по их берегам сохранялись долго, словно вылитые из чугуна; сочные стебли плюща, обвивавшие деревья, упали к их подножию и увяли; бамбук засох и тревожно шелестел на знойном ветру; мох сошел со скал в глубине джунглей, и они стали такими же голыми и горячими, как синие валуны в русле потока.

Птицы и обезьяны ушли на север в самом начале года, понимая, что им грозит беда, а олени и дикие свиньи забирались далеко в сохнущие на корню поля вокруг деревень и нередко умирали на глазах у людей, которые слишком ослабели, чтобы убивать их. Коршун Чиль остался в джунглях и разжирел, потому что падали было очень много. Каждый вечер он твердил зверям, у которых уже не хватало сил уйти на новые места, что солнце убило джунгли на три дня полета во все стороны.

Маугли, до сих пор не знавший настоящего голода, принялся за старый мед, трехлетней давности; он выгребал из опустелых ульев среди скал мед, черный, как терновые ягоды, и покрытый налетом застывшего сахара. А еще он доставал личинок, забравшихся глубоко под кору деревьев, и таскал у ос их детву. От дичи в джунглях остались кости да кожа, и Багира убивала трижды в ночь и все не могла наесться досыта. Но хуже всего было то, что не хватало воды, ибо Народ Джунглей пьет хоть и редко, но вволю.

А зной все держался и держался и выпил всю влагу, и в конце концов из всех потоков оставалось только главное русло Вайнганги, по которому струился тоненький ручеек воды между мертвыми берегами; и когда дикий слон Хатхи, который живет сто лет и даже больше, увидел длинный синий каменный хребет, выступивший из-под воды посередине потока, он узнал Скалу Мира и тут же поднял хобот и затрубил, объявляя Водяное Перемирие, как пятьдесят лет назад объявил это Перемирие его отец. Олени, дикие свиньи и буйволы хрипло подхватили его призыв, а коршун Чиль, летая над землей большими кругами, свистом и криком извещал джунгли о Перемирии.

По Закону Джунглей за убийство у водопоя полагается смерть, если Перемирие уже объявлено. Это потому, что питье важнее еды. Каждый зверь в джунглях сможет как-нибудь перебиться, если мало дичи, но вода есть вода, и если остался только один источник, всякая охота прекращается, пока Народ Джунглей ходит к нему на водопой. В хорошие времена, когда воды бывало много, зверям, ходившим на водопой к Вайнганге или в другое место, грозила смерть, и эта опасность много прибавляла к прелестям ночной жизни. Спуститься к реке так ловко, чтобы не зашелестел ни один листок; бродить по колено в грохочущей воде порогов, которая глушит всякий шум; пить, оглядываясь через плечо, в страхе напрягая все мускулы для первого отчаянного прыжка, а потом покататься по песчаному берегу и вернуться с мокрой мордой и полным животом к восхищенному стаду — все это с восторгом проделывали молодые олени с блестящими гладкими рожками именно потому, что в любую минуту Багира или Шер-Хан могли броситься на них и унести. Но теперь эта игра в жизнь и смерть была кончена, и Народ Джунглей подходил голодный и измученный к обмелевшей реке — тигр и медведь вместе с оленями, буйволами и кабанами,— пил загрязненную воду и долго стоял над рекой, не в силах двинуться с места.

Олени и кабаны напрасно искали целыми днями чего-нибудь получше сухой коры и завядших листьев. Буйволы не находили больше ни прохлады в илистых заводях, ни зеленых всходов на полях. Змеи ушли из джунглей и приползли к реке в надежде поймать чудом уцелевшую лягушку. Они обвивались вокруг мокрых камней и даже не шевелились, когда дикая свинья в поисках корней задевала их рылом. Речных черепах давным-давно переловила Багира, самая ловкая из зверей-охотников, а рыба спряталась глубоко в потрескавшийся ил. Одна только Скала Мира длинной змеей выступала над мелями, и вялые волны едва слышно шипели, касаясь ее горячих боков.

Сюда-то и приходил Маугли каждый вечер, ища прохлады и общества. Самые голодные из его врагов теперь едва ли польстились бы на мальчика. Из-за гладкой, безволосой кожи он казался еще более худым и жалким, чем его товарищи. Волосы у него выгорели на солнце, как пенька; ребра выступали, словно прутья на плетеной корзине; высохшие ноги и руки стали похожи на узловатые стебли трав — ползая на четвереньках, он натер себе шишки на коленях и локтях. Зато глаза смотрели из-под спутанных волос спокойно и ясно, потому что Багира, его друг и советчик, в это трудное время велела ему двигаться спокойно, охотиться не спеша и никогда ни в коем случае не раздражаться.

— Времена сейчас плохие,— сказала черная пантера в один раскаленный, как печка, вечер,— но они пройдут, если мы сумеем продержаться до конца. Полон ли твой желудок, детеныш?

— В желудке у меня не пусто, но пользы от этого мало. Как ты думаешь, Багира, дожди совсем забыли нас и никогда не вернутся?

— Не думаю. Мы еще увидим махуа в цвету и оленят, разжиревших на молодой травке. Пойдем на Скалу Мира, послушаем новости. Садись ко мне на спину, Маленький Брат.

— Сейчас не время носить тяжести. Я еще могу держаться на ногах, хотя, правда, мы с тобой не похожи на жирных волов.

Багира искоса посмотрела на свой взъерошенный, пыльный бок и проворчала:

— Вчера ночью я убила вола под ярмом. Я так ослабела, что не посмела бы броситься на него, если б он был на свободе! Вау!

Маугли засмеялся:

— Да, мы теперь смелые охотники. У меня хватает храбрости ловить и есть личинок.

И они вдвоем с Багирой спустились сухим и ломким кустарником на берег реки, к кружевным отмелям, которые разбегались во всех направлениях.

— Эта вода не проживет долго,— сказал Балу, подходя к ним.— Посмотрите на тот берег!

На ровной низине дальнего берега жесткая трава джунглей засохла на корню и стояла мертвая. Протоптанные оленями и кабанами тропы, ведущие к реке, исполосовали рыжую низину пыльными ущельями, проложенными в высокой траве, и хотя было еще рано, все тропы были полны зверьем, спешившим к воде. Слышно было, как лани и их детеныши кашляют от пыли, мелкой, как нюхательный табак.

Выше по реке, у тихой заводи, огибавшей Скалу Мира, хранительницу Водяного Перемирия, стоял дикий слон Хатхи со своими сыновьями. Худые и серые в лунном свете, они покачивались взад и вперед, покачивались не переставая. Немного ниже стояли рядами олени, еще ниже — кабаны и дикие буйволы, а на том берегу, где высокие деревья подступали к самой воде, было место, отведенное для хищников: тигров, волков, пантер, медведей и всех прочих.

— Правда, что мы повинуемся одному Закону,— сказала Багира, заходя в воду и поглядывая искоса на ряды стучащих рогов и настороженных глаз там, где толкались у воды олени и кабаны.— Доброй охоты всем, кто со мной одной крови,— прибавила она, ложась и вытягиваясь во весь рост. Выставив один бок из воды, она шепнула сквозь зубы: — А если б не этот Закон, можно бы очень хорошо поохотиться.

Чуткие уши оленей услышали последние слова, и по рядам пробежал испуганный шепот:

— Перемирие! Не забывайте о Перемирии!

— Тише, тише! — пробурчал дикий слон Хатхи.— Перемирие продолжается, Багира. Не время сейчас говорить об охоте.

— Кому это лучше знать, как не мне? — ответила Багира, поводя желтыми глазами вверх по реке.— Я теперь ем черепах, ловлю лягушек. Нгайя! Хорошо бы мне выучиться жевать ветки!

— Нам бы тоже очень этого хотелось, о-очень! — проблеял молоденький олененок, который народился только этой весной и не одобрял старых порядков.

Как ни плохо было Народу Джунглей, но даже слон Хатхи невольно улыбнулся, а Маугли, который лежал в теплой воде, опираясь на локти, громко расхохотался и взбил ногами пену.

— Хорошо сказано, Маленькие Рожки! — промурлыкала Багира. — Когда Перемирие кончится, это будет зачтено в твою пользу. — И она зорко посмотрела в темноту, чтобы узнать олененка при встрече.

Мало-помалу говор пошел по всему водопою, вверх и вниз по реке. Слышно было, как свиньи, возясь и фыркая, просили потесниться; как мычали буйволы, переговариваясь между собой на песчаных отмелях; как олени рассказывали друг другу жалостные истории о том, что совсем сбились с ног в поисках пищи. Время от времени они спрашивали о чем-нибудь хищников, стоявших на том берегу, но новости были плохие, и жаркий ветер джунглей с шумом проносился между скалами и деревьями, засыпая воду пылью и ветками.

— И люди тоже умирают за плугом, — сказал молодой олень. — От заката до темноты я видел троих. Они лежали не двигаясь, и их буйволы — рядом с ними. Скоро и мы тоже ляжем и не встанем больше.

— Река убыла со вчерашней ночи, — сказал Балу. — О Хатхи, приходилось ли тебе видеть засуху, подобную этой?

— Она пройдет, она пройдет, — отвечал Хатхи, поливая водой из хобота спину и бока.

— У нас тут есть один, которому не вытерпеть долго, — сказал Балу и посмотрел на мальчика, которого очень любил.

— Мне? — возмущенно крикнул Маугли, садясь в воде. — У меня нет длинной шерсти, прикрывающей кости, но если бы содрать с тебя шкуру, Балу...

Хатхи весь затрясся от смеха, а Балу сказал строго:

— Детеныш, этого не подобает говорить учителю Закона! Меня еще никто не видел без шкуры.

— Да нет, я не хотел сказать ничего обидного, Балу. Только то, что ты похож на кокосовый орех в шелухе, а я на тот же орех без шелухи. А если эту твою бурую шелуху...

Маугли сидел скрестив ноги и объяснял свою мысль, по обыкновению засунув палец в рот, но тут Багира протянула мягкую лапу и опрокинула его в воду.

— Еще того хуже,— сказала черная пантера, когда мальчик поднялся отфыркиваясь.— То с Балу надо содрать шкуру, то он похож на кокосовый орех. Смотри, как бы он не сделал того, что делают кокосовые орехи!

— А что? — спросил Маугли, позабывшись на минуту, хотя это одна из самых старых шуток в джунглях.

— Не разбил бы тебе голову,— невозмутимо ответила Багира, снова опрокидывая мальчика в воду.

— Нехорошо смеяться над своим учителем,— сказал медведь, после того как Маугли окунулся в третий раз.

— Нехорошо! А чего же вы хотите? Этот голыш бегает по лесу и насмехается, как обезьяна, над тем, кто был когда-то добрым охотником, да еще дергает за усы забавы ради.

Это спускался к реке, ковыляя, Шер-Хан, хромой тигр. Он подождал немножко, наслаждаясь переполохом, который поднялся среди оленей на том берегу, потом опустил к воде усатую квадратную голову и начал лакать, ворча:

— Джунгли теперь логово для голых щенят! Взгляни на меня, человечий детеныш!

Маугли взглянул на него — вернее, посмотрел в упор и очень дерзко,— и через минуту Шер-Хан беспокойно отвернулся.

— Маугли то, Маугли се! — проворчал он, продолжая лакать воду.— Он не человек и не волк, не то он испугался бы. Будущим летом мне придется просить у него позволения напиться! Уф!

— Может быть, и так,— сказала Багира, пристально глядя тигру в глаза.— Может быть, и так... Фу, Шер-Хан! Что это за новую пакость ты принес сюда?

Хромой тигр окунул в воду подбородок и щеки, и темные маслянистые полосы поплыли вниз по реке.

— Час назад я убил человека,— нагло ответил Шер-Хан.

Он продолжал лакать воду, мурлыкая и ворча себе под нос.

Ряды зверей дрогнули и заколебались, над ними пронесся шепот, который перешел в крик:

— Он убил человека! Убил человека!

И все посмотрели на дикого слона Хатхи, но тот, казалось, не слышал. Хатхи никогда не торопится, оттого он и живет так долго.

— В такое время убивать человека! Разве нет другой дичи в джунглях? — презрительно сказала Багира, выходя из оскверненной воды и по-кошачьи отряхивая одну лапу за другой.

— Я убил его не для еды, а потому, что мне так хотелось.

Опять поднялся испуганный ропот, и внимательные белые глазки Хатхи сурово посмотрели в сторону Шер-Хана.

— Потому, что мне так хотелось,— протянул Шер-Хан.— А теперь я пришел сюда, чтобы утолить жажду и очиститься. Кто мне запретит?

Спина Багиры изогнулась, как бамбук на сильном ветру, но Хатхи спокойно поднял свой хобот.

— Ты убил потому, что тебе так хотелось?—спросил он.

А когда Хатхи спрашивает, лучше отвечать.

— Вот именно. Это было мое право и моя ночь. Ты это знаешь, о Хатхи,— отвечал Шер-Хан почти вежливо.

— Да, я знаю,— ответил Хатхи и, помолчав немного, спросил: — Ты напился вволю?

— На эту ночь — да.

— Тогда уходи. Река для того, чтобы пить, а не для того, чтобы осквернять ее. Никто, кроме хромого тигра, не стал бы хвастаться своим правом в такое время... в такое время, когда все мы страдаем вместе — и человек, и Народ Джунглей. Чистый или нечистый, ступай в свою берлогу, Шер-Хан!

Последние слова прозвучали, как серебряные трубы. И три сына Хатхи качнулись вперед на полшага, хотя в этом не было нужды. Шер-Хан ушел крадучись, не смея даже ворчать, ибо знал то, что известно всем: если дойдет до дела, то хозяин джунглей — Хатхи.

— Что это за право, о котором говорил Шер-Хан?—шепнул Маугли на ухо Багире.— Убивать человека всегда стыдно. Так сказано в Законе. А как же Хатхи говорит...

— Спроси его сам. Я не знаю, Маленький Брат. Есть такое право или нет, а я бы проучила как следует Хромого Мясника, если бы не Хатхи. Приходить к Скале Мира, только что убив человека, да еще хвастаться этим — выходка, достойная шакала! Кроме того, он испортил хорошую воду.

Маугли подождал с минуту, набираясь храбрости, потому что все в джунглях побаивались обращаться прямо к Хатхи, потом крикнул:

— Что это за право у Шер-Хана, о Хатхи?

*Последние слова прозвучали,
как серебряные трубы.
И три сына Хатхи качнулись вперед на полшага...*

Оба берега подхватили его слова, ибо Народ Джунглей очень любопытен, а на глазах у всех произошло нечто такое, чего не понял никто, кроме Балу, который принял самый глубокомысленный вид.

— Это старая история,— сказал Хатхи,— она много старше джунглей. Помолчите там, на берегах, и я расскажу ее вам.

Минута или две прошли, пока буйволы и кабаны толкались и отпихивали друг друга, потом вожаки стад повторили один за другим:

— Мы ждем!

И Хатхи шагнул вперед и стал по колено в воде посреди заводи у Скалы Мира. Несмотря на худобу, морщины и желтые бивни, сразу было видно, что именно он — хозяин джунглей.

— Вы знаете, дети мои,— начал он,— что больше всего на свете вы боитесь человека.

Послышался одобрительный ропот.

— Это тебя касается, Маленький Брат,— сказала Багира Маугли.

— Меня? Я охотник Свободного Народа и принадлежу к Стае,— ответил Маугли.— Какое мне дело до человека?

— А знаете ли вы, почему вы боитесь человека? — продолжал Хатхи.— Вот почему. В начале джунглей, так давно, что никто не помнит, когда это было, все мы паслись вместе и не боялись друг друга. В то время не было засухи, листья, цветы и плоды вырастали на дереве в одно время, и мы питались только листьями, цветами и плодами да корой и травой.

— Как я рада, что не родилась в то время! — сказала Багира.— Кора хороша только точить когти.

— А Господин Джунглей был Тха, Первый из Слонов. Своим хоботом он вытащил джунгли из глубоких вод, и там, где он провел по земле борозды своими бивнями, побежали реки, и там, где он топнул ногой, налились водою озера, а когда он затрубил в хобот — вот так,— народились деревья. Вот так Тха сотворил джунгли, и вот так рассказывали мне эту историю.

— Она не стала короче от пересказа! — шепнула Багира.

А Маугли засмеялся, прикрывая рот ладонью.

— В то время не было ни маиса, ни дынь, ни перца, ни сахарного тростника, ни маленьких хижин, какие видел каждый из вас, и Народы Джунглей жили в лесах дружно, как один народ, не зная ничего о человеке. Но скоро звери начали ссориться из-за пищи, хотя пастбищ хватало на всех. Они обленились. Каждому хотелось пастись там, где он отдыхал, как бывает иногда и у нас, если весенние дожди прошли дружно. У Тха, Первого из Слонов, было много дела: он создавал новые джунгли и прокладывал русла рек. Он не мог поспеть всюду и потому сделал Первого из Тигров властелином и судьей над джунглями, и Народ Джунглей приходил к нему со своими спорами. В то время Первый из Тигров ел плоды и траву вместе со всеми. Он был ростом с меня и очень красив: весь желтый, как цветы желтой лианы. В то доброе старое время, когда джунгли только что народились, на шкуре тигра еще не было ни полос, ни пятен. Весь Народ Джунглей приходил к нему без страха, и слово его было законом для всех. Не забывайте, что все мы были тогда один народ.

И все же однажды ночью между двумя быками вышел спор из-за пастбища, такой спор, какие вы теперь решаете с помощью рогов и передних копыт. Говорят, что когда оба быка пришли жаловаться к Первому из Тигров, лежавшему среди цветов, один из них толкнул его рогами, и Первый из Тигров, позабыв о том, что он властелин и судья над джунглями, бросился на этого быка и сломал ему шею.

До той ночи никто из нас не умирал, и Первый из Тигров, увидев, что́ он наделал, и потеряв голову от запаха крови, убежал в болота на север; а мы, Народ Джунглей, остались без судьи и начали ссориться и драться между собой. Тха услышал шум и пришел к нам. И одни из нас говорили одно, а другие — другое, но он увидел мертвого быка среди цветов и спросил нас, кто его убил, а мы не могли ему сказать, потому что потеряли разум от запаха крови, как теряем его и теперь. Мы метались и кружились по джунглям, скакали, кричали и мотали головами. И Тха повелел нижним ветвям деревьев и ползучим лианам джунглей отметить убийцу, чтобы Первый из Слонов мог узнать его.

И Тха спросил:

«Кто хочет быть Господином Джунглей?»

Выскочила Серая Обезьяна, которая живет на ветвях, и крикнула:

«Я хочу быть Госпожой Джунглей!»

Тха усмехнулся и ответил:

«Пусть будет так!» — и в гневе ушел прочь.

Дети, вы знаете Серую Обезьяну. Тогда она была такая же, как и теперь. Сначала она состроила умное лицо, но через минуту начала почесываться и скакать вверх и вниз, и, возвратившись, Тха увидел, что она висит на дереве головой вниз и передразнивает всех, кто стоит под деревом, и они тоже ее дразнят. И так в джунглях не стало больше Закона — одна глупая болтовня и слова без смысла.

Тогда Тха созвал нас всех и сказал:

«Первый ваш Господин принес в джунгли Смерть, второй — Позор. Теперь пора дать вам Закон, и такой Закон, которого вы не смели бы нарушать. Теперь вы познаете Страх и, увидев его, поймете, что он господин над вами, а все остальное придет само собой».

Тогда мы, Народ Джунглей, спросили:

«Что такое Страх?»

И Тха ответил:

«Ищите и отыщете».

И мы исходили все джунгли вдоль и поперек в поисках Страха, и вскоре буйволы...

— Уф! — отозвался со своей песчаной отмели Меса, вожак буйволов.

— Да, Меса, то были буйволы. Они принесли весть, что в одной пещере в джунглях сидит Страх, что он безволосый и ходит на задних лапах. Тогда все мы пошли за стадом буйволов к этой пещере, и Страх стоял там у входа. Да, он был безволосый, как рассказывали буйволы, и ходил на задних лапах. Увидев нас, он крикнул, и его голос вселил в нас тот страх, который мы знаем теперь, и мы ринулись прочь, топча и нанося раны друг другу. В ту ночь Народ Джунглей не улегся отдыхать весь вместе, как было у нас в обычае, но каждое племя легло отдельно — свиньи со свиньями и олени с оленями: рога с рогами и копыта с копытами. Свои залегли со своими и дрожали от страха всю ночь.

Только Первого из Тигров не было с нами: он все еще прятался в болотах на севере, и, когда до него дошла весть о том, кого мы видели в пещере, он сказал:

«Я пойду к нему и сломаю ему шею».

И он бежал всю ночь, пока не достиг пещеры, но деревья и лианы на его пути, помня повеление Тха, низко опускали свои ветви и метили его на бегу, проводя пальцами по его спине, бокам, лбу и подбородку. И где бы ни дотронулись до него лианы, оставалась метка или полоса на его желтой шкуре. И эти полосы его дети носят до наших дней! Когда он подошел к пещере, Безволосый Страх протянул руку и назвал его «Полосатый, что приходит ночью», и Первый из Тигров испугался Безволосого и с воем убежал обратно в болота...

Тут Маугли тихонько засмеялся, опустив подбородок в воду.

— ...Он выл так громко, что Тха услышал его и спросил:

«О чем ты?»

И Первый из Тигров, подняв морду к только что сотворенному небу, которое теперь так старо, сказал:

«Верни мне мою власть, о Тха! Меня опозорили перед всеми джунглями: я убежал от Безволосого, а он назвал меня позорным именем».

«А почему?» — спросил Тха.

«Потому, что я выпачкался в болотной грязи», — ответил Первый из Тигров.

«Так поплавай и покатайся по мокрой траве, и если это грязь, она, конечно, сойдет», — сказал Тха.

И Первый из Тигров плавал и плавал, и катался по траве, так что джунгли завертелись у него перед глазами, но ни одно пятнышко не сошло с его шкуры, и Тха засмеялся, глядя на него. Тогда Первый из Тигров спросил:

«Что же я сделал и почему это случилось со мной?»

Тха ответил:

«Ты убил быка и впустил Смерть в джунгли, а вместе со Смертью пришел Страх, и потому Народы Джунглей теперь боятся один другого, как ты боишься Безволосого».

Первый из Тигров сказал:

«Они не побоятся меня, потому что я давно их знаю».

«Поди и посмотри», — ответил Тха.

Тогда Первый из Тигров стал бегать взад и вперед по джунглям и громко звать оленей, кабанов, дикобразов и все Народы Джунглей. И все они убежали от тигра, который был прежде их Судьей, потому что боялись его теперь.

Тогда Первый из Тигров вернулся к Тха. Гордость его была сломлена, и, ударившись головой о землю, он стал рыть ее всеми четырьмя лапами и провыл:

«Вспомни, что я был когда-то Властелином Джунглей! Не забудь меня, о Тха! Пусть мои дети помнят, что когда-то я не знал ни стыда, ни страха!»

И Тха сказал:

«Это я сделаю, потому что мы вдвоем с тобой видели, как создавались джунгли. Одна ночь в году будет для тебя и для твоих детей такая же, как была прежде, пока ты не убил быка. Если ты повстречаешь Безволосого в эту единственную ночь — а имя ему Человек, — ты не испугаешься его, зато он будет бояться тебя и твоих детей, словно вы судьи джунглей и хозяева всего, что в них есть. Будь милосерден к нему в эту ночь Страха, ибо теперь ты знаешь, что такое Страх».

И тогда Первый из Тигров ответил:

«Хорошо. Я доволен».

Но после того, подойдя к реке напиться, он увидел полосы на своих боках, вспомнил имя, которое ему дал Безволосый, и пришел в ярость. Целый год он прожил в болотах, ожидая, когда Тха исполнит свое обещание. И в одну ночь, когда Лунный Шакал (вечерняя звезда) поднялся над джунглями, тигр почуял, что настала его ночь, и пошел к той пещере, где жил Безволосый. И все случилось так, как обещал Первый из Слонов: Безволосый упал на колени перед ним и распростерся на земле, а Первый из Тигров бросился на него и сломал ему хребет, думая, что в джунглях больше нет Безволосых и что он убил Страх. И тогда, обнюхав свою добычу, он услышал, что Тха идет из лесов севера. И вскоре раздался голос Первого из Слонов, тот самый голос, который мы слышим сейчас...

Гром прокатился по иссохшим и растрескавшимся холмам, но не принес с собой дождя — только зарницы блеснули за дальними горами. И Хатхи продолжал:

— Вот этот голос он и услышал. И голос сказал ему: «Это и есть твое милосердие?»

Первый из Тигров облизнулся и ответил:

«Что за беда? Я убил Страх».

И Тха сказал:

«О слепой и неразумный! Ты развязал ноги Смерти, и она станет ходить за тобою по пятам, пока ты не умрешь. Ты научил человека убивать!»

Первый из Тигров наступил на свою добычу и сказал:

«Он теперь такой же, как тот бык. Страха больше нет, и я по-прежнему буду судить Народы Джунглей».

Но Тха сказал:

«Никогда больше не придут к тебе Народы Джунглей. Никогда не скрестятся их пути с твоими, никогда не будут они спать рядом с тобой, ни ходить за тобой, ни пастись возле твоей берлоги. Только Страх будет ходить за тобой по пятам и, когда ему вздумается, поражать тебя оружием, которого ты не увидишь. Он сделает так, что земля разверзнется у тебя под ногами, и лиана захлестнет твою шею, и стволы деревьев нагромоздятся вокруг тебя так высоко, что ты не сможешь через них перепрыгнуть. А напоследок он снимет с тебя шкуру и прикроет ею своих детенышей, чтобы согреть их. Ты не пощадил его, и он тебе не даст пощады».

Первый из Тигров был очень отважен, потому что его ночь еще не прошла, и он сказал:

«Обещание Тха остается в силе. Ведь он не отнимет у меня моей ночи?»

И Тха сказал:

«Твоя ночь остается твоей, как я обещал, но за нее придется заплатить. Ты научил человека убивать, а он все перенимает быстро».

Первый из Тигров ответил:

«Вот он, у меня под ногой, и хребет его сломлен. Пусть узнают все Джунгли, что я убил Страх».

Но Тха засмеялся и сказал:

«Ты убил одного из многих и сам скажешь об этом Джунглям, потому что твоя ночь прошла!»

И вот наступил день — из пещеры вышел другой Безволосый, и, увидев убитого на тропинке и тигра, стоящего над ним, он взял палку с острым концом...

— Теперь они бросают такую острую штуку, — сказал дикобраз Сахи, с шорохом спускаясь к реке.

Гонды[1] считают Сахи самой вкусной едой — они зовут его Хо-Игу, — и ему известно кое-что о коварном топорике гондов, который летит через просеку, блестя, как стрекоза.

— Это была палка с острым концом, какие втыкают на дно ловчей ямы, — сказал Хатхи. — Безволосый бросил ее, и она воткнулась в бок Первому из Тигров. Все случилось, как сказал Тха: Первый из Тигров с воем бегал по лесу, пока не вырвал палку, и все Джунгли узнали, что Безволосый может поражать издали, и стали бояться больше прежнего. Так вышло, что Первый из Тигров научил Безволосого убивать, — а вы сами знаете, сколько вреда это принесло всем нам, — убивать и петлей, и ловушкой, и спрятанным капканом, и кусачей мухой, которая вылетает из белого дыма (Хатхи говорил о пуле), и Красным Цветком, который выгоняет нас из лесу. И все

---

[1] Гонды — один из древнейших народов Индии.

же одну ночь в году Безволосый боится тигра, как обещал Тха, и тигр ничего не сделал, чтобы прогнать его Страх. Где он найдет Безволосого, там и убивает, помня, как опозорили Первого из Тигров.

И теперь Страх свободно разгуливает по джунглям днем и ночью.

— Ахи! Ао! — вздохнули олени, думая, как важно все это для них.

— И только когда один Великий Страх грозит всем, как теперь, мы в джунглях забываем свои мелкие страхи и сходимся в одно место, как теперь.

— Человек только одну ночь боится тигра? — спросил Маугли.

— Только одну ночь, — ответил Хатхи.

— Но ведь я... но ведь мы... но ведь все в джунглях знают, что Шер-Хан убивает человека дважды и трижды в месяц.

— Это так. Но тогда он бросается на него сзади и, нападая, отворачивает голову, потому что боится. Если человек посмотрит на тигра, он убежит. А в свою ночь он входит в деревню не прячась. Он идет между домами, просовывает голову в дверь, а люди падают перед ним на колени, и тогда он убивает. Один раз — в ту ночь.

«О! — сказал Маугли про себя, перевертываясь в воде с боку на бок. — Теперь я понимаю, почему Шер-Хан попросил меня взглянуть на него. Ему это не помогло, он не мог смотреть мне в глаза, а я... я, разумеется, не упал перед ним на колени. Но ведь я не человек, я принадлежу к Свободному Народу».

— Гм-м! — глухо проворчала Багира. — А тигр знает свою ночь?

— Нет, не знает, пока Лунный Шакал не выйдет из ночного тумана. Иногда эта ночь бывает летом, в сухое время, а иногда зимой, когда идут дожди. Если бы не Первый из Тигров, этого не случилось бы и никто из нас не знал бы Страха.

Олени грустно вздохнули, а Багира коварно улыбнулась.

— Люди знают эту... сказку? — спросила она.

— Никто ее не знает, кроме тигров и нас, слонов, детей Тха. Теперь и вы, те, что на берегах, слышали ее, и больше мне нечего сказать вам.

Хатхи окунул хобот в воду в знак того, что не желает больше разговаривать.

— Но почему же, почему,— спросил Маугли, обращаясь к Балу,— почему Первый из Тигров перестал есть траву, плоды и листья? Ведь он только сломал шею быку. Он не сожрал его. Что же заставило его отведать свежей крови?

— Деревья и лианы заклеймили тигра, Маленький Брат, и он стал полосатым, каким мы видим его теперь. Никогда больше не станет он есть их плодов, и с того самого дня он мстит оленям, буйволам и другим травоедам,— сказал Балу.

— Так ты тоже знаешь эту сказку? Да? Почему же я никогда ее не слыхал?

— Потому, что джунгли полны таких сказок. Стоит только начать, им и конца не будет. Пусти мое ухо, Маленький Брат!

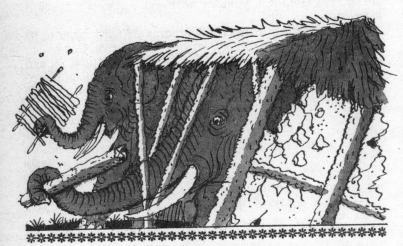

Нашествие джунглей

Вы, конечно, помните, что Маугли, пригвоздив шкуру Шер-Хана к Скале Совета, сказал всем волкам, сколько их осталось от Сионийской Стаи, что с этих пор будет охотиться в джунглях один, а четверо волчат Матери Волчицы пообещали охотиться вместе с ним. Но не так-то легко сразу переменить свою жизнь, особенно в джунглях. После того как Стая разбежалась кто куда, Маугли прежде всего отправился в родное логово и залег спать на весь день и на всю ночь. Проснувшись, он рассказал Отцу

Волку и Матери Волчице о своих приключениях среди людей ровно столько, сколько они могли понять. Когда Маугли стал играть перед ними своим охотничьим ножом так, что утреннее солнце заиграло и заблистало на его лезвии — это был тот самый нож, которым он снял шкуру с Шер-Хана, — волки сказали, что он кое-чему научился. После того Акеле и Серому Брату пришлось рассказать, как они помогали Маугли гнать буйволов по оврагу, и Балу вскарабкался на холм послушать их, а Багира почесывалась от удовольствия при мысли о том, как ловко Маугли воевал с Тигром.

Солнце давно уже взошло, но никто и не думал ложиться спать, а Мать Волчица время от времени закидывала голову кверху и радостно вдыхала запах шкуры Шер-Хана, доносимый ветром со Скалы Совета.

— Если бы не Акела с Серым Братом, — сказал в заключение Маугли, — я бы ничего не смог сделать. О Мать Волчица, если б ты видела, как серые буйволы неслись по оврагу и как они ломились в деревенские ворота, когда человечья стая бросала в меня камнями!

— Я рада, что не видела этого, — сурово сказала Мать Волчица. — Не в моем обычае терпеть, чтобы моих волчат гоняли, как шакалов! Я бы заставила человечью стаю поплатиться за это, но пощадила бы женщину, которая кормила тебя молоком. Да, я пощадила бы только ее одну!

— Тише, тише, Ракша! — лениво заметил Отец Волк. — Наш Лягушонок опять вернулся к нам и так поумнел, что родной отец должен лизать ему пятки. А не все ли равно — одним шрамом на голове больше или меньше? Оставь человека в покое.

И Балу с Багирой отозвались, как эхо:

— Оставь человека в покое!

Маугли, положив голову на бок Матери Волчицы, улыбнулся довольной улыбкой и сказал, что и он тоже не хочет больше ни видеть, ни слышать, ни чуять человека.

— А что, если люди не оставят тебя в покое, Маленький Брат? — сказал Акела, приподняв одно ухо.

— Нас пятеро, — сказал Серый Брат, оглянувшись на всех сидящих и щелкнув зубами.

— Мы тоже могли бы принять участие в охоте, — сказала Багира, пошевеливая хвостом и глядя на Балу. — Но к чему думать теперь о человеке, Акела?

— А вот к чему, — ответил волк-одиночка. — После того как шкуру этого желтого вора повесили на Скале Совета, я пошел обратно к деревне по нашим следам; чтобы запутать их на тот случай, если за нами кто-нибудь погонится, я ступал в свои следы, а иногда сворачивал в сторону и ложился. Но когда я запутал след так, что и сам не мог бы в нем разобраться, прилетел нетопырь Манг и стал кружить надо мной. Он сказал:

«Деревня человечьей стаи, откуда прогнали Маугли, гудит, как осиное гнездо».

— Это оттого, что я бросил туда большой камень,— посмеиваясь, сказал Маугли, который часто забавлялся тем, что кидал спелые папавы в осиное гнездо, а потом бросался бегом к ближайшей заводи, чтобы осы его, чего доброго, не догнали.

— Я спросил нетопыря, что он видел. Он сказал, что перед деревенскими воротами цветет Красный Цветок и люди сидят вокруг него с ружьями. Я говорю недаром: я ведь знаю по опыту,— тут Акела взглянул на старые рубцы на своих боках,— что люди носят ружья не для забавы. Скоро, Маленький Брат, человек с ружьем пойдет по нашему следу.

— Но зачем это? Люди прогнали меня. Чего еще им нужно? — сердито спросил Маугли.

— Ты человек, Маленький Брат,— возразил Акела.— Не нам, Вольным Охотникам, говорить тебе, что и зачем делают твои братья.

Он едва успел отдернуть лапу, как охотничий нож глубоко вонзился в землю на том месте, где она лежала. Маугли бросил нож так быстро, что за ним не уследил бы человечий глаз, но Акела был волк, а даже собака, которой далеко до дикого волка, ее прапрадеда, может проснуться от крепкого сна, когда колесо телеги слегка коснется ее бока, и отпрыгнуть в сторону невредимой, прежде чем это колесо наедет на нее.

— В другой раз,— спокойно сказал Маугли, вкладывая нож в ножны,— не говори о человечьей стае, когда говоришь с Маугли.

— Пфф! Зуб острый,— сказал Акела, обнюхивая ямку, оставленную ножом в земле,— но только житье с человечьей стаей испортило тебе глаз, Маленький Брат. Я бы успел убить оленя, пока ты замахивался.

Багира вдруг вскочила, вытянула шею вперед, понюхала воздух и вся напряглась. Серый Волк быстро повторил все ее движения, повернувшись немного влево, чтобы уловить ветер, который дул справа. Акела же отпрыгнул шагов на пятьдесят в сторону ветра, присел и тоже напрягся всем телом. Маугли смотрел на них с завистью.

Чутье у него было такое, какое редко встречается у людей, но этому чутью не хватало той необычайной тонкости, какая свойственна каждому носу в джунглях, а за три месяца житья в дымной деревне оно сильно притупилось. Однако он смочил палец, потер им нос и выпрямился, чтобы уловить ветер верхним чутьем, которое всего вернее.

— Человек! — проворчал Акела, присаживаясь на задние лапы.

— Балдео! — сказал Маугли, садясь.— Он идет по нашему следу. А вон и солнце блестит на его ружье. Смотрите!

Солнце только блеснуло на долю секунды на медных скрепах старого мушкета, но ничто в джунглях не дает такой вспышки света, разве только если облака бегут по небу. Тогда чешуйка слюды, маленькая лужица и даже блестящий лист сверкают, как гелиограф. Но день был безоблачный и тихий.

— Я знал, что люди погонятся за нами,— торжествуя, сказал Акела.— Недаром я был Вожаком Стаи!

Четверо волков Маугли, не сказав ничего, легли на брюхо, поползли вниз по холму и вдруг пропали, словно растаяли среди терновника и зеленой поросли.

— Скажите сначала, куда вы идете? — окликнул их Маугли.

— Ш-ш! Мы прикатим сюда его череп еще до полудня! — отозвался Серый Брат.

— Назад! Назад! Стойте! Человек не ест человека! — крикнул Маугли.

— А кто был только что волком? Кто бросил в меня нож за то, что его назвали человеком? — сказал Акела.

Но вся четверка послушалась и угрюмо повернула назад.

— Неужели я должен объяснять вам, почему я делаю то или другое? — спросил Маугли, рассердившись.

— Вот вам человек! Это говорит человек! — проворчала Багира себе в усы.— Вот так же говорили люди вокруг княжеского зверинца в Удайпуре. Нам в джунглях давно известно, что человек всех умней. А если б мы верили своим ушам, то знали бы, что он глупей всех на свете.— И, повысив голос, она прибавила: — На этот раз детыныш прав: люди охотятся стаей. Плохая охота убивать одного, когда мы не знаем, что собираются делать остальные. Пойдем посмотрим, чего хочет от нас этот человек.

— Мы не пойдем,— заворчал Серый Брат.— Охоться один, Маленький Брат! Мы-то знаем, чего хотим! Мы бы давно принесли сюда череп.

Маугли обвел взглядом всех своих друзей. Грудь его тяжело поднималась, и глаза были полны слез. Он сделал шаг вперед и, упав на одно колено, сказал:

— Разве я не знаю, чего хочу? Взгляните на меня!

Они неохотно взглянули на Маугли, потом отвели глаза в сторону, но он снова заставил их смотреть себе в глаза, пока шерсть не поднялась на них дыбом и они не задрожали всем телом, а Маугли все смотрел да смотрел.

— Ну, так кто же вожак из нас пятерых? — сказал он.

— Ты вожак, Маленький Брат,— ответил Серый Брат и лизнул Маугли ногу.

— Тогда идите за мной,— сказал Маугли.

И вся четверка, поджав хвосты, побрела за ним по пятам.

— Вот что бывает от житья в человечьей стае,— сказала Багира, неслышно спускаясь по холму вслед за ними.— Теперь в джунглях не один Закон, Балу.

Старый медведь не ответил ничего, но подумал очень многое.

Маугли бесшумно пробирался по лесу, пересекая его под прямым углом к тому пути, которым шел Балдео. Наконец, раздвинув кусты, он увидел старика с мушкетом на плече: он трусил собачьей побежкой по старому, двухдневному следу.

Вы помните, что Маугли ушел из деревни с тяжелой шкурой Шер-Хана на плечах, а позади него бежали Акела с Серым Братом, так что след был очень ясный. Скоро Балдео подошел к тому месту, где Акела повернул обратно и запутал след. Тут Балдео сел на землю, долго кашлял и ворчал, потом стал рыскать вокруг, стараясь снова напасть на след, а в это время те, которые наблюдали за ним, были так близко, что он мог бы попасть в них камнем. Ни один зверь не может двигаться так тихо, как волк, когда он не хочет, чтобы его слышали, а Маугли, хотя волки считали его очень неуклюжим, тоже умел появляться и исчезать, как тень. Они окружили старика кольцом, как стая дельфинов окружает пароход на полном ходу, и разговаривали не стесняясь, потому что их речь начинается ниже самой низкой ноты, какую может уловить непривычное человечье ухо. На другом конце ряда находится тончайший писк летучей мыши, которого многие люди не слышат совсем. С этой ноты начинается разговор всех птиц, летучих мышей и насекомых.

— Это лучше всякой другой охоты,— сказал Серый Брат, когда Балдео нагнулся, пыхтя и что-то разглядывая.— Он похож на свинью, которая заблудилась в джунглях у реки. Что он говорит?

Балдео сердито бормотал что-то.

Маугли объяснил:

— Он говорит, что вокруг меня, должно быть, плясала целая стая волков. Говорит, что никогда в жизни не видывал такого следа. Говорит, что очень устал.

— Он отдохнет, прежде чем снова отыщет след,— равнодушно сказала Багира, продолжая игру в прятки и прокрадываясь за стволом дерева.

— А теперь что делает этот убогий?

— Собирается есть или пускать дым изо рта. Люди всегда что-нибудь делают ртом,— сказал Маугли.

Молчаливые следопыты увидели, как старик набил трубку, зажег и стал курить. Они постарались хорошенько запомнить запах табака, чтобы потом узнать Балдео даже в самую темную ночь.

Потом по тропе прошли угольщики и, конечно, остановились поболтать с Балдео, который считался первым охотником в этих местах. Все они уселись в кружок и закурили, а Багира и остальные подошли поближе и смотрели на них, пока Балдео рассказывал сначала и до конца, с прибавлениями и выдумками, всю историю Маугли, мальчика-оборотня. Как он, Балдео, убил Шер-Хана и как Маугли обернулся волком и дрался с ним целый день, а потом снова превратился в мальчика и околдовал ружье Балдео, так что, когда он прицелился в Маугли, пуля свернула в сторону и убила одного из буйволов Балдео; и как деревня послала Балдео, самого храброго охотника в Сионийских горах, убить волка-оборотня. А Мессуа с мужем, родители оборотня, сидят под замком, в собственной хижине, и скоро их начнут пытать, для того чтобы они сознались в колдовстве, а потом сожгут на костре.

— Когда? — спросили угольщики, которым тоже очень хотелось посмотреть на эту церемонию.

Балдео сказал, что до его возвращения ничего не станут делать: в деревне хотят, чтобы он сначала убил лесного мальчика. После того они расправятся с Мессуей и с ее мужем и поделят между собой их землю и буйволов.

А буйволы у мужа Мессуи, кстати, очень хороши. Ведьм и колдунов всего лучше убивать, говорил Балдео, а такие люди, которые берут в приемыши волков-оборотней из лесу, и есть самые злые колдуны.

Угольщики боязливо озирались по сторонам, благодаря судьбу за то, что не видали оборотня; однако они не сомневались, что такой храбрец, как Балдео, разыщет оборотня скорее всякого другого.

Солнце спустилось уже довольно низко, и угольщики решили идти в ту деревню, где жил Балдео, посмотреть на ведьму и колдуна. Балдео сказал, что, конечно, он обязан застрелить мальчика-оборотня, однако он и думать не хочет о том, чтобы безоружные люди шли одни через джунгли, где волк-оборотень может повстречаться им каждую минуту. Он сам их проводит, и, если сын колдуньи встретится им, они увидят, как первый здешний охотник с ним расправится. Жрец дал ему такой амулет против оборотня, что бояться нечего.

— Что он говорит? Что он говорит? Что он говорит? — то и дело спрашивали волки.

А Маугли объяснял, пока дело не дошло до колдунов, что было для него не совсем понятно, и тогда он сказал, что мужчина и женщина, которые были так добры к нему, пойманы в ловушку.

— Разве люди ловят людей? — спросил Серый Брат.

— Так он говорит. Я что-то не понимаю. Все они, должно быть, просто взбесились. Зачем понадобилось сажать в ловушку Мессую с мужем и что у них общего со мной? И к чему весь этот разговор о Красном Цветке? Надо подумать. Что бы они ни собирались делать с Мессуей, они ничего не начнут, пока Балдео не вернется. Так, значит... — И Маугли глубоко задумался, постукивая пальцами по рукоятке охотничьего ножа.

А Балдео и угольщики храбро пустились в путь, прячась один за другим.

— Я сейчас же иду к человечьей стае, — сказал, наконец, Маугли.

— А эти? — спросил Серый Брат, жадно глядя на смуглые спины угольщиков.

— Проводите их с песней, — сказал Маугли ухмыляясь. — Я не хочу, чтоб они были у деревенских ворот раньше темноты. Можете вы задержать их?

Серый Брат пренебрежительно оскалил белые зубы:

— Мы можем без конца водить их кругом, все кругом, как коз на привязи!

— Этого мне не нужно. Спойте им немножко, чтобы они не скучали дорогой. Пускай песня будет и не очень веселая, Серый Брат. Ты тоже иди с ними, Багира, и подпевай им. А когда настанет ночь, встречайте меня у деревни — Серый Брат знает место.

— Нелегкая это работа — быть загонщиком для детеныша. Когда же я высплюсь? — сказала Багира, зевая, хотя по глазам было видно, как она рада такой забаве.— Я должна петь для каких-то голышей! Что ж, попробуем!

Пантера нагнула голову, чтобы ее голос разнесся по всему лесу, и раздалось протяжное-протяжное «Доброй охоты!» — полуночный зов среди белого дня, довольно страшный для начала. Маугли послушал, как этот зов прокатился по джунглям, то усиливаясь, то затихая, и замер где-то у него за спиной на самой тоскливой ноте, и улыбнулся, пробегая лесом. Он видел, как угольщики сбились в кучку, как задрожало ружье старого Балдео, словно банановый лист на ветру, потом Серый Брат провыл: «Йа-ла-хи! Йа-ла-хи!» — охотничий клич, который раздается, когда Стая гонит перед собой нильгау — большую серую антилопу.

Этот клич, казалось, шел со всех концов леса разом и слышался все ближе, ближе и ближе, пока, наконец, не оборвался рядом, совсем близко, на самой пронзительной ноте. Остальные трое волков подхватили его, так что даже Маугли мог бы поклясться, что вся Стая гонит дичь по горячему следу. А потом все четверо запели чудесную утреннюю Песню Джунглей, со всеми трелями, переливами и переходами, какие умеет выводить мощная волчья глотка.

Никакой пересказ не может передать ни впечатление от этой песни, ни насмешку, какую вложили волки в каждую ноту, услышав, как затрещали сучья, когда угольщики от страха полезли на деревья, а Балдео начал бормотать заговоры и заклинания. Потом волки улеглись и заснули, потому что вели правильный образ жизни, как и все, кто живет собственным трудом: не выспавшись, нельзя работать как следует.

Тем временем Маугли отмахивал милю за милей, делая по девяти миль в час, и радовался, что нисколько не ослабел после стольких месяцев жизни среди людей. У него осталась одна только мысль: выручить Мессую с мужем из западни, какова бы она ни была,— он опасался всяких ловушек. После этого, обещал себе Маугли, он расплатится и со всей остальной деревней.

Спустились уже сумерки, когда он увидел знакомое пастбище и дерево дхак, под которым ожидал его Серый Брат в то утро, когда Маугли убил Шер-Хана. Как ни был он зол на всех людей, все же при первом взгляде на деревенские кровли у него перехватило дыхание. Он заметил, что все вернулись с поля раньше времени и, вместо того чтобы взяться за вечернюю стряпню, собрались толпой под деревенской смоковницей, откуда слышались говор и крик.

— Людям непременно надо расставлять ловушки для других людей, а без этого они все будут недовольны,— сказал Маугли.— Две ночи назад они ловили Маугли, а сейчас мне кажется, что эта ночь была много дождей назад. Сегодня черед Мессуи с мужем. А завтра, и послезавтра, и на много ночей после того опять настанет черед Маугли.

Он прополз под оградой и, добравшись до хижины Мессуи, заглянул в окно. В комнате лежала Мессуа, связанная по рукам и ногам, и стонала, тяжело дыша; ее муж был привязан ремнями к пестро раскрашенной кровати. Дверь хижины, выходившая на улицу, была плотно приперта, и трое или четверо людей сидели, прислонившись к ней спиной.

Маугли очень хорошо знал нравы и обычаи деревни. Он сообразил, что пока люди едят, курят и разговаривают, ничего другого они делать не станут; но после того, как они поедят, их нужно остерегаться. Скоро вернется и Балдео, и, если его провожатые хорошо сослужили свою службу, ему будет о чем порассказать. Мальчик влез в окно и, нагнувшись над мужчиной и женщиной, разрезал связывавшие их ремни, вынул затычки изо рта и поискал, нет ли в хижине молока.

— Я знала, я знала, что он придет! — зарыдала Мессуа.— Теперь я знаю наверное, что он мой сын! — И она прижала Маугли к груди.

До этой минуты Маугли был совершенно спокоен, но тут он весь задрожал, чему и сам несказанно удивился.

— Для чего эти ремни? За что они связали тебя? — спросил он, помолчав.

— В наказание за то, что мы приняли тебя в сыновья, за что же еще? — сказал муж сердито.— Посмотри — я весь в крови.

Мессуа ничего не сказала, но Маугли взглянул на ее раны, и они услышали, как он скрипнул зубами.

— Чье это дело? — спросил он. — За это они поплатятся!

— Это дело всей деревни. Меня считали богачом. У меня было много скота. Потому мы с ней колдуны, что приютили тебя.

— Я не понимаю! Пусть расскажет Мессуа.

— Я кормила тебя молоком, Натху, ты помнишь? — робко спросила Мессуа. — Потому что ты мой сын, которого унес тигр, и потому что я крепко тебя люблю. Они говорят, что я твоя мать, мать оборотня, и за это должна умереть.

— А что такое оборотень? — спросил Маугли. — Смерть я уже видел.

Муж угрюмо взглянул на него исподлобья, но Мессуа засмеялась.

— Видишь? — сказала она мужу. — Я знала, я тебе говорила, что он не колдун. Он мой сын, мой сын!

— Сын или колдун — какая нам от этого польза? — отвечал муж. — Теперь мы с тобой все равно что умерли.

— Вон там идет дорога через джунгли, — показал Маугли в окно. — Руки и ноги у вас развязаны. Уходите.

— Мы не знаем джунглей, сын мой, так, как... как ты их знаешь, — начала Мессуа. — Мне не уйти далеко.

— А люди погонятся за нами и опять приведут нас сюда, — сказал ее муж.

— Гм! — сказал Маугли, водя кончиком охотничьего ножа по своей ладони. — Пока что я не хочу зла никому в этой деревне. Не думаю, однако, что тебя остановят. Еще немного времени — и у них найдется о чем подумать. Ага! — Он поднял голову и прислушался к крикам и беготне за дверями. — Наконец-то они отпустили Балдео домой!

— Его послали утром убить тебя, — сказала Мессуа. — Разве ты его не встретил?

— Да, мы... я встретил его. Ему есть о чем рассказать. А пока он разговаривает, можно сделать очень много. Но сначала надо узнать, чего они хотят. Подумайте, куда вам лучше уйти, и скажите мне, когда я вернусь.

Он прыгнул в окно и опять побежал, прячась под деревенской стеной, пока ему не стал слышен говор толпы, собравшейся под смоковницей.

Балдео кашлял и стонал, лежа на земле, а все остальные обступили его и расспрашивали. Волосы у него растрепались, руки и ноги он ободрал, влезая на дерево, и едва мог говорить, зато отлично понимал всю значительность своего положения. Время от времени он начинал говорить что-то о поющих чертях, оборотнях и колдовстве только для того, чтобы раздразнить любопытство и намекнуть толпе, о чем будет рассказывать. Потом он попросил воды.

— Так! — сказал Маугли. — Слова и слова! Одна болтовня! Люди — кровные братья обезьянам. Сначала он будет полоскать рот водой, потом курить, а управившись со всем этим, он начнет рассказывать. Ну и дурачье эти люди! Они не поставят никого стеречь Мессую, пока Балдео забивает им уши своими рассказами. И я становлюсь таким же лентяем!

Он встряхнулся и проскользнул обратно к хижине. Он был уже под окном, когда почувствовал, что кто-то лизнул ему ногу.

— Мать, — сказал он, узнав Волчицу, — что здесь делаешь ты?

— Я услышала, как мои дети поют в лесу, и пошла за тем, кого люблю больше всех. Лягушонок, я хочу видеть женщину, которая кормила тебя молоком, — сказала Мать Волчица, вся мокрая от росы.

— Ее связали и хотят убить. Я разрезал ремни, и она с мужем уйдет через джунгли.

— Я тоже провожу их. Я стара, но еще не совсем беззуба. — Мать Волчица стала на задние лапы и заглянула через окно в темную хижину.

Потом она бесшумно опустилась на все четыре лапы и сказала только:

— Я первая кормила тебя молоком, но Багира говорит правду: человек в конце концов уходит к человеку.

— Может быть, — сказал Маугли очень мрачно, — только я сейчас далек от этого пути. Подожди здесь, но не показывайся ей.

— Ты никогда меня не боялся, Лягушонок, — сказала Мать Волчица, отступая на шаг и пропадая в высокой траве, что она отлично умела делать.

— А теперь, — весело сказал Маугли, снова прыгнув в окно, — все собрались вокруг Балдео, и он рассказывает то, чего не было. А когда он кончит, они непременно придут сюда с Красным... с огнем и сожгут вас обоих. Как же быть?

— Мы поговорили с мужем, — сказала Мессуа. — Канхивара в тридцати милях отсюда. Если мы доберемся туда сегодня, мы останемся живы. Если нет — умрем.

— Вы останетесь живы. Ни один человек не выйдет сегодня из ворот. Но что это он делает?

Муж Мессуи, стоя на четвереньках, копал землю в углу хижины.

— Там у него деньги, — сказала Мессуа. — Больше мы ничего не можем взять с собой.

— Ах, да! Это то, что переходит из рук в руки и не становится теплей. Разве оно бывает нужно и в других местах?

Муж сердито оглянулся.

— Какой он оборотень? Он просто дурак! — проворчал он. — На эти деньги я могу купить лошадь. Мы так избиты, что не уйдем далеко, а деревня погонится за нами.

— Говорю вам, что не погонится, я этого не позволю, но лошадь — это хорошо, потому что Мессуа устала.

Ее муж встал, завязывая в пояс последнюю рупию. Маугли помог Мессуе выбраться в окно, и прохладный ночной воздух оживил ее. Но джунгли при свете звезд показались ей очень темными и страшными.

— Вы знаете дорогу в Канхивару? — прошептал Маугли.

Они кивнули.

— Хорошо. Помните же, что бояться нечего. И торопиться тоже не надо. Только... только в джунглях позади вас и впереди вас вы, быть может, услышите пение.

— Неужели ты думаешь, что мы посмели бы уйти ночью в джунгли, если бы не боялись, что нас сожгут? Лучше быть растерзанным зверями, чем убитым людьми, — сказал муж Мессуи.

Но сама Мессуа посмотрела на Маугли и улыбнулась.

— Говорю вам, — продолжал Маугли, словно он был медведь Балу и в сотый раз твердил невнимательному волчонку древний Закон Джунглей, — говорю вам, что ни один зуб в джунглях не обнажится против вас, что ни одна лапа в джунглях не поднимется на вас. Ни человек, ни зверь не остановит вас, пока вы не завидите Канхивару. Вас будут охранять. — Он быстро повернулся к Мессуе, говоря: — Муж твой не верит мне, но ты поверишь?

— Да, конечно, сын мой. Человек ли ты, или волк из джунглей, но я тебе верю.

— Он испугается, когда услышит пение моего народа. А ты узнаешь и все поймешь. Ступайте же и не торопитесь, потому что спешить нет нужды: ворота заперты.

Мессуа бросилась, рыдая, к ногам Маугли, но он быстро поднял ее, весь дрожа. Тогда она повисла у него на шее, называя его всеми ласковыми именами, какие только ей вспомнились.

Они пошли, направляясь к джунглям, и Мать Волчица выскочила из своей засады.

— Проводи их! — сказал Маугли. — И смотри, чтобы все джунгли знали, что их нельзя трогать. Подай голос, а я позову Багиру.

Глухой, протяжный вой раздался и замер, и Маугли увидел, как муж Мессуи вздрогнул и повернулся, готовый бежать обратно к хижине.

— Иди, иди! — ободряюще крикнул Маугли. — Я же сказал, что вы услышите песню. Она вас проводит до самой Канхивары. Это Милость Джунглей.

Мессуа подтолкнула своего мужа вперед, и тьма спустилась над ними и Волчицей, как вдруг Багира выскочила чуть ли не из-под ног Маугли.

— Мне стыдно за твоих братьев! — сказала она мурлыча.

— Как? Разве они плохо пели для Балдео? — спросил Маугли.

— Слишком хорошо! Слишком! Они даже меня заставили забыть всякую гордость, и, клянусь сломанным замком, который освободил меня, я бегала по джунглям и пела, словно весной. Разве ты нас не слышал?

— У меня было другое дело. Спроси лучше Балдео, понравилась ли ему песня. Но где же вся четверка? Я хочу, чтобы ни один из человечьей стаи не вышел сегодня за ворота.

— Зачем же тебе четверка? — сказала Багира. Глядя на него горящими глазами, она переминалась с ноги на ногу и мурлыкала все громче. — Я могу задержать их, Маленький Брат. Это пение и люди, которые лезли на деревья, раззадорили меня. Я гналась за ними целый день — при свете солнца, в полуденную пору. Я стерегла их, как волки стерегут оленей. Я Багира, Багира, Багира! Я плясала с ними, как пляшу со своей тенью. Смотри!

И большая пантера подпрыгнула, как котенок, и погналась за падающим листом, она била по воздуху лапами то вправо, то влево, и воздух свистел под ее ударами, потом бесшумно стала на все четыре лапы, опять подпрыгнула вверх, и опять, и опять, и ее мурлыканье и ворчанье становились все громче и громче, как пение пара в закипающем котле.

— Я Багира — среди джунглей, среди ночи! — и моя сила вся со мной! Кто выдержит мой натиск? Детеныш, одним ударом лапы я могла бы размозжить тебе голову, и она стала бы плоской, как дохлая лягушка летней порой!

— Что ж, ударь! — сказал Маугли на языке деревни, а не на языке джунглей.

И человечьи слова разом остановили Багиру. Она отпрянула назад и, вся дрожа, присела на задние лапы, так что ее голова очутилась на одном уровне с головой Маугли. И опять Маугли стал смотреть, как смотрел на непокорных волчат, прямо в зеленые, как изумруд, глаза, пока в глубине зеленых зрачков не погас красный огонь, как гаснет огонь на маяке, пока пантера не отвела взгляда. Ее голова опускалась все ниже и ниже, и наконец, красная терка языка царапнула ногу Маугли.

— Багира, Багира, Багира! — шептал мальчик, настойчиво и легко поглаживая шею и дрожащую спину. — Успокойся, успокойся! Это ночь виновата, а вовсе не ты!

— Это все ночные запахи, — сказала Багира, приходя в себя. — Воздух словно зовет меня. Но откуда ты это знаешь?

Воздух вокруг индийской деревни полон всяких запахов, а для зверя, который привык чуять и думать носом, запахи значат то же, что музыка или вино для человека.

Маугли еще несколько минут успокаивал пантеру, и наконец она улеглась, как кошка перед огнем, сложив лапы под грудью и полузакрыв глаза.

— Ты наш и не наш, из джунглей и не из джунглей, — сказала она наконец. — А я только черная пантера. Но я люблю тебя, Маленький Брат.

— Они что-то долго разговаривают под деревом, — сказал Маугли, не обращая внимания на ее последние слова. — Балдео, должно быть, рассказал им не одну историю. Они скоро придут затем, чтобы вытащить эту женщину с мужем из ловушки и бросить их в Красный Цветок. И увидят, что ловушка опустела. Хо-хо!

— Нет, послушай, — сказала Багира. — Пускай они найдут там меня! Не многие посмеют выйти из дому, после того как увидят меня. Не первый раз мне сидеть в клетке, и вряд ли им удастся связать меня веревками.

— Ну, так будь умницей! — сказал Маугли смеясь.

А пантера уже прокралась в хижину.

— Брр! — принюхалась Багира. — Здесь пахнет человеком, но кровать как раз такая, на какой я лежала в княжеском зверинце в Удайпуре. А теперь я лягу!

Маугли услышал, как заскрипела веревочная сетка под тяжестью крупного зверя.

— Клянусь сломанным замком, который освободил меня, они подумают, что поймали важную птицу! Поди сядь рядом со мной, Маленький Брат, и мы вместе пожелаем им доброй охоты!

— Нет, у меня другое на уме. Человечья стая не должна знать, что я тоже участвую в этой игре. Охоться одна. Я не хочу их видеть.

— Пусть будет так,— сказала Багира.— Вот они идут!

Беседа под смоковницей на том конце деревни становилась все более шумной. В заключение поднялся крик, и толпа повалила по улице, размахивая дубинками, бамбуковыми палками, серпами и ножами. Впереди всех бежал Балдео, но и остальные не отставали от него, крича:

— Колдуна и колдунью сюда! Подожгите крышу над их головой! Мы им покажем, как нянчиться с оборотнями! Нет, сначала побьем их! Факелов! Побольше факелов!

Тут вышла небольшая заминка с дверной щеколдой. Дверь была заперта очень крепко, но толпа вырвала щеколду вон, и свет факелов залил комнату, где, растянувшись во весь рост на кровати, скрестив лапы и слегка свесив их с одного края, черная и страшная, лежала Багира. Минута прошла в молчании, полном ужаса, когда передние ряды всеми силами продирались обратно на улицу. И в эту минуту Багира зевнула, старательно и всем напоказ, как зевнула бы, желая оскорбить равного себе. Усатые губы приподнялись и раздвинулись, красный язык завернулся, нижняя челюсть обвисала все ниже и ниже, так что видно было жаркую глотку; огромные клыки выделялись в черном провале рта, пока не лязгнули, как стальные затворы. В следующую минуту улица опустела. Багира выскочила в окно и стала рядом с Маугли. А люди, обезумев от страха, рвались в хижины, спотыкаясь и толкая друг друга.

— Они не двинутся с места до рассвета,— спокойно сказала Багира.— А теперь что?

Казалось, безмолвие полуденного сна нависло над деревней, но, если прислушаться, было слышно, как двигают по земляному полу тяжелые ящики с зерном, заставляя ими двери. Багира права: до самого утра в деревне никто не шевельнется.

Маугли сидел неподвижно и думал, и его лицо становилось все мрачнее.

— Что я такое сделала? — сказала наконец Багира, ласкаясь к нему.

— Ничего, кроме хорошего. Постереги их теперь до рассвета, а я усну.

И Маугли убежал в лес, повалился на камень и уснул, — он проспал весь день и всю ночь.

Когда он проснулся, рядом с ним сидела Багира, и у его ног лежал только что убитый олень. Багира с любопытством смотрела, как Маугли работал охотничьим ножом, как он ел и пил, а потом снова улегся, опершись подбородком на руку.

— Женщина с мужчиной добрались до Канхивары целы и невредимы, — сказала Багира. — Твоя мать прислала весточку с коршуном Чилем. Они нашли лошадь еще до полуночи, в тот же вечер, и уехали очень быстро. Разве это не хорошо?

— Это хорошо, — сказал Маугли.

— А твоя человечья стая не пошевельнулась, пока солнце не поднялось высоко сегодня утром. Они приготовили себе поесть, а потом опять заперлись в своих домах.

— Они, может быть, увидели тебя?

— Может быть. На рассвете я каталась в пыли перед воротами и, кажется, даже пела. Ну, Маленький Брат, больше здесь нечего делать. Идем на охоту со мной и с Балу. Он нашел новые ульи и собирается показать их тебе, и мы все хотим, чтобы ты по-старому был с нами... Не смотри так, я боюсь тебя! Мужчину с женщиной не бросят в Красный Цветок, и все в джунглях остается по-старому. Разве это не правда? Забудем про человечью стаю!

— Про нее забудут, и очень скоро. Где кормится Хатхи нынче ночью?

— Где ему вздумается. Кто может знать, где теперь Молчаливый? А зачем он тебе? Что такого может сделать Хатхи, чего бы не могли сделать мы?

— Скажи, чтобы он пришел сюда ко мне вместе со своими тремя сыновьями.

— Но, право же, Маленький Брат, не годится приказывать Хатхи, чтобы он «пришел» или «ушел». Не забывай, что он Хозяин Джунглей и что он научил тебя Заветным Словам Джунглей раньше, чем человечья стая изменила твое лицо.

— Это ничего. У меня тоже есть для него Заветное Слово. Скажи, чтобы он пришел к Лягушонку Маугли,

Дверь была заперта очень крепко,
но толпа вырвала щеколду вон,
и свет факелов залил комнату.

а если он не сразу расслышит, скажи ему, чтобы пришел ради вытоптанных полей Бхаратпура.

— «Ради вытоптанных полей Бхаратпура»,— повторила Багира дважды или трижды, чтобы запомнить.— Иду! Хатхи только рассердится, и больше ничего, а я с радостью отдала бы добычу целого месяца, лишь бы услышать, какое Заветное Слово имеет власть над Молчаливым.

Она ушла, а Маугли остался, в ярости роя землю охотничьим ножом. Маугли ни разу в жизни не видел человечьей крови и — что значило для него гораздо больше — ни разу не слышал ее запаха до тех пор, пока не почуял запах крови на связывавших Мессую ремнях. А Мессуа была добра к нему, и он ее любил. Но как ни были ему ненавистны жестокость, трусость и болтливость людей, он бы ни за что не согласился отнять у человека жизнь и снова почуять этот страшный запах, чем бы ни наградили его за это джунгли. Его план был гораздо проще и гораздо вернее, и он засмеялся про себя, вспомнив, что его подсказал ему один из рассказов старого Балдео под смоковницей.

— Да, это было Заветное Слово,— вернувшись, шепнула Багира ему на ухо.— Они паслись у реки и послушались меня, как буйволы. Смотри, вон они идут!

Хатхи и его три сына появились, как всегда, без единого звука. Речной ил еще не высох на их боках, и Хатхи задумчиво дожевывал зеленое банановое деревцо, которое вырвал бивнями. Но каждое движение его громадного тела говорило Багире, которая понимала все с первого взгляда, что не Хозяин Джунглей пришел к мальчику-волчонку, а пришел тот, кто боится, к тому, кто не боится ничего. Трое сыновей Хатхи покачивались плечом к плечу позади отца.

Маугли едва поднял голову, когда Хатхи пожелал ему доброй охоты. Прежде чем сказать хоть слово, он заставил Хатхи долго переминаться с ноги на ногу, покачиваться и встряхиваться, а когда заговорил, то с Багирой, а не со слонами.

— Я хочу рассказать вам одну историю, а слышал я ее от охотника, за которым вы охотились сегодня,— начал Маугли.— Это история о том, как старый и умный слон попал в западню и острый кол на дне ямы разорвал ему кожу от пятки до плеча, так что остался белый рубец.

Маугли протянул руку, и когда Хатхи повернулся, при свете луны стал виден длинный белый шрам на сером, как грифель, боку, словно его стегнули раскаленным бичом.

— Люди вытащили слона из ямы,— продолжал Маугли,— но он был силен и убежал, разорвав путы, и прятался, пока рана не зажила. Тогда он вернулся ночью на поля охотников. Теперь я припоминаю, что у него было три сына. Все это произошло много-много дождей тому назад и очень далеко отсюда — на полях Бхаратпура. Что случилось с этими полями в следующую жатву, Хатхи?

— Жатву собрал я с моими тремя сыновьями,— сказал Хатхи.

— А что было с посевом, который следует за жатвой? — спросил Маугли.

— Посева не было,— сказал Хатхи.

— А с людьми, которые живут на полях рядом с посевами? — спросил Маугли.

— Они ушли.

— А с хижинами, в которых спали люди? — спросил Маугли.

— Мы разметали крыши домов, а джунгли поглотили стены.

— А что же было потом? — спросил Маугли.

— Мы напустили джунгли на пять деревень; и в этих деревнях, и на их землях, и на пастбищах, и на мягких, вспаханных полях не осталось теперь ни одного человека, который получал бы пищу от земли. Вот как были вытоптаны бхаратпурские поля, и это сделал я с моими тремя сыновьями. А теперь скажи мне, Маугли, как ты узнал про это? — спросил Хатхи.

— Мне сказал один человек, и теперь я вижу, что даже Балдео не всегда лжет. Это было хорошо сделано. Хатхи с белым рубцом, а во второй раз выйдет еще лучше, потому что распоряжаться будет человек. Ты знаешь деревню человечьей стаи, что выгнала меня? Не годится им жить там больше. Я их ненавижу!

— А убивать никого не нужно? Мои бивни покраснели от крови, когда мы топтали поля в Бхаратпуре, и мне бы не хотелось снова будить этот запах.

— Мне тоже. Я не хочу даже, чтобы их кости лежали на нашей чистой земле. Пусть ищут себе другое логово. Здесь им нельзя оставаться. Я слышал, как пахнет кровь женщины, которая меня кормила,— женщины, которую они убили бы, если бы не я. Только запах свежей травы на порогах домов может заглушить запах крови. От него у меня горит во рту. Напустим на них джунгли, Хатхи!

— А! — сказал Хатхи. — Вот так же горел и рубец на моей коже, пока мы не увидели, как погибли деревни под весенней порослью. Теперь я понял: твоя война станет нашей войной. Мы напустим на них джунгли.

Маугли едва успел перевести дыхание — он весь дрожал от ненависти и злобы, — как то место, где стояли слоны, опустело, и только Багира смотрела на Маугли с ужасом.

А Хатхи и его трое сыновей повернули каждый в свою сторону и молча зашагали по долинам. Они шли все дальше и дальше через джунгли и сделали шестьдесят миль, то есть целый двухдневный переход. И каждый их шаг и каждое покачивание хобота были замечены и истолкованы Мангом, Чилем, Обезьяньим Народом и всеми птицами. Потом слоны стали кормиться и мирно паслись не меньше недели. Хатхи и его сыновья похожи на горного удава Каа: они не станут торопиться, если в этом нет нужды.

Через неделю — и никто не знает, откуда это пошло, — по джунглям пронесся слух, что в такой-то и такой-то долине корм и вода всего лучше. Свиньи, которые готовы идти на край света ради сытной кормежки, тронулись первые, отряд за отрядом, переваливаясь через камни; за ними двинулись олени, а за оленями — маленькие лисицы, которые питаются падалью. Рядом с оленями шли неповоротливые антилопы-нильгау, а за нильгау двигались дикие буйволы с болот. Вначале легко было бы повернуть обратно рассеянные и разбросанные стада, которые щипали траву, брели дальше, пили и снова щипали траву, но как только среди них поднималась тревога, кто-нибудь являлся и успокаивал их. То это был дикобраз Сахи с вестью о том, что хорошие корма начинаются чуть подальше; то нетопырь Манг с радостным писком проносился, трепеща крыльями, по прогалине, чтобы показать, что там никого нет; то Балу с полным ртом кореньев подходил, переваливаясь, к стаду и в шутку или всерьез пугал его, направляя на настоящую дорогу. Многие повернули обратно, разбежались или не захотели идти дальше, но прочие остались и по-прежнему шли вперед.

Прошло дней десять, и к концу этого времени дело обстояло так: олени, свиньи и нильгау топтались, двигаясь по кругу радиусом в восемь или десять миль, а хищники нападали на них с краев. А в центре круга была деревня, а вокруг деревни созревали хлеба на полях, а в полях сидели люди на вышках, похожих на голубятни и построенных для того, чтобы пугать птиц и других воришек.

Была темная ночь, когда Хатхи и его трое сыновей без шума вышли из джунглей, сломали хоботами жерди, и вышки упали, как падает сломанный стебель болиголова, а люди, свалившись с них, услышали глухое урчанье слонов. Потом авангард напуганной армии оленей примчался и вытоптал деревенское пастбище и вспаханные поля; а за ними пришли тупорылые свиньи с острыми копытами, и что осталось после оленей, то уничтожили свиньи. Время от времени волки тревожили стада, и те, обезумев, бросались из стороны в сторону, топча зеленый ячмень и ровняя с землей края оросительных каналов. Перед рассветом в одном месте на краю круга хищники отступили, оставив открытой дорогу на юг, и олени ринулись по ней, стадо за стадом. Другие, посмелей, залегли в чаще, чтобы покормиться следующей ночью.

Но дело было уже сделано. Утром крестьяне, взглянув на свои поля, увидели, что все посевы погибли. Это грозило смертью, если люди не уйдут отсюда, потому что голод был всегда так же близко от них, как и джунгли. Когда буйволов выгнали на пастбище, голодное стадо увидело, что олени дочиста съели всю траву, и разбрелось по джунглям вслед за своими дикими товарищами. А когда наступили сумерки, оказалось, что три или четыре деревенские лошади лежат в стойлах с проломленной головой. Только Багира умела наносить такие удары, и только ей могла прийти в голову дерзкая мысль вытащить последний труп на середину улицы.

В эту ночь крестьяне не посмели развести костры на полях, и Хатхи с сыновьями вышел подбирать то, что осталось; а там, где пройдет Хатхи, уже нечего больше подбирать. Люди решили питаться зерном, припасенным для посева, пока не пройдут дожди, а потом наняться в работники, чтобы наверстать потерянный год. Но пока хлеботорговец думал о своих корзинах, полных зерна, и о ценах, какие он будет брать с покупателей, острые клыки Хатхи ломали угол его глинобитного амбара и крушили большой плетеный закром, где хранилось зерно.

После того как обнаружили эту потерю, пришла очередь жреца сказать свое слово. Богам он уже молился, но напрасно. Возможно, говорил он, что деревня, сама того не зная, оскорбила какого-нибудь бога джунглей: по всему видно, что джунгли против них. Тогда послали за главарем соседнего племени бродячих гондов, маленьких, умных, черных, как уголь, охотников, живущих в глубине джунглей, чьи предки происходят от древнейших народностей Индии — от первоначальных владельцев земли. Гонда угостили тем, что нашлось, а он стоял на одной ноге, с луком в руках и двумя-тремя отравленными стрелами, воткнутыми в волосы, и смотрел не то с испугом, не то с презрением на встревоженных людей и на их опустошенные поля. Люди хотели узнать, не сердятся ли на них его боги, старые боги, и какие жертвы им нужны. Гонд ничего не ответил, но сорвал длинную плеть ползучей дикой тыквы, приносящей горькие плоды, и заплел ею двери храма на глазах у изумленного божка. Потом он несколько раз махнул рукой по воздуху в ту сторону, где была дорога в Канхивару, и ушел обратно к себе в джунгли смотреть, как стада животных проходят по ним. Он знал, что когда джунгли наступают, только белые люди могут остановить их движение.

Незачем было спрашивать, что он хотел этим сказать. Дикая тыква вырастет там, где люди молились своему богу, и чем скорее они уйдут отсюда, тем лучше.

Но нелегко деревне сняться с насиженного места. Люди оставались до тех пор, пока у них были летние запасы. Они пробовали собирать орехи в джунглях, но тени с горящими глазами следили за ними даже среди дня, а когда люди в испуге повернули обратно, со стволов деревьев, мимо которых они проходили всего пять минут назад, оказалась содранной кора ударами чьей-то большой, когтистой лапы. Чем больше люди жались к деревне, тем смелей становились дикие звери, с ревом и топотом гулявшие по пастбищам у Вайнганги. У крестьян не хватало духа чинить и латать задние стены опустелых хлевов, выходившие в лес. Дикие свиньи топтали развалины, и узловатые корни лиан спешили захватить только что отвоеванную землю и забрасывали через стены хижины цепкие побеги, а вслед за лианами щетинилась жесткая трава. Холостяки сбежали первыми и разнесли повсюду весть, что деревня обречена на гибель. Кто мог бороться с джунглями, когда даже деревенская кобра покинула свою нору под смоковницей!

Люди все меньше и меньше общались с внешним миром, а протоптанные через равнину тропы становились все у́же и у́же. И трубный зов Хатхи и его троих сыновей больше не тревожил деревню по ночам: им больше незачем было приходить. Поля за околицей зарастали травой, сливаясь с джунглями, и для деревни настала пора уходить в Канхивару.

Люди откладывали уход со дня на день, пока первые дожди не захватили их врасплох. Нечиненые крыши стали протекать, выгон покрылся водой по щиколотку, и все, что было зелено, пошло сразу в рост после летней засухи. Тогда люди побрели вброд — мужчины, женщины и дети — под слепящим и теплым утренним дождем и, конечно, обернулись, чтобы взглянуть в последний раз на свои дома.

И как раз когда последняя семья, нагруженная узлами, проходила в ворота, с грохотом рухнули балки и кровли за деревенской оградой. Люди увидели, как мелькнул на мгновение блестящий, черный, как змея, хобот, разметывая мокрую солому крыши. Он исчез, и опять послышался грохот, а за грохотом — визг. Хатхи срывал кровли с домов, как мы срываем водяные лилии, и отскочившая балка ушибла его. Только этого ему и не хватало, чтобы разойтись вовсю, потому что из диких зверей, живущих в джунглях, взбесившийся дикий слон всех больше буйствует и разрушает. Он лягнул задней ногой глинобитную стену, и стена развалилась от удара, а потоки дождя превратили ее в желтую грязь. Хатхи кружился, и трубил, и метался по узким улицам, наваливаясь на хижины справа и слева, ломая шаткие двери, круша стропила; а три его сына бесновались позади отца, как бесновались при разгроме полей Бхаратпура.

— Джунгли поглотят эти скорлупки, — сказал спокойный голос среди развалин. — Сначала нужно свалить ограду.

И Маугли, блестя мокрыми от дождя плечами, отскочил от стены, которая осела на землю, как усталый буйвол.

— Все в свое время, — прохрипел Хатхи. — О да, в Бхаратпуре мои клыки покраснели от крови! К ограде, дети мои! Головой! Все вместе! Ну!

Все четверо налегли, стоя рядом. Ограда пошатнулась, треснула и упала, и люди, онемев от ужаса, увидели в неровном проломе измазанные глиной головы разрушителей. Люди бросились бежать вниз по долине, оставшись без приюта и без пищи, а их деревня словно таяла позади, растоптанная, разметанная и разнесенная в клочки.

Через месяц от деревни остался рыхлый холмик, поросший нежной молодой зеленью, а когда прошли дожди, джунгли буйно раскинулись на том самом месте, где всего полгода назад были вспаханные поля.

Княжеский анкус

Каа, большой горный удав, переменил кожу — верно, в двухсотый раз со дня рождения, — и Маугли, который никогда не забывал, что Каа спас ему жизнь однажды ночью в Холодных Берлогах, о чем, быть может, помните и вы, пришел его поздравить. Меняя кожу, змея бывает угрюма и раздражительна, до тех пор пока новая кожа не станет блестящей и красивой. Каа больше не подсмеивался над Маугли. Как и все в джунглях, он считал его Хозяином Джунглей и рассказывал ему все новости, какие, само собой, приходится слышать удаву его величины. То, чего Каа не знал о средних джунглях, как их называют, о жизни, которая идет у самой земли или под землей, о жизни около валунов, кочек и лесных пней, уместилось бы на самой маленькой из его чешуек.

В тот день Маугли сидел меж больших колец Каа, перебирая пальцами чешуйчатую старую кожу, сброшенную удавом среди камней. Каа очень любезно подставил свое тело под широкие голые плечи Маугли, и мальчик сидел словно в живом кресле.

— Она вся целая, даже и чешуйки на глазах целы, — негромко сказал Маугли, играя сброшенной кожей. — Как странно видеть у своих ног то, что покрывало голову!

— Да, только ног у меня нет, — ответил Каа, — и я не вижу тут ничего странного, это в обычае моего народа. Разве ты никогда не чувствуешь, что кожа у тебя сухая и жесткая?

— Тогда я иду купаться, Плоскоголовый, хотя, правда, в сильную жару мне хочется сбросить кожу совсем и бегать без кожи.

— Я и купаюсь и меняю кожу. Ну, как тебе нравится моя новая одежда?

Маугли провел рукой по косым клеткам огромной спины.

— У черепахи спина тверже, но не такая пестрая, — сказал он задумчиво. — У лягушки, моей тезки, она пестрей, но не такая твердая. На вид очень красиво, точно пестрый узор в чашечке лилии.

— Новой коже нужна вода. До первого купанья цвет все еще не тот. Идем купаться!

— Я понесу тебя, — сказал Маугли и, смеясь, нагнулся, чтобы приподнять большое тело Каа там, где оно казалось всего толще.

Это было все равно что поднять водопроводную трубу двухфутовой толщины, и Каа лежал неподвижно, тихо пыхтя от удовольствия. Потом у них началась привычная вечерняя игра — мальчик в расцвете сил и удав в великолепной новой коже стали бороться друг с другом, пробуя зоркость и силу. Разумеется, Каа мог раздавить сотню таких, как Маугли, если бы дал себе волю, но он играл осторожно, никогда не пользуясь и десятой долей своей мощи.

Как только Маугли стал достаточно крепок, чтобы с ним можно было бороться, Каа научил мальчика этой игре, и его тело сделалось от этого необыкновенно гибким. Иной раз Маугли стоял, захлестнутый почти до горла гибкими кольцами Каа, силясь высвободить одну руку и ухватить его за шею. Тогда Каа, весь обмякнув, ослаблял хватку, а Маугли своими быстрыми ногами не давал найти точку опоры огромному хвосту, который тянулся назад, нащупывая камень или пень. Они качались взад и вперед, голова к голове, каждый выжидая случая напасть, и наконец прекрасная, как изваяние, группа превращалась в вихрь черных с желтым колец и мелькающих ног и рук, чтобы снова и снова подняться.

— Ну-ну-ну! — говорил Каа, делая головой выпады, каких не могла отразить даже быстрая рука Маугли.— Смотри! Вот я дотронулся до тебя, Маленький Брат! Вот и вот! Разве руки у тебя онемели? Вот опять!

Эта игра всегда кончалась одинаково: прямым, быстрым ударом головы Каа всегда сбивал мальчика с ног. Маугли так и не выучился обороняться против этого молниеносного выпада; и, по словам Каа, на это не стоило тратить время.

— Доброй охоты! — проворчал наконец Каа.

И Маугли, как всегда, отлетел шагов на десять в сторону, задыхаясь и хохоча.

Он поднялся, набрав полные руки травы, и пошел за Каа к любимому месту купанья мудрой змеи — глубокой, черной, как смоль, заводи, окруженной скалами и особенно привлекательной из-за потонувших стволов. По обычаю джунглей мальчик бросился в воду без звука и нырнул; потом вынырнул, тоже без звука, лег на спину, заложив руки под голову, и, глядя на луну, встающую над скалами, начал разбивать пальцами ног ее отражение в воде. Треугольная голова Каа разрезала воду, как бритва, и, поднявшись из воды, легла на плечо Маугли. Они лежали неподвижно, наслаждаясь обволакивающей их прохладой.

— Как хорошо! — сонно сказал Маугли.— А в человечьей стае в это время, помню, ложились на жесткое дерево внутри земляных ловушек и, закрывшись хорошенько со всех сторон от свежего ветра, укутывались с головой затхлыми тряпками и заводили носом скучные песни. В джунглях лучше!

Торопливая кобра проскользнула мимо них по скале, напилась, пожелала им доброй охоты и скрылась.

— О-о-ш! — сказал Каа, словно вспомнив о чем-то.— Так, значит, джунгли дают тебе все, чего тебе только хочется, Маленький Брат?

— Не все,— сказал Маугли, засмеявшись,— а не то можно было бы каждый месяц убивать нового Шер-Хана. Теперь я мог бы убить его собственными руками, не прося помощи у буйволов. Еще мне хочется иногда, чтобы солнце светило во время дождей или чтобы дожди закрыли солнце в разгаре лета. А когда я голоден, мне всегда хочется убить козу, а если убью козу, хочется, чтобы это был олень, а если это олень, хочется, чтобы это был нильгау. Но ведь так бывает и со всеми.

— И больше тебе ничего не хочется? — спросил Каа.

— А чего мне больше хотеть? У меня есть джунгли

и Милость Джунглей! Разве есть еще что-нибудь на свете между востоком и западом?

— А кобра говорила...— начал Каа.

— Какая кобра? Та, что уползла сейчас, ничего не говорила: она охотилась.

— Не эта, а другая.

— И много у тебя дел с Ядовитым Народом? Я их не трогаю, пусть идут своей дорогой. Они носят смерть в передних зубах, и это нехорошо — они такие маленькие. Но с какой же это коброй ты разговаривал?

Каа медленно покачивался на воде, как пароход на боковой волне.

— Три или четыре месяца назад,— сказал он,— я охотился в Холодных Берлогах — ты, может быть, еще не забыл про них,— и тварь, за которой я охотился, с визгом бросилась мимо водоемов к тому дому, который я когда-то проломил ради тебя, и убежала под землю.

— Но в Холодных Берлогах никто не живет под землей.— Маугли понял, что Каа говорит про Обезьяний Народ.

— Эта тварь не жила, а спасала свою жизнь,— ответил Каа, высовывая дрожащий язык.— Она уползла в нору, которая шла очень далеко. Я пополз за ней, убил ее, а потом уснул. А когда проснулся, то пополз вперед.

— Под землей?

— Да. И наконец набрел на Белый Клобук — белую кобру, которая говорила со мной о непонятных вещах и показала мне много такого, чего я никогда еще не видел.

— Новую дичь? И хорошо ты поохотился? — Маугли быстро перевернулся на бок.

— Это была не дичь, я обломал бы об нее все зубы, но Белый Клобук сказал, что люди — а говорил он так, будто знает эту породу,— что люди отдали бы последнее дыхание, лишь бы взглянуть на эти вещи.

— Посмотрим! — сказал Маугли.— Теперь я вспоминаю, что когда-то был человеком.

— Тихонько, тихонько! Торопливость погубила Желтую Змею, которая съела солнце. Мы поговорили под землей, и я рассказал про тебя, называя тебя человеком. Белая кобра сказала (а она поистине стара, как джунгли): «Давно уже не видала я человека. Пускай придет, тогда и увидит все эти вещи. За самую малую из них многие люди не пожалели бы жизни».

— Значит, это новая дичь. А ведь Ядовитый Народ никогда не говорит нам, где есть вспугнутая дичь. Они недружелюбны.

— Это не дичь. Это... это... я не могу сказать, что это такое.

— Мы пойдем туда. Я еще никогда не видел белой кобры, да и на все остальное мне тоже хочется посмотреть. Это она их убила?

— Они все неживые. Кобра сказала, что она сторожит их.

— А! Как волк сторожит добычу, когда притащит ее в берлогу. Идем!

Маугли подплыл к берегу, покатался по траве, чтобы обсушиться, и они вдвоем отправились к Холодным Берлогам — заброшенному городу, о котором вы, быть может, читали.

Маугли теперь ничуть не боялся обезьян, зато обезьяны дрожали от страха перед Маугли. Однако обезьянье племя рыскало теперь по джунглям, и Холодные Берлоги стояли в лунном свете пустые и безмолвные.

Каа подполз к развалинам княжеской беседки на середине террасы, перебрался через кучи щебня и скользнул вниз по засыпанной обломками лестнице, которая вела в подземелье. Маугли издал Змеиный Клич: «Мы с вами одной крови, вы и я!» — и пополз за ним на четвереньках. Оба они долго ползли по наклонному коридору, который несколько раз сворачивал в сторону, и наконец добрались до такого места, где корень старого дерева, поднимавшегося над землей футов на тридцать, вытеснил из стены большой камень. Они пролезли в дыру и очутились в просторном подземелье, своды которого, раздвинутые корнями деревьев, тоже были все в трещинах, так что сверху в темноту падали тонкие лучики света.

— Надежное убежище! — сказал Маугли, выпрямляясь во весь рост. — Только оно слишком далеко, чтобы каждый день в нем бывать. Ну, а что же мы тут увидим?

— Разве я ничто? — сказал чей-то голос в глубине подземелья.

Перед Маугли мелькнуло что-то белое, и мало-помалу он разглядел такую огромную кобру, каких он до сих пор не встречал, — почти в восемь футов длиной, вылинявшую от жизни в темноте до желтизны старой слоновой кости. Даже очки на раздутом клобуке стали у нее бледно-желтыми. Глаза у кобры были красные, как рубины, и вся она была такая диковинная с виду.

— Доброй охоты! — сказал Маугли, у которого вежливые слова, как и охотничий нож, были всегда наготове.

— Что нового в городе? — спросила белая кобра, не отвечая на приветствия. — Что нового в великом городе, обнесенном стеной, в городе сотни слонов, двадцати тысяч лошадей и несметных стад, — в городе князя над двадцатью князьями? Я становлюсь туга на ухо и давно уже не слыхала боевых гонгов.

— Над нами джунгли, — сказал Маугли. — Из слонов я знаю только Хатхи и его сыновей. А что такое «князь»?

— Я говорил тебе, — мягко сказал Каа, — я говорил тебе четыре луны назад, что твоего города уже нет.

— Город, великий город в лесу, чьи врата охраняются княжескими башнями, не может исчезнуть. Его построили еще до того, как дед моего деда вылупился из яйца, и он будет стоять и тогда, когда сыновья моих сыновей побелеют, как я. Саладхи, сын Чандрабиджи, сына Вийеджи, сына Ягасари, построил его в давние времена. А кто ваш господин?

— След потерялся, — сказал Маугли, обращаясь к Каа. — Я не понимаю, что она говорит.

— Я тоже. Она очень стара... Прародительница Кобр, тут кругом одни только джунгли, как и было всегда, с самого начала.

— Тогда кто же он, — спросила белая кобра, — тот, что сидит передо мной и не боится? Тот, что не знает имени князя и говорит на нашем языке устами человека? Кто он, с ножом охотника и языком змеи?

— Меня зовут Маугли, — был ответ. — Я из джунглей. Волки — мой народ, а это Каа, мой брат. А ты кто, мать Кобр?

— Я Страж Княжеского Сокровища. Каран Раджа положил надо мной камни еще тогда, когда у меня была темная кожа, чтобы я убивала тех, что придут сюда воровать. Потом сокровища опустили под камень, и я услышала пение жрецов, моих учителей.

«Гм! — сказал про себя Маугли. — С одним жрецом я уже имел дело в человечьей стае, и я знаю, что знаю. Скоро сюда придет беда».

— Пять раз поднимали камень с тех пор, как я стерегу сокровище, но всегда для того, чтобы прибавить еще, а не унести отсюда. Нигде нет таких богатств, как эти, — сокровища ста князей. Но давно-давно уже не поднимали камень, и мне кажется, что про мой город забыли.

— Города нет. Посмотри вокруг — вон корни больших деревьев раздвинули камни. Деревья и люди не растут вместе, — уговаривал ее Каа.

— Дважды и трижды люди находили сюда дорогу, — злобно ответила кобра, — но они ничего не говорили, пока я не находила их ощупью в темноте, а тогда кричали, только совсем недолго. А вы оба пришли ко мне с ложью, и человек и змея, и хотите, чтобы я вам поверила, будто моего города больше нет и пришел конец моей службе. Люди мало меняются с годами. А я не меняюсь! Пока не поднимут камень, и не придут жрецы с пением знакомых мне песен, и не напоят меня теплым молоком, и не вынесут отсюда на свет, я, я, я — и никто другой! — буду Стражем Княжеского Сокровища! Город умер, говорите вы, и сюда проникли корни деревьев? Так нагнитесь же и возьмите что хотите! Нет нигде на земле таких сокровищ! Человек со змеиным языком, если ты сможешь уйти отсюда живым той дорогой, какой пришел, князья будут тебе слугами!

— След опять потерялся, — спокойно сказал Маугли. — Неужели какой-нибудь шакал прорылся так глубоко и укусил большой Белый Клобук? Она, верно, взбесилась... Мать Кобр, я не вижу, что можно отсюда унести.

— Клянусь богами Солнца и Луны, мальчик потерял разум! — прошипела кобра. — Прежде чем закроются твои глаза, я окажу тебе одну милость. Смотри — и увидишь то, чего не видел еще никто из людей!

— Худо бывает тому, кто говорит Маугли о милостях, — ответил мальчик сквозь зубы, — но в темноте все меняется, я знаю. Я посмотрю, если тебе так хочется.

Прищурив глаза, он обвел пристальным взглядом подземелье, потом поднял с полу горсть чего-то блестящего.

— Ого! — сказал он. — Это похоже на те штучки, которыми играют в человечьей стае. Только эти желтые, а те были коричневые.

Он уронил золото на пол и сделал шаг вперед. Все подземелье было устлано слоем золотых и серебряных монет толщиной в пять-шесть футов, высыпавшихся из мешков, где они прежде хранились. За долгие годы металл слежался и выровнялся, как песок во время отлива. На монетах и под ними, зарывшись в них, как обломки крушения в песке, были чеканного серебра седла для слонов с бляхами кованого золота, украшенные рубинами и бирюзой. Там были паланкины и носилки для княгинь, окованные и отделанные серебром и эмалью, с нефритовыми ручками и янтарными кольцами для занавесей; там были золотые светильники с изумрудными подвесками, колыхавшимися на них; там были пятифутовые статуи давно забытых богов, серебряные, с изумрудными глазами; были кольчуги, стальные, с золотой насечкой и с бахромой из почерневшего мелкого жемчуга; там были шлемы с гребнями, усеянными рубинами цвета голубиной крови; там были лакированные щиты из панциря черепахи и кожи носорога, окованные червонным золотом, с изумрудами по краям; охапки сабель, кинжалов и охотничьих ножей с алмазными рукоятками; золотые чаши и ковши и переносные алтари, никогда не видевшие дневного света; нефритовые чаши и браслеты; кадильницы, гребни, сосуды для духов, хны и сурьмы, все чеканного золота; множество колец для носа, обручей, перстней и поясов; пояса в семь пальцев шириной из граненых алмазов и рубинов и деревянные шкатулки, трижды окованные железом, дерево которых распалось в прах и остались груды опалов, кошачьего глаза, сапфиров, рубинов, брильянтов, изумрудов и гранатов.

Белая кобра была права: никакими деньгами нельзя было оценить такое сокровище — плоды многих столетних войн, грабежей, торговли и поборов. Одним монетам не было цены, не говоря уже о драгоценных камнях; золота и серебра тут было не меньше двухсот или трехсот тонн чистым весом.

Но Маугли, разумеется, не понял, что значат эти вещи. Ножи заинтересовали его немножко, но они были не так удобны, как его собственный нож, и потому он их бросил. Наконец он отыскал нечто в самом деле пленительное, лежавшее перед слоновым седлом, полузарытым в монетах. Это был анкус — короткий железный крюк, которым погоняют слонов. Его рукоятку украшал круглый сверкающий рубин, а восьмидюймовой длины ручка была сплошь украшена нешлифованной бирюзой, так что держать ее было очень удобно. Ниже был нефритовый ободок, а кругом него шел узор из цветов, только листья были изумрудные, а цветы — рубины, вделанные в прохладный зеленый камень. Остальная часть ручки была из чистой слоновой кости, а самый конец — острие и крюк — был стальной, с золотой насечкой, изображавшей охоту на слонов. Картинки-то и восхитили Маугли, который увидел, что они изображают его друга Хатхи.

Белая кобра следовала за ним по пятам.

— Разве не стоит отдать жизнь за то, чтобы это увидеть? — сказала она. — Правда, я оказала тебе великую милость?

— Я не понимаю, — ответил Маугли. — Они все твердые и холодные и совсем не годятся для еды. Но вот это, — он поднял анкус, — я хотел бы унести с собой, чтобы разглядеть при солнце. Ты говоришь, что это все твое. Так подари это мне, а я принесу тебе лягушек для еды.

Белая кобра вся затряслась от злобной радости.

— Конечно, я подарю это тебе, — сказала она. — Все, что здесь есть, я дарю тебе — до тех пор, пока ты не уйдешь.

— Но я ухожу сейчас. Здесь темно и холодно, а я хочу унести эту колючую штуку с собой в джунгли.

— Взгляни себе под ноги! Что там лежит?

Маугли подобрал что-то белое и гладкое.

— Это человечий череп, — сказал он равнодушно. — А вот и еще два.

— Много лет назад эти люди пришли, чтобы унести сокровище. Я поговорила с ними в темноте, и они успокоились.

— Но разве мне нужно что-нибудь из того, что ты называешь сокровищем? Если ты позволишь мне унести анкус, это будет добрая охота. Если нет, все равно это будет добрая охота. Я не враждую с Ядовитым Народом, а кроме того, я знаю Заветное Слово твоего племени.

— Здесь только одно Заветное Слово, и это Слово — мое!

Каа метнулся вперед, сверкнув глазами:

— Кто просил меня привести человека?

— Я, конечно, — прошелестела старая кобра. — Давно уже не видала я человека, а этот человек говорит по-нашему.

— Но о том, чтобы убивать, не было уговора. Как же я вернусь в джунгли и расскажу, что отвел его на смерть?

— Я и не убью его раньше времени. А если тебе надо уйти, вон дыра в стене. Помолчи-ка теперь, жирный убийца обезьян! Стоит мне коснуться твоей шеи, и джунгли тебя больше не увидят. Никогда еще человек не уходил отсюда живым. Я Страж Сокровищ в Княжеском городе!

— Но говорят тебе, ты, белый ночной червяк, что нет больше ни князя, ни города! Вокруг нас одни только джунгли! — воскликнул Каа.

— А сокровище есть. Но вот что можно сделать. Не уходи еще, Каа, — посмотришь, как будет бегать мальчик.

Белая кобра вся затряслась от злобной радости.
— Конечно, я подарю это тебе, —
сказала она.

Здесь есть где поохотиться. Жизнь хороша, мальчик! Побегай взад и вперед, порезвись!

Маугли спокойно положил руку на голову Каа.

— Эта белая тварь до сих пор видела только людей из человечьей стаи. Меня она не знает,— прошептал он.— Она сама напросилась на охоту. Пусть получает!

Маугли стоял, держа в руках анкус острием вниз. Он быстро метнул анкус, и тот упал наискось, как раз за клобуком большой змеи, пригвоздив ее к земле. В мгновение ока удав налег всей тяжестью на извивающееся тело кобры, прижав его от клобука до хвоста. Красные глаза кобры горели, и голова на свободной шее бешено моталась вправо и влево.

— Убей ее! — сказал Каа, видя, что Маугли берется за нож.

— Нет,— сказал Маугли, доставая нож,— больше я не хочу убивать, разве только для пищи. Посмотри сам, Каа!

Он схватил кобру пониже клобука, раскрыл ей рот лезвием ножа и показал, что страшные ядовитые зубы в верхней челюсти почернели и выкрошились. Белая кобра пережила свой яд, как это бывает со змеями.

— Тхунтх (Гнилая Колода),— сказал Маугли и, сделав Каа знак отстраниться, выдернул анкус из земли и освободил белую кобру.

— Княжескому сокровищу нужен новый страж,— сказал он сурово.— Тхунтх, ты оплошала. Побегай взад и вперед, порезвись, Гнилая Колода!

— Мне стыдно! Убей меня! — прошипела белая кобра.

— Слишком много было разговоров про убийство. Теперь мы уйдем. Я возьму эту колючую штуку, Тхунтх, потому что я дрался и одолел тебя.

— Смотри, чтоб она не убила тебя в конце концов. Это смерть! Помни, это смерть! В ней довольно силы, чтобы убить всех людей в моем городе. Недолго ты удержишь ее, Человек из Джунглей, или тот, кто отнимет ее у тебя. Ради нее будут убивать, убивать и убивать! Моя сила иссякла, зато колючка сделает мое дело. Это смерть! Это смерть! Это смерть!

Маугли выбрался через дыру в подземный коридор и, обернувшись, увидел, как белая кобра яростно кусает потерявшими силу зубами неподвижные лица золотых идолов, лежащих на полу, и шипит:

— Это смерть!

Маугли и Каа были рады, что снова выбрались на дневной свет.

Как только они очутились в родных джунглях и анкус в руках мальчика засверкал на утреннем солнце, он почувствовал почти такую же радость, как если б нашёл пучок новых цветов, для того чтобы воткнуть их себе в волосы.

— Это ярче глаз Багиры, — сказал он с восхищением, поворачивая рубин. — Я покажу ей эту штуку. Но что хотела сказать Гнилая Колода своими словами о смерти?

— Не знаю. Мне до кончика хвоста обидно, что она не попробовала твоего ножа. Всегда в Холодных Берлогах таится какая-нибудь беда — и на земле и под землёй... А теперь я хочу есть. Ты поохотишься вместе со мною нынче на заре? — сказал Каа.

— Нет, надо показать эту штуку Багире. Доброй охоты!

Маугли приплясывал на бегу, размахивая большим анкусом, и останавливался время от времени, чтобы полюбоваться на него. Добравшись наконец до тех мест в джунглях, где отдыхала обычно Багира, он нашёл её у водопоя, после охоты на крупного зверя. Маугли стал рассказывать ей обо всех своих приключениях, а Багира слушала и время от времени обнюхивала анкус. Когда Маугли дошёл до последних слов белой кобры, Багира одобрительно замурлыкала.

— Значит, Белый Клобук говорил правду? — живо спросил Маугли.

— Я родилась в княжеском зверинце в Удайпуре и, кажется, знаю кое-что о человеке. Многие люди убивали бы трижды в ночь ради одного этого красного камня.

— Но от камня ручку только тяжелее держать. Мой блестящий ножик гораздо лучше, и — слушай! — красный камень не годится для еды. Так для чего же убивать?

— Маугли, ступай спать. Ты жил среди людей, и...

— Я помню. Люди убивают, потому что не охотятся, — от безделья, ради забавы. Проснись же, Багира! Для чего сделана эта колючая штука?

Багира приоткрыла сонные глаза, и в них сверкнула лукавая искорка.

— Её сделали люди для того, чтобы колоть голову сыновьям Хатхи. Я видела такие на улицах Удайпура перед зверинцем. Эта вещь отведала крови многих таких, как Хатхи.

— Но зачем же колоть ею головы слонов?

— Затем, чтобы научить их Закону Человека. У людей нет ни когтей, ни зубов, оттого они и делают вот такие штуки и даже хуже.

— Если бы я это знал, то не взял бы его. Я не хочу его больше. Смотри!

Анкус полетел, сверкая, и зарылся в землю в пятидесяти шагах от них, среди деревьев.

— Теперь я очистил мои руки от смерти, — сказал Маугли, вытирая руки о свежую влажную землю. — Белая кобра говорила, что смерть будет ходить за мной по пятам. Она состарилась, побелела и выжила из ума.

— Смерть или жизнь, почернела или побелела, а я пойду спать, Маленький Брат. Я не могу охотиться всю ночь и выть весь день, как другие.

Багира знала удобное логово в двух милях от водопоя и отправилась туда отдыхать. Маугли недолго думая забрался на дерево, связав вместе две-три лианы, и гораздо скорее, чем можно об этом рассказать, качался в гамаке в пятидесяти футах над землею. Хотя Маугли не боялся яркого дневного света, он все же следовал обычаю своих друзей и старался как можно меньше бывать на солнце. Когда его разбудили громкие голоса обитателей деревьев, были опять сумерки, и во сне ему снились те красивые камешки, что он выбросил.

— Хоть погляжу на них еще раз, — сказал он и спустился по лиане на землю.

Но Багира опередила его: Маугли было слышно, как она обнюхивает землю в полумраке.

— А где же колючая штука? — воскликнул Маугли.

— Ее взял человек. Вот и след.

— Теперь мы увидим, правду ли говорила белая кобра. Если колючая тварь и вправду смерть, этот человек умрет. Пойдем по следу.

— Сначала поохотимся, — сказала Багира, — на пустой желудок глаза плохо видят. Люди двигаются очень медленно, а в джунглях так сыро, что самый легкий след продержится долго.

Они постарались покончить с охотой как можно скорее, и все же прошло почти три часа, прежде чем они наелись, напились и пошли по следу. Народ Джунглей знает, что торопиться во время еды не следует, потому что упущенного не вернешь.

— Как ты думаешь, колючая тварь обернется в руках человека и убьет его? — спросил Маугли. — Белая кобра говорила, что это смерть.

— Увидим, когда догоним, — сказала Багира. Она бежала рысью, нагнув голову. — След одиночный (она хотела сказать, что человек был один), и от тяжелой ноши пятка ушла глубоко в землю.

— Гм! Это ясно, как летняя молния, — согласился с ней Маугли.

И они помчались по следам двух босых ног быстрой рысью, попадая то во тьму, то в полосы лунного света.

— Теперь он бежит быстро, — сказал Маугли, — пальцы растопырены. — Они бежали дальше по сырой низине. — А почему здесь он свернул в сторону?

— Погоди! — сказала Багира и одним великолепным прыжком перемахнула через лужайку.

Первое, что нужно сделать, когда след становится непонятным, — это прыгнуть вперед, чтобы не оставлять путаных следов на земле. После прыжка Багира повернулась к Маугли и крикнула:

— Здесь второй след идет ему навстречу. На этом втором следу нога меньше и пальцы поджаты.

Маугли подбежал и посмотрел.

— Это нога охотника-гонда, — сказал он. — Гляди! Здесь он протащил свой лук по траве. Вот почему первый след свернул в сторону. Большая Нога пряталась от Маленькой Ноги.

— Да, верно, — сказала Багира. — Теперь, чтобы не наступать друг другу на следы и не путаться, возьмем каждый по одному следу. Я буду Большая Нога, Маленький Брат, а ты — Маленькая Нога.

Багира перепрыгнула на первый след, а Маугли нагнулся, разглядывая странные следы ног с поджатыми пальцами.

— Вот, — сказала Багира, шаг за шагом продвигаясь вперед по цепочке следов, — я, Большая Нога, сворачиваю здесь в сторону. Вот я прячусь за скалу и стою тихо, не смея переступить с ноги на ногу. Говори, что у тебя, Маленький Брат.

— Вот я, Маленькая Нога, подхожу к скале, — говорил Маугли, идя по следу. — Вот я сажусь под скалой, опираясь на правую руку, и ставлю свой лук между большими пальцами ног. Я жду долго, и потому мои ноги оставляют здесь глубокий отпечаток.

— Я тоже, — сказала Багира, спрятавшись за скалой. — Я жду, поставив колючку острым концом на камень. Она скользит: на камне осталась царапина. Скажи, что у тебя, Маленький Брат?

— Одна-две ветки и большой сучок сломаны здесь, — сказал Маугли шепотом. — А как рассказать вот это? А!

Теперь понял. Я, Маленькая Нога, ухожу с шумом и топотом, чтобы Большая Нога слышала меня.

Маугли шаг за шагом отходил от скалы, прячась между деревьями и повышая голос, по мере того как приближался к маленькому водопаду.

— Я — отхожу — далеко — туда, — где — шум — водопада — заглушает — мои — шаги, — и здесь — я — жду. Говори, что у тебя, Багира, Большая Нога!

Пантера металась во все стороны, разглядывая, куда ведет отпечаток большой ноги из-за скалы. Потом подала голос:

— Я ползу из-за скалы на четвереньках и тащу за собой колючую тварь. Не видя никого, я бросаюсь бежать. Я, Большая Нога, бегу быстро. Путь ясно виден. Идем каждый по своему следу. Я бегу!

Багира помчалась по ясно видимому следу, а Маугли побежал по следу охотника. На время в джунглях наступило молчание.

— Где ты, Маленькая Нога? — окликнула Багира.

Голос Маугли отозвался в пятидесяти шагах справа.

— Гм! — произнесла Багира, глухо кашляя. — Оба они бегут бок о бок и сходятся все ближе!

Они пробежали еще с полмили, оставаясь на том же расстоянии, пока Маугли, который не пригибался так низко к земле, не крикнул:

— Они сошлись! Доброй охоты! Смотри-ка! Тут стояла Маленькая Нога, опираясь коленом на камень, а там — Большая Нога.

Меньше чем в десяти шагах от них, растянувшись на гряде камней, лежало тело крестьянина здешних мест. Тонкая оперенная стрела охотника-гонда пронзила ему насквозь спину и грудь.

— Так ли уж одряхлела и выжила из ума белая кобра? — мягко спросила Багира. — Вот, по крайней мере, одна смерть.

— Идем дальше. А где же та, что пьет слоновью кровь, где красноглазая колючка?

— Может быть, у Маленькой Ноги. Теперь след опять одиночный.

Одинокий след легконогого человека, быстро бежавшего с ношей на левом плече, шел по длинному пологому откосу, поросшему сухой травой, где каждый шаг был словно выжжен каленым железом.

Оба молчали, пока след не привел их к золе костра, укрытого в овраге.

— Опять! — сказала Багира и остановилась, словно окаменев.

Тело маленького сморщенного охотника лежало пятками в золе, и Багира вопросительно посмотрела на Маугли.

— Это сделано бамбуковой палкой, — сказал Маугли, взглянув на тело. — У меня тоже была такая, когда я служил человечьей стае и пас буйволов. Мать Кобр — мне жаль, что я посмеялся над нею, — знает эту породу, и я мог бы об этом догадаться. Разве я не говорил, что люди убивают от безделья?

— Право же, его убили ради красных и голубых камней, — ответила Багира. — Не забудь, что я была в княжеском зверинце в Удайпуре.

— Один, два, три, четыре следа, — сказал Маугли, нагибаясь над пеплом костра. — Четыре следа обутых людей. Они ходят не так быстро, как охотники-гонды. Ну что худого сделал им маленький лесной человек? Смотри, они разговаривали все впятером, стоя вокруг костра, прежде чем убили его. Багира, идем обратно. На желудке у меня тяжело, и, однако, он скачет то вверх, то вниз, как гнездо иволги на конце ветки.

— Плохая охота — упускать добычу. Идем за ними! — сказала пантера. — Эти восемь обутых ног недалеко ушли.

Они бежали целый час молча по широкой тропе, протоптанной четырьмя обутыми людьми.

Уже настал ясный, жаркий день, и Багира сказала:

— Я чую дым.

— Люди всегда охотнее едят, чем бегают, — ответил Маугли, то скрываясь, то показываясь среди невысоких кустарников, где они теперь рыскали, обходя незнакомые джунгли. Багира, слева от Маугли, издала какой-то странный звук горлом.

— Вот этот покончил с едой! — сказала она.

Смятый ворох пестрой одежды лежал под кустом, а вокруг него была рассыпана мука.

— Тоже сделано бамбуковой палкой. Гляди! Белый порошок — это то, что едят люди. Они отняли добычу у этого — он нес их пищу — и отдали его в добычу коршуну Чилю.

— Это уже третий, — сказала Багира.

«Я отнесу свежих, крупных лягушек Матери Кобр и накормлю ее до отвала, — сказал себе Маугли. — Этот кровопийца — сама Смерть, и все же я ничего не понимаю!»

— Идем по следу! — сказала Багира.

Они не прошли и полумили, как услышали ворона Каа, распевавшего Песню Смерти на вершине тамариска, в тени которого лежало трое людей. Полупотухший костер дымился в середине круга, под чугунной сковородкой с почерневшей и обгорелой пресной лепешкой. Возле костра, сверкая на солнце, лежал бирюзово-рубиновый анкус.

— Эта тварь работает быстро: все кончается здесь,— сказала Багира.— Отчего они умерли, Маугли? Ни на ком из них нет ни знака, ни ссадины.

Житель джунглей по опыту знает о ядовитых растениях и ягодах не меньше, чем многие врачи. Маугли понюхал дым над костром, отломил кусочек почерневшей лепешки, попробовал ее и сплюнул.

— Яблоко Смерти,— закашлялся он.— Первый из них, должно быть, положил его в пищу для тех, которые убили его, убив сначала охотника.

— Добрая охота, право! Одна добыча следует за другой! — сказала Багира.

«Яблоко Смерти» — так называется в джунглях дурман, самый сильный яд во всей Индии.

— Что же будет дальше? — сказала пантера.— Неужели и мы с тобой умертвим друг друга из-за этого красноглазого убийцы?

— Разве эта тварь умеет говорить? — спросил Маугли шепотом.— Что плохого я ей сделал, когда выбросил? Нам двоим она не повредит, потому что мы не гонимся за ней. Если ее оставить здесь, она, конечно, станет убивать людей одного за другим так же быстро, как падают орехи в бурю. Я не хочу, чтобы люди умирали по шестеро в ночь.

— Что за беда? Это же только люди. Они сами убивали друг друга — и были очень довольны, разве не так? — сказала Багира.

— Но все-таки они еще щенки, а щенок готов утопиться, лишь бы укусить луну в воде. Я виноват,— сказал Маугли,— говоря так, как будто знаю все на свете. Никогда больше не принесу в джунгли то, чего не знаю, хотя бы оно было красиво, как цветок. Это,— он быстрым движением схватил анкус,— отправится обратно к Прародительнице Кобр. Но сначала нам надо выспаться, а мы не можем лечь рядом с этими спящими. Кроме того, нам нужно зарыть эту тварь, чтобы она не убежала и не убила еще шестерых. Вырой яму вон под тем деревом.

— Но, Маленький Брат, — сказала Багира, подходя к дереву, — говорю тебе, что кровопийца не виноват. Все дело в людях.

— Это все равно, — сказал Маугли. — Вырой яму поглубже. Когда мы выспимся, я возьму его и отнесу обратно.

На третью ночь, когда белая кобра сидела, горюя, во мраке подземелья, пристыженная, обобранная и одинокая, бирюзовый анкус влетел в пролом стены и зазвенел, ударившись о золотые монеты, устилавшие пол.

— Мать Кобр, — сказал Маугли (из осторожности он оставался по ту сторону стены), — добудь себе молодую, полную яда змею твоего племени, чтобы она помогала тебе стеречь княжеские сокровища и чтобы ни один человек больше не вышел отсюда живым.

— Ах-ха! Значит, он вернулся. Я говорила, что это смерть! Как же вышло, что ты еще жив? — прошелестела старая кобра, любовно обвиваясь вокруг ручки анкуса.

— Клянусь буйволом, который выкупил меня, я и сам не знаю! Эта тварь убила шестерых за одну ночь. Не выпускай ее больше!

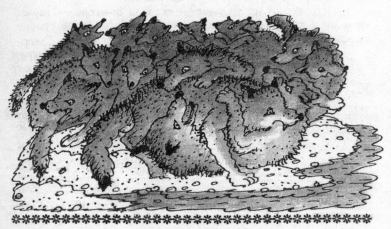

Дикие собаки

СAMOE приятное время жизни началось для Маугли после того, как он напустил на деревню джунгли. Совесть у него была спокойна, как и следует после уплаты справедливого долга, и все джунгли были с ним в дружбе, потому что все джунгли его боялись. Из того, что он видел, слышал и делал, странствуя от одного народа к другому со своими четырьмя спутниками или без них, вышло бы многое множество рассказов, и каждый рассказ был бы не короче этого. Так что вам не придется услышать о том, как он спасся от бешеного слона из Мандлы, который убил двадцать два буйвола, тащивших в казначейство одиннадцать возов серебра, и расшвырял по пыльной дороге блестящие рупии; как он бился долгой ночью с крокодилом Джакалой в болотах на севере и сломал охотничий нож о его спинные щитки; как он нашел себе новый нож, еще длиннее старого, на шее у человека, убитого диким кабаном; как он погнался за этим кабаном и убил его, потому что нож этого стоил; как во время Великого Голода он попал в бегущее оленье стадо и едва не был задавлен насмерть разгоряченными оленями; как он спас Молчальника Хатхи из ловчей ямы с колом на дне; как на другой день он сам попался в хитрую ловушку для леопардов и как Хатхи освободил его, разломав толстые деревянные брусья; как он доил диких буйволиц на болоте; как...

Однако полагается рассказывать о чем-нибудь одном.

Отец и Мать Волки умерли, и Маугли, завалив устье пещеры большим камнем, пропел над ними Песню Смерти. Балу совсем одряхлел и едва двигался, и даже Багира, у которой нервы были стальные, а мускулы железные, уже не так быстро убивала добычу.

Акела из седого стал молочно-белым, похудел от старости так, что видны были ребра, и едва ходил, словно деревянный; для него охотился Маугли. Зато молодые волки, дети рассеянной Сионийской Стаи, преуспевали и множились. Когда их набралось голов сорок, своевольных, гладконогих волков-пятилеток, не знавших вожака, Акела посоветовал им держаться вместе, соблюдать Закон и слушаться одного предводителя, как и подобает Свободному Народу.

В этом деле Маугли не пожелал быть советчиком: он уже набил себе оскомину и знал, на каком дереве растут кислые плоды. Но когда Пхао, сын Пхаоны (его отцом был Серый Следопыт, когда Акела водил Стаю), завоевал место Вожака Стаи, как того требует Закон Джунглей, и снова зазвучали под звездами старые песни и старые зовы, Маугли стал ходить на Скалу Совета в память о прошлом и садился рядом с Акелой. То было время удачной охоты и крепкого сна. Ни один чужак не смел вторгаться во владения Народа Маугли, как называлась теперь Стая; молодые волки жирели и набирались сил, и на каждый смотр волчицы приводили много волчат.

Маугли всегда приходил на смотр: он не забыл еще ту ночь, когда черная пантера ввела в Стаю голого смуглого ребенка и от протяжного клича: «Смотрите, смотрите, о волки!» — его сердце билось странно и тревожно. Если б не это, он ушел бы в глубину джунглей, чтобы трогать и пробовать, видеть и слышать новое.

Однажды в сумерки, когда он бежал не спеша через горы и нес Акеле половину убитого им оленя, а четверо волков трусили за ним рысцой и в шутку дрались и кувыркались друг через друга, радуясь жизни, он услышал вой, какого ему не приходилось слышать со времен Шер-Хана. Это было то, что в джунглях зовется «пхиал», — вой, который издает шакал, когда охотится вместе с тигром или когда начинается большая охота. Представьте себе ненависть, смешанную с торжеством, страхом и отчаянием и пронизанную чем-то вроде насмешки, и вы получите понятие о пхиале, который разносился над Вайнгангой, поднимаясь и падая, дрожа и замирая. Четверка волков ощетинилась и заворчала. Маугли схватился за нож и замер на месте, словно окаменел.

— Ни один Полосатый не смеет охотиться здесь,— сказал он наконец.

— Это не крик Предвестника,— сказал Серый Брат.— Это какая-то большая охота. Слушай!

Снова раздался вой, наполовину рыдание, наполовину смех, как будто у шакала были мягкие человечьи губы. Тут Маугли перевел дыхание и бросился к Скале Совета, обгоняя по дороге спешивших туда волков.

Пхао и Акела лежали вместе на скале, а ниже, напрягшись каждым нервом, сидели остальные волки. Матери с волчатами пустились бегом к пещерам: когда раздается пхиал, слабым не место вне дома.

Сначала не слышно было ничего, кроме журчания Вайнганги во тьме и ночного ветра в вершинах деревьев, как вдруг за рекой провыл волк. Это был волк не из Стаи, потому что вся Стая собралась на Скале Советов. Вой перешел в протяжный, полный отчаяния лай.

— Собаки! — лаял вожак.— Дикие Собаки! Дикие Собаки!

Через несколько минут послышались усталые шаги по камням, и поджарый волк, весь в поту, с пятнами крови на боках и белой пеной у рта, ворвался в круг и, поджимая переднюю лапу и тяжело дыша, бросился к ногам Маугли.

— Доброй охоты! Из чьей ты стаи? — степенно спросил Пхао.

— Доброй охоты! Я Вантала, — был ответ.

Это значило, что он волк-одиночка, который сам промышляет для себя, своей подруги и волчат, живя где-нибудь в уединенной пещере. «Вантала» и значит «одиночка» — тот, кто живет вне стаи. При каждом вздохе видно было, как от толчков сердца его бросает то вперед, то назад.

— Кто идет? — спросил Пхао (об этом всегда спрашивают в джунглях после пхиала).

— Дикие Собаки из Декана — рыжие собаки, убийцы! Они пришли на север с юга; говорят, что в Декане голод, и убивают всех по пути. Когда народилась луна, у меня было четверо — моя подруга и трое волчат. Мать учила детей охотиться в открытом поле, учила прятаться, загоняя оленя, как делаем мы, волки равнин. В полночь я еще слышал, как мои волчата выли полным голосом, идя по следу. А когда поднялся предрассветный ветер, я нашел всех четверых в траве, и они уже окоченели. А все четверо были живы, когда народилась луна, о Свободный Народ! Тогда я стал искать, кому отомстить, и нашел рыжих собак.

— Сколько их? — спросил Маугли, а вся Стая глухо заворчала.

— Не знаю. Трое из них уже не убьют больше никого, но под конец они гнали меня, как оленя, гнали, и я бежал на трех ногах. Смотри, Свободный Народ!

Он вытянул вперед искалеченную лапу, темную от засохшей крови. Весь бок снизу был у него жестоко искусан, а горло разодрано и истерзано.

— Ешь! — сказал Акела, отходя от мяса, которое принес ему Маугли.

Волк-одиночка набросился на еду с жадностью.

— Это не пропадет, — сказал он смиренно, утолив первый голод. — Дайте мне набраться сил, и я тоже смогу убивать! Опустела моя берлога, которая была полна, когда народился месяц, и Долг Крови еще не весь уплачен.

Пхао, услышав, как захрустела бедренная кость оленя на зубах Вантала, одобрительно заворчал.

— Нам понадобятся эти челюсти,— сказал он.— С собаками были их щенята?

— Нет, нет, одни рыжие охотники, только взрослые псы из их стаи, крепкие и сильные.

Это значило, что рыжие собаки из Декана идут войной, а волки знают очень хорошо, что даже тигр уступает этим собакам свою добычу. Они бегут напрямик через джунгли и все, что попадается им навстречу, сбивают с ног и разрывают в клочья. Хотя Дикие Собаки не так крупны и не так ловки, как волки, они очень сильны, и их бывает очень много. Дикие Собаки только тогда называют себя Стаей, когда их набирается до сотни, а между тем сорок волков — это уже настоящая Стая.

В своих странствиях Маугли побывал на границе травянистых нагорий Декана и видел, как эти свирепые псы спали, играли и рылись среди кочек и ям, служивших им вместо логова. Он презирал и ненавидел Диких Собак за то, что от них пахло не так, как от волков, и за то, что они жили в пещерах, а главное, за то, что у них между пальцами растет шерсть, тогда как у Маугли и у его друзей ноги гладкие. Однако он знал, потому что Хатхи рассказал ему об этом, какая страшная сила охотничья стая диких псов. Хатхи и сам сторонится с их дороги, и, пока всех собак не перебьют или дичи не станет мало, они бегут вперед, а по пути убивают.

Акела тоже знал кое-что о Диких Собаках. Он спокойно сказал Маугли:

— Лучше умереть в стае, чем без вожака и одному. Это будет славная охота, а для меня — последняя. Но ты — человек, и у тебя еще много ночей и дней впереди, Маленький Брат. Ступай на север, заляг там, и, если кто-нибудь из волков останется жив после того, как уйдут собаки, он принесет тебе весть о битве.

— Да, не знаю только,— сказал Маугли без улыбки,— уйти ли мне в болота ловить там мелкую рыбу и спать на дереве, или просить помощи у обезьян и грызть орехи, пока Стая будет биться внизу.

— Это не на жизнь, а на смерть,— сказал Акела.— Ты еще не знаешь этих рыжих убийц. Даже Полосатый...

— Аова! Аова! — крикнул Маугли обиженно.— Одну полосатую обезьяну я убил. Теперь слушай: жили-были Волк, мой отец, и Волчица, моя мать, а еще жил-был ста-

рый серый Волк (не слишком мудрый: он теперь посе-
дел), который был для меня отцом и матерью. И потому,— он повысил голос,— я говорю: когда собаки придут,
если только они придут, Маугли и Свободный Народ будут заодно в этой охоте. Я говорю — клянусь буйволом,
выкупившим меня, буйволом, отданным за меня Багирой
в те дни, о которых вы в Стае забыли,— я говорю, и пусть
слышат мои слова река и деревья и запомнят их, если
я позабуду,— я говорю, что вот этот мой нож будет зубом
Стаи. По-моему, он еще не притупился. Вот мое Слово,
и я его сказал!

— Ты не знаешь собак, человек с волчьим языком! — крикнул Вантала.— Я хочу только заплатить им
Долг Крови, прежде чем они растерзают меня. Они движутся медленно, уничтожая все на своем пути, но через
два дня у меня прибавится силы, и я начну платить им
Долг Крови. А вам, Свободный Народ, советую бежать на
север и жить впроголодь до тех пор, пока не уйдут рыжие собаки.

— Слушайте Одиночку! — воскликнул Маугли со смехом.— Свободный Народ, мы должны бежать на север,
питаться ящерицами и крысами с отмелей, чтобы как-нибудь не повстречаться с собаками. Они опустошат все наши леса, а мы будем прятаться на севере до тех пор, пока
им не вздумается отдать нам наше добро! Они собаки,
и собачьи дети — рыжие, желтобрюхие, бездомные, у них
шерсть растет между пальцев. Да, конечно, мы, Свободный Народ, должны бежать отсюда и выпрашивать у народов севера объедки и всякую падаль! Выбирайте же, выбирайте. Славная будет охота! За Стаю, за всю Стаю, за
волчиц и волчат в логове и на воле, за подругу, которая
гонит лань, и за самого малого волчонка в пещере мы
принимаем бой!

Стая ответила коротким, оглушительным лаем, про-
гремевшим во тьме, словно треск падающего дерева.

— Мы принимаем бой! — пролаяли волки.

— Оставайтесь тут,— сказал Маугли своей четвер-
ке.— Нам понадобится каждый зуб. А Пхао с Акелой
пусть готовятся к бою. Я иду считать собак.

— Это смерть! — крикнул Вантала, привстав.— Что
может сделать такой голыш против рыжих собак? Даже
Полосатый и тот...

— Ты и вправду чужак,— отозвался Маугли.— Но мы
еще поговорим, когда псы будут перебиты. Доброй охоты
всем вам!

Он умчался во тьму, весь охваченный буйным весельем, почти не глядя, куда ступает, и, как и следовало ожидать, растянулся во весь рост, споткнувшись о Каа, сторожившего оленью тропу близ реки.

— Кш-ша! — сердито сказал Каа. — Разве так водится в джунглях — топать и хлопать, губя охоту всей ночи, да еще когда дичь так быстро бегает?

— Вина моя, — сказал Маугли, поднимаясь на ноги. — Правда, я искал тебя, Плоскоголовый, но каждый раз, как я тебя вижу, ты становишься длиннее и толще на длину моей руки. Нет другого такого, как ты, во всех джунглях, о мудрый, сильный и красивый Каа!

— А куда же ведет этот след? — Голос Каа смягчился. — Не прошло и месяца с тех пор, как один человечек с ножом бросал в меня камнями и шипел на меня, как злющий лесной кот, за то, что я уснул на открытом месте.

— Да, и разогнал оленей на все четыре стороны, а Маугли охотился, а Плоскоголовый совсем оглох и не слышал, как ему свистели, чтоб он освободил оленью тропу, — спокойно ответил Маугли, усаживаясь среди пестрых колец.

— А теперь этот человечек приходит с ласковыми, льстивыми словами к этому же Плоскоголовому и говорит ему, что он и мудрый, и сильный, и красивый, и Плоскоголовый верит ему и свертывается кольцом, чтобы устроить удобное сиденье для того, кто бросал в него камнями... Теперь тебе хорошо? Разве Багира может так удобно свернуться?

Каа, по обыкновению, изогнулся, словно мягкий гамак, под тяжестью Маугли. Мальчик протянул в темноте руку, обнял гибкую, похожую на трос шею Каа и привлек его голову к себе на плечо, а потом рассказал ему все, что произошло в джунглях этой ночью.

— Я, может быть, и мудр, — сказал Каа, выслушав рассказ, — а что глух, так это верно. Не то я услышал бы пхиал. Неудивительно, что травоеды так встревожились. Сколько же всего собак?

— Я еще не видел. Я пришел прямо к тебе. Ты старше Хатхи. Зато, о Каа, — тут Маугли завертелся от радости, — это будет славная охота! Немногие из нас увидят новую луну.

— И ты тоже сюда вмешался? Не забывай, что ты человек. Не забывай также, какая стая тебя выгнала. Пускай волки гоняют собак. Ты человек.

— Прошлогодние орехи стали в этом году черной землей, — ответил Маугли. — Это правда, что я человек, но нынче ночью я сказал, что я волк. Это у меня в крови. Я призвал реку и деревья, чтобы они запомнили мои слова. Я охотник Свободного Народа, Каа, и останусь им, пока не уйдут собаки...

— Свободный Народ! — проворчал Каа. — Свободные воры! А ты связал себя смертным узлом в память о волках, которые умерли! Плохая это охота!

— Это мое Слово, и я уже сказал его. Деревья знают, и знает река. Пока не уйдут собаки, мое Слово не вернется ко мне.

— Сшш! От этого меняются все следы. Я думал взять тебя с собой на северные болота, но Слово — хотя бы даже Слово маленького голого, безволосого человечка — есть Слово. Теперь и я, Каа, говорю...

— Подумай хорошенько, Плоскоголовый, чтоб и тебе не связать себя смертным узлом. Мне не нужно от тебя Слова, я и без того знаю...

— Пусть будет так, — сказал Каа. — Я не стану давать Слово. Но что ты думаешь делать, когда придут рыжие собаки?

— Они должны переплыть Вайнгангу. Я хочу встретить их на отмелях, а за мной была бы Стая. Ножом и зубами мы заставили бы их отступить вниз по течению реки и немножко охладили бы им глотки.

— Эти собаки не отступят, и глотки им не остудишь, — сказал Каа. — После этой охоты не будет больше ни человечка, ни волчонка, останутся одни голые кости.

— Алала! Умирать так умирать! Охота будет самая славная! Но я еще молод и видел мало дождей. У меня нет ни мудрости, ни силы. Ты придумал что-нибудь получше, Каа?

— Я видел сотни и сотни дождей. Прежде чем у Хатхи выпали молочные бивни, я уже оставлял в пыли длинный след. Клянусь Первым Яйцом, я старше многих деревьев и видел все, что делалось в джунглях.

— Но такой охоты еще никогда не бывало, — сказал Маугли. — Никогда еще рыжие собаки не становились нам поперек дороги.

— Что есть, то уже было. То, что будет, — это только забытый год, вернувшийся назад. Посиди смирно, пока я пересчитаю мои года.

Целый долгий час Маугли отдыхал среди колец Каа, играя ножом, а Каа, уткнувшись неподвижной головой в землю, вспоминал обо всем, что видел и узнал с того дня, как вылупился из яйца. Глаза его, казалось, угасли и стали похожи на тусклые опалы, и время от времени он резко дергал головой то вправо, то влево, словно ему снилась охота. Маугли спокойно дремал: он знал, что нет ничего лучше, чем выспаться перед охотой, и привык засыпать в любое время дня и ночи.

Вдруг он почувствовал, что тело Каа становится толще и шире под ним, оттого что огромный удав надулся, шипя, словно меч, выходящий из стальных ножен.

— Я видел все мертвые времена,— сказал наконец Каа,— и большие деревья, и старых слонов, и скалы, которые были голыми и островерхими, прежде чем поросли мхом. Ты еще жив, человечек?

— Луна только что взошла,— сказал Маугли.— Я не понимаю...

— Кшш! Я снова Каа. Я знаю, что времени прошло немного. Сейчас мы пойдем к реке, и я покажу тебе, что надо делать с собаками.

Прямой, как стрела, он повернул к главному руслу Вайнганги и бросился в воду немного выше плеса, открывавшего Скалу Мира, а вместе с ним бросился в воду и Маугли.

— Нет, не плыви сам — я двигаюсь быстрее. На спину ко мне, Маленький Брат!

Левой рукой Маугли обнял Каа за шею, правую руку прижал плотно к телу и вытянул ноги в длину. И Каа поплыл против течения, как умел плавать только он один, и струи бурлящей воды запенились вокруг шеи Маугли, а его ноги закачались на волне, разведенной скользящими боками удава. Немного выше Скалы Мира Вайнганга сужается в теснине меж мраморных утесов от восьмидесяти до ста футов высотой, и вода там бешено мчится между скалами по большим и малым камням. Но Маугли не думал об этом; не было такой воды на свете, которой он испугался бы хоть на минуту. Он смотрел на утесы по берегам реки и тревожно нюхал воздух, в котором стоял сладковато-кислый запах, очень похожий на запах муравейника в жаркий день. Он невольно спустился пониже в воду, высовывая голову только для того, чтобы вздохнуть. Каа стал на якорь, дважды обернувшись хвостом вокруг подводной скалы и поддерживая Маугли, а вода неслась мимо них.

— Это Место Смерти,— сказал мальчик.— Зачем мы здесь?

— Они спят,— сказал Каа.— Хатхи не уступает дороги Полосатому, однако и Хатхи, и Полосатый уступают дорогу рыжим собакам. Собаки же говорят, что никому не уступят дороги. А кому уступает дорогу Маленький Народ Скал? Скажи мне, Хозяин Джунглей, кто же у нас самый главный?

— Вот эти,— прошептал Маугли.— Здесь Место Смерти. Уйдем отсюда.

— Нет, смотри хорошенько, потому что они спят. Тут все так же, как было, когда я был не длиннее твоей руки.

Потрескавшиеся от времени и непогоды утесы в ущелье Вайнганги с самого начала джунглей были жилищем Маленького Народа Скал — хлопотливых, злых черных диких пчел Индии, и, как хорошо знал Маугли, все тропинки сворачивали в сторону за полмили от их владений. Много веков Маленький Народ ютился и роился тут, переселялся из расщелины в расщелину и снова роился, пятная белый мрамор старым медом и лепя свои черные соты все выше и глубже во тьме пещер. Ни человек, ни зверь, ни вода, ни огонь ни разу не посмели их тронуть. По обоим берегам реки ущелье во всю свою длину было словно занавешено мерцающим черным бархатом, и Маугли дрогнул, подняв глаза, потому что над ним висели сцепившиеся миллионы спящих пчел. Там были еще глыбы и гирлянды и что-то похожее на гнилые пни, лепившиеся к утесам. Это были старые соты прежних лет или новые города, построенные в тени укрытого от ветра ущелья. Целые горы губчатых гнилых отбросов скатились вниз и застряли между деревьями и лианами, которыми поросли утесы. Прислушавшись, Маугли не раз ловил ухом шорох и звук падения полных меда сот, срывавшихся вниз где-нибудь в темной галерее, потом — сердитое гудение крыльев и мрачное кап-кап-кап вытекающего меда, который переливался через край и густыми каплями медленно падал на ветви.

На одном берегу реки была маленькая песчаная отмель, не шире пяти футов, и на ней громоздились горы мусора, накопившиеся за сотни лет. Там лежали мертвые пчелы, трутни, отбросы, старые соты, крылья бабочек и жуков, забравшихся воровать мед. Все это слежалось в ровные груды тончайшей черной пыли. Однако острого запаха было довольно, чтобы отпугнуть всякого, кто не мог летать и знал, что такое Маленький Народ.

Каа плыл вверх по реке, пока не добрался до песчаной отмели у входа в ущелье.

— Вот добыча этого года,— сказал он.— Смотри!

На песке лежали скелеты двух молодых оленей и буйвола. Маугли видел, что ни волк, ни шакал не тронули костей, которые обнажились сами собой, от времени.

— Они перешли границу, они не знали,— прошептал Маугли,— и Маленький Народ убил их. Уйдем отсюда, пока пчелы не проснулись!

— Они не проснутся до рассвета,— сказал Каа.— Теперь я тебе расскажу. Много-много дождей назад загнанный олень забежал сюда с юга, не зная джунглей, а за ним по пятам гналась Стая. Ничего не видя от страха, он прыгнул с высоты. Солнце стояло высоко, и пчел было очень много, и очень злых. И в Стае тоже много было таких, которые прыгнули в Вайнгангу, но все они умерли, еще не долетев до воды. Те, которые не прыгнули, тоже умерли в скалах наверху. Но олень остался жив.

— Почему?

— Потому, что он бежал впереди, прыгнул прежде, чем Маленький Народ почуял его, и был уже в реке, когда они собрались жалить. А Стаю, гнавшуюся за ним, сплошь облепили пчелы, которых вспугнул топот оленя.

— Этот олень остался жив? — в раздумье повторил Маугли.

— По крайней мере он не умер тогда, хотя никто не ждал его внизу, готовясь поддержать на воде, как будет ждать человечка один старый толстый, глухой, желтый плоскоголовый удав — да-да, хотя бы за ним гнались собаки всего Декана! Что ты на это скажешь?

Голова Каа лежала на мокром плече мальчика, а его язык дрожал возле уха Маугли. Молчание длилось долго, потом Маугли прошептал:

— Это значит дергать Смерть за усы, но... Каа, ты и вправду самый мудрый во всех джунглях.

— Так говорили многие. Смотри же, если собаки погонятся за тобой...

— А они, конечно, погонятся. Хо-хо! У меня под языком набралось много колючек, найдется что воткнуть им в шкуру!

— Если собаки погонятся за тобой, ничего не разбирая, глядя только на твои плечи, они бросятся в воду либо здесь, либо ниже, потому что Маленький Народ проснется и погонится за ними. А Вайнганга жадная река, и у них не будет Каа, чтобы удержать их на воде, поэтому тех, кто останется жив, понесет вниз, к отмелям у Сионийских Пещер, и там твоя Стая может схватить их за горло.

— О-о! Лучше и быть не может, разве если только дожди выпадут в сухое время. Теперь остаются только сущие пустяки: пробег и прыжок. Я сделаю так, что собаки меня узнают и побегут за мной по пятам.

— А ты осмотрел утесы наверху, со стороны берега?

— Верно, не осмотрел. Про это я забыл.

— Ступай посмотри. Там плохая земля, вся неровная, в ямах. Ступишь хоть раз своей неуклюжей ногой не глядя — и конец охоте. Видишь, я оставляю тебя здесь и только ради тебя передам весточку твоей Стае, чтобы знали, где искать собак. Мне твои волки не родня.

Если Каа не нравился кто-нибудь, он бывал неприветлив, как никто в джунглях, исключая, быть может, Багиры. Он поплыл вниз по реке и против Скалы Совета увидел Пхао и Акелу, слушавших ночные звуки.

— Кшш, волки! — весело окликнул он их. — Рыжие собаки поплывут вниз по реке. Если не боитесь, можете убивать их на отмелях.

— Когда они поплывут? — спросил Пхао.

— А где мой детеныш? — спросил Акела.

— Приплывут, когда вздумают, — сказал Каа. — Подождите и увидите. А твой детеныш, с которого ты взял Слово и тем обрек его на Смерть, твой детеныш со мной, и если он еще жив, так ты в этом не виноват, седая собака! Дожидайся своих врагов здесь и радуйся, что мы с детенышем на твоей стороне!

Каа снова понесся стрелой по реке и остановился на середине ущелья, глядя вверх на линию утесов. Скоро он увидел, как на звездном небе показалась голова Маугли; потом в воздухе что-то прошумело, и с резким звуком ударило по воде тело, падая ногами вперед. Мгновением позже Маугли уже отдыхал в петле, подставленной Каа.

— Какой это прыжок ночью! — невозмутимо сказал Маугли. — Я прыгал вдвое дальше ради забавы. Только наверху плохое место: низкие кусты и овраги, уходящие глубоко вниз, и все это битком набито Маленьким Народом. Я нагромоздил большие камни один на другой по краям трех оврагов. Я столкну их ногой вниз, когда побегу, и Маленький Народ, осердясь, поднимется позади меня.

— Это человечья хитрость, — сказал Каа. — Ты мудр, но Маленький Народ всегда сердится.

— Нет, в сумерки все крылатое засыпает ненадолго и здесь и повсюду. Я начну игру с собаками в сумерки, потому что днем они лучше бегают. Сейчас они гонятся по кровавому следу заВанталой.

— Коршун Чиль не оставит издохшего буйвола, а Дикая Собака — кровавого следа, — сказал Каа.

— Так я поведу их по новому следу — по их же крови, если удастся, и заставлю их наесться грязи. Ты останешься здесь, Каа, пока я не вернусь с моими псами.

— Да, но что, если они убьют тебя в джунглях или Маленький Народ убьет тебя прежде, чем ты спрыгнешь в реку?

— Когда я умру, — ответил Маугли, — тогда и настанет пора петь Песню Смерти. Доброй охоты, Каа!

Он отпустил шею удава и поплыл вниз по ущелью, как плывет бревно в половодье, гребя к дальней отмели и хохоча от радости. Больше всего на свете Маугли любил «дергать Смерть за усы», как говорил он сам, и давать джунглям почувствовать, что он здесь хозяин. С помощью Балу он часто обирал пчелиные дупла и знал, что Маленький Народ не любит запаха дикого чеснока. И потому он нарвал небольшой пучок чесноку, связал его ленточкой коры и побежал по кровавому следу Ванталы, идущему к югу от берлог. Время от времени он поглядывал на деревья, склонив голову набок, и посмеивался при этом.

«Лягушонком Маугли я был, — сказал он про себя, — Волчонком Маугли я назвал себя сам. Теперь я должен стать Обезьяной Маугли, прежде чем стану Маугли-оленем. А в конце концов я стану Человеком Маугли. Хо!» И он провел большим пальцем по длинному лезвию своего ножа.

След Ванталы, очень заметный по темным пятнам крови, шел по лесу среди толстых деревьев, которые росли здесь близко одно от другого, но к северо-востоку редели все больше и больше. За две мили от Пчелиных Утесов лес кончался. От последнего дерева до низких кустов у Пчелиного Ущелья шло открытое место, где трудно было бы укрыться даже волку. Маугли бежал под деревьями, меря глазом расстояние от ветки до ветки, иногда забираясь вверх по стволу и для пробы перепрыгивая с одного дерева на другое, пока не добежал до открытого места, на осмотр которого у него ушел целый час. Потом он вернулся на след Ванталы, в том же месте, где бросил его, залез на дерево с выступающей далеко вперед веткой футах в восьми над землей, повесил пучок чесноку на развилину и уселся смирно, точа нож о босую подошву.

Незадолго до полудня, когда солнце стало сильно припекать, Маугли услышал топот ног и почуял противный запах собачьей стаи, упорно и безжалостно преследовавшейВанталу. Если смотреть сверху, Дикая Собака из Декана кажется вдвое меньше волка, но Маугли знал, какие сильные у нее лапы и челюсти. Разглядывая острую рыжую морду вожака, обнюхивавшего след, он крикнул ему:

— Доброй охоты!

Вожак поднял голову, а его спутники столпились позади, десятки и сотни рыжих тварей с поджатыми хвостами, широкой грудью и тощим задом. Дикие псы обыкновенно очень молчаливы и неприветливы даже в своем родном Декане.

Под деревом собралось не меньше двух сотен собак, но Маугли видел, что вожаки жадно обнюхивают след и стараются увлечь всю стаю вперед. Это не годилось, потому что они прибежали бы к берлогам среди дня, а Маугли был намерен продержать их под своим деревом до сумерек.

— С чьего позволения вы явились сюда? — спросил Маугли.

— Все джунгли — наши джунгли, — был ответ, и тот, кто это сказал, оскалил белые зубы.

Маугли с улыбкой посмотрел вниз, в совершенстве подражая резкой трескотне Чикаи, крысы-прыгуна из степей Декана, давая собакам понять, что считает их не лучше крыс. Стая сгрудилась вокруг дерева, и вожак свирепо залаял, обозвав Маугли обезьяной. Вместо ответа Маугли вытянул вниз голую ногу и пошевелил гладкими пальцами как раз над головой вожака. Этого было довольно, и даже больше чем довольно, чтобы разбудить тупую ярость собак. Те, у кого растут волосы между пальцами, не любят, чтобы им об этом напоминали. Маугли отдернул ногу, когда вожак подпрыгнул кверху, и сказал ласково:

— Пес, рыжий пес! Убирайся обратно к себе в Декан есть ящериц. Ступай к своему брату Чикаи, пес, пес, рыжий пес! У тебя шерсть между пальцами! — И он еще раз пошевелил ногой.

— Сойди вниз, пока мы не заморили тебя голодом, безволосая обезьяна! — завыла стая, а этого как раз и добивался Маугли.

Он лег, вытянувшись вдоль сука и прижавшись щекой к коре, высвободил правую руку и минут пять выкладывал собакам все, что он про них знает и думает: про них самих, про их нравы и обычаи, про их подруг и щенят.

Нет на свете языка более ядовитого и колкого, чем тот, каким говорит Народ Джунглей, желая оскорбить и выказать презрение. Подумав немного, вы и сами поймете, отчего это так. Маугли и сам говорил Каа, что у него набралось много колючек под языком, и мало-помалу медленно, но верно он довел молчаливых псов до того, что они заворчали, потом залаяли, потом завыли хриплым, захлебывающимся воем. Они пробовали отвечать на его насмешки, но это было все равно, как если бы волчонок отвечал разъяренному Каа. Все это время Маугли держал правую руку согнутой в локте, готовясь к действию, а его ноги крепко сжимали сук. Крупный темно-рыжий вожак много раз подскакивал в воздух, но Маугли медлил, боясь промахнуться. Наконец, от ярости превзойдя самого себя, вожак подскочил футов на семь, на восемь кверху от земли. Тогда рука Маугли взметнулась, как голова древесной змеи, схватила рыжего пса за шиворот, и сук затрясся и погнулся под его тяжестью так, что Маугли чуть не свалился на землю. Но он не разжал руки и мало-помалу втащил рыжего пса, повисшего, как дохлый шакал, к себе на сук. Левой рукой Маугли достал нож и, отрубив рыжий косматый хвост, швырнул вожака обратно на землю.

Только этого и хотел Маугли. Теперь собаки не побегут по следу Ванталы, пока не прикончат Маугли или пока Маугли не прикончит их. Он видел, как собаки уселись в кружок, подрагивая ляжками, что означало намерение мстить до смерти, и поэтому забрался на развилину повыше, прислонился поудобнее спиной к дереву и заснул.

Часа через три или четыре он проснулся и сосчитал собак. Все они были тут, молчаливые, свирепые, беспощадные, с лютыми глазами. Солнце уже садилось. Через полчаса Маленький Народ Скал должен был покончить с дневными трудами, а, как вам известно, Дикие Собаки плохо дерутся в сумерках.

— Мне не нужны такие верные сторожа, — сказал Маугли, становясь на суку, — но я этого не забуду. Вы настоящие псы, только, на мой взгляд, слишком уж похожи друг на друга. Вот потому я и не отдам пожирателю ящериц его хвоста. Разве ты не доволен, рыжий пес?

— Я сам вырву тебе кишки! — прохрипел вожак, кусая дерево у корней.

— Нет, ты подумай, мудрая крыса Декана: теперь народится много куцых рыжих щенят с красным обрубком вместо хвоста. Ступай домой, рыжий пес, и кричи везде, что это сделала Обезьяна. Не хочешь? Тогда пойдем со мной, и я научу тебя уму-разуму!

Он перепрыгнул по-обезьяньи на соседнее дерево, и потом опять на соседнее, и опять, и опять, а стая следовала за ним, подняв алчные морды. Время от времени он притворялся, будто падает, и псы натыкались один на другого, спеша прикончить его. Это было странное зрелище — мальчик с ножом, сверкающим в лучах заката, которые проникали сквозь верхние ветви, а внизу — молчаливая стая рыжих псов, словно охваченная огнем. Перебравшись на последнее дерево, Маугли взял чеснок и хорошенько натерся им с головы до пят, а собаки презрительно завопили:

— Обезьяна с волчьим языком, уж не думаешь ли ты замести свой след? Все равно мы будем гнать тебя до смерти!

— Возьми свой хвост,— сказал Маугли, бросая обрубок в направлении, обратном тому, по которому собирался бежать.

Стая отшатнулась, почуяв запах крови.

— А теперь следуйте за мной—до смерти!

Он соскользнул с дерева и вихрем помчался к Пчелиным Утесам, прежде чем собаки поняли, что он собирается делать.

Они глухо завыли и пустились бежать неуклюжей, размашистой рысью, которая может, в конце концов, доконать кого угодно. Маугли знал, что стая псов бежит гораздо медленнее волчьей стаи, иначе он никогда не отважился бы на двухмильный пробег на глазах у собак. Они были уверены, что мальчик наконец достанется им, а он был уверен, что может играть ими, как хочет. Вся задача состояла в том, чтобы держать стаю достаточно близко позади себя и не дать ей свернуть в сторону раньше времени. Он бежал ловко, ровно и упруго, а за ним, меньше чем в пяти шагах,— куцый вожак. Вся же стая растянулась больше чем на четверть мили, потеряв рассудок и ослепнув от жажды крови. Маугли проверял расстояние на слух, сберегая силы напоследок, чтобы промчаться по Пчелиным Утесам.

Маленький Народ уснул с началом сумерек, потому что ночные цветы уже не цвели, но как только первые шаги Маугли раздались по гулкому грунту, он услышал такой шум, словно под ним загудела вся земля. Тогда он побежал, как никогда в жизни не бегал, по дороге столкнув ногой одну, две, три кучки камней в темные, сладко пахнущие ущелья, услышал гул, похожий на гул моря под сводом пещеры, увидел уголком глаза, что воздух позади него почернел, увидел течение Вайнганги далеко внизу и плоскую треугольную голову в воде, прыгнул вперед изо всех сил и упал в спасительную воду, задыхаясь и торжествуя. Ни одного пчелиного укуса не было на его теле, потому что чеснок отпугнул Маленький Народ на те несколько секунд, когда Маугли проносился по утесам.

Когда Маугли вынырнул, его поддерживал Каа, а с уступа скалы падали в реку, как гири, большие глыбы сцепившихся пчел, и лишь только глыба касалась воды, пчелы взлетали кверху, а труп собаки, кружась, уплывал вниз по течению. Над утесами то и дело слышался короткий яростный лай, тонувший в гуле, подобном грому, в гудении крыльев Маленького Народа Скал. Другие собаки свалились в овраги, сообщавшиеся с подземными пещерами, и там задыхались, бились, щелкали зубами среди рухнувших сот и, наконец, полумертвые, облепленные роями поднявшихся пчел, выбегали из какого-нибудь хода к реке, чтобы скатиться вниз, на черные груды мусора. Некоторые упали на деревья, растущие на утесах, и пчелы облепили их сплошь; но большинство, обезумев от пчелиных укусов, бросались в воду, а Вайнганга, как сказал Каа, была жадная река.

Каа крепко держал Маугли, пока мальчик не отдышался.

— Нам нельзя оставаться здесь, — сказал Каа. — Маленький Народ развоевался не на шутку. Поплывем.

Держась глубоко в воде и ныряя как можно чаще, Маугли поплыл вниз по течению с ножом в руке.

Почти половина стаи увидела западню, в которую попали их собратья, и, круто свернув в сторону, бросилась в воду там, где теснина, становясь шире, переходила в крутые берега. Их яростный лай и угрозы «лесной обезьяне», которая довела их до такого позора, смешивались с воем и рычанием собак, казнимых Маленьким Народом. Оставаться на берегу грозило смертью, и все собаки понимали это. Стаю уносило по течению все дальше и дальше, к Заводи Мира, но даже и туда сердитый Маленький Народ летел за собаками и загонял их в воду. Маугли слышал голос бесхвостого вожака, который приказывал своим не отступать и уничтожить всех сионийских волков.

— Кто-то убивает в темноте позади нас! — пролаял один из псов. — Вода здесь помутнела!

Маугли нырнул, бросившись вперед, как выдра, утянул барахтавшегося пса под воду прежде, чем тот успел разинуть пасть, и темные, маслянистые пятна поплыли по Заводи Мира, когда тело собаки выплыло из воды, перевернувшись на бок. Псы хотели было повернуть назад, но течение сносило их вниз, Маленький Народ жалил в головы и уши, а клич Сионийской Стаи звучал все громче и громче в надвигающейся тьме. Маугли снова нырнул, и снова один из псов ушел под воду и выплыл мертвым, и снова шум поднялся в тылу стаи — одни вопили, что лучше выйти на берег, другие требовали, чтобы вожак вел их обратно в Декан, остальные кричали, чтобы Маугли показался им и дал себя убить.

— Когда они выходят драться, то становятся вдвое злее и голосистее, — сказал Каа. — Остальное сделают твои братья там, внизу. Маленький Народ полетел на ночлег, и я тоже ухожу. Я не помогаю волкам.

По берегу пробежал волк на трех ногах, то приплясывая, то припадая боком к земле, то выгибая спину и подпрыгивая фута на два кверху, словно играл со своими волчатами. Это был вожак Вантала. Он ни разу не промолвил ни слова, но продолжал свою страшную пляску на глазах у псов.

Собаки долго пробыли в воде и плыли с трудом: их шкуры намокли и отяжелели, косматые хвосты разбухли, как губки, а сами они так устали и ослабели, что молча смотрели на два горящих глаза, которые провожали их неотступно.

— Плохая это охота, — сказал наконец один из псов.

— Доброй охоты! — сказал Маугли, смело выскакивая из воды рядом с ним и всаживая длинный нож ему под лопатку, но так, чтобы издыхающий пес не огрызнулся.

— Это ты, человек-волк? — спросил Вантала с берега.

— Спроси у мертвых, Чужак, — отвечал Маугли. — Разве они не плывут вниз по реке? Я досыта накормил этих псов грязью, я обманул их среди бела дня, а их вожак остался без хвоста, но все же и на твою долю еще хватит. Куда их гнать?

— Я подожду, — сказал Вантала. — Вся долгая ночь передо мной, там посмотрим.

Все ближе и ближе раздавался лай сионийских волков:

— За Стаю, за всю Стаю мы принимаем бой!

...увидел уголком глаза,
что воздух позади него почернел,
увидел течение Вайнанги...

И наконец излучина Вайнганги вынесла рыжих собак на пески и отмели против Сионийских Пещер.

Тут они поняли свою ошибку. Им надо было выбраться из воды раньше и напасть на волков на берегу. Теперь было слишком поздно. По всей отмели светились горящие глаза, и, кроме страшного пхиала, не утихавшего с самого заката, в джунглях не слышно было ни звука. Со стороны казалось, будто Вантала упрашивает собак выйти на берег. И вожак псов крикнул им:

— Повернитесь и нападайте!

Вся стая бросилась к берегу, расплескивая и разбрызгивая мелкую воду, так что поверхность Вайнганги вскипела пеной и крупные волны пошли по реке, словно разведенные пароходом. Маугли врезался в свалку, колол и кромсал собак, которые, сбившись в кучу, волной хлынули на прибрежный песок.

И началась долгая битва.

Волки бились на мокром красном песке, между спутанными корнями деревьев, в кустах, в гуще травы, ибо даже и теперь псов было двое на одного волка. Но противники-волки бились не на живот, а на смерть, и бились не одни только широкогрудые, клыкастые охотники, но и волчицы с дикими глазами бились за своих волчат, а кое-где рядом с ними и годовалый волчонок, еще не перелинявший и весь лохматый, тоже хватал зубами и теребил врага. Надо вам сказать, что волк обычно хватает за горло или вцепляется в бок, а псы больше кусают за ноги, поэтому, пока собаки барахтались в воде и должны были высоко держать голову, перевес был на стороне волков; на суше волкам приходилось туго, но и в воде и на суше нож Маугли поднимался и разил одинаково.

Четверка пробилась к Маугли на помощь. Серый Брат, припав к коленям мальчика, защищал его живот, остальные трое охраняли его спину и бока или стояли над ним, когда обозленный, воющий пес, бросаясь прямо на нож, скачком сбивал Маугли с ног. А дальше все смешалось, сбилось в кучу, метавшуюся справа налево и слева направо по берегу. Один раз Маугли мельком видел Акелу: на него с двух сторон насели псы, а сам он вцепился беззубыми челюстями в ляжку третьего.

Ночь проходила, и быстрый, головокружительный бег на месте все ускорялся. Собаки притомились и уже боялись нападать на волков посильнее, хотя еще не смели спасаться бегством; но Маугли чувствовал, что близится конец, и довольствовался тем, что выводил собак из строя. Годовалые волки теперь нападали смелей, можно было вздохнуть свободнее, и уже один блеск ножа иногда обращал собаку в бегство.

— Мясо обглодано почти до кости! — прохрипел Серый Брат.

— Но кость еще надо разгрызть, — отвечал ему Маугли. — Вот как делается у нас в джунглях! — Красное лезвие ножа скользнуло, как пламя, по боку пса, задние ляжки которого исчезли под тяжестью навалившегося на него волка.

— Моя добыча! — огрызнулся волк, сморщив нос. — Оставь ее мне!

— Неужели тебе все еще мало, Чужак? — сказал Маугли.

Вантала был страшно истерзан, но держал собаку словно в тисках, и она не могла пошевельнуться.

— Клянусь буйволом, выкупившим меня, — злорадно смеясь, крикнул Маугли, — это Куцый!

И в самом деле, это был большой темно-рыжий вожак.

Один из псов подскочил на помощь вожаку, но, прежде чем его зубы вонзились в бок Вантала, нож Маугли уже торчал в его груди, а Серый Брат докончил остальное.

— Вот как делается у нас в джунглях! — сказал Маугли.

Вантала не ответил ни слова, только его челюсти сжимались все крепче и крепче, по мере того как жизнь уходила от него. Собака вздрогнула, уронила голову и замерла, и Вантала замер над ней.

— Тише! Долг Крови уплачен! — сказал Маугли. — Спой свою песню, Вантала!

— Он больше не будет охотиться, — сказал Серый Брат. — И Акела тоже молчит, уже давно.

— Мы разгрызли кость! — прогремел Пхао, сын Пхаоны. — Они бегут! Убивайте, убивайте их, Охотники Свободного Народа!

Псы один за другим разбегались, крадучись, с потемневших от крови отмелей к реке, в густые джунгли, вверх по течению или вниз по течению — туда, где дорога была свободна.

— Долг! Долг! — крикнул Маугли. — Платите Долг! Они убили Акелу! Пусть ни один из них не уйдет живым!

Он помчался к берегу с ножом в руке, чтобы не дать уйти ни одному псу, который отважился бы броситься в реку. Но тут из-под горы мертвых тел показались голова и передние лапы Акелы, и Маугли опустился перед ним на колени.

— Разве я не говорил, что это будет моя последняя битва? — прошептал Акела.— Славная была охота! А как ты, Маленький Брат?

— Я жив, Акела...

— Да будет так. Я умираю, и я хотел бы... хотел бы умереть ближе к тебе, Маленький Брат.

Маугли положил страшную, всю в ранах голову Акелы себе на колени и обхватил руками его истерзанную шею.

— Давно прошли времена, когда жив был Шер-Хан, а человечий детеныш катался голый в пыли,— кашляя, сказал Акела.

— Нет, нет, я волк! Я одной крови со Свободным Народом! — воскликнул Маугли.— Не по своей воле я стал человеком!

— Ты человек, Маленький Брат, волчонок, взращенный мною. Ты человек, иначе Стая бежала бы от Диких Собак. Тебе я обязан жизнью, а сегодня ты спас всю Стаю, как я когда-то спас тебя. Разве ты не помнишь? Теперь уплачены все долги. Уходи к твоему народу. Говорю тебе еще раз, зеница моего ока, охота кончена. Уходи к своему народу.

— Я не уйду. Я стану охотиться один в джунглях. Я уже говорил.

— За летом приходят дожди, а за дождями — весна. Уходи, пока тебя не заставят уйти. Уходи к твоему народу. Уходи к человеку. Больше мне нечего тебе сказать. Теперь я буду говорить со своими. Маленький Брат, можешь ты поднять меня на ноги? Ведь я тоже Вожак Свободного Народа.

Очень осторожно и ласково Маугли поднял Акелу на ноги, обхватив его обеими руками, но волк испустил глубокий вздох и начал Песню Смерти, которую надлежит петь каждому вожаку, умирая. Песня становилась все громче и громче, звучала все сильнее и сильнее, прогремела далеко за рекой, а когда умолкло последнее «Доброй охоты!», Акела высвободился на мгновение из рук Маугли, подпрыгнул в воздух и упал мертвым на свою последнюю, страшную добычу.

Маугли сидел, опустив голову на колени, забыв обо всем, а тем временем последнего из раненых псов настигли и прикончили беспощадные волчицы. Мало-помалу крики затихли, и волки, хромая, вернулись считать мертвых. Пятнадцать волков из Стаи, а с ними шесть волчиц лежали мертвыми у реки, и из всех остальных ни один не остался невредимым. Маугли просидел всю ночь, до холодного рассвета. Влажная от крови морда Пхао легла ему на руку, и Маугли отодвинулся, чтобы тот мог видеть распростертое тело Акелы.

— Доброй охоты! — сказал Пхао, словно Акела был еще жив, а потом, обернувшись, кинул через искусанное плечо остальным: — Войте, собаки! Сегодня умер Волк!

Зато из всей стаи рыжих собак, из двухсот охотников Декана, которые хвастались тем, что ничто живое в джунглях не смеет им противиться, ни один не вернулся в Декан с этой вестью.

Весенний бег

НА ВТОРОЙ год после большой битвы с Дикими Собаками и смерти Акелы Маугли было лет семнадцать. На вид он казался старше, потому что от усиленного движения, самой лучшей еды и привычки купаться, как только ему становилось жарко или душно, он стал не по годам сильным и рослым. Когда ему надо было осмотреть лесные дороги, он мог полчаса висеть, держась одной рукой за ветку. Он мог остановить на бегу молодого оленя и повалить его на бок, ухватив за рога. Мог даже сбить с ног большого дикого кабана из тех, что живут в болотах на севере. Народ Джунглей, раньше боявшийся Маугли из-за его ума, теперь стал бояться его силы, и когда Маугли спокойно шел по своим делам, шепот о его приходе расчищал перед ним лесные тропинки. И все же его взгляд оставался всегда мягким. Даже когда он дрался, его глаза не вспыхивали огнем, как у черной пантеры Багиры. Его взгляд становился только более внимательным и оживленным, и это было непонятно даже самой Багире.

Однажды она спросила об этом Маугли, и тот ответил ей, засмеявшись:

— Когда я промахнусь на охоте, то бываю зол. Когда поголодаю дня два, то бываю очень зол. Разве по моим глазам это не заметно?

— Рот у тебя голодный,— сказала ему Багира,— а по глазам этого не видно. Охотишься ты, ешь или плаваешь — они всегда одни и те же, как камень в дождь и в ясную погоду.

Маугли лениво взглянул на пантеру из-под длинных ресниц, и она, как всегда, опустила голову. Багира знала, кто ее хозяин.

Они лежали на склоне горы высоко над рекой Вайнгангой, и утренние туманы расстилались под ними зелеными и белыми полосами. Когда взошло солнце, эти полосы тумана превратились в волнующееся красно-золотое море, потом поднялись кверху, и низкие, косые лучи легли на сухую траву, где отдыхали Маугли с Багирой. Холодное время подходило к концу, листва на деревьях завяла и потускнела, и от ветра в ней поднимался сухой, однообразный шорох. Один маленький листок бешено бился о ветку, захваченный ветром. Это разбудило Багиру. Она вдохнула утренний воздух с протяжным, глухим кашлем, опрокинулась на спину и передними лапами ударила бьющийся листок.

— Год пришел к повороту,— сказала она.— Джунгли двинулись вперед. Близится Время Новых Речей. И листок это знает. Это очень хорошо!

— Трава еще суха,— отвечал Маугли, выдергивая с корнем пучок травы.— Даже Весенний Глазок (маленький красный цветок, похожий на восковой колокольчик), даже Весенний Глазок еще не раскрылся... Багира, пристало ли черной пантере валяться на спине и бить лапами по воздуху, словно лесной кошке?

— Аоу! — отозвалась Багира. Видно было, что она думает о чем-то другом.

— Послушай, ну пристало ли черной пантере так кривляться, кашлять, выть и кататься по траве? Не забывай, что мы с тобой хозяева джунглей.

— Да, это правда, я слышу, детеныш.— Багира торопливо перевернулась и стряхнула пыль со своих взъерошенных черных боков (она как раз линяла после зимы).— Разумеется, мы с тобой хозяева джунглей! Кто так силен, как Маугли? Кто так мудр?

Ее голос был странно протяжен, и Маугли обернулся посмотреть, не смеется ли над ним черная пантера, ибо в джунглях много слов, звук которых расходится со смыслом.

— Я сказала, что мы с тобой, конечно, хозяева джунглей,— повторила Багира.— Разве я ошиблась? Я не знала, что детеныш больше не ходит по земле. Значит, он летает?

Маугли сидел, опершись локтями на колени, и смотрел на долину, освещенную солнцем. Где-то в лесу под горой птица пробовала хриплым, неверным голосом первые ноты своей весенней песни. Это была только тень полнозвучной, переливчатой песни, которая разольется по джунглям после. Но Багира услышала ее.

— Это Ферао, красный дятел,— сказала Багира.— Он помнит. Мне тоже надо припомнить мою песню.— И она начала мурлыкать и напевать про себя, время от времени умолкая и прислушиваясь.

В джунглях Индии времена года переходят одно в другое почти незаметно. Их как будто всего два: сухое и дождливое, но если приглядеться к потокам дождя и облакам сора и пыли, то окажется, что все четыре времени года сменяют друг друга в положенном порядке. Всего удивительнее в джунглях весна, потому что ей не приходится покрывать голое, чистое поле новой травой и цветами, ей надо пробиться сквозь перезимовавшую, еще зеленую листву, которую пощадила мягкая зима, чтобы утомленная, полуодетая земля снова почувствовала себя юной и свежей. Нет на свете другой такой весны, как в джунглях.

Наступает день, когда все в джунглях блекнет и самые запахи, которыми напитан тяжелый воздух, словно стареют и выдыхаются. Этого не объяснишь, но это чувствуется. Потом наступает другой день, когда все запахи новы и пленительны и зимняя шерсть сходит у зверей длинными свалявшимися клочьями. После этого выпадает иной раз небольшой дождик, и все деревья, кусты, бамбук, мох и сочные листья растений, проснувшись, пускаются в рост с шумом, который можно слышать. А за этим шумом и ночью и днем струится негромкий гул. Это шум весны, трепетное гудение — не жужжание пчел, и не журчание воды, и не ветер в вершинах деревьев, но голос пригретого солнцем, счастливого мира.

Прежде Маугли всегда радовался смене времен года. Это он всегда замечал первый Весенний Глазок глубоко в гуще травы и первую гряду весенних облаков, которую в джунглях ни с чем не спутаешь. Его голос можно было слышать по ночам, при свете звезд, в сырых низинах, густо усеянных цветами; там он подпевал хору больших лягушек или передразнивал маленьких сов-перевертней, что ухают всю весеннюю ночь напролет. Как и весь его народ, из четырех времен года он выбирал весну для своих скитаний — просто ради удовольствия бегать, рассекая теплый воздух, от сумерек до утренней звезды и возвращаться, хохоча и задыхаясь, в венке из свежих цветов. Четверка волчат не кружила вместе с ним по джунглям — она уходила петь песни с другими волками.

У обитателей джунглей бывает много хлопот весной, и Маугли слышал, как они мычат, вопят или свищут, смотря по тому, что полагается их породе. Их голоса звучат тогда не так, как в другие времена года, и это одна из причин, почему весна зовется Временем Новых Речей.

Наступило первое утро весны, и павлин Мор, сверкая бронзой, синевой и золотом, возвестил новые запахи. Другие птицы подхватили его клич, и с утесов над Вайнгангой Маугли услышал хриплый визг Багиры, похожий и на клекот орла, и на конское ржание.

Вверху, среди налитых соком ветвей, кричали и возились обезьяны.

Маугли озирался вокруг, но видел только, как насмешливые обезьяны дразнятся и прыгают среди деревьев и как павлин Мор пляшет внизу, на склоне горы, раскинув свой радужный хвост.

— В джунглях пахнет по-новому! — крикнул павлин Мор. — Доброй охоты, Маленький Брат! Что же ты не отвечаешь?

— Маленький Брат, доброй охоты! — просвистел коршун Чиль, слетая вниз вместе со своей подругой.

Оба они проскользнули под самым носом у Маугли, так что пучок белых пушистых перьев слегка задел его.

Легкий весенний дождик — его называют Слоновым Дождиком — прошел по джунглям полосой в полмили, оставив позади себя намокшие и качающиеся молодые листья, и закончился двойной радугой и легким раскатом грома. Весенний шум прервался на минуту и примолк, зато весь Народ Джунглей, казалось, гомонил разом.

Маугли кликнул клич Стаи, но ни один из четверых волков не отозвался. Они были далеко и не слышали его, распевая весенние песни вместе с другими волками.

«Да,— сказал Маугли сам себе, хотя в душе и сознавал, что неправ,— вот если Дикие Собаки придут из Декана или Красный Цветок запляшет в бамбуках, тогда все джунгли, хныча, бегут к Маугли и называют его большими, как слон, именами. А теперь, оттого что закраснел Весенний Глазок, все джунгли взбесились, как шакал Табаки...»

Маугли поохотился рано в этот вечер и ел немного, чтобы не отяжелеть перед весенним бегом. Это была настоящая белая ночь, как ее называют. Все растения с утра, казалось, успели вырасти больше, чем за месяц. Из ветки, которая еще накануне была вся в желтых листьях, закапал сок, когда Маугли сломал ее. Мох густо и тепло курчавился под его ногами, острые края молодой травы не резали рук.

Маугли громко запел от восторга, начиная свой бег. Это было больше всего похоже на полет, потому что Маугли выбрал длинный склон, спускавшийся к северным болотам через густую чащу, где упругая почва заглушала звук его шагов. Человек, воспитанный человеком, не раз споткнулся бы, выбирая дорогу при обманчивом лунном свете, а ноги Маугли, приученные долгими годами жизни в лесу, несли его легко, как перышко. Когда гнилой ствол или скрытый камень подвертывался ему под ноги, он не замедлял шага и перескакивал через них без напряжения, без усилия. Если ему надоедало бежать по земле, он по-обезьяньи хватался руками за прочную лиану и скорее взлетал, чем взбирался, на верхние тонкие ветви и путешествовал по древесным дорогам, пока у него не менялось настроение. Тогда он снова спускался вниз к земле по длинной, обросшей листьями дуге лиан.

Ему встречались еще полные зноя ложбины, окруженные влажными скалами, где трудно было дышать от тяжелого аромата ночных цветов; лианы, сплошь покрытые цветами; темные просеки, где лунный свет лежал полосами, правильными, как клетки мраморного пола; чащи, где молодая поросль была ему по грудь и словно руками обнимала его за талию; и вершины холмов, увенчанные распавшимися на куски утесами, где он перепрыгивал с камня на камень над норами перепуганных лисиц. До него доносилось слабое, отдаленное «чух-чух» кабана, точившего клыки о ствол, а немного погодя он встречал и самого зверя, в полном одиночестве с пеной на морде и горящими глазами рвавшего и раздиравшего рыжую кору дерева. А не то он сворачивал в сторону, заслышав стук рогов, ворчание и шипение, и пролетал мимо двух разъяренных буйволов. Они раскачивались взад и вперед, нагнув головы, все в полосах крови, которая кажется черной при лунном свете. Или где-нибудь у речного брода он слышал рев Джакалы, крокодила, который мычит, как бык. А иногда ему случалось потревожить клубок ядовитых змей, но, прежде чем они успевали броситься на Маугли, он уже убегал прочь по блестящей речной гальке и снова углублялся в лес.

Так он бежал в эту ночь, то распевая, то выкрикивая и чувствуя себя счастливее всех в джунглях, пока запах цветов не сказал ему, что близко болото,— а они лежали гораздо дальше самых дальних лесов, где он обычно охотился.

И здесь тоже человек, воспитанный человеком, через три шага ушел бы с головой в трясину, но у Маугли словно были глаза на ногах, и эти ноги несли его с кочки на кочку и с островка на тряский островок, не прося помощи у глаз. Он держал путь к середине болота, спугивая на бегу диких уток, и там уселся на поросший мхом ствол, наклонно торчавший из черной воды.

Все болото вокруг Маугли бодрствовало, потому что весенней порой птичий народ спит очень чутко и стайки птиц реют над болотом всю ночь напролет. Но никто не замечал Маугли, который сидел среди высоких тростников, напевая песню без слов, и, разглядывая жесткие подошвы смуглых ног, искал старую занозу.

Дикая буйволица в тростниках привстала на колени и фыркнула:

— Человек!

— У-у! — сказал дикий буйвол Меса (Маугли было слышно, как он ворочается в грязи).— Это не человек. Это только безволосый волк из Сионийской Стаи. В такие ночи он всегда бегает взад и вперед.

— У-у! — ответила буйволица, вновь нагибая голову к траве.— А я думала, что это человек.

— Говорю тебе, что нет. О Маугли, разве тут опасно? — промычал Меса.

— «О Маугли, разве тут опасно»? — передразнил его мальчик. — Только об одном и думает Меса: не опасно ли тут! Кроме Маугли, который бегает взад и вперед по лесу и стережет вас, никто ни о чем не думает!

Маугли не устоял перед искушением подкрасться из-за тростников к буйволу и кольнуть его острием ножа. Большой, весь облитый грязью буйвол выскочил из лужи с треском разорвавшегося снаряда, а Маугли расхохотался так, что ему пришлось сесть.

— Рассказывай теперь, как безволосый волк из Сионийской Стаи пас тебя, Меса! — крикнул он.

— Волк? Ты? — фыркнул буйвол, меся ногами грязь. — Все джунгли знают, что ты пас домашнюю скотину. Ты такой же мальчишка, какие кричат в пыли вон там, на засеянных полях. Ты — волк из джунглей! Разве охотник станет ползать, как змея, среди пиявок и ради скверной шутки, достойной шакала, позорить меня перед моей подругой? Выходи на твердую землю, и я... я... — Буйвол говорил с пеной у рта, потому что во всех джунглях нет зверя вспыльчивее.

Маугли, не меняя выражения глаз, смотрел, как пыхтит и фыркает буйвол. Когда стало можно что-нибудь расслышать сквозь шум летевших во все стороны брызг, он спросил:

— Какая человечья стая живет здесь у болота, Меса? Этих джунглей я не знаю.

— Ступай на север! — проревел сердито буйвол, потому что Маугли кольнул его довольно сильно. — Так шутят коровьи пастухи! Ступай расскажи про это в деревне у болота.

— Человечья стая не любит слушать про джунгли, да я и сам думаю, что лишняя царапина на твоей шкуре — не такая важность, чтобы про нее рассказывать. А все же я пойду посмотрю на эту деревню. Да, пойду! Успокойся! Не каждую ночь Хозяин Джунглей приходит пасти тебя.

Он перешагнул на тряскую почву на краю болота, хорошо зная, что буйвол не бросится туда за ним, и побежал дальше, смеясь над его яростью.

— Вон там звезда сидит над самой землей, — сказал он и пристально вгляделся в нее, сложив руки трубкой. — Клянусь буйволом, который выкупил меня, это Красный Цветок, тот самый Красный Цветок, возле которого я лежал еще до того, как попал в Сионийскую Стаю! А теперь я все видел и надо кончать мой бег.

Болото переходило в широкую луговину, где мерцал огонек. Уже очень давно Маугли перестал интересоваться людскими делами, но в эту ночь мерцание Красного Цветка влекло его к себе, словно новая добыча.

— Посмотрю,— сказал он себе,— очень ли переменилась человечья стая.

Позабыв о том, что он не у себя в джунглях, где может делать все, что вздумается, Маугли беззаботно ступал по отягченным росою травам, пока не дошел до той хижины, где горел огонек. Три-четыре собаки подняли лай,— Маугли был уже на окраине деревни.

— Хо!— сказал Маугли, бесшумно садясь и посылая им в ответ волчье глухое ворчание, сразу усмирившее собак.— Что будет, то будет. Маугли, какое тебе дело до берлог человечьей стаи?

Он потер губы, вспоминая о том камне, который рассек их много лет назад, когда другая человечья стая изгнала его.

Дверь хижины открылась, и на пороге появилась женщина, вглядывающаяся в темноту. Заплакал ребенок, и женщина сказала, обернувшись к нему:

— Спи! Это просто шакал разбудил собак. Скоро настанет утро.

Маугли, сидя в траве, задрожал, словно в лихорадке. Он хорошо помнил этот голос, но, чтобы знать наверное, крикнул негромко, удивляясь, как легко человечий язык вернулся к нему:

— Мессуа! О Мессуа!

— Кто меня зовет?— спросила женщина дрожащим голосом.

— Разве ты забыла?— сказал Маугли; в горле у него пересохло при этих словах.

— Если это ты, скажи, какое имя я дала тебе? Скажи!— Она прикрыла дверь наполовину и схватилась рукой за грудь.

— Натху! О Натху!— ответил Маугли, ибо, как вы помните, этим именем назвала его Мессуа, когда он впервые пришел в человечью стаю.

— Поди сюда, сынок!— позвала она.

И Маугли, выйдя на свет, взглянул в лицо Мессуе, той женщине, которая была добра к нему и которую он спас когда-то от человечьей стаи.

Она постарела, и волосы у нее поседели, но глаза и голос остались те же. Как все женщины, Мессуа думала, что найдет Маугли таким же, каким оставила, и удивленно подняла глаза от груди Маугли к его голове, касавшейся притолоки.

— Мой сын,— пролепетала она, падая к его ногам.— Но это уже не мой сын, это лесное божество! Ах!

Он стоял в красном свете масляной лампы, высокий, сильный, красивый, с ножом на шее, с черными длинными волосами, разметавшимися по плечам, в венке из белого жасмина, и его легко было принять за сказочное божество лесов. Ребенок, дремавший на койке, вскочил и громко закричал от страха. Мессуа обернулась, чтобы успокоить его, а Маугли стоял неподвижно, глядя на кувшины и горшки, на ларь с зерном и на всю людскую утварь, так хорошо ему памятную.

— Что ты будешь есть или пить? — прошептала Мессуа.— Это все твое. Мы обязаны тебе жизнью. Но тот ли ты, кого я называла Натху, или ты и вправду лесной бог?

— Я Натху,— сказал Маугли,— и я зашел очень далеко от дома. Я увидел этот свет и пришел сюда. Я не знал, что ты здесь.

— Когда мы пришли в Канхивару,— робко сказала Мессуа,— мой муж поступил на службу к англичанам, и мы получили здесь немного земли. Она не такая хорошая, как в старой деревне, но нам не много надо — нам вдвоем.

— Где же он, тот человек, что так испугался в ту ночь?

— Вот уже год, как он умер.

— А этот? — Маугли указал на ребенка.

— Это мой сын, что родился две зимы назад. Если ты бог, подари ему Милость Джунглей, чтобы он оставался невредимым среди твоего... твоего народа, как мы остались невредимы в ту ночь.

Она подняла ребенка, и тот, забыв о своем страхе, потянулся к ножу, висевшему на груди Маугли. Маугли бережно отвел в сторону маленькие руки.

— А если ты Натху, которого унес тигр,— с запинкой продолжала Мессуа,— тогда он твой младший брат. Я разведу огонь, и ты напьешься горячего молока. Сними жасминовый венок, он пахнет слишком сильно для такой маленькой комнаты.

Маугли пил теплое молоко долгими глотками, а Мессуа время от времени поглаживала его по плечу, не будучи вполне уверена, ее ли это сын Натху или какое-нибудь чудесное божество джунглей, но радуясь уже тому, что он жив.

— Сынок,— сказала наконец Мессуа, и ее глаза блеснули гордостью,— кто-нибудь уже говорил тебе, что ты красивее всех на свете?

— Что? — отозвался Маугли, ибо, разумеется, никогда не слыхал ничего подобного.

Мессуа ласково и радостно засмеялась. Ей довольно было взглянуть на его лицо.

— Значит, я первая? Так и следует, хотя редко бывает, чтобы сын услышал от матери такую приятную весть. Ты очень красив. Я в жизни не видывала такой красоты.

Маугли вертел головой, стараясь оглядеть себя через плечо, а Мессуа снова рассмеялась и смеялась так долго, что Маугли, сам не зная почему, начал смеяться вместе с ней, а ребенок перебегал от одного к другому, тоже смеясь.

— Нет, не насмехайся над братом,— сказала Мессуа, поймав ребенка и прижимая его к груди.— Если ты вырастешь хоть вполовину таким же красивым, мы женим тебя на младшей дочери князя, и ты будешь кататься на больших слонах.

Маугли понимал едва одно слово из трех в ее разговоре. Теплое молоко усыпило его после сорокамильного пробега, он лег на бок, свернулся и через минуту уснул глубоким сном, а Мессуа откинула волосы с его глаз, накрыла его одеялом и была счастлива.

По обычаю джунглей, он проспал конец этой ночи и весь следующий день, потому что чутье, никогда не засыпавшее вполне, говорило ему, что здесь нечего бояться. Наконец он проснулся, сделав скачок, от которого затряслась хижина: прикрытый одеялом, он видел во сне ловушки. Остановившись, он вдруг схватился за нож, готовый биться с кем угодно, а сон еще глядел из его расширенных глаз.

Мессуа засмеялась и поставила перед ним ужин. У нее были только жесткие лепешки, испеченные на дымном огне, рис и горсточка квашеных тамариндов — ровно столько, чтобы продержаться до вечера, когда Маугли добудет что-нибудь на охоте.

Запах росы с болот пробудил в нем голод и тревогу. Ему хотелось кончить весенний бег, но ребенок ни за что не сходил с его рук, а Мессуа непременно желала расчесать его длинные иссиня-черные волосы. Она расчесывала их и пела простенькие детские песенки, то называя Маугли сыном, то прося его уделить ребенку хоть ничтожную долю его власти над джунглями.

Дверь хижины была закрыта, но Маугли услышал хорошо знакомый звук и увидел, как рот Мессуи раскрылся от страха, когда большая серая лапа показалась из-под двери, а за дверью Серый Брат завыл приглушенно и жалобно.

— Уходи и жди! Вы не захотели прийти, когда я вас звал,— сказал Маугли на языке джунглей, не поворачивая головы, и большая серая лапа исчезла.

— Не... не приводи с собой твоих... твоих слуг,— сказала Мессуа.— Я... мы всегда жили в мире с джунглями.

— И сейчас мир,— сказал Маугли, вставая.— Вспомни ту ночь на дороге в Канхивару. Тогда были десятки таких, как он, и позади и впереди тебя. Однако я вижу, что и весной Народ Джунглей не всегда забывает меня. Мать, я ухожу!

Мессуа смиренно отступила в сторону — он и впрямь казался ей лесным божеством,— но едва его рука коснулась двери, как материнское чувство заставило ее забросить руки на шею Маугли и обнимать его, обнимать без конца.

— Приходи! — прошептала она.— Сын ты мне или не сын, приходи, потому что я люблю тебя! И смотри, он тоже горюет.

Ребенок плакал, потому что человек с блестящим ножом уходил от него.

— Приходи опять,— повторила Мессуа.— И ночью и днем эта дверь всегда открыта для тебя.

Горло Маугли сжалось, словно его давило изнутри, и голос его прозвучал напряженно, когда он ответил:

— Я непременно приду опять... А теперь,— продолжал он уже за дверью, отстраняя голову ластящегося к нему волка,— я тобой недоволен, Серый Брат. Почему вы не пришли все четверо, когда я позвал вас, уже давно?

— Давно? Это было только вчера ночью. Я... мы... пели в джунглях новые песни. Разве ты не помнишь?

— Верно, верно!

— И как только песни были спеты,— горячо продолжал Серый Брат,— я тут же побежал по твоему следу. Я бросил остальных и побежал к тебе со всех ног. Но что же ты наделал, о Маленький Брат! Зачем ты ел и спал с человечьей стаей?

— Если бы вы пришли, когда я вас звал, этого не случилось бы,— сказал Маугли, прибавляя шагу.

— А что же будет теперь? — спросил Серый Брат.

Маугли хотел ответить, но по тропинке показалась девушка в белой одежде. Серый Брат сразу пропал в кустах, а Маугли бесшумно отступил в высокий тростник и исчез как дух. Девушка вскрикнула — ей показалось, что она увидела привидение, а потом глубоко вздохнула. Маугли раздвинул руками длинные стебли и следил за ней, пока она не скрылась из виду.

— А теперь я не знаю,— сказал Маугли, вздохнув.— Почему вы не пришли, когда я вас звал?..

— Мы всегда с тобой... всегда с тобой,— проворчал Серый Брат, лизнув пятку Маугли.

— А пойдете вы со мной к человечьей стае? — прошептал Маугли.

— Разве я не пошел за тобой в ту ночь, когда наша Стая прогнала тебя? Кто разбудил тебя, когда ты уснул в поле?

— Да, но еще раз?

— Разве я не пошел за тобой сегодня ночью?

— Да, но еще и еще раз, Серый Брат, и, может быть, еще?

Серый Брат молчал. Потом он проворчал, словно про себя:

— Та, черная, сказала правду.

— А что она сказала?

— Человек уходит к человеку в конце концов. И наша мать говорила то же.

— То же говорил и Акела в Ночь Диких Собак,— пробормотал Маугли.

— То же говорил и Каа, который умнее нас всех.

— А что скажешь ты, Серый Брат?

Серый Брат некоторое время бежал рысью, не отвечая, потом сказал с расстановкой от прыжка к прыжку:

— Детеныш — Хозяин Джунглей — мой сводный брат! Твой путь — это мой путь, твое жилье — мое жилье, твоя добыча — моя добыча и твой смертный бой — мой смертный бой. Я говорю за нас троих. Но что скажешь ты джунглям?

— Хорошо, что ты об этом подумал. Нечего долго ждать, когда видишь добычу. Ступай вперед и созови всех на Скалу Совета, а я расскажу им, что у меня на уме.

Во всякое другое время на зов Маугли собрались бы, ощетинив загривки, все джунгли, но теперь им было не до того — они пели новые песни.

И когда Маугли с тяжелым сердцем взобрался по хорошо знакомым скалам на то место, где его когда-то при-

— *Значит, твой путь кончается здесь?* —
сказал Каа,
когда Маугли бросился на землю.

няли в Стаю, он застал там только свою четверку волков, Балу, почти совсем ослепшего от старости, и тяжеловесного, хладнокровного Каа, свернувшегося кольцом вокруг опустевшего места Акелы.

— Значит, твой путь кончается здесь? — сказал Каа, когда Маугли бросился на землю. — Еще когда мы встретились в Холодных Берлогах, я это знал. Человек в конце концов уходит к человеку, хотя джунгли его и не гонят.

Четверо волков поглядели друг на друга, потом на Маугли — удивленно, но покорно.

— Так джунгли не гонят меня? — с трудом вымолвил Маугли.

Серый Брат и остальные трое волков яростно заворчали и начали было: «Пока мы живы, никто не посмеет...», но Балу остановил их.

— Я учил тебя Закону. Слово принадлежит мне, — сказал он, — и хотя я теперь не вижу скал перед собою, зато вижу дальше. Лягушонок, ступай своей собственной дорогой, живи там, где живет твоя кровь, твоя Стая и твой Народ. Но когда тебе понадобится коготь, или зуб, или глаз, или слово, быстро переданное ночью, то помни, Хозяин Джунглей, что джунгли — твои, стоит только позвать.

— И средние джунгли тоже твои, — сказал Каа. — Я не говорю о Маленьком Народе.

— О братья мои! — воскликнул Маугли, с рыданием простирая к ним руки. — Я не хочу уходить, но меня словно тянет за обе ноги. Как я уйду от этих ночей?

— Нет, смотри сам, Маленький Брат, — повторил Балу. — Ничего постыдного нет в этой охоте. Когда мед съеден, мы оставляем пустой улей.

— Сбросив кожу, уже не влезешь в нее снова. Таков Закон, — сказал Каа.

— Послушай, мое сокровище, — сказал Балу. — Никто здесь не будет удерживать тебя — ни словом, ни делом. Смотри сам! Кто станет спорить с Хозяином Джунглей? Я видел, как ты играл вон там белыми камешками, когда был маленьким Лягушонком. И Багира, которая отдала за тебя молодого, только что убитого буйвола, видела тебя тоже. После того смотра остались только мы одни, ибо твоя приемная мать умерла, умер и твой приемный отец. Старой Волчьей Стаи давно уже нет. Ты сам знаешь, чем кончил Шер-Хан, Акелу же убили Дикие Собаки; они погубили бы и всю Сионийскую Стаю, если бы не твои мудрость и сила. Остались только старики. И уже не детеныш просит позволения у Стаи, но Хозяин Джунглей избирает новый путь. Кто станет спорить с человеком и его обычаями?

— А как же Багира и буйвол, который выкупил меня? — сказал Маугли.— Мне не хотелось бы...

Его слова были прерваны ревом и треском в чаще под горой, и появилась Багира, легкая, сильная и грозная, как всегда.

— Вот почему,— сказала пантера, вытягивая вперед окровавленную правую лапу,— вот почему я не приходила. Охота была долгая, но теперь он лежит убитый в кустах — буйвол по второму году,— тот буйвол, который освободит тебя, Маленький Брат. Все долги уплачены теперь сполна. Что же касается остального, то я скажу то же, что и Балу.— Она лизнула ногу Маугли.— Не забывай, что Багира любила тебя! — крикнула она и скачками понеслась прочь.

У подножия холма она снова крикнула громко и протяжно:

— Доброй охоты на новом пути, Хозяин Джунглей! Не забывай, что Багира любила тебя!

— Ты слышал? — сказал Балу.— Больше ничего не будет. Ступай теперь, но сначала подойди ко мне. О мудрый Маленький Лягушонок, подойди ко мне!

— Нелегко сбрасывать кожу,— сказал Каа.

А Маугли в это время рыдал и рыдал, уткнувшись головой в бок слепого медведя и обняв его за шею, а Балу все пытался лизнуть его ноги.

— Звезды редеют,— сказал Серый Брат, нюхая предрассветный ветерок.— Где мы заляжем сегодня? Отныне мы пойдем по новому пути.

———

И это — последний из рассказов о Маугли.

СОДЕРЖАНИЕ

АЛИСА В ЗАЗЕРКАЛЬЕ

КЕННЕТ ГРЭМ
ВЕТЕР В ИВАХ
✴✴✴✴✴✴✴✴✴✴✴✴✴✴✴✴✴✴✴✴✴✴✴✴✴✴✴✴✴✴✴✴✴

РЕДЬЯРД КИПЛИНГ
МАУГЛИ
✴✴✴✴✴✴✴✴✴✴✴✴✴✴✴✴✴✴✴✴✴✴✴✴✴✴✴✴✴✴✴✴✴

Литературно-художественное издание

Кэрролл Льюис
АЛИСА В СТРАНЕ ЧУДЕС

АЛИСА В ЗАЗЕРКАЛЬЕ

Грэм Кеннет
ВЕТЕР В ИВАХ

Киплинг Редьярд
МАУГЛИ

Редактор Н. В. Озерова
Художественный редактор Т. Н. Костерина
Технический редактор Т. С. Трошина

ИБ 2352

Сдано в набор 17.09.90. Подписано к печати 18.04.91. Формат 84×108¹/₃₂.
Бумага книжно-журнальная. Гарнитура «Гарамонд». Печать офсетная. Усл. печ. л. 28,98.
Усл. кр.-отт. 31,08. Уч.-изд. л. 31,72. Тираж 1 000 000 экз. (1-й завод: 1—200 000 экз.).
Заказ № 284. Цена 6 руб.
Набор и фотоформы изготовлены в ордена Ленина и ордена Октябрьской Революции типо-
графии имени В. И. Ленина издательства ЦК КПСС «Правда». 125865, ГСП, Москва,
А-137, улица «Правды», 24.   Отпечатано в типографии изд-ва «Уральский рабочий».
620151, г. Свердловск, проспект Ленина, 49.

Уважаемые товарищи!

С 1974 года организован сбор макулатуры с одновременной продажей популяр-
ных книг отечественных и зарубежных авторов.

Применение макулатуры для производства бумаги дает возможность эконо-
мить остродефицитное древесное сырье, значительно уменьшить расходы по про-
изводству бумаги.

Использование одной тонны макулатуры позволяет получить 0,7 тонны бумаги
или картона, заменить 0,85 тонны целлюлозы или 4,4 кубического метра древеси-
ны. Кроме того, при этом сберегаются леса нашей Родины, чистота ее рек, озер,
воздушного пространства.

Сбор и сдача макулатуры — важное государственное дело.

Сдавайте макулатуру
заготовительным организациям!